中华人民共和国法律释义丛书

全国人民代表大会常务委员会法制工作委员会　编

中华人民共和国
食品安全法释义

主　编：信春鹰（全国人大常委会法制工作委员会副主任）
副主编：袁　杰（全国人大常委会法制工作委员会行政法室主任）

法律出版社

总　　序

人类文明的历史上,还没有哪一个时代像中国的改革开放40年一样,在历史长河中掀起如此巨大的浪花——它不仅深刻改变了一个国家的面貌与精神气质、使数亿人摆脱贫困,还极大地改变了世界格局。

1978,在那一年的年底,中共中央一次全体会议——十一届三中全会扭转了中国的前进方向,开辟了一个时代。回首过去,我们发现,一些观念从那时开始在中国出现,一些声音从那时开始逐渐响起,一些人物开始登上历史舞台。从这一年开始,随着"加强社会主义民主,健全社会主义法制"历史性任务的提出,"法制"两个字进入了人们的视野;政法机关开始恢复重建;法律院系开始蓬勃发展。一部部法律从庙堂走进了人们的生活,一次次裁决推动着国家前进的脚步。从"有法可依、有法必依、执法必严、违法必究"到"科学立法、严格执法、公正司法、全民守法";从"法制"到"法治";从法治观念的形成到"依法治国,建设社会主义法治国家"写进宪法,再到"法治国家、法治政府、法治社会一体建设",人们对法治的认识步步深入,中国的改革不断向前推进,结出丰硕的果实。在中国共产党的带领下,这个励精图治的古老国度,再一次创造了改革的奇迹。

40年发生了无数故事,40年产生了许多事物。为了纪念这难忘的40年,本社组织编辑出版了一批“纪念改革开放40周年”主题图书。这些图书,将40年来颁布的重要法律及其释义甄选汇集,将法学领域有代表性的学术论文萃取精编,把有关政法机关的重建、法律院系的重生与发展进行展现,将一批被时代改变命运的人物再次唤起。我们希望从法律与法律人的视角,重新审视过去的40年,认真体会这不平凡的40年。

如江河东下,逝者如斯。岁月总会过去,人事总有代谢,但一个不平凡的时代留下的深刻痕迹,永远不会磨灭。“不忘初心,牢记使命”,习近平总书记在党的十九大报告中向全党发出的号召,使我们有理由期待,下一个40年,中国将更加惊艳!

法律出版社编辑委员会

2018年10月

出版前言

《中华人民共和国法律释义丛书》是由全国人大常委会法制工作委员会组织编辑的一套系列丛书。

该套丛书由一系列法律释义组成。邀请有关专家、学者和部分参与立法的同志编著。该丛书坚持以准确地反映立法宗旨和法律条款内容为最基本要求，在每部法律释义中努力做到观点的权威性和内容解释的准确性。

我们相信，该套丛书的陆续出版，将会给广大读者进一步学好法律提供有益的帮助。

重 印 说 明

本次重印,是为改革开放40周年制作的特别纪念版,为了保持内容原貌,未对正文和附录作实质修改。个别法条内容有修订或修正的,以脚注形式作了标注。特此说明。

2018年10月

前　言

《中华人民共和国食品安全法》于2015年4月24日由十二届全国人大常委会第十四次会议修订通过，将于2015年10月1日起施行。修订后的食品安全法围绕建立最严格的食品安全监管制度这一总体要求，在完善统一权威的食品安全监管机构，加强食品的生产经营过程控制、强化企业主体责任、突出对特殊食品的严格监管，加大对违法行为的惩处力度等方面对原法作了修改完善，对于解决当前食品安全领域存在的突出问题，更好地保障人民群众食品安全具有重要意义。

为了配合对修订后的食品安全法的学习、宣传，我们编写了这本《中华人民共和国食品安全法释义》。本书由全国人大常委会法制工作委员会副主任信春鹰同志担任主编，全国人大常委会法制工作委员会行政法室主任袁杰同志担任副主编，全国人大常委会法制工作委员会行政法室直接参加立法工作的同志参加撰稿。本书力求准确、详尽、通俗地逐条解释每一条内容，以帮助广大读者更好地学习和理解法律的规定。因时间和水平有限，书中如有不妥和疏漏之处，敬请批评指正。

作者

2015年4月

目 录

第一部分 释 义

第二部分　附　录

第一部分　释　　义

第一章　总　　则

第一条　为了保证食品安全，保障公众身体健康和生命安全，制定本法。

【释义】　本条是关于食品安全法立法目的的规定。

食品安全事关人民群众的身体健康和生命安全，是重大的民生问题。食品安全法修订草案于2014年6月由国务院提交十二届全国人大常委会第九次会议进行初次审议，2014年12月，十二届全国人大常委会第十二次会议再次审议，2015年4月，十二届全国人大常委会第十四次会议进行第三次审议，并最终于4月24日表决通过，将于2015年10月1日起施行。在常委会审议修改期间，全国人大法律委员会和常委会法制工作委员会通过各种形式广泛征求了各省（区、市）人大常委会以及中央有关部门、行业协会、消费者协行、研究机构和专家的意见，在全国人大网全文公布修订草案，两次公开征求社会公众的意见，还赴北京、江苏、安徽、吉林、黑龙江等地调研，了解基层情况听取意见，并根据各方面意见，就修订草案中的主要问题与有关部门交换意见，共同研究。2015年4月9日，法制工作委员会召开立法前评估会，邀请全国人大代表、食品生产经营者、食品行业协会、消费者协会、基层执法部门、律师等就法律的出台时机、修订草案主要规范的可行性和实施效果等进行评估。总的评价是,此次修改食品安全法,充分贯彻了党的十八届三中全会精神,着力解决现阶段食品安全领域的突出问题,体现严格监管原则,回应了社会关切。修订草案经过广泛调研,听取意见,已经比较完善、成熟,具有较强的针对性和可操作性,现在出台是必要的、适时的。

此次修改食品安全法,围绕党的十八届三中全会关于建立最严格的食品安全监管制度这一总体要求,注意把握以下几点:一是积极落实党中央和国务院完善食品安全监管体制的成果,完善统一权威的食品安全监管机构。二是明确建立最严格的全过程监管制度。对食品生产、销售、餐饮服务和食用农产品销售等各个环节,食品添加剂、食品相关产品等各有关事项,以及网络食品交易等新兴食品销售业态有针对性地补充完善相关制度,突出生产经营过程控制,强化企业的主体责任和监管部门的监管责任。三是更加突出预防为主、风险防范。进一步完善食品安全风险监测、风险评估和食品安全标准等基础性制度,增设责任约谈、风险分级管理等重点制度,重在消除隐患和防患于未然。四是实行食品安全社会共治。充分发挥消费者和消费者协会、行业协会、新闻媒体等方面的监督作用,形成食品安全社会共治格局。五是突出对特殊食品的严格监管。通过产品注册、备案等措施,对保健食品、婴幼儿配方食品和特殊医学用途配方食品等特殊食品实施比一般食品更加严格的监管。六是建立最严格的法律责任制度。对违法生产经营者加大惩处力度,提高违法行为成本,发挥法律的重典治乱威慑作用。新的食品安全法的颁布,有利于从法律制度上更好地保障人民群众食品安全,促进食品行业的健康发展。

本法的立法目的是保证食品安全，保障公众身体健康和生命安全。

一、食品安全的概念

“食品安全”是1974年由联合国粮农组织提出的概念，从广义上讲主要包括三个方面的内容：一是从数量角度，要求国家能够提供给公众足够的食物，满足社会稳定的基本需要；二是从卫生安全角度，要求食品对人体健康不造成任何危害，并获取充足的营养；三是从发展角度，要求食品的获得要注重生态环境的良好保护和资源利用的可持续性。食品安全法规定的“食品安全”，是一个狭义概念，指食品无毒、无害，符合应当有的营养要求，对人体健康不造成任何急性、亚急性或者慢性危害。食品安全法所定义的狭义的食品安全概念，主要是出于既能满足需求，又可以维护可持续意义上的食品安全是由农业法和环境保护法等法律进行规范的考量。食品安全立法的任务是解决食品卫生安全的问题。

二、保证食品安全，保障公众身体健康和生命安全

民以食为天，食以安为先。我国当前食品安全的总体状况已经得到了很大改善，但是问题仍然存在，食品安全事件时有发生，食品安全违法行为仍屡禁不止，这些问题的存在影响了消费者的食品安全信心，也影响了食品行业的健康发展。因此，需要通过立法为保证食品安全，保障公众身体健康和生命安全提供法律制度保障。

我国食品安全的法制化管理始于20世纪50年代，当时卫生部发布了一些单项规章和标准对食品卫生进行监督管理，此后国务院于1965年颁布了《食品卫生管理试行条例》，使我国的食品卫生管理工作更加规范。随着经济社会的发展，五届全国人大常委会第二十五次会议于1982年11月通过了食品卫生

法(试行)。在这部法律试行了十多年后,八届全国人大常委会第十六次会议于1995年10月审议通过了正式的食品卫生法。2009年,又在食品卫生法的基础上,制定了食品安全法。该法施行五年来,对规范食品生产经营活动、保障食品安全发挥了重要作用,食品安全形势总体稳中向好。但同时我们也应看到,食品企业违法生产经营现象依然存在,食品安全事件时有发生,监管体制、手段和制度等尚不能完全适应食品安全需要。党的十八大以来,我国进一步改革完善食品安全监管体制,着力建立最严格的食品安全监管制度,积极推进食品安全社会共治格局。为了以法律形式固定监管体制改革成果,完善监管制度机制,解决当前食品安全领域存在的突出问题,更好地保护人民群众的食品安全,有必要修订食品安全法。

新的食品安全法以建立严格的食品安全监管制度为重点,用法律形式固定监管体制改革成果,完善食品安全监管体制机制,强化监管手段,提高执法能力,落实企业的主体责任,动员社会各界积极参与,着力解决当前食品安全领域存在的突出问题,以法治思维和法治方式维护食品安全,为最严格的食品安全监管提供法律制度保障。新食品安全法的颁布施行,对于更好地保证食品安全,保障公众身体健康和生命安全具有重要意义。

第二条　在中华人民共和国境内从事下列活动,应当遵守本法:

(一)食品生产和加工(以下称食品生产),食品销售和餐饮服务(以下称食品经营);

(二)食品添加剂的生产经营;

(三)用于食品的包装材料、容器、洗涤剂、消毒剂和用于食品生产经营的工具、设备(以下称食品相关产品)的生产经营;

（四）食品生产经营者使用食品添加剂、食品相关产品；

（五）食品的贮存和运输；

（六）对食品、食品添加剂、食品相关产品的安全管理。

供食用的源于农业的初级产品（以下称食用农产品）的质量安全管理，遵守《中华人民共和国农产品质量安全法》的规定。但是，食用农产品的市场销售、有关质量安全标准的制定、有关安全信息的公布和本法对农业投入品作出规定的，应当遵守本法的规定。

【释义】 本条是关于食品安全法适用范围的规定。

一、食品安全法的适用范围

一是食品生产。食品生产包括食品生产和加工，是指把食品原料通过生产加工程序，形成一种新形式的可直接食用的产品。例如小麦经过碾磨、筛选、加料搅拌、成型烘干，成为饼干，就是食品生产的过程。食品生产包括肉制品加工、调味品加工、水果制品加工、酒类加工、淀粉及其制品加工、膨化食品加工、糖果制品加工、饮料加工、休闲小食品加工、水产品加工、禽蛋制品加工、面制品加工、乳制品加工、豆制品加工、米制品加工、薯制品加工、蔬菜制品加工等类别。随着中国食品工业生产的快速增长，产业结构不断优化，品种档次更加丰富。据 2010 年的不完全统计，我国现有食品生产企业近 12 万余家，除此之外，还有数量众多的食品生产加工小作坊在从事食品生产。从目前的情况看，食品生产行业整体的规模、水平还不是很高，规模化、集约化的生产方式在整个食品行业中所占比重不高，小作坊、小企业较多。

二是食品经营。食品经营包括食品销售和餐饮服务。餐饮服务，根据原卫生部颁布的《餐饮服务许可管理办法》，是指通过即时制作加工、商业销售和服务性劳动等，向消费者提供食品和消费场所及设施的服务活动。近年来，我国食品经营行业发展很快，据2010年不完全统计，我国共有从事食品销售的主体570多万家，餐饮服务单位约240多万家，还有数量众多的食品摊贩在从事食品经营活动。需要指出的是，原法将食品的销售称为“食品流通”，在此次修改食品安全法的过程中，有的意见提出，“食品流通”这一概念的内涵比较宽，除了食品销售以外，从大的方面讲，也包括食品贮存、运输等活动。在新的食品安全法已将“食品的贮存和运输”明确列为调整范围的情况下，为避免内容交叉，建议将“食品流通”修改为“食品销售”。据此，新的食品安全法将本条和其他条款中的“食品流通”均改为“食品销售”。

三是食品添加剂、食品相关产品的生产经营和使用。食品添加剂是指为改善食品品质和色、香、味，以及为防腐、保鲜和加工工艺的需要而加入食品中的人工合成或者天然物质。食品相关产品是指用于食品的包装材料、容器、洗涤剂、消毒剂和用于食品生产经营的工具、设备。食品添加剂和食品相关产品是食品生产经营活动中必不可少的物质，与食品安全息息相关，可以说没有食品添加剂和食品相关产品的安全，就没有食品安全。所以食品安全法需要对食品添加剂和食品相关产品的生产经营活动，以及食品生产经营者使用食品添加剂、食品相关产品进行规范和调整。需要说明的是，在管理体制上，原食品安全法将食品添加剂作为工业产品，规定由质量监督部门按工业产品生产许可证管理的相关规定进行管理。此次修改法律，与国务院对食品添加剂监管职能调整的规定相衔接，明确由食品药品监督管理部门负责对食品添加剂进行监管。

四是食品的贮存和运输。这是本次修改新增加的规定。原食品安全法没有单独将食品的贮存和运输列为适用范围，主要是考虑这些活动属于食品生产经营过程中的环节，没有必要在适用范围上单独列出，但对食品生产经营者从事这些活动，作出了明确的规定，即贮存、运输和装卸食品的容器、工具和设备应当安全、无害，保持清洁，防止食品污染，并符合保证食品安全所需的温度等特殊要求，不得将食品与有毒、有害物品一同运输。在立法过程中，有的意见提出，食品贮存、运输是食品安全管理的重要环节，除食品生产经营者外，还有一些专业的仓储、物流企业也从事食品的贮存、运输活动，应当对其加强管理，建议在法中作出明确规定。根据这一意见，本条在适用范围上明确将食品的贮存、运输纳入调整范围，同时对非食品生产经营者从事食品贮存、运输活动提出了与食品生产经营者相同的要求。

除了上述活动外，其他对食品、食品添加剂和食品相关产品的安全管理活动均适用食品安全法。

二、关于食用农产品的法律适用

根据食品安全法的规定，食用农产品是指供食用的源于农业的初级产品，如蔬菜、瓜果、未经加工的肉类，等等。而食品是指各种供人食用或者饮用的成品和原料以及按照传统既是食品又是药品的物品，但是不包括以治疗为目的的物品。根据这一定义，食品包含食用农产品。但是考虑到我国在2006年已经制定了农产品质量安全法，对包括食用农产品在内的农产品的生产、监督检查等作了规定，为避免法律之间由于适用范围交叉可能出现的冲突，本着两法既有分工，又要相互衔接的原则，本条明确食用农产品的质量安全管理，遵守农产品质量安全法的规定。但是，食用农产品的市场销售、有关质量安全标准的制定、有关安全信息的公布和本法对农业投入品作出规定的，应当遵守本法的规定。应当指出的是，关于食用农产品的法律适用问题，在立法过程中，有的意见提出，本法对有关食用农产品的法律适用规定还不够清晰，如食用农产品的市场销售是否适用本法，建议明确。根据这一意见，本条增加了食用农产品的市场销售应当遵守食品安全法的规定。还有的意见提出，为体现从农田到餐桌全程监管的原则，应加强对食用农产品安全的源头管理。虽然农药等农业投入品的管理属于食用农产品生产环节的范畴，应适用农产品质量安全法，但考虑到农业投入品的安全使用，对保证食品安全关系重大，建议食品安全法对农药等农业投入品的管理作出一些更加严格的规定，以适应执法实践的需要。为此，食品安全法增加了三个条款，对农药等农业投入品的使用进行规范，并规定了相应的法律责任。这些规定，有的是与农产品质量安全法、《农药管理条例》相衔接的，有的则是新规定的内容，如对违法使用剧毒、高毒农药的，规定可以予以拘留等。为与这些规定相衔接，本条有关法律适用范围的规定明确了“本法对农业投入品作出规定的，应当遵守本法的规定”。

第三条　食品安全工作实行预防为主、风险管理、全程控制、社会共治，建立科学、严格的监督管理制度。

【释义】　本条是关于食品安全工作原则的规定。

本条为此次新增加的条文。食品安全工作的原则是实行预防为主、风险管理、全程控制、社会共治，通过落实这四项原则来建立科学、严格的监督管理制度。

（一）预防为主。食品安全工作实行预防为主，是指各项工作要关口前移，不要等到发生问题再查处、追责，要通过加强日常的监管工作，消除隐患，防患于未然。此次修改食品安全法，也着力体现了这一原则，如规定责任约谈制度，明确食品生产经营过程中存在安全隐患，未及时采取措施消除的，县级以上人民政府食品药品监督管理部门可以对食品生产经营者的法定代表人或者主要负责人进行责任约谈。县级以上人民政府食品药品监督管理等部门未及时发现食品安全系统性风险，未及时消除监督管理区域内的食品安全隐患的，本级人民政府可以对其主要负责人进行责任约谈。地方人民政府未履行食品安全职责，未及时消除区域性重大食品安全隐患的，上级人民政府可以对其主要负责人进行责任约谈。被约谈的食品生产经营者、食品药品监督管理等部门、地方人民政府应当立即采取措施进行整改。再如，增设了生产经营者自查制度，要求食品生产经营者应当建立食品安全自查制度，定期对食品安全状况进行检查评价。生产经营条件发生变化，不符合食品安全要求的，食品生产经营者应当立即采取整改措施；有发生食品安全事故的潜在风险的，应当立即停止食品生产经营活动，并向所在地食品药品监督管理部门报告，等等。

（二）风险管理。风险管理是国际上通行的食品安全管理制度。狭义的风险管理，是指监管部门根据食品安全风险监测和风险评估所取得的信息、结论，有针对性地采取监督管理措施。广义的风险管理，是指包括食品安全风险监测、风险评估、风险监督管理和风险交流在内的所有与风险有关的制度。本条所指的“风险管理”是广义的概念，涉及食品安全法规定的食品安全风险测、风险评估、风险监督管理和风险交流等各项制度。此次修改食品安全法，在很多方面强化了风险管理原则，如在食品安全风险监测方面，增加了风险监测计划调整、监测结果通报等规定；在风险评估方面，明确应当开展风险评估的法定情形；在风险监督管理方面，增加风险分级管理要求，规定监管部门根据食品安全风险监测、评估结果等确定监管重点、方式和频次，实施风险分级管理；在风险交流方面，增加风险信息交流制度，规定食品药品监督管理部门和其他有关部门、食品安全风险评估专家委员会及其技术机构,应当按照科学、客观、及时、公开的原则,组织食品生产经营者、食品检验机构、认证机构、食品行业协会、消费者协会以及新闻媒体等,就食品安全风险评估信息和食品安全监督管理信息进行交流沟通;等等。

(三)全程控制。党的十八届三中全会明确提出,建立最严格的覆盖全过程的食品安全监管制度。食品安全管理链条长、环节多,需要建立从农田到餐桌的全过程管理制度。此次修订食品安全法,有针对性地补充完善相关制度,强化食品安全全程监管。如在食用农产品管理方面,明确食用农产品的市场销售适用食品安全法,增加对食用农产品市场销售在索证索票、进货查验等方面的规定;在食品生产环节,增加规定原料控制及成品检验等关键事项的控制要求,以及婴幼儿配方食品出厂逐批检验等义务;在食品销售环节,增加规定批发企业的销售记录制度和网络食品交易相关主体的食品安全责任;在餐饮服务环节,增加规定餐饮服务提供者的原料控制义务以及学校等集中用餐单位的食品安全管理规范;完善食品追溯制度,细化生产经营者索证索票、进货查验记录等制度,增加规定食品安全全程追溯协作机制,补充规定保健食品、特殊医学用途配方食品、婴幼儿配方食品的产品注册和备案制度以及广告审批制度,规范保健食品原料使用和功能声称;补充食品添加剂的经营规范和食品相关产品的生产管理制度;等等。

(四)社会共治。食品安全社会共治,是指调动社会各方力量,包括政府监管部门、食品生产经营者、行业协会、消费者协会乃至公民个人,共同参与食品安全工作,形成食品安全社会共管共治的格局。社会共治是创新社会管理的新举措,是促进政府职能转变、实现公共利益最大化的重要途径,也是解决食品安全监管中存在的监管力量相对不足等突出问题的有效手段。食品安全社会共治，需要政府监管责任和企业主体责任共同落实，行业自律和社会监督相互促进，形成社会各方良性互动、有序参与、共同监督的良好社会环境，引导食品生产经营者落实主体责任，强化道德观念，倡导诚信从业风气，促使食品安全保障由单纯依靠食品安全监管部门向多方主体主动参与，共同发挥作用的综合治理转变。

此次修改食品安全法，在一些具体制度的规定上，着力体现社会共治原则：一是明确食品行业协会应当按照章程建立健全行业规范和奖惩机制，提供食品安全信息、技术等服务，引导和督促食品生产经营者依法生产经营。二是规定消费者协会和其他消费者组织对违反本法规定，侵害消费者合法权益的行为，依法进行社会监督。三是增加规定食品安全违法行为有奖举报制度。明确对查证属实的举报，应给予举报人奖励；对举报人的相关信息予以保密，保护其合法权益；对举报所在企业食品安全违法行为的内部举报人给予特别保护，明确企业不得通过解除或者变更劳动合同等方式，对举报人进行打击报复。四是规范食品安全信息发布。强调监管部门应当准确、及时、客观公布食品安全信息，鼓励新闻媒体对食品安全违法行为进行舆论监督，同时规定有关食品安全的宣传报道应当客观、真实，任何单位和个人不得编造、散布虚假食品安全信息，等等。

第四条　食品生产经营者对其生产经营食品的安全负责。

食品生产经营者应当依照法律、法规和食品安全标准从事生产经营活动，保证食品安全，诚信自律，对社会和公众负责，接受社会监督，承担社会责任。

【释义】　本条是关于食品生产经营者主体责任的规定。

食品生产经营者是食品安全第一责任人，应当对其生产经营食品的安全负责，承担食品安全主体责任，正所谓“谁生产，谁负责；谁经营，谁负责”。从国际上来讲，食品生产经营者承担食品安全主体责任是一个通行的原则，如日本食品安全法明确规定，食品生产经营者是食品安全第一责任人。欧盟虽然未在法律中明文规定这一制度，但也把食品生产经营者承担主体责任作为一个重要的立法理念。此次修改食品安全法，把“食品生产经营者对其生产经营食品的安全负责”单独作为一款加以规定，意在进一步强化食品生产经营者的主体责任。食品生产经营是与人民群众的身体健康和生命安全密切相关的特殊行业，落实食品生产经营者的主体责任，对于推进食品行业诚信体系建设，建立完善的食品安全管理制度，保证食品安全具有重要的意义。

食品生产经营者落实主体责任，应当做到：

一是守法生产经营。应当依照食品安全法及其配套的行政法规、地方性法规和食品安全标准进行生产经营，不能出现违法行为，否则将承担相应的法律责任。从我国目前的执法实践情况看，一些食品生产经营者违法生产经营的行为仍然存在。少数不法分子违法使用食品添加剂和非食品原料生产加工食品，掺假制假，牟取暴利，甚至添加有毒有害的违禁物质，坑害消费者，危害严重，影响恶劣。为了从法律制度上解决这一问题，食品安全法对生产经营者应承担的各项法定义务和要求作出了规定，如依法取得生产经营许可，建立索证索票、进货查验、出厂检验记录制度，履行对不安全食品的召回和停止经营义务，等等。食品生产经营者应当认真履行这些责任，确保所生产经营食品的安全。

二是诚信自律，对社会和公众负责，接受社会监督，承担社会责任。食品行业是良心行业，食品生产经营者要有社会责任感，守住道德底线，诚信自律，自觉接受社会监督。在此方面，食品安全法规定了相应的制度，如鼓励餐饮服务提供者公开加工过程，公示食品原料及其来源等信息，这是让餐饮服务提供者自觉接受社会监督的一个好形式。

第五条　国务院设立食品安全委员会，其职责由国务院规定。

国务院食品药品监督管理部门依照本法和国务院规定的职责，对食品生产经营活动实施监督管理。

国务院卫生行政部门依照本法和国务院规定的职责，组织开展食品安全风险监测和风险评估，会同国务院食品药品监督管理部门制定并公布食品安全国家标准。

国务院其他有关部门依照本法和国务院规定的职责，承担有关食品安全工作。

【释义】　本条是关于食品安全管理体制的规定。

党的十八大以来，党中央、国务院进一步改革完善我国食品安全监管体制，着力完善统一权威的食品安全监管机构。为了以法律形式固定监管体制改革成果、完善监管制度机制，本条对新的食品安全管理体制下，各有关部门的职责分工作出了新的规定。

（一）食品安全委员会的职责。国务院设立食品安全委员会，其职责由国务院规定。这是原食品安全法的规定，未作修改。根据原食品安全法的这一规定，为切实加强对食品安全工作的领导，2010 年 2 月 6 日，国务院决定设立国务院食品安全委员会，作为国务院食品安全工作的高层次议事协调机构。国务院食品安全委员会共有 15 个部门参加，同时设立国务院食品安全委员会办公室，具体承担委员会的日常工作。

国家食品安全委员会的职责主要有:(1)分析食品安全形势,研究部署、统筹指导食品安全工作;(2)提出食品安全监管的重大政策措施;(3)督促落实食品安全监管责任。

根据2013年通过的《国务院机构改革和职能转变方案》,决定保留国务院食品安全委员会,具体工作由国家食品药品监督管理总局承担。国家食品药品监督管理总局加挂国务院食品安全委员会办公室牌子,承担食品安全委员会的日常工作。

(二)国务院食品药品监督管理部门的职责。国务院食品药品监督管理部门依照本法和国务院规定的职责,负责对食品生产经营活动实施监督管理,承担食品安全委员会的日常工作。这一规定是依据《国务院机构改革和职能转变方案》作出的,是对食品安全管理体制作出的重大调整,将原来由质量监督、工商行政和食品药品监督管理三个部门分别对食品生产、销售和餐饮服务进行分段监管,调整为由食品药品监督管理部门负责对食品生产、销售和餐饮服务进行统一监督管理。《国务院机构改革和职能转变方案》明确规定,为加强食品药品监督管理,提高食品药品安全质量水平,将国务院食品安全委员会办公室的职责、国家食品药品监督管理局的职责、国家质量监督检验检疫总局的生产环节食品安全监督管理职责、国家工商行政管理总局的流通环节食品安全监督管理职责整合,组建国家食品药品监督管理总局。主要职责是,对生产、流通、消费环节的食品安全实施统一监督管理等。将工商行政管理、质量技术监督部门相应的食品安全监督管理队伍和检验检测机构划转食品药品监督管理部门。

由国务院食品药品监督管理部门负责对食品生产、销售和餐饮服务进行统一监督管理,这一体制调整有利于解决分段监管体制下造成的监管责任不清、相互推诿、扯皮等问题,真正做到全链条无缝监管。

在食品安全管理方面，国务院食品药品监督管理部门的主要职责：一是对食品生产经营活动实施监督管理；二是承担食品安全委员会的日常工作，负责对食品安全工作的综合协调；三是对食品添加剂的生产经营活动进行监督管理；四是负责对重大食品安全信息的统一发布；五是负责会同有关部门对食品安全事故进行调查处置；六是负责制定食品检验机构的资质认定条件和检验规范；七是参与食品安全国家标准的制定，由国务院卫生行政部门会同其制定、公布食品安全国家标准。

（三）国务院卫生行政部门的职责。国务院卫生行政部门依照本法和国务院规定的职责，组织开展食品安全风险监测与风险评估，会同国务院食品药品监督管理部门制定并公布食品安全国家标准。这一规定主要是依据《国务院机构改革和职能转变方案》作出的。原食品安全法规定的国务院卫生部门的职责，除了组织开展食品安全风险监测与风险评估，制定并公布食品安全国家标准外，还包括承担食品安全综合协调，负责对重大食品安全信息的统一发布，以及组织对食品安全事故进行调查处置，这些职责在职能调整以后，国务院卫生行政部门不再行使，改为由国务院食品药品监督管理部门行使。这里应当指出，关于食品安全国家标准的制定，原食品安全法规定，由国务院卫生行政部门负责制定并公布。在立法过程中，有的意见提出，食品安全国家标准是监管执法的重要依据，目前我国标准缺失较多，一些执法中急需的标准尚未制定，难以满足执法需要。为使标准制定更好地适应执法实践的需要，建议由国务院卫生行政部门会同国务院食品药品监督管理部门制定食品安全国家标准。根据这一意见，新的食品安全法对制定食品安全国家标准的主体作了适当调整，明确由国务院卫生行政部门会同国务院食品药品监督管理部门制定食品安全国家标准。

（四）国务院其他有关部门的职责。国务院其他有关部门依照本法和国务院规定的职责，承担有关食品安全工作。这里的“国务院其他有关部门”主要是指国务院质量监督检验检疫部门和农业行政部门。其中，国务院质量监督检验检疫部门负责对食品相关产品的生产进行监督管理，负责食品、食品添加剂和食品相关产品的出入境管理。国务院农业行政部门负责食用农产品的种植养殖环节，以及食用农产品进入批发、零售市场或生产加工企业前的质量安全监督管理，负责畜禽屠宰环节和生鲜乳收购环节质量安全监督管理，负责与国务院卫生行政部门并会同国务院食品药品监督管理部门制定食品中兽药残留、农药残留的限量规定及其检验方法与规程，并会同国务院卫生行政部门制定屠宰畜、禽的检验规程。除此之外，“国务院其他有关部门”还包括根据国务院规定的职责承担食品安全工作的其他部门。

第六条　县级以上地方人民政府对本行政区域的食品安全监督管理工作负责，统一领导、组织、协调本行政区域的食品安全监督管理工作以及食品安全突发事件应对工作，建立健全食品安全全程监督管理工作机制和信息共享机制。

县级以上地方人民政府依照本法和国务院的规定，确定本级食品药品监督管理、卫生行政部门和其他有关部门的职责。有关部门在各自职责范围内负责本行政区域的食品安全监督管理工作。

县级人民政府食品药品监督管理部门可以在乡镇或者特定区域设立派出机构。

【释义】　本条是关于地方人民政府在食品安全监督管理

工作中的职责等的规定。

一、地方人民政府在食品安全监督管理工作中的职责

县级以上地方人民政府在食品安全监督管理工作中承担着重要的责任,包括:

一是对本行政区域的食品安全监督管理工作负责,统一领导、组织、协调本行政区域的食品安全监督管理工作。食品安全监管的链条长、环节多,在管理体制调整后,监管部门相对集中,但还涉及食品药品监督管理、农业、质量监督三个部门,需要地方政府发挥统一领导、组织、协调的作用,对本行政区域的食品安全监督管理工作负总责。

二是统一领导、组织、协调本行政区域的食品安全突发事件应对工作。食品安全突发事件是指食品安全事故或者其他对食品安全造成较大影响的事件。食品安全法明确规定,县级以上地方人民政府应当根据有关法律、法规的规定和上级人民政府的食品安全事故应急预案以及本地区的实际情况,制定本行政区域的食品安全事故应急预案,并报上一级人民政府备案。食品安全事故应急预案应当对食品安全事故分级、事故处置组织指挥体系与职责、预防预警机制、处置程序、应急保障措施等作出规定。当食品安全突发事件发生后,县级以上地方政府应当根据食品安全法的上述规定和突发事件应对法的规定,统一领导、组织、协调事件的应对工作。

三是建立、健全食品安全全程监督管理的工作机制和信息共享机制。食品安全管理涉及的部门多、环节多,需要由地方人民政府建立健全有效的食品安全全程监管的工作机制,如目前各地在省、地两级政府普遍建立了食品安全委员会这一工作机制,由政府有关分管食品安全工作的领导担任食品安全委员会主任,食品药品监督管理、农业、卫生、质量监督等多部门参加,

统筹协调、监督指导本地的食品安全工作。除了建立工作机制之外,地方政府还需要建立信息共享机制,通过建议统一的信息平台,汇集整合食品安全各类管理信息,实现各监管部门信息资源共享。这也是本次修改食品安全法新增加的内容。

四是依照本法和国务院的规定,确定本级食品药品监督管理、卫生行政部门和其他有关部门的职责。食品安全法第5条对中央层面的食品安全管理体制作了规定,地方的食品安全管理体制,根据本条规定是由县级以上地方政府依照食品安全法和国务院的规定来确定。这里需要说明两点:第一,之所以授权由地方政府确定本级各监管理部门的职责,主要是考虑到食品安全监管链条长、环节多,具体监督工作比较繁杂,需要由各级政府针对本地管理的实际需要,对有关部门的职责分工作出具体明确。第二,地方政府对各部门的职责要“依照食品安全法和国务院的规定”确定,这是一个原则,目的是为了确保在食品安全管理体制上上下一致、对口管理,避免因体制上的上下不对口,影响监管工作的开展。因此,地方的食品药品监督管理、卫生行政、农业、质量监督等部门在食品安全管理方面的职责分工,原则上与国务院有关部门的职责相一致。如食品药品监督管理部门负责食品、食品添加剂生产经营活动的监管,卫生部门负责食品安全地方标准的制定,质量监督部门负责食品相关产品生产环节的监管等。这些部门要在各自职责范围内负责本行政区域的食品安全监管工作。应当指出的是,目前一些地方开展市场监管体制改革,将质监、工商、食药监部门及其职能予以整合,成立市场监管局(有的还同时加挂食药监局的牌子),统一行使食品药品监管、质量监督、市场管理等职能。这一做法并没有改变食品安全的管理体制,市场管理局因为已经整合了食药监部门的机构和职能,所以就是本法所称的食品药品监督管理部门。

二、县级人民政府食品药品监督管理部门可以在乡镇或者特定区域设立食品药品监督管理派出机构

本款规定为此次修改新增加的内容。食品安全管理重在基层,但基层的执法力量相对比较薄弱。特别是在乡镇一级,由于没有监管部门,没有执法机构和人员,执法工作难以开展。为了加强基层、农村地区的食品安全监管,解决这些地区监管力量不足的问题,本条规定县级人民政府食品药品监督管理部门可以在乡镇或者特定区域设立派出机构。这里应当指出两点:一是设立派出机构的具体形式可以灵活掌握,既可以在每一个乡镇设立一个派出机构,也可以在由几个乡镇组成的特定区域范围内设立一个派出机构;二是派出机构应以县级食品药品监督管理部门的名义进行执法,县级食品药品监督管理部门对派出机构执法行为的后果承担法律责任。

第七条　县级以上地方人民政府实行食品安全监督管理责任制。上级人民政府负责对下一级人民政府的食品安全监督管理工作进行评议、考核。县级以上地方人民政府负责对本级食品药品监督管理部门和其他有关部门的食品安全监督管理工作进行评议、考核。

【释义】　本条是关于地方政府通过评议、考核的方式实行食品安全责任制的规定。

本条为此次修改新增加的条文。食品安全监督管理责任制,是指上级政府对下级政府,本级政府对各监督管理部门,通过评议、考核等方式,监督其落实所承担的食品安全工作职责的制度。国务院于2012年颁布的《国务院关于加强食品安全工作的决定》,明确提出建立健全食品安全责任制,上级政府要对下

级政府进行年度食品安全绩效考核，并将考核结果作为地方领导班子和领导干部综合考核评价的重要内容。本条的规定，从法律制度上对这一制度加以确认。

一、关于评议、考核的实施主体和对象

上级人民政府负责对下一级人民政府的食品安全监督管理工作进行评议、考核，县级以上地方人民政府负责对本级食品药品监督管理部门和其他有关部门的食品安全监督管理工作进行评议、考核。根据这一规定，实施评议、考核的主体，一是上级人民政府，其评议、考核的对象是下一级人民政府，如河北省政府对保定市政府的食品安全工作进行评议、考核；二是本级人民政府，其评议、考核的对象是本级承担食品安全监督管理工作的各个部门，包括食品药品监督管理部门、卫生部门、农业部门、质量监督管理部门等有关部门。

二、关于评议、考核的内容

根据本条规定，评议、考核的内容是各级地方人民政府和各有关部门履行食品安全管理责任，做好食品安全工作的情况。根据食品安全法对地方政府和各监管部门应当履行的职责规定，应当主要评议、考核以下内容：一是食品安全工作组织领导、经费保障、能力建设、责任制及责任追究制度落实情况；二是食品安全全程监督管理的工作机制和信息共享机制的建立健全和运行情况；三是食品安全监管部门贯彻执行食品安全法律法规、履行食品安全监管职责的情况；四是食品安全监管年度计划制订落实、食品安全专项整治、食品安全风险监测等重点工作开展情况；五是食品安全事故应急预案制定实施、应急处置能力建设和重大食品安全事故发生情况；六是食品安全事故报告、处置和违法案件查处情况；等等。

三、关于评议、考核的方式

根据目前各地已经开展的评议、考核工作情况来看，食品安全评议、考核主要采取现场考核、明察暗访、外部评议、问卷调查等多种方式进行，考核结果分为优秀、良好、合格、不合格等几个等次，评议考核结果作为领导班子和领导干部综合考核评价的重要内容，对获得优秀、良好等次的单位及个人予以通报表扬，对考核不合格的单位予以通报批评，提出限期整改意见并追究相关人员的责任。

通过评议、考核的方式实行食品安全监督管理责任制，对于有效督促各级地方政府、食品安全监管部门认真履行各自职责，推动食品安全责任目标落实和食品安全工作任务的完成具有重要的促进作用。

第八条　县级以上人民政府应当将食品安全工作纳入本级国民经济和社会发展规划，将食品安全工作经费列入本级政府财政预算，加强食品安全监督管理能力建设，为食品安全工作提供保障。

县级以上人民政府食品药品监督管理部门和其他有关部门应当加强沟通、密切配合，按照各自职责分工，依法行使职权，承担责任。

【释义】　本条是关于政府对食品安全工作给予财政保障和有关部门应当密切配合，依法行使职权的规定。

一、政府对食品安全工作给予财政保障

这一款规定是本次修改新增加的内容。食品安全事关人民群众的身体健康和生命安全，是关系人民福祉、关乎民族未来的一项重要民生工作。做好这一工作，各级人民政府责无旁贷。民生工作，离不开政府的财政保障，所以各级人民政府履行保障食品安全责任的一个重要方面就是要将食品安全工作纳入本级国民经济和社会发展规划,将食品安全工作经费列入本级政府财政预算,加强食品安全监督管理能力建设,为食品安全工作提供保障。

食品安全工作经费保障主要包括两个方面:

一是食品安全监管工作经费。食品安全执法工作任务重、责任大,涉及监督抽检、执法办案、执法人员培训等多个方面,需要给予经费保障。如日常的监督抽检工作,食品安全法明确规定,食品药品监督管理部门应当对食品进行定期或者不定期的抽样检验。进行抽样检验应当购买抽取的样品,不收取检验费和其他任何费用。食品药品监督部门在执法工作中需要对食品进行检验的,应当委托符合本法规定的食品检验机构进行检验,并支付相关费用。根据这一规定,食品药品监督管理部门对食品进行监督抽检,需要支付购买样品的费用和检验费用,这都需要财政经费的保障,否则这一工作将无法正常开展。

二是食品安全风险监测和食品安全风险评估制度所需经费。食品安全风险监测是对食源性疾病、食品污染以及食品中的有害因素进行的监测。食品安全风险评估是对食品中生物性、化学性和物理性危害对人体健康可能造成的不良影响进行的科学评估。食品安全风险监测和食品安全风险评估在食品安全管理工作中具有非常重要的作用,是实施风险管理和制定食品安全标准的基础性制度。做好这两项工作,也离不开经费的保障,包括实验室、仪器设备等硬件设施的建设,人员培训、检验能力、研究能力等软件建设等。此外,进行食品安全风险监测和风险评估还需要购买样品,都需要经费保障予以落实。

关于食品安全工作的经费保障,在原食品安全法颁布之后,国务院办公厅于2009年专门颁布了《关于认真贯彻实施食品安全法的通知》，明确提出加强食品安全监管能力建设，提高监管的有效性和公信力，要求县级以上地方人民政府要对本地区执行食品安全法确立的食品安全风险监测和风险评估制度，以及食品安全监管部门实施抽样检验等各项制度，给予经费保障，对增强食品检验能力、提高执法队伍的专业技术水平等食品安全监管能力建设给予必要的支持。

为了从法律制度上保障食品安全工作的经费投入，本次修改食品安全法专门增加了这一款规定，以确保食品安全各项工作的顺利开展。这里应当指出的是，一方面各级政府要依法履行对食品安全工作给予财政保障的责任，将食品安全工作经费列入本级政府财政预算，按时拨付，确保足额到位；另一方面承担食品安全管理职责的有关部门要根据食品安全监管工作实际需要，调整经费支出结构，集中资金，突出重点，提高财政资金使用效益，严格按照规定的用途使用各项经费，不得挤占和挪用。同时，对贫困地区要给予适当倾斜，通过财政转移支付等措施，保证贫困地区食品安全监管工作的正常开展。

二、有关部门应当相互配合，依法行使职权

食品安全需要建立从农田到餐桌的全过程监管，涉及的部门比较多，主要包括食品药品监督管理部门和农业、卫生、质量监督、出入境检验检疫等部门。此外，在打击食品安全犯罪方面，公安机关承担着重要的责任。这些部门一方面要守土有责，按照各自的职责分工，依法行使职权，做好本职工作，确保在本部门的职责范围内，不出现监管失职；另一方面要有全局意识，相互之间要密切配合，加强沟通，确保各部门在履职上做到无缝衔接，不出现监管漏洞。

在部门之间的相互配合方面，新的食品安全法作出了明确的规定，如在食品安全风险监测和评估方面，规定国务院卫生行政部门会同国务院食品药品监督管理、质量监督等部门,制订、实施国家食品安全风险监测计划。国务院食品药品监督管理部门和其他有关部门获知有关食品安全风险信息后,应当立即予以核实并向国务院卫生行政部门通报。在食品安全标准方面,规定食品中农药残留、兽药残留的限量规定及其检验方法与规程由国务院卫生行政部门、国务院农业行政部门共同制定。屠宰畜、禽的检验规程由国务院农业行政部门会同国务院卫生行政部门制定。在食品安全事故处置方面,规定县级以上人民政府食品药品监督管理部门接到食品安全事故的报告后,应当立即会同本级人民政府卫生行政、农业行政、质量监督等部门进行调查处理。在监督管理方面,规定国家建立统一的食品安全信息平台,实行食品安全信息统一公布制度。县级以上人民政府食品药品监督管理、卫生行政、质量监督、农业行政部门应当相互通报获知的食品安全信息,县级以上人民政府食品药品监督管理、质量监督部门发现涉嫌食品安全犯罪的,应当按照有关规定将案件及时移送公安机关。对移送的案件,公安机关应当及时审查等。这些规定涉及信息通报、制定标准和风险监测计划、处置食品安全事故、配合执法等多个方面的工作,需要各有关部门本着相互配合、密切沟通的原则,共同做好。对县级以上人民政府食品药品监督管理部门和其他有关部门不履行法定职责,不配合查处食品安全违法行为等,造成不良后果的,要依法追究有关责任人的法律责任。

第九条　食品行业协会应当加强行业自律,按照章程建立健全行业规范和奖惩机制,提供食品安全信息、技术等服务,引导和督促食品生产经营者依法生产经营,推动行业诚信建设,宣传、普及食品安全知识。

消费者协会和其他消费者组织对违反本法规定，损害消费者合法权益的行为，依法进行社会监督。

【释义】 本条是关于发挥食品行业协会和消费者协会在食品安全工作中作用的规定。

食品安全工作是一个系统工程，除了政府和监管部门要加强监管外，还需要企业、社会组织、公民等各方面共同努力，参与食品安全社会共治。食品行业协会和消费者协会作为与食品安全工作联系密切的两个社会组织，应当在食品安全社会共治中充分发挥作用，通过加强行业自律和进行社会监督等方式，引导和监督食品生产经营者依法生产经营，保证食品安全。

一、食品行业协会应当加强行业自律

从目前的情况看，我国食品安全形势依然严峻，食品生产经营中的违法行为屡禁不止，食品安全信用环境建设薄弱，一些企业的食品安全意识缺失，政府监管工作亟待加强。在这样的形势下，建立现代化的食品安全治理体系已势在必行。而在现代化的食品安全治理体系中，食品行业协会具有重要的地位。行业协会作为政府和食品生产经营者之外的第三方，既是沟通政府和企业的桥梁与纽带，又是社会多元利益的协调机构，也是实现行业自律、规范行业行为、开展行业服务、保障公平竞争的社会组织。从国际上的情况看，美国、日本等许多国家和欧盟的行业协会在社会管理、行业自律中发挥了重要作用，既大大减少了政府的管理成本，又促进了行业自身的发展，显示了巨大的社会效益。

近年来，我国非常重视和发挥行业协会的作用。2012 年颁布的《国务院关于加强食品安全工作的决定》中明确提出，充分发挥食品相关行业协会的作用。随着我国食品工业的快速发展，食品行业协会也在不断发展壮大，先后成立了中国食品工业协会、中国食品药品行业协会、中国保健品协会等一批全国性的食品行业协会。此外,一些省市也成立了地方的食品行业协会,这些协会在推进食品行业诚信建设、加强行业自律、促进行业发展等方面发挥了重要的作用。对食品行业协会的责任,本次修改新增加规定了"按照章程建立健全行业规范和奖惩机制,提供食品安全信息、技术等服务"的内容,旨在进一步完善食品行业协会在行业自律中的责任。

本条规定,食品行业协会应当加强行业自律,按照章程建立健全行业规范和奖惩机制,提供食品安全信息、技术等服务,引导和督促食品生产经营者依法生产经营,推动行业诚信建设,宣传、普及食品安全知识。根据这一规定,食品行业协会一方面应当通过协会章程,或者制定行规行约,明确行业的食品安全规范,建立内部奖惩机制,对协会内守法生产经营、诚信自律的企业予以表彰奖励,对违法生产经营,不讲诚信的企业通过通报批评等方式予以惩戒,引导和督促食品生产经营者依法生产经营,推动行业诚信建设;另一方面要为本协会的企业会员提供食品安全信息、技术、知识等服务,帮助企业不断提高食品安全方面的技术水平和管理能力,推动食品行业的健康发展。

二、消费者协会依法进行社会监督

这一款规定是本次修改新增加的内容。消费者权益保护法明确规定,消费者协会和其他消费者组织是依法成立的对商品和服务进行社会监督的保护消费者合法权益的社会团体。目前我国的消费者保护组织,在国家层面主要是中国消费者协会,该会于 1984 年 12 月经国务院批准成立,是对商品和服务进行社会监督的保护消费者合法权益的全国性社会组织。在地方层面,全国县以上消费者协会已达 3000 多个,其中省一级为 31 个。在农村乡镇、城市街道设立的消协分会,在村委会、居委会、高等院校、厂矿企业中设立的监督站、联络站等各类基层网络组织达15.6万个，义务监督员、维权志愿者达10万余名。

根据消费者权益保护法的规定，保护消费者的合法权益是全社会的共同责任。国家鼓励、支持一切组织和个人对损害消费者合法权益的行为进行社会监督。消费者协会和其他消费者组织作为保护消费者权益的专门组织，有权对侵害消费者合法权益的食品生产经营违法行为，依法进行社会监督，这也是加强食品安全社会共治的重要方面。消费者权益保护法明确规定了消费者协会应当履行的职能，包括向消费者提供消费信息和咨询服务，提高消费者维护自身合法权益的能力；参与有关行政部门对商品和服务的监督、检查；就有关消费者合法权益的问题，向有关行政部门反映、查询，提出建议；受理消费者的投诉，并对投诉事项进行调查、调解；投诉事项涉及商品和服务质量问题的，可以委托具备资格的鉴定人鉴定；就损害消费者合法权益的行为，支持受损害的消费者提起诉讼；对损害消费者合法权益的行为，通过大众传播媒介予以揭露、批评等。消费者协会和其他消费者组织应当通过履行这些职能，对侵害消费者合法权益的食品安全违法行为进行社会监督，形成食品安全政府监管与群众监督的合力。

第十条　各级人民政府应当加强食品安全的宣传教育，普及食品安全知识，鼓励社会组织、基层群众性自治组织、食品生产经营者开展食品安全法律、法规以及食品安全标准和知识的普及工作，倡导健康的饮食方式，增强消费者食品安全意识和自我保护能力。

新闻媒体应当开展食品安全法律、法规以及食品安全标准和知识的公益宣传，并对食品安全违法行为进行舆论监督。有

关食品安全的宣传报道应当真实、公正。

【释义】 本条是关于加强食品安全宣传教育，以及新闻媒体应当对食品安全违法行为进行舆论监督等的规定。

一、各级人民政府应当加强食品安全的宣传教育

食品安全事关广大人民群众的身体健康和生命安全，需要通过广泛开展面向社会的宣传教育，使广大人民群众增强食品安全意识，了解食品安全法律、法规和食品安全标准，增长食品安全知识，形成健康的饮食习惯，增强食品安全方面的自我保护能力。此次修改，专门增加了“各级人民政府应当加强食品安全的宣传教育，普及食品安全知识”的规定，目的是进一步强化各级人民政府自身在做好食品安全宣传教育中的责任。

在食品安全宣传教育方面，各级人民政府的责任主要包括：

一是政府自身要做好面向全民的食品安全宣传教育。制订食品安全宣传教育工作计划，加强组织领导，有序组织开展这项工作，通过在媒体上广泛宣传，以及开展各种群众喜闻乐见的宣传活动，普及食品安全知识，使食品安全知识进机关、进企业、进学校、进社区，积极营造人人关注食品安全、人人了解食品安全的良好社会氛围。这里应当指出的是，这里的“各级人民政府”包括从乡镇政府一直到国务院的各级人民政府。

二是政府应当鼓励社会组织、基层群众性自治组织、食品生产经营者开展食品安全法律、法规以及食品安全标准和知识的普及工作，倡导健康的饮食方式，增强社会公众的食品安全意识和自我保护能力。这里的“社会组织”是指食品行业协会、消费者协会等社会团体，以及企业事业单位等其他社会组织，如学校、医院等。“基层群众性自治组织”是指居民委员会和村民委员会。社会组织、基层群众性自治组织、食品生产经营企业可以充分发挥自身的优势：食品行业协会、食品生产经营企业有食品

方面的专业优势，居民委员会和村民委员会作为基层群众性自治组织有贴近群众的优势，可以充分发挥这些优势，开展形式多样的食品安全宣传活动。如在城镇地区，可以在居民社区设立食品安全宣传专栏，对食品安全知识进行宣传，帮助社区居民了解食品储藏、制作、烹调、消费等方面的基本常识，增强辨别假冒伪劣食品的自我保护能力，倡导科学饮食习惯。在农村地区，可以利用农村集贸日，设立摊位专门宣传食品安全法律法规和食品安全知识、健康饮食习惯等，使食品安全的理念、知识家喻户晓、人人皆知。本次修改，增加了政府鼓励食品生产经营者开展有关食品安全知识等的宣传普及工作的规定，主要是考虑到食品生产经营者有食品方面的专业优势，应当在食品安全宣传方面发挥作用，这也是食品生产经营者履行社会责任的体现。此外，各级各类学校可以通过开设食品安全知识专题课、组织学生开展食品安全方面的校内外活动等方式，将食品安全知识纳入中、小学健康教育，向广大学生传授食品安全知识，等等。通过各级政府和社会组织、基层群众性自治组织、食品生产经营企业等广泛开展食品安全宣传教育，可以提高人民群众的食品安全意识和自我保护能力，使食品安全常识和法律知识得到基本普及，社会公众的食品安全意识得到明显提高。

二、新闻媒体开展食品安全的公益宣传和舆论监督

食品安全是社会关注的热点，新闻媒体作为社会舆论的重要引领者、传播者和推动者，已经成为食品安全社会共治中的重要力量。开展食品安全的公益宣传和舆论监督，是新闻媒体在食品安全方面应承担的两项重要社会责任。一是公益宣传。电视台、广播电台、报纸、互联网等新闻媒体受众广、传播速度快、信息量大、社会影响深远，是开展食品安全公益宣传的重要力量。新闻媒体应当发挥其自身优势，以群众喜闻乐见的形式，如

开设食品安全知识专栏，制作食品安全方面的宣传片、公益广告，邀请专家开设食品安全宣传讲座等多种方式开展食品安全法律、法规以及食品安全标准和知识的公益宣传。应当指出的是，“公益宣传”是以公益为目的的宣传，不能收取任何费用。二是舆论监督。新闻媒体是食品安全社会监督的重要力量。对食品安全违法行为，新闻媒体应当勇于揭露和曝光，保证公众的知情权和监督权。近些年来，不少食品安全事件都是新闻媒体率先曝光，并迅速引起监管部门的高度重视的，如2008年的问题奶粉事件，2014年的福喜事件等，可以说新闻媒体在曝光食品安全事件方面，发挥了不可替代的作用，是食品安全社会监督的一支重要力量。应当指出的是，新闻媒体报道食品安全事件，应当真实、公正，不能编造、散布虚假的信息，也不能以偏概全、蓄意炒作、制造事端，这是媒体应履行的社会责任。对于新闻媒体编造、散布虚假食品安全信息的，食品安全法明确规定了相应的法律责任。

除了新闻媒体对食品安全的宣传报道应当真实、公正外，其他主体，如消费者组织、公民个人、企业等在食品安全宣传报道中存在编造、散布虚假食品安全信息行为的，也要依法承担法律责任。

第十一条　国家鼓励和支持开展与食品安全有关的基础研究、应用研究，鼓励和支持食品生产经营者为提高食品安全水平采用先进技术和先进管理规范。

国家对农药的使用实行严格的管理制度，加快淘汰剧毒、高毒、高残留农药，推动替代产品的研发和应用，鼓励使用高效低毒低残留农药。

【释义】　本条是关于开展食品安全研究和农药管理等的

规定。

一、关于开展与食品安全有关的科学研究和技术应用

科学技术是第一生产力，做好食品安全工作离不开科学技术进步的力量。随着世界新的技术革命的蓬勃发展，科学技术日益渗透到社会生活的各个领域，成为提高劳动生产率的重要源泉，也成为推动经济建设和社会发展的重要力量。国家要通过设立基金、金融支持、政府采购等多种措施鼓励和支持开展与食品安全有关的基础研究、应用研究，提高食品安全领域的科学技术水平，同时要鼓励和支持食品生产经营者为提高食品安全水平采用先进技术和先进管理规范，通过产、学、研相结合促进科技成果转化为现实的生产力，推动食品安全工作的发展。

二、关于农药管理

这一款关于农药问题的规定是本次修改新增加的内容，主要有以下四个方面：

（一）国家对农药使用实行严格的管理制度

农药是指用于预防、消灭或者控制危害农业、林业的病、虫、草和其他有害生物以及有目的地调节植物、昆虫生长的化学合成或者来源于生物、其他天然物质的一种物质或者几种物质的混合物及其制剂。农药作为一种农业投入品，是农业生产的重要物质，也是有毒的特殊商品。农药的使用管理对保证食品安全关系重大，应当实行严格的监管制度。

（二）加快淘汰剧毒、高毒、高残留农药

农药根据毒性大小分为五级：剧毒农药、高毒农药、中毒农药、低毒农药和微毒农药。我国对剧毒、高毒农药采取了严格的管控措施。20 世纪 80 年代以来，我国已先后禁用了 33 种剧毒、高毒农药，并规定剧毒、高毒农药不得用于瓜果、蔬菜、茶叶和中草药材。目前剧毒、高毒农药使用量占农药使用总量的比

重已降至3%以下,比21世纪初低30多个百分点。

在立法过程中,有的意见提出,为了加强对食用农产品的源头管控,应当加强对农药的管理,全面淘汰剧毒、高毒农药,以保障食品安全。但也有意见提出,当前全面淘汰剧毒、高毒农药不可行,主要原因有三点:一是地下害虫、线虫、仓储害虫等病虫主要依赖这类农药防治,新农药开发周期长的特点决定了短期内难以找到理想的替代品种,全面禁用这类农药势必会影响农业生产安全和粮食安全。二是剧毒、高毒农药不一定高风险。有些高毒农药成本低、效果好、残留低,只要严格按照要求使用,既不会影响食品安全,也不会影响生态环境安全,全面淘汰这类农药在技术上、经济上、社会上没必要也不可行。三是针对爆发性病虫害,需要储备适量的剧毒、高毒农药用于应急处置。从世界范围看,欧美等发达国家并没有完全禁止所有高毒农药的使用,而是根据生产需要限制这类农药的使用范围。一些高毒农药品种在发达国家到现在仍有登记使用,如甲拌磷,截止到2009年,在美国每年仍然有130万磅的甲拌磷在马铃薯、甘蔗、棉花、花生、玉米、甜菜、大豆等作物上广泛使用,而甲拌磷在我国主要用于防治棉花、小麦等作物的地下害虫。我国在剧毒、高毒农药禁用上是走在世界前列的,某些农药品种的使用方面甚至要严于发达国家。如我国已全面禁止使用的特丁硫磷,但在美国仍可用于防治玉米、香蕉、甜菜多种作物的虫害。目前,我国对仍在大田中使用的12种高毒农药加强管控,推行高毒农药定点经营,登记使用范围仅限于必需的特定用途。

对于上述两种意见,立法机关经过认真研究认为,淘汰剧毒、高毒农药是今后的发展方向,但当前情况下,全面淘汰剧毒、高毒农药还不可行,需要按照"时机成熟一个、禁用一个"的原则,分期分批加快淘汰。同时,考虑到有些农药虽然不属于剧毒、高毒农药,但其使用后因降解速度慢,导致在农作物上残留浓度高,对食用农产品的质量安全会造成危害,因此也需要加快淘汰。因此,最终规定为“加快淘汰剧毒、高毒、高残留农药”。同时,在农药的使用方面加强管理,明确食用农产品生产者不得在生产过程中使用国家明令禁止的农业投入品,剧毒、高毒农药不得用于瓜果、蔬菜、茶叶、中草药材等国家规定的农作物。

(三)推动剧毒、高毒、高残留农药替代产品的研发和应用

由于剧毒、高毒、高残留农药对人畜和环境具有较大的危害性,我国同许多国家一样,一方面逐步削减这类农药的使用;另一方面积极加快这类农药替代产品的研发推广,鼓励科研单位和农药企业开展联合攻关,加快研制具有自主知识产权的剧毒、高毒、高残留农药替代产品,同时通过有关政策,如设立专项资金用于剧毒、高毒、高残留农药替代产品的开发、逐步扩大替代产品的市场占有份额等措施,积极推动剧毒、高毒、高残留农药替代产品的研发和应用。

(四)鼓励使用高效低毒低残留农药

高效低毒低残留农药,是指防治病虫害效果好,同时其毒性和残留在农作物上的浓度又相对比较低的农药。这类农药既能满足农业生产的需要,又因其低毒性、低残留而不会对食品安全造成危害,因此是农药生产的发展方向,需要国家采取有效措施,鼓励和推广这类农药的研究、生产和使用。从实践情况看,农业部作为农药主管部门,近年来在十几个省开展了推广使用高效低毒低残留农药的试点工作,通过财政补贴的方式,鼓励农业生产者使用推荐的高效低毒低残留农药,取得了很好的效果。

第十二条　任何组织或者个人有权举报食品安全违法行为,依法向有关部门了解食品安全信息,对食品安全监督管理工

作提出意见和建议。

【释义】 本条是关于社会公众有权举报食品安全违法行为、了解食品安全信息等的规定。

做好食品安全工作，需要多管齐下、内外并举，综合施策、标本兼治，构建企业自律、政府监管、行业自律、公众参与、社会监督的食品安全社会共治格局，凝聚起维护食品安全的强大合力。就社会组织和公众参与而言，主要是通过举报食品安全违法行为、了解食品安全信息、对食品安全监督管理工作提出意见和建议这三个方面来实现。

一、举报食品安全违法行为

食品安全关系每一个人的健康和安全，任何组织或者个人都有权举报食品安全违法行为，形成人人监督食品安全的天网，让不安全食品没有市场，让不法食品生产经营者无处藏身，只有这样才能形成有效的社会监督，形成只有守法生产经营才能在市场中生存的社会环境。食品安全法规定，县级以上人民政府食品药品监督管理、质量监督等部门应当公布本部门的电子邮件地址或者电话，接受咨询、投诉、举报。接到咨询、投诉、举报，对属于本部门职责的，应当受理并在法定期限内及时答复、核实、处理；对不属于本部门职责的，应当移交有权处理的部门处理。这一规定为公民和组织举报食品安全违法行为提供了制度保障。作为社会组织和公民个人，要勇于向监管部门举报违法的食品生产经营行为，这一方面是维护自身作为食品消费者合法权益的需要；另一方面也是参与食品安全社会共治，履行社会责任的需要。作为食品安全监管部门，要对社会组织和公民所举报的问题认真调查处理，不能推诿拖延，对查证属实的举报予以奖励，以此鼓励公民的举报热情，并对举报人的信息予以保密，保护举报人的合法权益。

二、了解食品安全信息

社会公众能够参与食品安全社会共治，一个基本前提是了解食品安全信息。为了保障公众的知情权，食品安全法规定了食品安全信息公开制度，这些制度基本覆盖了食品安全管理的各个方面，是一个全方位的信息公开制度，包括：一是在食品安全风险评估方面，规定食品安全风险评估结果得出食品、食品添加剂、食品相关产品不安全结论的，国务院食品药品监督管理、质量监督等部门应当依据各自职责立即告知消费者停止食用或者使用，对经综合分析表明可能具有较高程度安全风险的食品，国务院食品药品监督管理部门应当及时提出食品安全风险警示，并向社会公布；县级以上人民政府食品药品监督管理部门和其他有关部门、食品安全风险评估专家委员会及其技术机构，应当按照科学、客观、及时、公开的原则，组织食品生产经营者、食品检验机构、认证机构、食品行业协会、消费者协会以及新闻媒体等，就食品安全风险评估信息和食品安全监督管理信息进行交流沟通。二是在食品安全标准管理方面，规定食品安全国家标准、地方标准、企业标准都在卫生部门的网站上公布，供公众免费查阅、下载。三是在食品的标签、说明书管理上，规定食品的标签、说明书必须标明的事项，强调生产者对标签、说明书的内容负责，不得含有虚假内容。四是在特殊食品管理上，强调食品药品监督管理部门应当及时向社会公布已注册或者备案的保健食品、特殊医学用途配方食品、婴幼儿配方乳粉的目录。五是在食品出入境管理上，规定国家出入境检验检疫部门应当公布进出口食品的进口商、出口商和出口食品生产企业的信用记录。六是在食品安全事故处置方面，规定食品药品监督管理部门应当会同有关部门做好信息发布工作，依法对食品安全事故及其处理情况进行发布，并对可能产生的危害加以解释、说明。七是在监督管理方面，规定食品药品监督管理部门应当建立食品生产经营者食品安全信用档案，依法向社会公布并予以实时更新，同时规定国家建立统一的食品安全信息平台，实行食品安全信息统一公布制度，要求公布食品安全信息，应当做到准确、及时，并进行必要的解释说明，避免误导消费者和社会舆论，等等。上述这些规定，保障了社会公众对食品安全信息的知情权。对于上述范围之外的食品安全信息，公民和组织还可以依据《政府信息公开条例》的规定，依法向有关部门申请公开，有关部门应当依法予以受理，并依法予以公开。如果有关部门没有依法受理、公开信息，公民或者社会组织可以通过依法提起行政复议、行政诉讼的方式维护自己的知情权。

三、对食品安全监督管理工作提出意见和建议

我国宪法明确规定："中华人民共和国公民对于任何国家机关和国家工作人员，有提出批评和建议的权利。"对于食品安全监督管理工作，任何组织或者个人都有权提出意见和建议。提出意见和建议的方式可以是来信来访，也可以是在新闻媒体上发表意见、建议等。对于社会组织或者个人对食品安全监督管理工作提出的意见和建议，有关监管部门应当认真对待，并重视研究解决，作为加强和改进工作的重要参考。

第十三条　对在食品安全工作中做出突出贡献的单位和个人，按照国家有关规定给予表彰、奖励。

【释义】　本条是关于对在食品安全工作中做出突出贡献的单位和个人给予表彰、奖励的规定。

本条为此次新增加的条文。做好食品安全工作，不能仅靠政府和有关监管部门，需要调动每一个社会成员的积极性，形成人人维护食品安全，人人都参与食品安全社会监督的良好社会

氛围。要形成这样的氛围,需要奖罚分明,一方面对违法从事食品生产经营的行为要依法查处,追究相应的法律责任,提高其违法成本,使其不敢以身试法;另一方面还要对在食品安全工作中做出突出贡献的单位和个人予以表彰和奖励。榜样的作用是无穷的,对在食品安全工作中做出突出贡献的单位和个人给予表彰、奖励,可以起到鼓励更多的单位和个人向他们学习,弘扬社会正气,激励大家积极投身食品安全工作,参与食品安全社会共治的作用。这里应当指出三点:一是"在食品安全工作中做出突出贡献的单位和个人"是一个宽泛的概念,包括食品安全执法部门及其工作人员,从事食品安全研究的研究机构及其工作人员,食品生产经营者、食品检验机构及其检验人员,以及食品行业协会、消费者协会或者公民个人等。二是作为奖励对象,必须是对食品安全工作做出突出贡献的单位和个人,这里的标准是"突出贡献",不是一般的做出成绩即可成为奖励对象。三是给予表彰和奖励的主体既包括各级人民政府,也包括食品药品监督管理、卫生、农业、质量监督等有关部门。四是给予的表彰、奖励,既包括物质奖励,如颁发奖金,给予物质奖赏;也包括精神方面的表彰,如给予通报表扬等表彰,授予荣誉称号等。

第二章　食品安全风险监测和评估

第十四条　国家建立食品安全风险监测制度，对食源性疾病、食品污染以及食品中的有害因素进行监测。

国务院卫生行政部门会同国务院食品药品监督管理、质量监督等部门，制定、实施国家食品安全风险监测计划。

国务院食品药品监督管理部门和其他有关部门获知有关食品安全风险信息后，应当立即核实并向国务院卫生行政部门通报。对有关部门通报的食品安全风险信息以及医疗机构报告的食源性疾病等有关疾病信息，国务院卫生行政部门应当会同国务院有关部门分析研究，认为必要的，及时调整国家食品安全风险监测计划。

省、自治区、直辖市人民政府卫生行政部门会同同级食品药品监督管理、质量监督等部门，根据国家食品安全风险监测计划，结合本行政区域的具体情况，制定、调整本行政区域的食品安全风险监测方案，报国务院卫生行政部门备案并实施。

【释义】　本条是关于食品安全风险监测制度的规定。

本条是对原法第 11 条、第 12 条的合并和修改，明确了制定、实施食品安全风险监测计划的部门以及制定、调整地方食品安全风险监测方案的部门，完善了食品安全风险信息的核实交流机制和食品安全风险监测计划的调整机制。

一、食品安全风险监测制度

食品安全风险监测是指系统和持续收集食源性疾病、食品污染、食品中有害因素等相关数据信息，并应用医学、卫生学原理和方法进行监测。食品安全风险监测是政府实施食品安全监督管理的重要手段，承担着为政府提供技术决策、技术服务和技术咨询的重要职能，主要有四个方面的功能：一是全面了解食品污染状况和趋势；二是发现食品安全隐患，协助确定需重点监管的食品和环节，为监管工作提供科学依据；三是为风险评估、标准制定、修订提供基础数据；四是了解食源性疾病发生情况，以便早期识别和防控食源性疾病。

与一般的执法监督抽检相比，食品安全风险监测具有以下特性：一是目的主要为风险评估、标准制定及食品安全总体状况的评价等提供科学依据，监测结果不直接用于食品安全监管执法。监测的内容既包括标准内的项目，也包括未纳入标准的潜在污染物。二是要求有一定的代表性，通常随机采样。三是要使用最灵敏的方法，结果要出具具体数值。

二、食品安全风险监测的内容

国家建立食品安全风险监测制度，主要对以下三类内容进行监测：

1. 食源性疾病。食源性疾病是指食品中致病因素进入人体引起的感染性、中毒性等疾病。包括常见的食物中毒、肠道传染病、人畜共患传染病、寄生虫病以及化学性有毒有害物质所引起的疾病。食源性疾病具有暴发性、散发性、地区性和季节性特征，发病率居各类疾病总发病率的前列，在全世界范围内都是一个日益严重的食品安全和公共卫生问题。

2. 食品污染。食品污染是指食品及其原料在生产、加工、运输、包装、贮存、销售、烹调等过程中，因农药、废水、污水、病虫害和家畜疫病所引起的污染，以及霉菌毒素引起的食品霉变，运输、包装材料中有毒物质等对食品所造成的污染的总称。食品污染可分为生物性污染、化学性污染和物理性污染三大类。

3. 食品中的有害因素。食品中可能存在的有害因素按来源可分为三类:(1)食品污染物。在生产、加工、贮存、运输、销售等过程中混入食品中的物质。(2)食品中天然存在的有害物质,如大豆中存在的蛋白酶抑制剂。(3)食品加工、保藏过程中产生的有害物质,如酿酒过程中产生的甲醇、杂醇油等有害成分。

三、食品安全风险监测计划

食品安全风险监测计划是针对食源性疾病、食品污染以及食品中的有害因素进行监测的具体计划。根据本条第2款的规定,国家食品安全风险监测计划由国务院卫生行政部门会同国务院食品药品监督管理、质量监督等部门制定、实施。原法规定的是由国务院卫生行政部门会同国务院有关部门,此次修改对有关部门作了进一步明确。此外,还对食品安全风险信息的交流机制作了完善,将核实环节前置,由有关部门进行核实,并向国务院卫生行政部门通报。同时明确有关信息包括有关部门通报的食品安全风险信息和医疗机构报告的食源性疾病等有关疾病信息;增加了对信息的分析研究要求,经分析研究,认为必要的,及时调整国家食品安全风险监测计划。有关部门根据分工,主要承担以下职责:

第一,核实和通报食品安全风险信息。根据本法以及国务院有关部门职责分工的规定,食品药品监督、农业、质量监督等行政部门在监督检查和执法中都可能发现食品安全信息,在这种情况下必须立即对有关信息进行核实,并向卫生行政部门通报。及时性和准确性是食品安全风险信息的重要要求,越是及时、准确的信息越是对食品安全监管工作有益。这就要求有关监管部门要尽可能提高所通报食品安全风险信息的准确性,为之后的分析研究和论证工作打好基础。规定有关部门的通报义务,是为了方便国务院卫生行政部门及时获知食品安全风险信息,及时调整国家食品安全风险监测计划,从全局上考虑和防范类似的食品安全风险,避免发生食品安全事故。

第二,分析研究和判断。国务院卫生行政部门接到有关部门通报的食品安全风险信息后,应当会同有关部门对该信息进行分析研究,包括食品安全风险信息的科学性、准确性,调整食品安全风险监测计划的必要性,经过分析研究认为必要的才能作为调整食品安全风险监测计划依据,并非是一经核实有关信息即进行调整。

第三,及时调整食品安全风险监测计划。食品安全风险监测计划虽然在一定时期具有一定程度的稳定性,但不是一成不变的。食品安全风险状况是动态的,了解到的风险信息也是变化的,为了分析和防范食品安全风险,食品安全风险信息所反映的问题,经过分析研究认为必要的,应当尽快列入食品安全风险监测计划。

第四,加强沟通、密切配合。在食品安全监管工作中,国务院卫生行政部门与食品药品监督等有关部门的关系密不可分。食品安全涉及面广,单单依靠任何一个部门都不可能完成保证食品安全、保障公众生命健康权利的重任。在具体的某一项工作中,如本条规定的食品安全信息的核实、通报和分析研究,就需要多个部门加强沟通、密切配合。

四、食品安全风险监测方案

本条第 4 款规定,省、自治区、直辖市人民政府卫生行政部门会同同级食品药品监督管理、质量监督等部门,根据国家食品安全风险监测计划,结合本行政区域的具体情况,制定、调整本行政区域的食品安全风险监测方案,报国务院卫生行政部门备案并实施。此次修改明确了制定、调整本行政区域的食品安全风险监测方案的部门为省、自治区、直辖市人民政府卫生行政部门会同同级食品药品监督管理、质量监督等部门，并将省、自治区、直辖市有关部门的组织制定、实施食品安全风险监测方案的权力修改为“制定、调整和实施”权，同时吸纳了《食品安全法实施条例》中的规定，增加了食品安全风险监测方案应当向国务院卫生行政部门备案的要求。

食品安全风险监测方案与监测计划有一定的区别。监测方案针对的是一定时期、一定区域内食品安全风险监测的重要工作、重大活动，更明确、具体，更有针对性。因此，在制定食品安全风险监测方案时，要根据国家食品安全风险监测计划，结合本行政区域的具体情况，如本地区人口特征、主要生产和消费食物种类、预期的保护水平以及经费支持能力等，使其明确、具体、可操作，既与食品安全风险监测计划相符，又与食品安全风险监测计划相区分。

第十五条　承担食品安全风险监测工作的技术机构应当根据食品安全风险监测计划和监测方案开展监测工作，保证监测数据真实、准确，并按照食品安全风险监测计划和监测方案的要求报送监测数据和分析结果。

食品安全风险监测工作人员有权进入相关食用农产品种植养殖、食品生产经营场所采集样品、收集相关数据。采集样品应当按照市场价格支付费用。

【释义】　本条是关于食品安全风险监测机构开展食品安全风险监测工作的规定。

本条是此次修改新增加的条文。《食品安全法实施条例》第9条第2款、第3款规定：“承担食品安全风险监测工作的技术机构应当根据食品安全风险监测计划和监测方案开展监测工作，保证监测数据真实、准确，并按照食品安全风险监测计划和监测方案的要求，将监测数据和分析结果报送省级以上人民政府卫生行政部门和下达监测任务的部门。”“食品安全风险监测工作人员采集样品、收集相关数据，可以进入相关食用农产品种植养殖、食品生产、食品流通或者餐饮服务场所。采集样品，应当按照市场价格支付费用。”此次修改吸纳了这一内容，并作了适当修改。

根据本条规定，对食品安全风险监测机构开展监测工作提出了以下要求：

（一）要根据食品安全风险监测计划和监测方案开展监测工作，报送监测数据和分析结果。国家食品安全风险监测计划是全国食品安全风险监测工作的指导性文件，也是总体上监测全国范围内食品安全风险的可操作性实施计划。食品安全风险监测方案是各地根据国家食品安全风险监测计划，结合本行政区域的具体情况制定的更加具体、实用、有针对性的方案。因此，食品安全风险监测机构在开展监测工作时应当紧密围绕食品安全风险监测计划和监测方案，在报送监测数据和分析结果时，也应当符合食品安全风险监测计划和监测方案中提出的要求。

（二）保证监测数据真实、准确。食品安全风险监测是确保食品安全的基础性工作，食品安全监测数据只有真实、准确，才能有效地反映食品安全的状况，作为承担食品安全风险监测任务的机构，应当运用专业知识和技术进行监测，对监测数据的真实性和准确性负责，成为保证食品安全、维护人民群众生命健康的第一道“预警线”，第一个“安全阀”。

（三）采集样品应当按照市场价格支付费用。对食品实施安全风险监测，是食品安全风险监测机构代表国家对食品安全进行监测的行为，其监测过程所需要的有关费用应当由国家财政拨付。如果不支付需要采集的样品费用，不仅会增加被检查单位、人员的负担，也不利于保证检验机构的中立和检验结果的真实公正。因此，为减轻企业负担，规范食品安全风险监测机构的采样行为，本条明确规定监测机构采集样品应当按照市场价格支付费用。

科学的食品安全风险监测需要建立在大量的、真实的、广泛的基础数据之上，许多数据都是要通过进入到食品生产经营场所等进行采集才能得到的。实践中，有的生产经营者担心影响其正常生产经营，或为了逃避监管，通过各种方式阻挠食品安全风险监测工作人员进入其种植养殖地或生产经营场所进行采样，给食品安全风险监测机构的监测工作造成很大不便。在本法修改前，《食品安全法实施条例》中仅规定监测工作人员可以进入有关场所采集样品收集数据，对企业的配合义务并未提出强制性要求，导致监测机构“采样难”。因此，此次修改对企业提出了硬性要求，明确规定食品安全风险监测工作人员有权进入相关食用农产品种植养殖、食品生产经营场所采集样品、收集相关数据，企业有义务配合。

第十六条　食品安全风险监测结果表明可能存在食品安全隐患的，县级以上人民政府卫生行政部门应当及时将相关信息通报同级食品药品监督管理等部门，并报告本级人民政府和上级人民政府卫生行政部门。食品药品监督管理等部门应当组织开展进一步调查。

【释义】　本条是关于及时通报有关食品安全风险监测结果的规定。

本条是此次修改新增加的条文。

根据本法第 5 条规定，国务院卫生行政部门承担组织开展食品安全风险监测和风险评估的职责，国务院食品药品监督管理部门承担对食品生产经营活动实施监督管理的职责。本法第 8 条规定，县级以上人民政府食品药品监督管理部门和其他有关部门应当加强沟通、密切配合，按照各自职责分工，依法行使职权，承担责任。在食品安全监管工作由各部门分工负责的体制下，为保证监管工作的整体性和有效性，有必要进一步强化各部门在食品安全监管工作中的协调与配合，以免各个监管部门在工作衔接上出现交叉重复或者监管漏洞，实现“从农田到餐桌”的全程监管，实现环环相扣的无缝衔接。因此，此次修改增加了发现食品安全隐患后各部门之间相互协作的规定。

部门的相互配合和协作不仅体现在不同的部门之间，还体现在上下级之间。承担食品安全风险监测职能的卫生行政部门发现食品安全风险监测结果表明可能存在食品安全隐患的，应当及时将相关信息通报同级食品药品监督管理等部门。同时还要报告本级人民政府和上级人民政府卫生行政部门，便于其根据相关食品安全隐患信息及时采取相关措施，对发现可能存在区域性、系统性食品安全苗头性问题的，研究开展本行政区域范围内专项整治，避免危害发生或扩大。食品安全无小事，即使食品安全风险监测结果并未有确凿证据证实存在食品安全问题，只是表明可能存在食品安全隐患的，也应当启动通报和调查程序。

食品安全风险监测仅仅是发现食品安全问题的第一步，后续还需要结合科学数据和有关信息开展评估、调查等工作，对食品安全问题作出进一步判断。食品药品监督管理等部门在接到卫生行政部门通报的食品安全隐患信息后，应当组织开展进一步调查,对发现安全隐患的食品、发生问题的原因、生产经营状况等情况进行查证。

第十七条　国家建立食品安全风险评估制度,运用科学方法,根据食品安全风险监测信息、科学数据以及有关信息,对食品、食品添加剂、食品相关产品中生物性、化学性和物理性危害因素进行风险评估。

国务院卫生行政部门负责组织食品安全风险评估工作,成立由医学、农业、食品、营养、生物、环境等方面的专家组成的食品安全风险评估专家委员会进行食品安全风险评估。食品安全风险评估结果由国务院卫生行政部门公布。

对农药、肥料、兽药、饲料和饲料添加剂等的安全性评估,应当有食品安全风险评估专家委员会的专家参加。

食品安全风险评估不得向生产经营者收取费用,采集样品应当按照市场价格支付费用。

【释义】　本条是关于食品安全风险评估制度的规定。

本条是对原法第13条的修改,增加了公布食品安全风险评估结果的规定,以及食品安全风险评估不得收费,采集样品应当付费的规定。

一、食品安全风险评估的含义、内容和意义

食品安全风险评估,是指对食品、食品添加剂,食品中生物性、化学性和物理性危害因素对人体健康可能造成的不良影响所进行的科学评估,具体包括危害识别、危害特征描述、暴露评估、风险特征描述四个阶段。危害识别,是指根据相关的科学数据和科学实验,来判断食品中的某种因素会不会危及人体健康的过程。危害特征描述,是对某种因素对人体可能造成的危害予以定性或者对其予以量化。暴露评估,是通过膳食调查,确定危害以何种途径进入人体,同时计算出人体对各种食物的安全摄入量究竟是多少。风险特征描述,是综合危害识别、危害描述和暴露评估的结果,总结某种危害因素对人体产生不良影响的程度。食品安全风险评估是一项以科学为基础的工作,它的整个过程会运用到很多食品相关领域的专业知识,得出的数据必须精确无误,才能够有效防范可能存在的各种风险。

食品安全风险评估是一个科学、客观的过程,必须遵循客观规律,运用科学方法,根据食品安全风险监测信息、科学数据以及其他有关信息进行。食品、食品添加剂、食品相关产品中“生物性、化学性和物理性危害因素”就是食品安全风险评估的内容,基本上可以囊括所有对食品安全构成危害的因素。例如致病性细菌、真菌、病毒、寄生虫等生物因子对食品安全产生的危害,就是生物性危害;食品添加剂中的化学成分、农药和兽药残留等化学因素对食品安全造成的危害,就是化学性危害;高温、冰冻等物理条件或者掺入金属碎屑等物理杂质对食品安全造成的危害,就是物理性危害。界定到底属于“生物性”、“化学性”还是“物理性”危害,是进行食品安全风险评估“危害识别”的重要阶段,基于这一界定,才能判断出食品安全的危害性质和危害程度,进而选择恰当的食品安全风险评估手段。

开展食品安全风险评估具有以下几个方面的重要意义:(1)是国际通行做法,也是应对日益严峻的食品安全形势的重要经验。(2)可以为国务院卫生行政部门和有关食品安全监管部门提供科学决策依据,对于制定、修改食品安全标准和提高有关部门的监督管理效率都能发挥积极作用。(3)对于在 WTO 框架协议下开展国际食品贸易具有重大意义。(4)是进行食品安全管理的重要技术基础,有利于提升公众的食品安全信心,推动我国食品安全管理由末端控制向风险控制转变,由经验主导向科学主导转变。

二、食品安全风险评估专家委员会

本条第2款、第3款规定了食品安全风险评估专家委员会的设立、职责和人员构成。

第一,关于设立。食品安全风险评估专家委员会是依据本法由国务院卫生行政部门组织成立,受卫生行政部门委托独立开展食品安全风险评估工作。

第二,关于职责。食品安全风险评估专家委员会的职责包括起草国家食品安全风险监测、评估规划和年度计划,拟定优先监测、评估项目,进行食品安全风险评估,负责解释食品安全风险评估结果,开展食品安全风险交流,承担卫生行政部门委托的其他风险评估相关任务。

第三,关于人员构成。食品安全风险评估专家委员会应当由医学、农业、食品、营养、生物、环境等方面的专家组成,专家委员会可以根据工作需要,建立由相关专业领域的专家组成的风险评估专家库。食品安全风险评估专家委员会的专家,应当具有一定的专业水平,具有丰富的食品安全风险评估工作经验,以保障食品安全风险评估结果的科学、客观和公正。

第四,关于风险评估结果的公布。只有向社会公开评估结果,才能把潜在的健康风险及时告知公众,真正发挥食品安全风险评估防范食品安全隐患的作用。为保障其权威性和准确性,风险评估结果只能由国务院卫生行政部门来公布,具体由食品安全风险评估专家委员会负责解释。

三、对农药、肥料、兽药、饲料和饲料添加剂等的评估

对于农药、肥料、兽药、饲料和饲料添加剂等的安全性评估,根据农产品质量安全法的规定,应当由农产品质量安全风险评估专家委员会进行安全性评估,但本条规定应当有食品安全风

险评估专家委员会的专家参加。这是因为,农药、肥料、兽药、饲料和饲料添加剂等对于动植物本身可能没有明显危害,但是往往因其残留影响到终端食品的质量安全,因此规定这些相关评估工作要有食品安全风险评估专家委员会的专家参加。

四、评估不得收费,采样应当付费

食品安全风险评估是政府为了对食品、食品添加剂、食品相关产品中的危害因素进行风险评估,防范食品安全风险而进行的一种政府行为,所需费用由国家财政支付,生产经营者对评估有配合采样的义务,但没有付费义务。为防止在实践中,有关人员和机构借评估行为乱收费,或者不合理地采集样品,影响评估结果的公正性和客观性,影响企业的正常生产经营,此次修改增加规定:“食品安全风险评估不得向生产经营者收取费用,采集样品应当按照市场价格支付费用。”这样规定包含两层含义,一方面评估不得向企业收取费用,对于评估机构在评估过程中的收费行为,企业有权拒绝;另一方面评估机构应当按照市场价格向企业支付样品的费用。对于评估机构拒不支付样品费用的行为,企业有权向监管部门投诉举报。

第十八条　有下列情形之一的,应当进行食品安全风险评估:

(一)通过食品安全风险监测或者接到举报发现食品、食品添加剂、食品相关产品可能存在安全隐患的;

(二)为制定或者修订食品安全国家标准提供科学依据需要进行风险评估的;

(三)为确定监督管理的重点领域、重点品种需要进行风险评估的;

(四)发现新的可能危害食品安全因素的;

（五）需要判断某一因素是否构成食品安全隐患的；

（六）国务院卫生行政部门认为需要进行风险评估的其他情形。

【释义】 本条是关于应当进行食品安全风险评估的法定情形。

本条是对原法第14条的修改，主要修改是对应当进行食品安全风险评估的法定情形作了明确。

《食品安全法实施条例》第12条规定："有下列情形之一的，国务院卫生行政部门应当组织食品安全风险评估工作：（一）为制定或者修订食品安全国家标准提供科学依据需要进行风险评估的；（二）为确定监督管理的重点领域、重点品种需要进行风险评估的；（三）发现新的可能危害食品安全的因素的；（四）需要判断某一因素是否构成食品安全隐患的；（五）国务院卫生行政部门认为需要进行风险评估的其他情形。"为增强法律可操作性，使食品安全评估的启动情形更加明确，此次修改吸收了《食品安全法实施条例》的规定，明确规定在以下六种情形下应当进行食品安全风险评估：

（一）通过食品安全风险监测或者接到举报发现食品、食品添加剂、食品相关产品可能存在安全隐患的。食品安全风险监测能够及时发现可能存在的食品安全隐患，并且可以主动对某些可能存在安全隐患的食品进行针对性监测，能够较早地发现问题。群众举报也是发现食品可能存在安全隐患的重要途径，要积极发挥群众监督的力量，鼓励社会组织或者个人举报食品生产经营中的违法行为。

（二）为制定或者修订食品安全国家标准提供科学依据需要进行风险评估的。食品安全国家标准是食品安全管理的基础，是生产经营者从事生产经营活动的重要依据，是消费者识别食品质量的具体引导，在保障食品安全方面起着重要作用。只有制定科学合理的食品安全标准，才能实现对食品安全的有效监督。食品安全风险评估是一项以科学为基础的工作，它是运用很多专业知识，经过精确的测算和分析得出的结果，它的重要作用之一就是为国家制定或修订食品安全国家标准提供科学依据。

（三）为确定监督管理的重点领域、重点品种需要进行风险评估的。重点领域和重点品种监管是食品安全管理的一项重要措施，国家需要根据不断出现的新情况、新问题调整监管的重点，解决现实中的突出问题。通过食品安全风险评估，可以发现食品危险因素的高发领域和高发品种，从而确定监管重点。

（四）发现新的可能危害食品安全因素的。食品安全国家标准中规定了危害人体健康物质的限量规定，这些物质经过科学论证证实会危害食品安全。而食品安全风险具有较大的不稳定性，随着现代食品加工技术和新原料不断应用于食品生产，有可能会出现新的可能危害食品安全的因素，这时就需要通过食品安全风险评估，对新发现的可能危害食品安全的因素进行判断。

（五）需要判断某一因素是否构成食品安全隐患的。危害食品安全的因素包括生物性、化学性、物理性等许多种类，其性质、作用各不相同，对食品安全的影响不同，在食品中所允许的含量也不同。因此在判断某一因素是否会对食品安全构成安全隐患时，仅仅通过简单的分析难以得出科学的结论，因此就需要通过食品安全风险评估，综合分析各种信息和数据，最终作出准确可靠的判断。

（六）国务院卫生行政部门认为需要进行风险评估的其他情形。这一项是兜底条款，如果有国务院卫生行政部门认为需要进行风险评估的其他情形，也应当进行风险评估。国务院卫生行政部门应当具有高度的责任感，发现食品可能存在安全隐患需要进行风险评估的，应当尽快组织有关机构进行食品安全风险评估。

第十九条　国务院食品药品监督管理、质量监督、农业行政等部门在监督管理工作中发现需要进行食品安全风险评估的，应当向国务院卫生行政部门提出食品安全风险评估的建议，并提供风险来源、相关检验数据和结论等信息、资料。属于本法第十八条规定情形的，国务院卫生行政部门应当及时进行食品安全风险评估，并向国务院有关部门通报评估结果。

【释义】　本条是关于食品安全监管有关部门在食品安全风险评估中配合协作义务的规定。

本条是对原法第15条的修改，主要修改是完善了有关监管部门向国务院卫生行政部门提出食品安全风险评估建议的制度，对有关要求作了进一步细化，明确了国务院卫生行政部门应当进行食品安全风险评估的情形。

根据本法和国务院确定的职责分工，国务院卫生行政、食品药品监督管理、质量监督、农业行政等部门分别负责食品安全监管有关工作。食品安全涉及面极为广泛，单单依靠任何一个部门都不可能完成全面监管、全面防范的重任。食品安全评估虽由国务院卫生行政部门负责，但也需要其他有关部门给予密切配合和积极协助。这条规定从两个方面对国务院各个监管部门在加强配合、做好食品安全风险评估方面提出了高标准、严要求：

一方面，国务院食品药品监督管理、质量监督、农业行政等部门在监督管理工作中发现需要开展食品安全风险评估情形的，应当向国务院卫生行政部门提出食品安全风险评估的建议，并提供风险来源、相关检验数据和结论等信息、资料。此次修改，新增加了提出建议的前提条件为“在监督管理工作中发现需要开展食品安全风险评估的”，还明确了有关部门应当提供的信息和资料为风险来源、相关检验数据和结论。这样修改的目的在于对有关部门的建议义务提出更加明确的要求。这些部门不同于一般的社会组织或者个人，承担着重要的食品安全监管职责，在监管过程中更容易获知食品安全风险的信息和资料，如果获知相关信息和资料而隐瞒不报，可能会给社会造成严重的后果和危害。当有关部门在监督管理工作中发现某些食品安全问题需要进行食品安全风险评估时，就应当积极主动地提出食品安全风险评估的建议，这是一项硬性职责，不可以随意放弃。

另一方面，国务院卫生行政部门应当及时进行食品安全风险评估，并向国务院有关部门通报评估结果。此次修改新增加了国务院卫生行政部门应当及时进行食品安全风险评估的条件为“属于本法第十八条规定情形的”，这样规定是为了使卫生行政部门的职责更加明确，通过法律将应当进行评估的法定情形确定下来，避免卫生行政部门在作出是否评估的判断时过于随意，裁量权过大。根据本法第18条规定，通过食品安全风险监测或者接到举报发现食品、食品添加剂、食品相关产品可能存在安全隐患的，为制定或者修订食品安全国家标准提供科学依据需要进行风险评估的，为确定监督管理的重点领域、重点品种需要进行风险评估的，发现新的可能危害食品安全因素的，需要判断某一因素是否构成食品安全隐患的，国务院卫生行政部门认为需要进行风险评估的其他情形下，卫生行政部门就应当进行食品安全风险评估，不得再设定其他限制拒绝评估。作出评估后，国务院卫生行政部门应当向国务院食品药品监督管理、农业行政、质量监督等有关部门通报食品安全风险评估结果，以便有关部门及时了解后续情况，实现各部门的食品安全风险信息共享，更好地沟通协调国务院有关部门的具体监管工作，发挥食品安全风险评估的科学管理作用。

第二十条　省级以上人民政府卫生行政、农业行政部门应当及时相互通报食品、食用农产品安全风险监测信息。

国务院卫生行政、农业行政部门应当及时相互通报食品、食用农产品安全风险评估结果等信息。

【释义】 本条是关于卫生行政、农业行政部门相互通报有关信息的规定。

本条是此次修改新增加的条文。

根据本法第 2 条第 2 款规定，供食用的源于农业的初级产品的质量安全管理，遵守农产品质量安全法的规定。但是，食用农产品的市场销售、有关质量安全标准的制定、有关安全信息的公布和本法对农业投入品作出规定的，应当遵守本法的规定。根据这一规定，本法规定的食品安全风险监测、评估制度，不适用食用农产品，食用农产品的风险监测、评估由农业行政部门依据农产品质量安全法进行。农产品质量安全法第 34 条规定，县级以上人民政府农业行政主管部门应当按照保障农产品质量安全的要求，制定并组织实施农产品质量安全监测计划，对生产中或者市场上销售的农产品进行监督抽查。监督抽查结果由国务院农业行政主管部门或者省、自治区、直辖市人民政府农业行政主管部门按照权限予以公布。第 6 条规定，国务院农业行政主管部门应当根据农产品质量安全风险评估结果采取相应的管理措施，并将农产品质量安全风险评估结果及时通报国务院有关部门。根据本法和农产品质量安全法的有关规定，食品安全风险监测由省级以上卫生行政部门实施，食用农产品安全风险监测信息由省级以上农业行政部门公布。食品安全风险评估结果由国务院卫生行政部门公布，食用农产品安全风险评估结果由国务院农业行政部门负责通报。这就要求卫生行政部门和农业行政部门之间按照各自权限对掌握的食品和食用农产品安全信息进行互相通报。

农产品质量安全法也对国务院农业行政部门向国务院有关部门通报信息的职责作了规定。本条规定，既是为了与农产品质量安全法相衔接，也是对卫生行政部门和农业行政部门互通信息的职责进一步提出了明确要求，这样规定能够更好地保障食品和食用农产品的质量安全，有利于实现“从农田到餐桌”的全程监管。

第二十一条　食品安全风险评估结果是制定、修订食品安全标准和实施食品安全监督管理的科学依据。

经食品安全风险评估，得出食品、食品添加剂、食品相关产品不安全结论的，国务院食品药品监督管理、质量监督等部门应当依据各自职责立即向社会公告，告知消费者停止食用或者使用，并采取相应措施，确保该食品、食品添加剂、食品相关产品停止生产经营；需要制定、修订相关食品安全国家标准的，国务院卫生行政部门应当会同国务院食品药品监督管理部门立即制定、修订。

【释义】　本条是关于食品安全风险评估结果是制定、修订食品安全标准和对食品安全实施监督管理的科学依据的规定。

本条是对原法第16条的修改。主要修改是强调了当对食品安全风险评估结果得出食品不安全结论时，有关部门应当先告知消费者停止食用，再采取其他措施。

食品安全风险评估由国务院卫生行政部门成立并由医学、农业、食品、营养、生物、环境等方面的专家组成的食品安全风险评估专家委员会进行。食品安全风险评估应当运用科学方法，根据食品安全风险监测信息、科学数据以及其他有关信息进行。因此，食品安全风险评估结果具有较高的权威性、科学性、可信性，应当在制定、修订食品安全标准和对食品安全实施监督管理的过程中发挥重大作用。

一、食品安全风险评估结果应当作为制定、修订食品安全标准的科学依据

食品安全标准是强制执行的标准，是规范食品生产经营行为的技术指南，是食品安全评价的重要依据，是食品安全管理和执法的重要手段。因此，制定食品安全标准，应当以保障公众身体健康为宗旨，充分考虑食品安全风险评估结果，才能使所制定的标准科学合理、安全可靠。食品安全标准包括食品、食品添加剂、食品相关产品中的致病性微生物、农药残留、兽药残留、生物毒素、重金属等污染物质以及其他危害人体健康物质的限量规定，还包括食品添加剂的品种、使用范围、用量，与食品安全有关的质量要求，食品检验方法与规程等许多内容。这些内容反映出制定食品安全标准对于科学性、技术性手段要求很高，必须依赖于食品安全风险评估技术水平的不断提高。食品安全标准也不是一成不变的，它需要根据食品安全状况的不断变化而变更。修订食品安全标准应当把食品安全风险评估结果作为科学依据，才能真正保障食品安全。

二、食品安全风险评估结果应当作为对食品安全实施监督管理的科学依据

食品安全监督管理措施必须建立在科学基础之上，因此，食

品安全风险评估结果应当作为对食品安全实施监督管理的科学依据。经食品安全风险评估,得出食品、食品添加剂、食品相关产品不安全结论的,国务院食品药品监督管理、质量监督等部门应当依据各自分工履行以下监督管理职责:一是立即发布公告,告知消费者停止食用或者使用。这一内容在此次修改中作了调整,将"发布公告,告知消费者"作为监管部门首先要履行的职责。人民群众的生命健康权是最重要的权利,在得知食品、食品添加剂、食品相关产品不安全结论后,监管部门最紧要的职责就是告知消费者停止食用、使用,将危害和损失降低到最小。根据本条规定,向社会公布,告知消费者的时间要求为"立即",这是对履职部门的法定要求,不得延误。二是采取相应措施,确保该食品、食品添加剂、食品相关产品停止生产经营。发现食品、食品添加剂、食品相关产品存在危害因素的,应当立即采取相应措施,如要求食品经营者停止经营不安全食品,切断源头,确保有问题的食品、食品添加剂、食品相关产品不再生产、流入市场,避免事件发展难以控制,造成更大的危害和损失。三是需要制定、修订相关食品安全国家标准的,国务院卫生行政部门应当会同国务院食品药品监督管理部门立即制定、修订。如果食品、食品添加剂、食品相关产品存在不安全,为适应新情况、新问题,有关食品安全标准可能也需要及时进行制定或调整,防止再次出现类似的危害。根据本法第 27 条的规定,食品安全国家标准由国务院卫生行政部门会同国务院食品药品监督管理部门制定、公布。因此,得出食品、食品添加剂、食品相关产品不安全结论后,如果有必要对食品安全国家标准进行制定或修订的,由国务院卫生行政部门会同国务院食品药品监督管理部门立即制定、修订。

第二十二条　国务院食品药品监督管理部门应当会同国务院有关部门，根据食品安全风险评估结果、食品安全监督管理信息，对食品安全状况进行综合分析。对经综合分析表明可能具有较高程度安全风险的食品，国务院食品药品监督管理部门应当及时提出食品安全风险警示，并向社会公布。

【释义】　本条是关于对食品安全状况进行综合分析并公布警示的规定。

本条是对原法第 17 条的修改。主要修改是将对食品安全状况进行综合分析并公布警示的主管部门由国务院卫生行政部门修改为国务院食品药品监督管理部门。这样修改的原因是为了适应国务院部门职责分工的新调整。

一、对食品安全状况进行综合分析

行政管理的高效率必须建立在统筹规划、把握全局的基础上。食品安全监督管理部门除了要进行具体的、日常的食品安全监督管理之外，还要注意及时总结经验，对食品安全状况进行综合分析。国务院食品药品监督管理部门应当会同国务院有关部门，根据食品安全风险评估结果、食品安全监督管理信息，对食品安全状况进行综合分析。对于食品安全监管部门而言，对食品安全状况进行综合分析，有利于提高监管水平，及早发现食品安全隐患，全面做好食品安全监管工作。

既然是综合分析，需要综合考虑的情况有很多。法律上列明了综合分析最重要的两项内容，即食品安全风险评估结果和食品安全监督管理信息。食品安全风险评估结果的最大特点就是客观，能够为综合分析提供科学依据，如果缺少科学依据，综合分析也就失去了判断基础和科学保障。食品安全监督管理信息为综合分析提供了实践基础和经验，使综合分析的结果能够紧密围绕执法实践和现实问题，最终提高食品安全监督管理水平。因此,食品安全风险评估结果和食品安全监督管理信息作为综合分析的重要考虑因素,缺一不可,不可偏废。

二、及时提出食品安全风险警示,并向社会公布

对食品安全状况进行综合分析,能够在进行更大范围的信息汇总过程中发现具有较高程度安全风险的食品,进而提出食品安全风险警示,并向社会公布。

根据本法第118条的规定,食品安全风险警示信息由国务院食品药品监督管理部门统一公布。对于某种可能具有较高程度安全风险的食品,国务院食品药品监督管理部门应当及时提出食品安全风险警示,并向社会公布。发布食品安全风险警示,使食品生产经营企业和消费者能够引起足够重视,有利于加强对风险食品的监督,预防和控制食品安全事故。但在实践中一定要把握好“度”,发布食品安全风险警示要尽量避免引起消费者恐慌。这就要求国务院食品药品监督管理部门发布食品安全风险警示,在及时、迅速的同时力求做到客观、准确。这样才能尽到食品安全监管职责,真正保障公众对食品安全信息的知情权。此外,此次修改将“予以公布”修改为“向社会公布”,对公布的范围作了进一步明确,也是为了更好地保障公众的知情权。

第二十三条　县级以上人民政府食品药品监督管理部门和其他有关部门、食品安全风险评估专家委员会及其技术机构,应当按照科学、客观、及时、公开的原则,组织食品生产经营者、食品检验机构、认证机构、食品行业协会、消费者协会以及新闻媒体等,就食品安全风险评估信息和食品安全监督管理信息进行交流沟通。

【释义】　本条是关于食品安全风险交流的规定。

本条是此次修改新增加的条文。

食品安全风险交流是指在风险分析全过程中，风险评估者、风险管理者、消费者、产业界、学术界和其他利益相关方对风险、风险相关因素等的信息和看法，包括对风险评估结果和风险管理决策进行的互动式沟通。

食品安全不存在零风险，即使是再完善的食品安全管理制度，也不能完全杜绝食品安全事件的发生。而食品安全由于其对公众身体健康和生命安全的深远影响，必定会受到公众的强烈关注。一旦有发生食品安全事件的可能性，如不能采取有效的应急措施加以应对，极易使消费者产生恐慌心理，降低政府公信力，对相关食品产业也会造成负面冲击。这就要求相关部门必须积极主动地引导风险交流工作，通过各种信息渠道与公众及时沟通，保证各渠道信息的一致性，提高风险交流成效，防止虚假信息流传。风险交流在食品安全管理方面意义重大，已经形成普遍共识，在很多国家或地区都建立了有效的风险交流制度，成为各国食品安全应急管理的重要组成部分。

风险交流的主体主要包括县级以上人民政府食品药品监督管理部门和其他有关部门、食品安全风险评估专家委员会及其技术机构、食品生产经营者、食品检验机构、认证机构、食品行业协会、消费者协会以及新闻媒体等。其中，食品药品监督管理部门和卫生行政、农业行政、质量监督等有关部门、食品安全风险评估专家委员会及其技术机构承担着组织各方进行风险交流的重要职责。政府和有关机构掌握着食品安全信息的第一手资料，是食品安全管理的执行者和监管者，从各国经验来看，都将政府或政府设立的专门机构作为组织风险交流的主体。

食品安全风险交流的内容为食品安全风险评估信息和食品安全监督管理信息。食品安全风险评估信息包括食品安全风险评估程序和管理体系，评估项目的立项背景、依据、必要性，项目的进展和食品安全风险管理建议等，风险评估结果的解释和答疑，食品安全与食源性疾病的科学知识，针对性的消费建议等。食品安全监督管理包括食品安全领域出现的新情况、新问题，企业遵纪守法情况，重大案件的查处结果等。

食品安全风险交流是一个双向、互动的过程，一方面，政府和有关机构将风险信息传递给利益相关者，增加决策和执法的透明度，增强食品安全管理行为社会公信力，提高食品安全突发事件的应对能力；另一方面，政府和有关机构通过风险交流收集利益相关者的信息反馈，通过对这些信息的综合分析，为政府和有关机构的决策和执行行为提供指导。

第三章　食品安全标准

第二十四条　制定食品安全标准,应当以保障公众身体健康为宗旨,做到科学合理、安全可靠。

【释义】　本条是关于食品安全标准制定原则的规定。

食品安全标准是强制性标准,是保证食品安全、保障公众身体健康的重要措施,是实现食品安全科学管理、强化各环节监管的重要基础,也是规范食品生产经营、促进食品行业健康发展的技术保障。2009 年食品安全法通过之前,我国有食品、食品添加剂、食品相关产品国家标准 2000 余项,行业标准 2900 余项,地方标准 1200 余项。食品安全法通过后,卫生行政部门对食品相关标准进行了清理,梳理标准间矛盾、交叉、重复等问题。截至目前,国务院卫生行政部门已经公布了近 500 项食品安全国家标准,初步建立了一个以国家标准为主体、以保障公众身体健康为宗旨的食品安全标准体系。

一、保障公众身体健康是制定食品安全标准的宗旨

目前我国的食品安全总体状况良好,但仍存在不少问题。针对我国的具体国情,制定科学合理、安全可靠的食品安全标准,保障公众身体健康,是食品安全标准制定工作的出发点和落脚点。制定食品安全国家标准、地方标准和企业标准都要围绕这一宗旨。

二、食品安全标准应当做到科学合理、安全可靠

目前,我国食品安全标准体系逐步完善,但随着食品工业的

发展和人民生活水平的提高，食品安全标准工作仍存在诸多亟待解决的问题，如标准总体上标龄较长、食品安全标准通用性不强、部分指标欠缺风险评估依据等问题，食品安全标准的科学性、合理性仍有待进一步提高。提高食品安全标准的科学性、合理性，要以食品安全风险评估结果为依据，以对人体健康可能造成危害的食品安全风险因素为重点，科学合理地设置标准内容；要加强标准的基础性研究，提高食品安全风险监测和评估能力；要坚持立足我国国情与借鉴国际标准相结合，既要立足我国国情和食品产业的实际发展，兼顾行业现实和监管实际需要，也要积极借鉴相关国际标准的先进经验，注重标准的可操作性；还要不断创新标准制定工作机制，提高研制标准的能力和水平，提高标准制定工作的透明度和公众的参与程度，广泛听取食品生产经营者、消费者、有关部门等方面的意见。食品安全标准还应当安全可靠，保证食品无毒无害，并且符合有关营养要求，不会对人体造成危害。

第二十五条　食品安全标准是强制执行的标准。除食品安全标准外，不得制定其他食品强制性标准。

【释义】　本条是关于食品安全标准强制性的规定。

1. 标准分为强制性标准和推荐性标准。标准是为适应科学发展和合理组织生产的需要，在产品的品种、规格、质量、等级或者安全、卫生要求等方面规定的统一技术要求。根据是否具有强制性，标准分为强制性标准和推荐性标准。其中，保障人体健康，人身、财产安全的标准和法律、行政法规规定强制执行的标准是强制性标准，其他标准是推荐性标准。国家标准的代号由大写汉语拼音字母构成。强制性国家标准的代号为“GB”，推荐性国家标准的代号为“GB/T”。从事科研、生产、经营的单位和个人,必须严格执行强制性标准,禁止生产、销售和进口不符合强制性标准的产品。国家鼓励企业自愿采用推荐性标准。

2.食品安全标准是强制执行的标准。食品安全标准关系人民群众身体健康和生命安全,是强制执行的标准,包括食品安全国家标准和地方标准。生产经营者、检验机构以及监管部门必须严格执行,禁止生产经营不符合食品安全标准的食品、食品添加剂和食品相关产品,否则应承担相应的法律责任。

3.不得制定其他的食品强制性标准。为了解决2009年食品安全法通过之前食品卫生标准、食品质量标准以及行业标准等多套标准同时存在的问题,从制度上确保食品安全国家标准的统一,食品安全法规定,除食品安全标准外,不得制定其他的食品强制性标准。2009年食品安全法通过以后,国务院卫生行政部门先后开展了乳品安全标准、食品安全基础标准、食品卫生标准、现行食品标准的清理整合工作,拟定了我国食品安全标准框架。目前,国务院卫生行政部门已基本完成了食品安全国家标准的整合工作,并公布了近500项食品安全国家标准,包括通用标准、产品标准、生产经营规范、检验方法四类,涉及上万项安全指标和参数,基本覆盖了从农田到餐桌的食品生产加工各个主要环节及食品安全控制要求。

第二十六条　食品安全标准应当包括下列内容:

(一)食品、食品添加剂、食品相关产品中的致病性微生物,农药残留、兽药残留、生物毒素、重金属等污染物质以及其他危害人体健康物质的限量规定;

(二)食品添加剂的品种、使用范围、用量;

(三)专供婴幼儿和其他特定人群的主辅食品的营养成分要求;

（四）对与卫生、营养等食品安全要求有关的标签、标志、说明书的要求；

（五）食品生产经营过程的卫生要求；

（六）与食品安全有关的质量要求；

（七）与食品安全有关的食品检验方法与规程；

（八）其他需要制定为食品安全标准的内容。

【释义】 本条是关于食品安全标准内容的规定。

食品安全标准是保障公众身体健康的强制性标准。本条列举了食品安全标准应当包括的八项内容：

（一）污染物质以及其他危害人体健康物质的限量规定。致病性微生物，农药残留、兽药残留、生物毒素、重金属等污染物质以及其他危害人体健康的物质，禁止人为添加到食品中，但是在食品生产（包括农作物种植、动物饲养和兽医用药）、加工、包装、贮存、运输、销售直至食用等过程中，可能会或多或少进入食品中。如果人体摄入的危害物质超过一定含量，就会危害人体健康。因此，必须对食品中各种危害物质的限量作出规定。

按照对人类和动物有无致病性，微生物可以分为致病性微生物和非致病性微生物。致病性微生物包括细菌、病毒、真菌等。农药残留问题是随着农药在农业生产中广泛使用而产生的。在食品中的农药残留，如果超过一定限量，会造成食物污染，危害人体健康。兽药残留是指使用兽药后蓄积或存留于畜禽机体或产品（如鸡蛋、奶品、肉品等）中原型药物或其代谢产物，包括与兽药有关的杂质残留。生物毒素，又称天然毒素，是指生物来源并不可自我复制的有毒化学物，包括动物、植物、微生物产生的对其他生物有毒害作用的各种化学物质，如黄曲霉毒素、真菌霉素等。重金属一般是指密度在 $4.5g/cm^3$ 以上的金属，如铜、铅、锌、铁、钴、镍、锰、镉、汞、钨、钼、金、银等。食物中的重金属超过一定限量都将对人体产生危害。如果河流、湖泊、海洋或者土壤受到重金属污染,鱼类、贝类或者稻谷、小麦等农作物吸收、积累重金属后被人类食用,其中的重金属就会随之进入人体导致重金属中毒。如一些地方的大米曾多次被曝重金属镉超标,有意见认为其原因就在于土壤遭污染后,镉通过水稻根茎叶吸收、转运、累积到籽粒中,最终导致大米中镉超标。其他危害人体健康物质还包括放射性物质等。

目前,我国已经制定了《食品中污染物限量》等食品安全国家标准,对食品中污染物质以及其他危害人体健康物质的限量指标进行了规定。

(二)食品添加剂的品种、使用范围、用量。食品添加剂,指为改善食品品质和色、香、味以及为防腐、保鲜和加工工艺的需要而加入食品中的人工合成或者天然物质,包括营养强化剂。适当添加食品添加剂,可以改善食品的色、香、味,延长食品的保质期,满足了人们对食品品质的新需求,但如果滥用食品添加剂,则会严重危害人体健康,因此必须对其品种、使用范围和用量进行严格限制。目前,我国已经制定了《食品添加剂使用标准》(GB2760 - 2014),以及《食品添加剂——硬脂酸钾》(GB31623 - 2014)、《食品添加剂——天门冬氨酸钙》(GB 29226 - 2012)等多项有关食品添加剂的食品安全国家标准,对食品添加剂的品种、使用范围、用量进行规范。

(三)特定人群的主辅食品的营养成分要求。婴幼儿是人一生中健康成长的重要时期,这个时期如果能够得到合理的膳食营养,必将为其以后一生的身体和智力发育打下良好的物质基础。婴幼儿主辅食品的营养成分不仅关系到食品的营养,而且关系到婴幼儿的身体健康和生命安全,必须搭配科学,各种营养成分既不能过多,也不能过少。少了会导致营养不良,多了也可能引起中毒。因此,必须在进行风险评估后规定营养成分的最高量、最低量等要求,使婴幼儿在满足营养需求的同时又保证食用安全。同样,其他一些特定人群对主辅食品的营养成分也有特殊要求,需要制定相应的标准。

(四)对与卫生、营养等食品安全要求有关的标签、标志、说明书的要求。原法的规定为“对与食品安全、营养有关的标签、标识、说明书的要求”。在此次修改过程中,有意见提出,本法附则中明确规定,食品安全指食品无毒、无害,符合应当有的营养要求。因此,营养是食品安全的应有之义,包括在食品安全中,不应当再把两者并列,建议将“安全”修改为“卫生”。新法根据上述意见,进行了相应修改。

(五)食品生产经营过程的卫生要求。为规范食品生产过程,国务院卫生行政部门制定了《食品生产通用卫生规范》(GB14881-2013)和《食品经营过程卫生规范》(GB31621-2014)。《食品生产通用卫生规范》规定了食品生产过程中原料采购、加工、包装、贮存和运输等环节的场所、设施、人员的基本要求和管理准则,各类食品的生产都应当适用该标准。《食品经营过程卫生规范》规定了食品采购、运输、验收、贮存、分装与包装、销售等经营过程中的卫生要求,各类食品的经营活动都要适用该标准。

(六)与食品安全有关的质量要求。主要包括:一是与微生物控制和食品腐败变质等安全指标密切相关,如水分、杂质、酸价等;二是体现食品应当有的营养要求,例如生乳的蛋白质、婴幼儿配方食品中各类营养物质等;三是产品特征性指标,例如天然矿泉水中的矿物质含量等。

(七)与食品安全有关的食品检验方法与规程。原法的规定为“食品检验方法与规程”。在修改过程中,有意见提出,不是所有的食品检验方法与规程都与食品安全有关，都应当纳入食品安全标准，因此本项进行了相应的修改，增加了“与食品安全有关”的规定。食品检验方法标准包括理化、微生物和毒理等检验方法，是基础和产品标准中各类限量指标的配套检测方法。

（八）其他需要制定为食品安全标准的内容。本项属于兜底条款，包括其他没有明确列举，但是涉及食品安全，需要制定标准的内容。

截至目前，我国已经公布了近500项食品安全国家标准，包括通用标准（基础标准）、产品标准、生产经营规范、检验方法标准四方面的内容。食品通用标准适用于各类食品，规定了各类食品中的污染物、真菌毒素、致病菌、农兽药残留、食品添加剂和营养强化剂使用、包装材料及其添加剂、标签和营养标签等要求。食品产品标准规定了各大类食品定义、感官、理化和微生物等要求。食品生产经营规范标准强化食品生产经营过程控制和风险防控，对原料、生产过程、运输和贮存、卫生管理等生产经营过程安全控制提出要求。食品检验方法标准包括理化、微生物和毒理等检验方法。

第二十七条　食品安全国家标准由国务院卫生行政部门会同国务院食品药品监督管理部门制定、公布，国务院标准化行政部门提供国家标准编号。

食品中农药残留、兽药残留的限量规定及其检验方法与规程由国务院卫生行政部门、国务院农业行政部门会同国务院食品药品监督管理部门制定。

屠宰畜、禽的检验规程由国务院农业行政部门会同国务院卫生行政部门制定。

【释义】 本条是关于食品安全国家标准制定、公布主体的规定。

1. 关于食品安全国家标准的制定、公布。原法规定“食品安全国家标准由国务院卫生行政部门制定、公布”，同时还规定国务院食品药品监督管理部门对食品生产经营活动实施监督管理。这一食品安全标准制定和执行两者分离的体制，实践中遇到了一些问题，主要是一些急需的标准未能及时制定，不能满足食品安全和执法工作的需要。为使标准的制定和实践紧密结合，增强标准的科学性和可操作性，此次修改对食品安全国家标准的制定主体进行了调整，明确规定食品安全国家标准“由国务院卫生行政部门会同国务院食品药品监督管理部门制定、公布”。

为保证国家标准编号的统一和连续，本条第 1 款还规定食品安全国家标准的编号由国务院标准化行政部门负责提供。

2. 关于食品中农药残留、兽药残留的限量规定及其检验方法与规程的制定。原法规定为：“食品中农药残留、兽药残留的限量规定及其检验方法与规程由国务院卫生行政部门、国务院农业行政部门共同制定。”为使农药残留、兽药残留的限量规定及其检验方法与规程的制定与实践更为紧密结合，新法对上述体制进行了修改，规定食品中农药残留、兽药残留的限量规定及其检验方法与规程由“国务院卫生行政部门、国务院农业行政部门会同国务院食品药品监督管理部门制定”。

3. 屠宰畜、禽的检验规程由国务院农业行政部门会同国务院卫生行政部门制定。2013 年《中央编办关于农业部有关职责和机构编制调整的通知》，对屠宰畜、禽的监管工作分工进行了调整，将商务部有关生猪屠宰监督管理职责划给农业部。调整后，农业部负责起草畜、禽屠宰相关法律法规草案，制定配套规章、规范，负责畜、禽屠宰环节质量安全监督管理。此次修改，根据上述调整，将屠宰畜、禽的检验规程“由国务院有关主管部门会同国务院卫生行政部门制定”，修改为“由国务院农业行政部门会同国务院卫生行政部门制定”。

4. 新法删除了原法本条第4款“有关产品国家标准涉及食品安全国家标准规定内容的，应当与食品安全国家标准相一致”的规定。原法的规定主要是考虑到，2009年食品安全法通过后，仍有一些产品标准涉及食品安全国家标准规定内容，为避免出现相互冲突的情况而规定了过渡性条款。食品安全法通过至今已经6年多，食品安全标准体系进一步完善，食用农产品质量安全标准、食品卫生标准、食品质量标准和有关食品行业标准中强制执行标准的清理整合工作已基本完成，没有必要再对此作出规定。

第二十八条　制定食品安全国家标准，应当依据食品安全风险评估结果并充分考虑食用农产品安全风险评估结果，参照相关的国际标准和国际食品安全风险评估结果，并将食品安全国家标准草案向社会公布，广泛听取食品生产经营者、消费者、有关部门等方面的意见。

食品安全国家标准应当经国务院卫生行政部门组织的食品安全国家标准审评委员会审查通过。食品安全国家标准审评委员会由医学、农业、食品、营养、生物、环境等方面的专家以及国务院有关部门、食品行业协会、消费者协会的代表组成，对食品安全国家标准草案的科学性和实用性等进行审查。

【释义】　本条是关于制定食品安全国家标准要求和程序的规定。

此次修改对原法第1款和第2款的位置进行了调换，并吸收了有关方面的意见，对制定标准时听取意见的规定进行了完善，使条文更具逻辑性和合理性。

第1款是关于制定食品安全国家标准的要求。食品安全国家标准对食品生产经营活动具有重要意义，是保障食品安全的前提，因此，制定食品安全国家标准要经过审慎的程序。第一，依据食品安全风险评估结果并充分考虑食用农产品质量安全风险评估结果。食品安全风险评估结果，是指依据本法第17条的规定，国务院卫生行政部门成立由医学、农业、食品、营养、生物、环境等方面专家组成的食品安全风险评估专家委员会，对食品、食品添加剂、食品相关产品中生物性、化学性和物理性危害因素进行风险评估得出的结果。食品安全风险评估结果是制定食品安全国家标准的重要依据，对食品安全国家标准的内容具有重要影响。食用农产品质量安全风险评估结果，是指依据农产品质量安全法的规定，国务院农业行政部门设立由有关方面专家组成的农产品质量安全风险评估专家委员会，对供食用源于农业的初级产品质量安全的潜在危害进行风险分析和评估的结果。食用农产品的特点是未经加工或者经初级加工的，可直接供食用，因此，制定食品安全国家标准时，对食用农产品的质量安全风险评估结果要予以充分考虑，防止、避免食用农产品因农药、兽药、肥料污染和有害因素对人体造成危害。第二，参照相关的国际标准和国际食品安全风险评估结果。国际标准和国际食品安全风险评估结果，对制定我国的食品国家标准具有重要的参照意义，但也要考虑我国现实情况，不可盲目照搬。第三，广泛听取食品生产经营者、消费者、有关部门等方面的意见。原法的规定是“广泛听取食品生产经营者和消费者的意见”。此次修改，将听取意见的对象由“食品生产经营者和消费者”扩大至“食品生产经营者、消费者、有关部门等方面”。“有关部门”

主要指农业行政部门、质量监督部门等。

第2款是关于制定食品安全国家标准程序的规定。国务院卫生行政部门组织食品安全国家标准审评委员会,对食品安全国家标准草案进行审查。食品安全国家标准审评委员会主要对食品安全标准是否科学合理、安全可靠,是否具有实用性和可操作性进行审查,并注意与法律法规、制度以及其他相关标准的衔接,与我国经济、社会和科学发展水平相适应。未经食品安全国家标准审评委员会审评通过,不得作为食品安全国家标准公布。

新法在食品安全国家标准审评委员会的组成上增加了“生物、环境”方面的代表。这主要是由于食品安全标准的制定还涉及生物、环境等因素,吸收有关方面专家参加评审委员会,可以更好地对标准的科学性和实用性进行审查。

第二十九条　对地方特色食品,没有食品安全国家标准的,省、自治区、直辖市人民政府卫生行政部门可以制定并公布食品安全地方标准,报国务院卫生行政部门备案。食品安全国家标准制定后,该地方标准即行废止。

【释义】　本条是关于食品安全地方标准的规定。

1. 对地方特色食品,没有食品安全国家标准的,可以制定食品安全地方标准。原法的规定为“没有食品安全国家标准的,可以制定食品安全地方标准”,新法对此进行了修改,对制定食品安全地方标准的情形进行了限制,仅规定没有食品安全标准的地方特色食品可以制定食品安全地方标准。对于非地方特色食品的其他食品或者食品添加剂、食品相关产品、专供婴幼儿和其他特定人群的主辅食品、保健食品等其他食品安全标准内容,不能制定地方标准。

对于是否制定食品安全地方标准,存在两种不同意见。一种意见提出，目前我国已有近500项食品安全国家标准，涉及上万项安全指标和参数，基本覆盖了从农田到餐桌食品生产加工的各主要环节及食品安全控制要求。食品安全国家标准制定遵循通用性原则，将相同类别食品归类制定标准，提高了标准的覆盖面，特别是食品安全通用标准（横向标准），不针对单个产品设置标准，扩大了食品安全国家标准的覆盖面，没有必要制定地方标准，否则会使一些地方政府借地方标准搞地方保护主义，不利于食品业的发展，因此建议删除有关食品安全地方标准的规定。但也有意见认为，立法应当从实际出发，现实确实存在一些地方特色食品，尚未制定食品安全国家标准，短期内不可能或者也没有必要制定国家标准。对此类食品，应当制定地方标准进行规范。立法机关充分听取各方意见，经多次调研，最终保留了有关地方标准的规定，但对其制定和废止进行了一定限制：一是应当报国务院卫生行政部门备案；二是食品安全国家标准制定后，该地方标准即行废止，避免出现国家标准和地方标准同时存在，导致适用混乱。

2. 省、自治区、直辖市人民政府卫生行政部门制定、公布食品安全地方标准。第一，只有省级卫生行政部门，即省、自治区、直辖市人民政府的卫生行政部门，才可以制定、公布食品安全地方标准。第二，制定食品安全地方标准也应当以保障公众身体健康为宗旨，做到科学合理、安全可靠，以食品安全风险监测、评估为依据，在制定过程中应当广泛听取各方面意见，提高制定、修订标准的透明度。

3. 食品安全地方标准应当报国务院卫生行政部门备案。负责制定食品安全地方标准的省级卫生行政部门，应当按照有关规定，在一定时间内，按规定的要求，向国务院卫生行政部门备案。

4. 食品安全国家标准制定后，该地方标准即行废止。随着食品安全国家标准的完善以及地方特色食品食用范围的不断扩大，国务院卫生行政部门、食品药品监督管理部门可能会对原来没有国家标准的地方特色食品制定相应的国家标准。在制定食品安全国家标准后，该地方标准即行废止，避免出现地方标准与国家标准并行的情况，维护食品安全标准的唯一性。

第三十条　国家鼓励食品生产企业制定严于食品安全国家标准或者地方标准的企业标准，在本企业适用，并报省、自治区、直辖市人民政府卫生行政部门备案。

【释义】 本条是关于食品安全企业标准的规定。

食品安全企业标准，是生产食品的企业自己制定的，作为企业组织生产的依据，在企业内部适用的食品安全标准，属于企业标准的范畴。企业标准是对企业范围内需要协调、统一的技术要求、管理要求和工作要求所制定的标准，是企业组织生产、经营活动的依据。制定企业标准有利于企业强化内部管理，提高效率，降低成本，提高市场竞争力。本条的规定，既是保障食品安全的要求，也体现了对食品企业生产经营自主权的尊重。

1. 新法删除了原法“企业生产的食品没有食品安全国家标准或者地方标准的，应当制定企业标准，作为组织生产的依据”的规定。随着食品安全国家标准整合工作的基本完成，食品安全横向标准基本完善，不存在没有食品安全国家标准或者地方标准的情况，因此，删除了原法相应的规定。

2. 食品安全企业标准应当严于食品安全国家标准或者地方标准。国家标准或者地方标准由于要照顾到全国或者全省的平均水平，是保障食品安全的底线。为了增强市场竞争力，企业可以制定严于国家标准或地方标准的企业食品安全标准，提高食品的市场竞争力。国家鼓励企业的这种行为。

3. 企业标准是该企业组织生产的依据，在企业内部适用。企业在进行食品生产时，应当严格遵循已经备案的食品安全企业标准的规定，按照该标准组织生产、进行检验，保障其生产食品的安全。

4. 食品安全企业标准的备案制度。食品安全企业标准应当报省级卫生行政部门备案。省级卫生行政部门收到企业食品安全标准的备案材料后即予登记。如果发现备案的企业食品安全标准违反有关法律、法规，或者低于国家强制性标准或地方标准时，省级卫生行政部门应当予以指出、纠正。

第三十一条　省级以上人民政府卫生行政部门应当在其网站上公布制定和备案的食品安全国家标准、地方标准和企业标准，供公众免费查阅、下载。

对食品安全标准执行过程中的问题，县级以上人民政府卫生行政部门应当会同有关部门及时给予指导、解答。

【释义】　本条是关于食品安全标准公布和有关问题解答的规定。

一、关于食品安全标准的公布

原法对食品安全标准的公布较为原则，即“食品安全标准应当供公众免费查阅”，新法对公布的主体、内容和方式作了更为具体的规定。

1. 关于公布的主体。新法明确规定公布食品安全标准的主体，即省级以上人民政府卫生行政部门，包括国务院卫生行政部门和省、自治区、直辖市人民政府卫生行政部门。

2. 关于公布的内容。依照本法第 27 条、第 29 条、第 30 条的有关规定，食品安全国家标准由国务院卫生行政部门会同国务院食品药品监督管理部门制定、公布;食品中农药残留、兽药残留的限量规定及其检验方法与规程由国务院卫生行政部门、国务院农业行政部门会同国务院食品药品监督管理部门制定;屠宰畜、禽的检验规程由国务院农业行政部门会同国务院卫生行政部门制定;地方标准由省、自治区、直辖市人民政府卫生行政部门组织制定、公布,并报国务院卫生行政部门备案;企业标准报省、自治区、直辖市人民政府卫生行政部门备案。因此,国务院卫生行政部门应当在其网站上公布食品安全国家标准和向其备案的食品安全地方标准,省级卫生行政部门应当在其网站上公布其制定的食品安全地方标准和向其备案的食品安全企业标准。

3. 关于公布的方式。随着互联网的发展,在网站上公布食品安全标准供公众免费查阅、下载,已成为当今最便于公众查阅的方式。因此,此次修改对食品安全标准的公布方式予以进一步明确,即省级以上人民政府卫生行政部门应当在其网站上公布有关食品安全标准,供公众免费查阅、下载。提供食品安全标准,供公众免费查阅、下载,是政府部门应尽的职责,也是食品安全标准信息能够为公众广泛知晓的要求。

二、关于食品安全标准执行过程中的问题的处理

对食品安全标准执行过程中的问题,本法规定由县级以上人民政府卫生行政部门会同有关部门及时给予指导、解答。这一规定是此次修改的新增内容,是对食品安全标准执行问题解答职责的明确规定。食品安全国家标准由国务院卫生行政部门会同国务院食品药品监督管理部门制定、公布,食品中农药残留、兽药残留的限量规定及其检验方法与规程由国务院卫生行政部门、国务院农业行政部门会同国务院食品药品监督管理部门制定,屠宰畜、禽的检验规程由国务院农业行政部门会同国务

院卫生行政部门制定，食品安全地方标准由省级卫生行政部门制定。因此，与标准的制定权相一致，本条规定县级以上卫生行政部门会同有关部门对食品安全标准执行过程中的问题及时予以指导、解答。“有关部门”主要指食品药品监督管理部门、农业行政部门、质量监督部门。

第三十二条　省级以上人民政府卫生行政部门应当会同同级食品药品监督管理、质量监督、农业行政等部门，分别对食品安全国家标准和地方标准的执行情况进行跟踪评价，并根据评价结果及时修订食品安全标准。

省级以上人民政府食品药品监督管理、质量监督、农业行政等部门应当对食品安全标准执行中存在的问题进行收集、汇总，并及时向同级卫生行政部门通报。

食品生产经营者、食品行业协会发现食品安全标准在执行中存在问题的，应当立即向卫生行政部门报告。

【释义】　本条是关于食品安全标准跟踪评价和执行问题的规定。

1. 关于食品安全标准跟踪评价制度。食品安全标准跟踪评价，是对食品安全国家或者地方标准执行情况进行调查，了解标准实施情况并进行分析和研究，提出标准实施和标准修订相关建议的过程。跟踪评价工作包括标准贯彻落实和执行情况、推进标准实施的措施及成效、标准指标或技术要求的科学性和实用性以及其他需要跟踪评价的内容。食品安全标准跟踪评价工作应当以保障公众健康为宗旨，坚持科学合理、依法高效、客观公正、真实可靠的原则。根据《食品安全国家标准跟踪评价规范（试行）》的规定，食品安全标准跟踪评价主要采取问卷调查、现场调查、指标验证、专家咨询等方式。省级以上人民政府卫生行政部门应当会同同级食品药品监督管理、质量监督、农业行政等部门分别对食品安全国家标准和地方标准的执行情况进行跟踪评价，其评价结果将成为修订食品安全标准的重要依据。如果跟踪评价结果表明食品安全标准应当修订的，国务院卫生行政部门、国务院食品药品监督管理部门、国务院农业行政部门、省级卫生行政部门应当及时制定或者修订相应食品安全国家标准或者地方标准。

2. 省级以上人民政府食品药品监督管理、质量监督、农业行政等部门在其各自的食品安全监管过程中，发现食品安全标准存在问题的，应当予以收集、汇总，并及时向同级卫生行政部门通报，以便卫生行政部门会同有关部门根据执行情况，对食品安全标准进行不断完善，使其更为科学合理、安全可靠。

3. 食品生产经营者、食品行业协会发现食品安全标准执行中存在问题的，特别是可能影响食品安全的问题，应当立即向卫生行政部门报告。

第四章　食品生产经营

第一节　一 般 规 定

第三十三条　食品生产经营应当符合食品安全标准，并符合下列要求：

（一）具有与生产经营的食品品种、数量相适应的食品原料处理和食品加工、包装、贮存等场所，保持该场所环境整洁，并与有毒、有害场所以及其他污染源保持规定的距离；

（二）具有与生产经营的食品品种、数量相适应的生产经营设备或者设施，有相应的消毒、更衣、盥洗、采光、照明、通风、防腐、防尘、防蝇、防鼠、防虫、洗涤以及处理废水、存放垃圾和废弃物的设备或者设施；

（三）有专职或者兼职的食品安全专业技术人员、食品安全管理人员和保证食品安全的规章制度；

（四）具有合理的设备布局和工艺流程，防止待加工食品与直接入口食品、原料与成品交叉污染，避免食品接触有毒物、不洁物；

（五）餐具、饮具和盛放直接入口食品的容器，使用前应当洗净、消毒，炊具、用具用后应当洗净，保持清洁；

（六）贮存、运输和装卸食品的容器、工具和设备应当安全、无害，保持清洁，防止食品污染，并符合保证食品安全所需的温度、湿度等特殊要求，不得将食品与有毒、有害物品一同贮存、

运输;

(七)直接入口的食品应当使用无毒、清洁的包装材料、餐具、饮具和容器;

(八)食品生产经营人员应当保持个人卫生,生产经营食品时,应当将手洗净,穿戴清洁的工作衣、帽等;销售无包装的直接入口食品时,应当使用无毒、清洁的容器、售货工具和设备;

(九)用水应当符合国家规定的生活饮用水卫生标准;

(十)使用的洗涤剂、消毒剂应当对人体安全、无害;

(十一)法律、法规规定的其他要求。

非食品生产经营者从事食品贮存、运输和装卸的,应当符合前款第六项的规定。

【释义】 本条是关于食品生产经营要求的规定。

原法第27条对食品生产经营要求作了规定。本条在原法基础上作了修改:一是第1款个别项中的内容有所增加;二是增加了第2款。

食品生产经营首先应当符合食品安全标准,按照食品安全标准进行生产经营是本法对食品生产经营最基本、最核心的要求。本法第25条规定,食品安全标准是强制执行的标准。第26条规定,食品安全标准的内容包括食品危害人体健康物质的限量规定,专供婴幼儿和其他特定人群的主辅食品的营养成分要求,标签、标志、说明书的要求,食品生产经营过程的卫生要求等。食品生产经营者应当确保其生产经营活动符合食品安全标准,如《食品生产通用卫生规范》(GB14881-2013)等。

除了应当符合食品安全标准外,食品生产经营还应当符合以下要求:

第1项是对场所的要求。主要有三个:一是场所的大小和布局应当与其生产经营的规模相适应,厂房的面积和空间应与其生产能力相适应,便于设备安置、清洁消毒、物料存储及人员操作。二是场所应当整洁。生产经营场所应当有合理的功能分区,干净整洁。三是场所应当与有毒、有害场所以及其他污染源保持规定的距离,保证食品安全。

第2项是对设备、设施的要求。主要有两个:一是应当根据生产经营的食品品种、数量的需要,配备与生产能力相适应的生产设备或者设施。二是应当配备其他保证食品安全的设备或者设施,如消毒、更衣、盥洗、采光、照明、通风、防腐、防尘、防蝇、防鼠、防虫、洗涤以及处理废水、存放垃圾和废弃物的设备或者设施。

第3项是对人员和制度的要求。与原法相比,新法在要求配备的人员前增加了"专职或者兼职",明确食品安全专业技术人员、食品安全管理人员既可以是专职的,也可以是兼职的,具体如何配备,由生产经营企业根据企业情况和保证食品安全的需要自主决定。根据本项规定,一是要有食品安全专业技术人员。食品安全专业技术人员具有食品生产经营的专业知识,可以对食品安全管理提供专业技术服务。二是要有食品安全管理人员。管理人员是负责本企业食品安全具体管理工作的人员,既可以是企业的负责人,也可以是其他员工。本法第44条规定,食品生产经营企业应当配备食品安全管理人员,并应加强培训和考核,经考核不具备食品安全管理能力的,不得上岗。三是要有保证食品安全的规章制度。通过规章制度管人、管事,明确岗位职责,规范操作流程,保证食品安全。本法第44条规定,食品生产经营企业应当建立健全食品安全管理制度。

第4项是对设备布局和工艺流程的要求。食品生产经营企业的设备布局和工艺流程应当合理,避免引起前道工序的原料、半成品污染后道工序的成品,防止食品与成品、生食品与熟食品的交叉感染。每道工序的容器、工具和用具应当固定，并有相应的标志，防止交叉使用。使用的清洗剂、消毒剂以及杀虫剂、灭鼠剂等应当远离食品，存放于专柜，并由专人管理，避免食品接触有毒、不洁的物品，保证食品安全。

第5项是对使用的食品相关产品的要求。食品生产经营者应当在使用前，对餐具、饮具和盛放直接入口食品的容器清洗干净，并进行消毒，消灭病原体，降低细菌数量，防止使用者互相传染，保证消费者身体健康。对使用过的炊具、用具等应当及时清洗，保持清洁，防止病菌孳生。

第6项是对贮存、运输和装卸食品的要求。由于食品贮存、运输和装卸过程中，湿度可能影响食品的品质，对食品安全造成影响，因此，新法增加了应当符合保证食品安全所需的湿度的规定。由于将食品与有毒、有害物质一同贮存可能导致食品被污染，影响食品安全，因此，新法增加了不得将食品与有毒、有害物品一同贮存的规定。贮存、运输和装卸是食品生产经营过程的重要环节，操作不当容易导致食品污染，形成安全隐患，甚至直接影响食品安全。贮存、运输和装卸食品的要求主要有三个方面：一是贮存、运输和装卸食品的容器、工具和设备应当安全、无害，保持清洁，防止污染食品，影响食品安全。二是对贮存、运输和装卸食品有特殊要求的，应当在合适的温度、湿度等环境下进行，防止食品腐烂变质、脱水变形变味，影响食品安全。三是不得将食品与有毒、有害物品一同贮存、运输，防止交叉污染，影响食品安全。

第7项是对直接入口的食品使用的包装材料等食品相关产品的要求。由于饮具和容器的安全状况会影响直接入口食品的安全，因此，新法增加了直接入口的食品应当使用无毒、清洁的饮具和容器的规定。根据本法第150条的规定，直接入口的食品使用的包装材料和容器是指包装、盛放直接入口的食品的纸、竹、木、金属、搪瓷、陶瓷、塑料、橡胶、天然纤维、化学纤维、玻璃等制品和直接接触、直接入口的食品的涂料。餐具和饮具主要是指餐饮服务提供者提供餐饮服务时使用的碗筷、勺子、盘子、杯子等。直接入口的食品使用的包装材料、餐具、饮具和容器应当无毒、清洁,以确保食品安全。

第 8 项是对食品生产经营人员的要求。由于容器和售货设备直接接触无包装的直接入口食品,对其安全会产生影响,因此,新法增加了销售无包装的直接入口食品时应当使用无毒、清洁的容器和售货设备的规定。生产经营人员的个人卫生状况直接关系到食品安全。食品生产经营人员应当衣着整洁,指甲常剪,头发常理,勤洗澡等。在生产经营时,应当将手洗干净,穿戴清洁的工作衣、帽、手套等。销售无包装的直接入口食品时,应当使用无毒、清洁的容器、售货工具和设备,避免容器、售货工具和设备污染食品,影响食品安全。

第 9 项是对用水的要求。生产经营食品离不开水,使用安全、卫生的水是保证食品安全的重要因素。食品生产经营用水应当符合国家规定的生活饮用水卫生标准。目前,适用的是 2006 年修订的《生活饮用水卫生标准》(GB5749 - 2006)。

第 10 项是对洗涤剂和消毒剂的要求。保持餐具、饮具、炊具、用具和容器等食品相关产品的清洁、无毒,不可避免地会用到洗涤剂和消毒剂,不洁、有害的洗涤剂和消毒剂容易以食品相关产品为媒介污染食品。因此,应当保证使用的洗涤剂、消毒剂对人体安全、无害。

第 11 项是对食品生产经营要求的兜底条款。食品生产经营环节多,链条长,影响食品安全的因素很多,上述 10 项要求实践中可能难以全面涵盖所有食品生产经营中的卫生要求,因此法律、法规规定的其他要求,如本章第2节关于生产经营控制的相关要求,食品生产经营者同样应当遵守、符合。

在立法过程中,有些意见提出,食品贮存、运输和装卸是食品安全管理的重要环节,除食品生产经营者外,还有一些专业的仓储、物流企业、车站码头等也从事食品的贮存、运输和装卸活动,应当对其加强管理。因此,新法增加第2款规定,非食品生产经营者从事食品贮存、运输和装卸的,应当符合前款第6项的规定。非食品生产经营者从事食品贮存、运输和装卸的,贮存、运输和装卸食品的容器、工具和设备应当安全、无害,保持清洁,防止食品污染,并符合保证食品安全所需的温度、湿度等特殊要求,不得将食品与有毒、有害物品一同贮存、运输。

第三十四条　禁止生产经营下列食品、食品添加剂、食品相关产品:

(一)用非食品原料生产的食品或者添加食品添加剂以外的化学物质和其他可能危害人体健康物质的食品,或者用回收食品作为原料生产的食品;

(二)致病性微生物,农药残留、兽药残留、生物毒素、重金属等污染物质以及其他危害人体健康的物质含量超过食品安全标准限量的食品、食品添加剂、食品相关产品;

(三)用超过保质期的食品原料、食品添加剂生产的食品、食品添加剂;

(四)超范围、超限量使用食品添加剂的食品;

(五)营养成分不符合食品安全标准的专供婴幼儿和其他特定人群的主辅食品;

(六)腐败变质、油脂酸败、霉变生虫、污秽不洁、混有异物、掺假掺杂或者感官性状异常的食品、食品添加剂;

（七）病死、毒死或者死因不明的禽、畜、兽、水产动物肉类及其制品；

（八）未按规定进行检疫或者检疫不合格的肉类，或者未经检验或者检验不合格的肉类制品；

（九）被包装材料、容器、运输工具等污染的食品、食品添加剂；

（十）标注虚假生产日期、保质期或者超过保质期的食品、食品添加剂；

（十一）无标签的预包装食品、食品添加剂；

（十二）国家为防病等特殊需要明令禁止生产经营的食品；

（十三）其他不符合法律、法规或者食品安全标准的食品、食品添加剂、食品相关产品。

【释义】 本条是关于禁止生产经营的食品、食品添加剂、食品相关产品的规定。

由于食品添加剂、食品相关产品不符合法律、法规或者食品安全标准的要求，也会影响食品安全，因此，本条在原法有关规定的基础上增加了关于禁止生产经营的食品添加剂、食品相关产品的规定，具体内容在各项中体现。

第 1 项禁止生产经营的食品有三类：一是用非食品原料生产的食品，如使用甲醇兑制的假酒。1998 年的山西朔州假酒案就是用甲醇加水勾兑散酒，导致 27 人死亡，222 人中毒，其中多人失明。二是添加食品添加剂以外的化学物质和其他可能危害人体健康物质的食品，如添加三聚氰胺的婴儿奶粉、添加吊白块的米粉等。三是用回收食品作为原料生产的食品，如地沟油等。

第 2 项除禁止生产经营危害人体健康的物质含量超过食品安全标准限量的食品外，新法增加了禁止生产经营该类食品添加剂、食品相关产品的规定。本法第 26 条规定，食品安全标准的内容包括了食品、食品添加剂、食品相关产品中的致病性微生物、农药残留、兽药残留、生物毒素、重金属等污染物质以及其他危害人体健康物质的限量等，食品、食品添加剂、食品相关产品中危害人体健康物质的含量超过食品安全标准限量的，禁止生产经营。

第3项禁止生产经营用超过保质期的食品原料、食品添加剂生产的食品、食品添加剂，这是新增加的内容。2014年7月发生了“福喜事件”，有媒体报道认为，上海福喜公司使用了过期的冷冻原料肉品加工肉饼，引起轩然大波。在立法过程中，有的意见提出，应当禁止生产经营使用超过保质期的食品原料生产的食品。实践中，还存在使用过期的食品添加剂为原料生产复合食品添加剂的情况，需要加以规范。据此，此次修改增加了本项内容。

第4项禁止生产经营超范围、超限量使用食品添加剂的食品，这是新增加的内容。本法第26条规定，食品安全标准的内容包括食品添加剂的品种、使用范围、用量等，食品添加剂应当在技术上确有必要才能使用，且应当在食品安全标准规定的使用范围和用量限度内才能使用。对于超范围、超限量使用食品添加剂的食品，因其不符合食品安全标准，应当禁止生产经营，以保证食品安全。

第5项禁止生产经营营养成分不符合食品安全标准的专供婴幼儿和其他特定人群的主辅食品。本法第26条规定，食品安全标准的内容包括专供婴幼儿和其他特定人群的主辅食品的营养成分要求。专供婴幼儿和其他特定人群的主辅食品不符合食品安全标准的，禁止生产经营。专供婴幼儿的主辅食品包括婴幼儿配方乳粉、婴幼儿米粉等，专供其他特定人群的主辅食品包括特殊医学用途配方食品、专供孕妇等食用的主辅食品等。由于这些特定人群主要从这些特殊主辅食品中摄取营养成分,或者对食品的营养成分有特殊要求,如果这些食品营养成分不符合食品安全标准,婴幼儿和其他特定人群就不能从食品中摄取足够的养分,影响身体健康,甚至威胁生命安全。安徽阜阳的“大头娃娃”事件就是因婴儿食用的奶粉营养成分不符合食品安全标准造成的。

第 6 项除禁止生产经营腐败变质、油脂酸败、霉变生虫、污秽不洁、混有异物、掺假掺杂或者感官性状异常的食品外,新增加了禁止生产经营该类食品添加剂的规定,这是因为添加该类食品添加剂也可能影响食品安全。“腐败变质”指食品、食品添加剂经过微生物作用使其某些成分发生变化的现象。腐败变质的食品、食品添加剂一般含有沙门氏菌、痢疾杆菌、金黄色葡萄球菌等致病性病菌,易导致食物中毒。“油脂酸败”指油脂和含油脂的食品、食品添加剂,在储存过程中经微生物、酶等作用,发生变色、变味等变化。“霉变”指霉菌污染繁殖,有时表面可见霉丝和霉变现象,这种霉菌毒素在高温高压条件下,也不易被破坏,使食品、食品添加剂有较强的毒性。如前几年发生的陈化粮事件,就是因为陈化粮中的黄曲菌霉超标。

第 7 项禁止生产经营病死、毒死或者死因不明的禽、畜、兽、水产动物肉类及其制品。病死、毒死或死因不明的禽、畜、兽、水产动物肉类往往含有致病性微生物或寄生虫,人们在食用这类肉类及其制品后可能导致食物中毒,发生病患甚至死亡。

第 8 项禁止生产经营未按规定进行检疫或者检疫不合格的肉类、未经检验或者检验不合格的肉类制品。如《生猪屠宰管理条例》规定,生猪定点屠宰厂(场)屠宰的生猪,应当依法经动物卫生监督机构检疫合格,并附有检疫证明。经肉品品质检验合格的生猪产品,生猪定点屠宰厂(场)应当加盖肉品品质检验合格验讫印章或者附具肉品品质检验合格标志。生猪定点屠宰厂(场)的生猪产品未经肉品品质检验或者经肉品品质检验不合格的,不得出厂(场)。

第9项除禁止生产经营被包装材料、容器、运输工具等污染的食品外,新增加了禁止生产经营该类食品添加剂的规定。包装材料一般指包装、盛放食品用的纸、竹、木、金属、搪瓷、天然纤维、玻璃等制品。食品、食品添加剂应当使用安全、无害、清洁的包装材料、容器、运输工具等,防止食品污染。对于被包装材料、容器、运输工具等污染的食品、食品添加剂,因其不符合食品安全标准的要求,不能生产经营。

第10项除禁止生产经营超过保质期的食品外,新增加了禁止生产经营标注虚假生产日期、保质期的食品、食品添加剂和超过保质期的食品添加剂的规定。本法第67条规定,标签应当标明生产日期、保质期;第71条规定,食品、食品添加剂的标签不得含有虚假内容,生产经营者对其提供的标签的内容负责。食品、食品添加剂通常只在一定期限内才能保持相应的营养水平和卫生标准,超过这一期限,就易发生变质,食用超过保质期或者添加了超过保质期的食品添加剂的食品,容易引起中毒或者其他疾病。本项规定的标注虚假生产日期、保质期包括篡改、倒签生产日期、保质期等行为。

第11项除禁止生产经营无标签的预包装食品外,新增加规定了禁止生产经营无标签的食品添加剂。本法第150条规定,预包装食品是指预先定量包装或者制作在包装材料、容器中的食品。本法第67条规定,预包装食品的包装上应当有标签,并对标签应当标明的事项进行了明确。第70条规定,食品添加剂应当有标签。标签是对食品、食品添加剂质量特性、安全特性、使用说明的描述,购买者可以借助标签进行选购。

第 12 项禁止生产经营国家为防病等特殊需要明令禁止生产经营的食品。如《盐业管理条例》规定,对碘缺乏病地区必须供应加碘食用盐。未经加碘的食用盐,不得进入碘缺乏病地区食用盐市场。

第 13 项是兜底条款,禁止生产经营其他不符合法律、法规或者食品安全标准的食品、食品添加剂、食品相关产品。如用回收食品添加剂作为原料生产的食品添加剂,添加非法添加物的食品添加剂等。

第三十五条　国家对食品生产经营实行许可制度。从事食品生产、食品销售、餐饮服务,应当依法取得许可。但是,销售食用农产品,不需要取得许可。

县级以上地方人民政府食品药品监督管理部门应当依照《中华人民共和国行政许可法》的规定,审核申请人提交的本法第三十三条第一款第一项至第四项规定要求的相关资料,必要时对申请人的生产经营场所进行现场核查;对符合规定条件的,准予许可;对不符合规定条件的,不予许可并书面说明理由。

【释义】　本条是关于食品生产经营许可的规定。

一、国家对食品生产经营实行许可制度

行政许可法第 12 条规定,直接关系人身健康、生命财产安全等特定活动,需要按照法定条件予以批准的事项,可以设定行政许可。食品生产经营直接关系人身健康和生命财产安全,对其实行许可制度是必要的。

原法第 29 条规定,从事食品生产、食品流通、餐饮服务应当依法取得食品生产许可、食品流通许可、餐饮服务许可。与之不同,新法规定,对从事食品生产、食品销售、餐饮服务的,应当依法取得许可。在机构改革前,食品生产、销售和餐饮服务分属不同的部门监督管理，机构改革后，统一由食品药品监督管理部门监督管理，颁发食品生产经营许可证。

二、销售食用农产品，不需要取得许可

原法第 29 条规定，农民个人销售其自产的食用农产品，不需要取得食品流通的许可。新法规定，销售食用农产品，不需要取得许可，扩大了不需要取得许可的范围。在立法过程中，一些意见提出，农产品质量安全法未规定销售食用农产品需经许可，实践中也不实行许可，建议除明确农民个人销售其自产的食用农产品不需要许可外，所有销售食用农产品的行为都不需要取得许可。也有意见认为，为加强食品安全管理，食用农产品销售也应当实行许可管理。经广泛征求意见，多数意见认为，从我国目前食用农产品销售的情况看，多为农民和小、散的个体经营者，经营的对象主要是蔬菜、瓜果等鲜活农产品，通过许可进行管理不现实。对销售食用农产品的，可以通过增加食用农产品批发市场检验、建立进货查验记录制度等规定，加强对批发市场的管理，进行源头控制，强化法律责任。因此，从实际出发，继续维持农产品质量安全法关于食用农产品的销售不需要取得许可的做法，新法规定销售食用农产品不需要取得许可。

三、行政许可的实施程序

行政许可法对许可的实施程序进行了明确规定，如申请与受理、审查与决定、期限、听证等。食品药品监督管理部门应当依照行政许可法规定的实施程序，对申请人提交的材料进行审核，并应当原则上在 20 日内作出许可决定。

申请人应当提交本法第 33 条第 1 项至第 4 项规定要求的相关资料。这些资料应当表明申请者具备从事食品生产经营的条件，具体包括：具有与拟生产经营的食品品种、数量相适应的食品原料处理和食品加工、包装、储存等场所，保持该场所环境整洁，并与有毒、有害场所以及其他污染源保持规定的距离；具有与拟生产经营的食品品种、数量相适应的生产经营设备或者设施，有相应的消毒、更衣、盥洗、采光、照明、通风、防腐、防尘、防蝇、防鼠、防虫、洗涤以及处理废水、存放垃圾和废弃物的设备或者设施；有专职或者兼职的食品安全专业技术人员、食品安全管理人员和保证食品安全的规章制度；具有合理的设备布局和工艺流程，防止待加工食品与直接入口食品、原料与成品交叉污染，避免食品接触有毒物、不洁物。食品药品监督管理部门认为必要的，可以对申请人的生产经营场所进行现场核查，对申请材料的实质内容进行核实。

食品药品监督管理部门对前述材料进行审核后，认为申请人符合法律、法规规定的条件的，应当准予行政许可，颁发许可证。认为不符合规定条件的，决定不予许可并说明理由，说明理由应当采用书面形式。

第三十六条　食品生产加工小作坊和食品摊贩等从事食品生产经营活动，应当符合本法规定的与其生产经营规模、条件相适应的食品安全要求，保证所生产经营的食品卫生、无毒、无害，食品药品监督管理部门应当对其加强监督管理。

县级以上地方人民政府应当对食品生产加工小作坊、食品摊贩等进行综合治理，加强服务和统一规划，改善其生产经营环境，鼓励和支持其改进生产经营条件，进入集中交易市场、店铺等固定场所经营，或者在指定的临时经营区域、时段经营。

食品生产加工小作坊和食品摊贩等的具体管理办法由省、自治区、直辖市制定。

【释义】　本条是关于食品生产加工小作坊和食品摊贩等的基本要求和管理的规定。

一、对食品生产加工小作坊和食品摊贩等的基本要求

本条除原法规定的食品生产加工小作坊和食品摊贩外，新法增加了一个“等”字，这主要是考虑除了食品生产加工小作坊、食品摊贩外，实践中还有小餐饮、小食杂店等小微食品生产经营者，包括一些小微食品生产经营企业，对这些小微食品生产经营者的管理也可以适用本条的规定。

对食品生产加工小作坊的定义，一般包含四个要素：有固定生产加工场所、从业人员较少、生产条件简单、依法从事食品生产加工。一般是指固定从业人员较少，有固定生产场所，生产条件简单，从事传统、低风险食品生产加工的生产单位或个人。如《食品生产加工小作坊质量安全控制基本要求》（GB/T23734－2009）将食品生产加工小作坊定义为，依照相关法律、法规从事食品生产，有固定生产场所，从业人员较少，生产加工规模小，无预包装或简易包装，销售范围固定的食品生产加工（不含现做现卖）的单位和个人。食品摊贩一般是指没有固定经营场所、从事食品销售等的经营者。

食品生产加工小作坊和食品摊贩等应当符合本法规定的食品安全要求。本法第33条对食品生产经营应当符合的要求作了规定，食品生产加工小作坊和食品摊贩等因其自身条件限制，不能与生产经营企业同等要求，但应当以本法第33条规定为原则，符合与其生产经营规模、条件相适应的食品安全要求，保证所生产经营的食品卫生、无毒、无害。

二、对食品生产加工小作坊和食品摊贩等的管理

新法将食品生产加工小作坊和食品摊贩等的监管主体由有关部门明确为食品药品监督管理部门。食品生产加工小作坊和食品摊贩在方便群众生活、生产地方特色食品或传统食品、扩大就业等方面发挥了积极作用，但是由于其生产经营条件简陋，点

多面广，监管难度大，容易引发食品安全事故，食品药品监督管理部门应当对其加强监管。

原法第30条规定，县级以上地方人民政府鼓励食品生产加工小作坊改进生产条件，鼓励食品摊贩进入集中交易市场、店铺等固定场所经营。与之相比，新法增加了县级以上地方人民政府应当对食品生产加工小作坊、食品摊贩等进行综合治理，加强服务和统一规划，改善其生产经营环境，鼓励其在指定的临时经营区域、时段经营的规定。县级以上地方人民政府应当对食品生产加工小作坊和食品摊贩等进行综合治理，统一负责、领导、组织、协调监管工作，多措并举，标本兼治，确保食品安全。在对食品生产加工小作坊和食品摊贩等严格监管的同时，还要加强服务和统一规划，为其生产经营营造良好的硬件环境和软件环境。鼓励食品生产加工小作坊和食品摊贩等改进生产经营条件，进入集中交易市场、店铺等固定场所经营，不断扩大规模，适时进行产业升级，发展成为食品生产经营企业，改变小、散、乱状态，确保食品安全。

食品摊贩在方便群众生活、扩大就业等方面发挥了积极作用，但是随意占道摆摊经营阻塞城市交通，影响城市美观，也给食品安全带来隐患。在总结地方立法经验的基础上，本条增加了鼓励食品摊贩在指定的临时经营区域、时段经营的规定。这既有利于城市管理，也有利于对食品摊贩食品安全的监管。

三、制定食品生产加工小作坊和食品摊贩等的管理办法的授权

食品生产加工小作坊和食品摊贩等点多面广，各地差异很大，由国家统一规范难度较大，需要地方根据本地情况，制定具有地方特色、可操作性强、能够解决实际问题的管理办法。因此，原法授权省级人民代表大会常务委员会依照本法制定具体

管理办法。截至2014年6月,共有15个省、自治区、直辖市制定了相应的法规或者规章。其中,省级人大常委会出台专门的管理条例或办法的有5个,在出台食品安全法实施条例或办法中设专门的章节进行规定的有5个,省级人民政府出台规章的有5个。考虑到这一情况,新法规定具体管理办法由省、自治区、直辖市制定,授权省级人大及其常委会或者省级人民政府制定地方性法规或者规章,以给地方更大的自主选择权。

需要注意的是,根据新修订的立法法第62条的规定,法律规定明确要求有关国家机关对专门事项作出配套的具体规定的,有关国家机关应当自法律施行之日起1年内作出规定。有关国家机关未能在期限内作出配套的具体规定的,应当向全国人民代表大会常务委员会说明情况。因此,省、自治区、直辖市应当在新法施行之日起1年内出台相关的地方性法规或者政府规章。

第三十七条　利用新的食品原料生产食品,或者生产食品添加剂新品种、食品相关产品新品种,应当向国务院卫生行政部门提交相关产品的安全性评估材料。国务院卫生行政部门应当自收到申请之日起六十日内组织审查;对符合食品安全要求的,准予许可并公布;对不符合食品安全要求的,不予许可并书面说明理由。

【释义】　本条是关于利用新的食品原料生产食品,或者生产食品添加剂新品种、食品相关产品新品种的规定。

一、利用新的食品原料生产食品,或者生产食品添加剂新品种、食品相关产品新品种应当进行许可

根据2013年10月1日起施行的《新食品原料安全性审查管理办法》的规定,新食品原料是指在我国无传统食用习惯的

动物、植物和微生物，从动物、植物和微生物中分离的成分，原有结构发生改变的食品成分或者其他新研制的食品原料。新食品原料应当具有食品原料的特性，符合应当有的营养要求，且无毒、无害，对人体健康不造成任何急性、亚急性、慢性或者其他潜在性危害。

根据 2010 年 3 月 30 日起施行的《食品添加剂新品种管理办法》的规定，食品添加剂新品种是指未列入食品安全国家标准的，或者未列入卫生部公告允许使用的，或者扩大使用范围或者用量的食品添加剂品种。本法第 40 条规定，食品添加剂应当在技术上确有必要且经过风险评估证明安全可靠，方可列入允许使用的范围。

根据 2011 年 6 月 1 日起施行的《食品相关产品新品种行政许可管理规定》的规定，食品相关产品新品种是指用于食品包装材料、容器、洗涤剂、消毒剂和用于食品生产经营的工具、设备的新材料、新原料或新添加剂，具体包括：尚未列入食品安全国家标准或者卫生部公告允许使用的食品包装材料、容器及其添加剂，扩大使用范围或者使用量的食品包装材料、容器及其添加剂，尚未列入食品用消毒剂、洗涤剂原料名单的新原料，食品生产经营用工具、设备中直接接触食品的新材料、新添加剂。

新的食品原料、食品添加剂新品种、食品相关产品新品种都涉及“新”，都是前所未有的，是否安全难以确定，因此，生产企业应当对其安全性进行评估。为了更好地从根本上预防食品安全隐患，把住源头，本条规定了许可制度，生产企业应当向国务院卫生行政部门提交相关产品的安全性评估材料，经其审查许可后方可生产。

二、行政许可的实施程序

国务院卫生行政部门应当自收到申请之日起 60 日内组织

对相关产品的安全性材料进行审查。审查范围一般包括:相关产品的食用或使用历史、生产工艺、主要成分及含量、使用范围、使用量、推荐摄入量、适宜人群、卫生学和毒理学资料、国内外相关安全性文献资料等。审查结束,应当得出新的食品原料、食品添加剂新品种、食品相关产品新品种是否符合食品安全要求的结论。审查结论是国务院卫生行政部门作出许可决定的依据。

根据行政许可法的规定,国务院卫生行政部门应当自受理许可申请之日起20日内作出许可决定。20日内不能作出决定的,经本行政机关负责人批准,可以延长10日,并应当将延长期限的理由告知申请人。国务院卫生行政部门组织对安全性评估材料进行审查的时间不计算在期限内。国务院卫生行政部门应当将所需时间书面告知申请人。

对于符合食品安全要求的,国务院卫生行政部门应当依法作出准予许可的决定,并予以公布。在此之后,利用该食品原料生产食品,或者生产该食品添加剂、食品相关产品的,不再需要许可。对于不符合食品安全要求的,国务院卫生行政部门应当依法作出不予许可的决定,并书面说明理由。

第三十八条　生产经营的食品中不得添加药品,但是可以添加按照传统既是食品又是中药材的物质。按照传统既是食品又是中药材的物质目录由国务院卫生行政部门会同国务院食品药品监督管理部门制定、公布。

【释义】　本条是关于食品中不得添加药品但可以添加按照传统既是食品又是中药材的物质的规定。

一、生产经营的食品中不得添加药品

根据药品管理法的规定,药品,是指用于预防、治疗、诊断人的疾病,有目的地调节人的生理机能并规定有适应症或者功能主治、用法和用量的物质，包括中药材、中药饮片、中成药、化学原料药及其制剂、抗生素、生化药品、放射性药品、血清、疫苗、血液制品和诊断药品等。为了保障人体用药安全，维护人民身体健康，药品的生产、经营、使用必须严格按照药品管理法的规定，通过专门的渠道进行。

我国自古以来就有食疗的传统，讲究通过饮食调节达到预防、治疗疾病的效果。但是，人们往往急于求成，急于看到食疗的效果，而忽视了饮食调节是一个长期、缓慢的过程，不可能是立竿见影的，不可能像药品那样药到病除。为了迎合人们的这种心理，追求立竿见影的疗效，获取经济利益，一些食品厂家在食品中添加禁用药品，欺骗消费者，危害公众身体健康。因此必须严格禁止在食品中添加药品，不得为达到某种功能，获取经济利益而在食品中添加药品。

二、食品中可以添加按照传统既是食品又是中药材的物质

我国传统的中医药学自古以来就有药食同源的思想，即药与食物相同，某些物质既是中药材又是食物。《黄帝内经太素》中写道："空腹食之为食物，患者食之为药物。"中药与食物一样来源于自然中的动植物。很多中药与食物很难截然分开，有些中药材本身也是食品，如麦芽、山药、百合、杏仁、无花果、山萘、生姜、桂皮、大枣等。这些中药材经过长期食用，已经证明是安全的，不会对人体产生毒副作用，因此，在食品中允许添加按照传统既是食品又是中药材的物质。

三、按照传统既是食品又是中药材的物质的目录

原法第50条规定，按照传统既是食品又是中药材的物质的目录由国务院卫生行政部门制定、公布。2002年，原卫生部公布了《既是食品又是药品的物品名单》，列举了丁香、藿香等87种药食同源的中药材。在立法过程中，有的意见提出，食品安全

和药品安全的监管都由食品药品监督管理部门负责,由其制定、公布该目录更科学、合理。多数意见认为,一方面,药食同源的中药材涉及人体健康,医学专业性很强,需要继续由卫生行政部门制定目录;另一方面,食品药品监督管理部门参与制定,有利于更好地使目录切合实际,与执法相衔接。因此,新法规定,按照传统既是食品又是中药材的物质的目录由国务院卫生行政部门会同国务院食品药品监督管理部门制定、公布。

第三十九条　国家对食品添加剂生产实行许可制度。从事食品添加剂生产,应当具有与所生产食品添加剂品种相适应的场所、生产设备或者设施、专业技术人员和管理制度,并依照本法第三十五条第二款规定的程序,取得食品添加剂生产许可。

生产食品添加剂应当符合法律、法规和食品安全国家标准。

【释义】　本条是关于食品添加剂生产许可的规定。

一、国家对食品添加剂生产实行许可制度

食品添加剂是现代科技发展的产物。近年来,我国食品工业发展迅猛,在食品生产过程中普遍使用食品添加剂,以改善食品的色、香、味等。但是,食品添加剂多属于化学合成物质,使用不当或者过量使用,会给人体健康带来危害,加强食品添加剂的管理对于保证食品安全至关重要。因此,本条规定,国家对食品添加剂的生产实行许可制度。

二、食品添加剂生产许可的条件和程序

原法规定,申请食品添加剂生产许可的条件、程序,按照国家有关工业产品生产许可证管理的规定执行。随着食品安全监管体制的调整,食品添加剂不再按照工业产品由质量监督部门进行监管,而是作为食品安全管理的一个重要环节,由食品药品监督管理部门进行统一监管。因此,新法规定,从事食品添加剂生产，应当具有与所生产食品添加剂品种相适应的场所、生产设备或者设施、专业技术人员和管理制度，并依照本法第 35 条第 2 款规定的程序，取得食品添加剂生产许可。

申请食品添加剂生产许可，应当具有与所生产食品添加剂品种相适应的场所、生产设备或者设施、专业技术人员和管理制度。“与所生产食品添加剂品种相适应”由监管部门根据具体情况具体认定，标准就是能够保证生产出来的食品添加剂符合食品安全国家标准，能够保证食品安全。

食品添加剂生产许可的程序按照本法第 35 条第 2 款的规定实施。县级以上食品药品监督管理部门应当依照行政许可法的规定，审核申请人提交的证明与所生产食品添加剂品种相适应的场所、生产设备或者设施、专业技术人员和管理制度的相关资料，必要时对申请人的场所进行现场核查。经审核，食品药品监督管理部门认为申请人符合法律、法规规定的条件的，应当准予行政许可，颁发许可证。认为不符合规定条件的，决定不予许可并书面说明理由。

三、生产食品添加剂应当符合法律、法规和食品安全国家标准

本条第 2 款是本次修改增加的内容。取得生产许可，只是可以生产食品添加剂的“入场券”。食品添加剂生产企业还应当依照国家法律、法规和食品安全国家标准进行生产。如本法第 52 条规定，食品添加剂的生产者应当按照食品安全标准对所生产的食品添加剂进行检验，检验合格后方可出厂或者销售。第 59 条规定，食品添加剂生产者应当建立食品添加剂出厂检验记录制度，查验出厂产品的检验合格证和安全状况，如实记录相关内容，并保存相关凭证。第 70 条规定，食品添加剂应当有标签、说明书和包装。第 71 条规定，食品添加剂的标准、说明书不

得含有虚假内容等。生产食品添加剂应当符合法律、法规规定的要求。本法第26条规定，食品安全标准内容包括食品添加剂的致病性微生物，农药残留、兽药残留、生物毒素、重金属等污染物质以及其他危害人体健康物质的限量规定等。生产食品添加剂应当符合食品安全标准限量规定的要求。

第四十条　食品添加剂应当在技术上确有必要且经过风险评估证明安全可靠，方可列入允许使用的范围；有关食品安全国家标准应当根据技术必要性和食品安全风险评估结果及时修订。

食品生产经营者应当按照食品安全国家标准使用食品添加剂。

【释义】　本条是关于食品添加剂允许使用的条件和使用要求的规定。

一、食品添加剂应当在技术上确有必要且经过风险评估证明安全可靠方可列入允许使用的范围

根据本法第150条的规定，食品添加剂是指为了改善食品品质和色、香、味以及为防腐、保鲜和加工工艺的需要而加入食品中的人工合成或者天然物质。因此，食品添加剂应当是为了改善食品品质和色、香、味以及为防腐、保鲜和加工工艺的需要才能加入食品中。食品添加剂的功能主要包括：(1)保持或提高食品本身的营养价值。例如，营养强化剂的使用，可增加食品的营养价值，增进消费者的身体健康。(2)作为某些特殊膳食用食品的必要配料或成分。(3)提高食品的质量和稳定性，改进其感官特性。食品在加工过程中，由于加热等因素会造成食品颜色、质地口感等改变，或有些食品营养价值很高，但本身的色泽、口感不能满足人的感官要求。色素的使用可以改善食品

的颜色;乳化剂、稳定剂的使用可使食品的质地更均匀,呈现良好的口感。(4)便于食品的生产、加工、包装、运输或者贮藏。例如,食品的加工过程可能会引起食品感官性质和营养价值的降低,为减少这种损失,可采用酶制剂降低加工的温度、减少加工时间;防腐剂的使用,可抑制食品中微生物的生长与繁殖,延长食品的保存期。食品添加剂的使用必须是满足上述要求所必不可少的,才能列入允许使用的范围。

食品添加剂应当经过风险评估证明安全可靠才能允许使用。本法第 37 条规定,生产食品添加剂新品种应当向国务院卫生行政部门提交安全性评估材料,经审查符合食品安全要求的,准予许可并公布。食品添加剂是否能够使用,应当经过风险评估证明安全可靠,方可列入允许使用的食品添加剂名单予以公布。

二、及时修订食品添加剂使用标准

随着生产、贮存等技术的发展,以及人们消费观念的改变,某些原先必不可少的食品添加剂会失去使用的必要性,因此,应当根据技术必要性和食品安全风险评估结果,及时对食品添加剂的品种、使用范围、用量的标准进行修订。

目前将适用的食品添加剂标准是 2015 年 5 月 24 日起实施的《食品添加剂使用标准》(GB2760 - 2014)。今后,国务院卫生行政部门应当会同国务院食品药品监督管理部门按照本法的要求,根据技术必要性和食品安全风险评估结果,及时对《食品添加剂使用标准》进行修订,以提高标准的适应性。

三、食品添加剂的使用要求

食品添加剂是食品科技发展的产物。合理使用食品添加剂可以防止食品腐败变质,保持或增强食品的营养,改善或丰富食品的色、香、味等。因此,食品添加剂的使用有其必要性。同时,由于食品添加剂并非食品原料，使用不当或者过量使用，会给人体健康带来危害，食品生产者应当依照食品安全标准使用食品添加剂。

本法第 26 条规定，食品安全标准的内容包括食品添加剂的品种、使用范围、用量等，食品生产经营者应当依照食品安全标准关于食品添加剂的品种、使用范围、用量的规定使用食品添加剂，不得添加食品添加剂以外的化学物质和其他可能危害人体健康的物质。

第四十一条　生产食品相关产品应当符合法律、法规和食品安全国家标准。对直接接触食品的包装材料等具有较高风险的食品相关产品，按照国家有关工业产品生产许可证管理的规定实施生产许可。质量监督部门应当加强对食品相关产品生产活动的监督管理。

【释义】　本条是关于生产食品相关产品的要求的规定。

本条是本次修改增加的内容。

一、生产食品相关产品应当符合法律、法规和食品安全国家标准

根据本法第 2 条的规定，食品相关产品是指用于食品的包装材料、容器、洗涤剂、消毒剂和用于食品生产经营的工具、设备等。食品相关产品是否卫生、无毒、无害，直接影响食品安全，生产食品相关产品应当符合法律、法规的要求。如本法第 52 条规定，食品相关产品的生产者应当按照食品安全标准对所生产的食品相关产品进行检验，检验合格后方可出厂或者销售。本法第 26 条规定，食品安全标准的内容包括食品相关产品中的致病性微生物，农药残留、兽药残留、生物毒素、重金属等污染物质及其他危害人体健康物质的限量等，生产的食品相关产品应当符

合食品安全国家标准的限量规定。

二、对具有较高风险的食品相关产品实施生产许可

由于直接接触食品的包装材料如食品用塑料包装、容器，食品用纸包装、容器等具有较高风险，极易影响食品安全，因此，本条规定，对具有较高风险的食品相关产品按照国家有关工业产品生产许可证管理的规定实施生产许可。需要强调的是，由于食品相关产品范围非常广，有些具有较高风险，有些风险较低，并不是所有食品相关产品都需要取得许可。

根据《工业产品生产许可证管理条例》规定，国家对需要实行生产许可证制度的工业产品实行目录管理，目录由国务院工业产品生产许可证主管部门会同国务院有关部门制定。因此，具体哪些具有较高风险的食品相关产品生产需要经过许可，由该目录确定。2013 年出台的《食品相关产品生产许可证许可目录》规定，食品用塑料包装容器工具等制品、食品用纸包装容器等制品、餐具洗涤剂、压力锅、工业和商用电热食品加工设备 5 大类 114 小类产品需要取得生产许可证。对这些具有较高风险的食品相关产品实施许可的具体要求和程序依照《工业产品生产许可证管理条例》的规定执行。

质量监督管理部门是食品相关产品生产的监督管理部门，既要对需要实施生产许可的食品相关产品实施许可，也要依照本法和《工业产品生产许可证管理条例》的规定加强对食品相关产品生产活动的监督管理，使食品相关产品的生产符合法律、法规和食品安全国家标准的要求。

第四十二条　国家建立食品安全全程追溯制度。

食品生产经营者应当依照本法的规定，建立食品安全追溯体系，保证食品可追溯。国家鼓励食品生产经营者采用信息化

手段采集、留存生产经营信息，建立食品安全追溯体系。

国务院食品药品监督管理部门会同国务院农业行政等有关部门建立食品安全全程追溯协作机制。

【释义】 本条是关于食品安全全程追溯制度的规定。

本条是本次修改增加的内容。

一、建立食品安全全程追溯制度的必要性

食品安全涉及的主体多，链条长，监管难度大。党的十八届三中全会提出，建立最严格的覆盖全过程的食品安全监管体制，保证食品安全。建立食品安全全程追溯制度就是落实这一精神的具体制度设计。建立追溯制度，实现从农田到餐桌各个环节的可追溯，一旦出现问题，能及时找到问题环节，遏制事态扩大，也能及时找到责任主体，落实法律责任。建立食品安全全程追溯制度，是加强食品生产经营管理、强化食品安全监管、促进社会诚信建设、维护消费者合法权益的现实需要。

二、建立食品安全追溯体系的要求

建立食品安全追溯体系是食品生产经营企业的义务。生产经营企业要落实主体责任，依照本法的相关规定，建立食品安全追溯体系，保证食品可追溯。

本法第 50 条规定，食品生产企业应当建立食品原料、食品添加剂、食品相关产品进货查验记录制度，如实记录食品原料、食品添加剂、食品相关产品的名称、规格、数量、生产日期或者生产批号、保质期、进货日期以及供货者名称、地址、联系方式等内容，并保存相关凭证。记录和凭证保存期限不得少于产品保质期满后 6 个月；没有明确保质期的，保存期限不得少于 2 年。第 51 条规定，食品生产企业应当建立食品出厂检验记录制度，查验出厂食品的检验合格证和安全状况，如实记录食品的名称、规格、数量、生产日期或者生产批号、保质期、检验合格证号、销售日期以及购货者名称、地址、联系方式等内容，并保存相关凭证。记录和凭证保存期限应当符合本法第50条第2款的规定。第53条规定，食品经营者采购食品，应当查验供货者的许可证和食品出厂检验合格证或者其他合格证明。食品经营企业应当建立食品进货查验记录制度，如实记录食品的名称、规格、数量、生产日期或者生产批号、保质期、进货日期以及供货者名称、地址、联系方式等内容，并保存相关凭证。从事食品批发业务的经营企业应当建立食品销售记录制度，如实记录批发食品的名称、规格、数量、生产日期或者生产批号、保质期、销售日期以及购货者名称、地址、联系方式等内容，并保存相关凭证。生产经营企业应当按照上述规定，建立食品安全追溯体系。

生产经营企业建立食品安全追溯体系，只要如实记录相关事项并保存相应期限，能够保证食品可追溯即可。至于记录和保存的形式，法律不作硬性要求，这是为了不加重企业负担、立足我国国情、实事求是作出的规定，也能减少法律规定执行的阻力。考虑到信息化更规范、更便捷、更易查询，但成本较高，因此本条鼓励有条件、有能力的企业采用信息化手段建立食品安全追溯体系。

三、食品安全全程追溯协作机制

食品安全涉及从农田到餐桌的全过程，需要由食品药品监督管理部门和农业行政部门按照职责分工，建立全程追溯协作机制。根据本法规定，食品生产经营企业的生产经营活动、食用农产品进入市场后的销售活动，由食品药品监督管理部门监管。食用农产品的生产环节由农业行政部门监管。为了实现食用农产品的全过程监管，防止监管脱节，保证食用农产品的可追溯，由国务院食品药品监督管理部门和农业行政等部门建立食品安全全程追溯协作机制非常必要。一方面，监管部门应当按照职责对其监管范围内的生产经营企业建立食品安全追溯体系进行监管;另一方面,又需要相互配合,信息共享,加强协作。

第四十三条 地方各级人民政府应当采取措施鼓励食品规模化生产和连锁经营、配送。

国家鼓励食品生产经营企业参加食品安全责任保险。

【释义】 本条是关于鼓励食品规模化生产和连锁经营、配送以及鼓励企业参加食品安全责任保险的规定。

第2款是本次修改增加的内容。

一、鼓励食品规模化生产和连锁经营、配送

地方各级人民政府应当采取措施,鼓励食品生产者发展食品规模化生产,鼓励食品经营者发展食品连锁经营、配送。

食品规模化生产和连锁经营、配送是食品行业发展到一定水平的产物,对食品安全具有重大意义。目前,我国的食品行业发展水平不高,食品生产经营的集中化程度较低。近年来,我国食品行业不断发展壮大,已涌现出一批达到良好生产规范、有实力的企业,但是,这些企业的比重还较低,小企业、小作坊、小摊贩仍然占我国食品生产经营主体的多数。这种状况不利于生产经营过程的食品安全控制,也不利于食品安全监管部门进行监管。食品规模化生产和连锁经营、配送有助于提高食品生产经营的集中度,有助于加强食品生产经营过程的安全控制,有助于监管部门开展食品安全监管,从而提高我国的食品安全总体水平。

规模化生产,是指产品的生产达到一定规模,并形成了一定的规模效益。生产的规模化包括生产组织的规模化和生产能力的规模化等方面。促进食品规模化生产,不仅有利于提高食品生产率和资源利用率,调整产业结构,加快产业化进程,而且有利于改善食品生产条件,加强食品生产过程的安全控制,提高食品生产过程的安全水平。

连锁经营是经营同类产品或服务的若干经营单位,以同一商标、统一管理或授予特许经营权方式组织起来,通过对企业形象和经营业务的标准化管理,实行统一采购、统一配送、统一标识、统一营销策略、统一价格和统一核算,共享规模效益,获取竞争优势的一种经营组织形式和经营制度,包括直营连锁、自愿连锁、特许连锁等形式。连锁经营已成为当今商品流通业中最具活力的经营方式,在餐饮业等服务行业中普遍应用。人们熟悉的肯德基、麦当劳等快餐店的经营模式就是典型的食品连锁经营。由于发展时间短,现阶段我国连锁经营的总体水平仍然较低,突出表现是企业规模偏小、规范化程度不高。促进连锁经营发展,有利于提高食品经营的组织化程度,实现经营行为的标准化和规范化,净化市场环境,防止不安全食品进入消费领域,是保证食品安全的重要治本之策。

配送是指在经济合理区域范围内,根据客户要求,对物品进行拣选、加工、包装、分割、组配等作业,并按时送达指定地点的物流活动。一个高效率的配送体系,是包含仓库立体化、装卸搬运机械化、商品配货电子化等先进物流管理技术在内的有机整体。食品的配送与食品规模化生产和连锁经营密不可分,食品的规模化生产和连锁经营必然伴随着食品配送的发展。实现食品规模化生产和连锁经营,必须统筹规划,加快物流配送体系建设,促进食品生产、经营和配送协调发展。

地方各级人民政府要结合本地实际,制定促进食品规模化生产和连锁经营、配送的具体办法,统筹规划,分类指导,做好组织协调,打破部门分割和地区封锁,简化审批手续,缩短审批时间,减少重复检查,严格收费管理,为促进食品规模化生产和连锁经营、配送创造良好环境。

二、鼓励食品生产经营企业参加食品安全责任保险

责任保险，也称第三者责任险，是指以被保险人对第三者依法应负的赔偿责任为保险标的的保险。责任保险根据投保人是否自愿，可以分为自愿投保的责任保险和强制投保的责任保险。食品安全责任保险，是以被保险人对因其生产经营的食品存在缺陷造成第三者人身伤亡和财产损失时依法应负的经济赔偿责任为保险标的的保险。在立法过程中，有的意见认为应当建立食品安全强制责任保险制度，有的意见认为应当由食品生产经营企业自愿参加食品安全责任保险。综合平衡各方面意见，为了分散风险，增强企业承担赔偿责任的能力，更好地保护消费者的合法权益，又从实际出发，不增加企业负担，本条规定鼓励食品生产经营企业参加食品安全责任保险，不作强制性要求。

第二节　生产经营过程控制

第四十四条　食品生产经营企业应当建立健全食品安全管理制度，对职工进行食品安全知识培训，加强食品检验工作，依法从事生产经营活动。

食品生产经营企业的主要负责人应当落实企业食品安全管理制度，对本企业的食品安全工作全面负责。

食品生产经营企业应当配备食品安全管理人员，加强对其培训和考核。经考核不具备食品安全管理能力的，不得上岗。食品药品监督管理部门应当对企业食品安全管理人员随机进行监督抽查考核并公布考核情况。监督抽查考核不得收取费用。

【释义】　本条是关于食品生产经营企业食品安全管理的规定。

本条是对原法第32条的修改。增加了食品生产经营企业主要负责人的责任以及对食品安全管理人员的培训考核制度、监督抽查考核的内容。

本条从四个方面对食品生产经营企业提出了具体要求：

1. 食品生产经营企业应当建立健全食品安全管理制度。完备的管理制度是生产安全食品的重要保障。食品生产经营企业建立健全完善的各项食品安全管理制度是保证其生产经营的食品达到相应食品安全要求的基本前提。通过建立相关规章制度，把法律有关规定变成食品生产经营企业的规章制度，加强对所生产经营食品的安全进行管理，严格食品安全的自我控制，提高食品生产合格率，保证食品安全，是食品生产经营企业的法定义务。企业的食品安全管理制度应是涵盖从原料采购到食品加工、包装、贮存、运输等全过程，具体可包括设备保养和维修制度，卫生管理制度，从业人员健康管理制度，食品原料、食品添加剂和食品相关产品的采购、验收、运输和贮存管理制度，进货查验记录制度，食品原料仓库管理制度，防止污染的管理制度，食品出厂检验记录制度，食品召回制度，培训制度和文件管理制度等。

2. 对职工进行食品安全知识培训，加强食品检验工作，依法从事生产经营活动。从保障食品安全的需要出发，法律规定了食品生产经营企业对从业人员的教育和培训义务。培训对提高食品从业人员的食品安全知识水平，增强保证食品安全的自觉性，保障食品安全具有十分重要的意义。食品生产经营企业应当强化企业内部从业人员的素质管理。通过各种形式，对职工进行安全知识培训，使职工树立“食品安全无小事”的意识，不断增强食品安全意识的自觉性和责任心，提高职业素养。宣传普及食品安全法律、食品安全标准和其他食品安全知识，使其掌握与其本岗位工作密切相关的法律、法规的内容和各项标准的具体规定,使食品从业人员树立起食品安全的法制观念,增强守法的自觉性,加强食品检验工作,依法从事生产经营活动。

3. 明确生产经营企业主要负责人的责任。食品生产经营企业是食品安全的责任主体,作为专门从事食品的生产经营者,向市场提供安全、丰富、放心、优质的食品,保障人民健康,是食品生产经营企业义不容辞的责任。本法第4条规定,食品生产经营者对其生产经营食品的安全负责。这是对食品生产经营者的一个总的要求。作为食品生产经营企业如何履行好这个责任,落实食品生产经营企业主要负责人的主体责任是关键,这样既可以促使其行使职权认真负责地做好食品安全工作,又可以按照法定义务追究其应承担的责任。在食品生产经营企业的食品安全保障中,其主要负责人居于中心地位,起决定性作用,只有他带头认真落实好本企业的食品安全管理制度,依照法律、法规和食品安全标准从事生产经营活动,才能保证本企业的食品安全,因此必须以法律形式明确其职责,强化其责任,使之尽职尽责。如果食品生产经营企业出现违法行为,违反了保证食品安全的法定义务,危害到公众的身体健康和生命安全,其生产经营企业的主要负责人应受到处罚。

4. 配备食品安全管理人员并进行培训和考核。企业是食品安全的第一责任人,企业食品安全管理水平的高低,在相当程度上决定了食品是否安全。每个食品生产经营企业都要配备食品安全管理人员,可以是专职人员也可以是兼职人员。食品安全管理人员在日常的监测、监督过程中可以及时发现食品安全问题,采取必要的措施,降低各种食品安全风险。食品安全管理人员在上岗前,食品生产经营企业应当对其进行考核,了解其是否掌握了食品安全相应知识和能力,对考核不合格的,不能安排其上岗工作。随着食品安全专业知识的不断更新,食品安全管理人员也应随之更新自己的专业知识和能力,因此要求企业应加强对其培训,确保其掌握所在岗位必需的相关法律法规、食品安全标准及相关食品安全知识,具备相应的食品安全管理能力,让其可以从专业的角度对食品进行监测、监督。本条还规定了食品药品监督管理部门要对企业的食品安全管理人员进行抽查考核的内容。企业是否配备了安全管理人员,是否对其进行了培训,对食品安全知识的掌握情况如何,不能光靠企业自己说了算,监管部门也要尽到其责任,随时进行抽查了解情况,并将考核结果予以公布,以便督促那些不合格企业尽快改正。另外,为防止行政乱收费,给企业造成不必要的负担,本条还规定,抽查考核不得收取费用。

第四十五条　食品生产经营者应当建立并执行从业人员健康管理制度。患有国务院卫生行政部门规定的有碍食品安全疾病的人员,不得从事接触直接入口食品的工作。

从事接触直接入口食品工作的食品生产经营人员应当每年进行健康检查,取得健康证明后方可上岗工作。

【释义】　本条是关于食品从业人员健康管理制度的规定。

本条是对原法第34条的修改。将不得从事接触直接入口食品工作的特定疾病的范围授权国务院卫生部门规定,将应当每年进行健康检查的范围限定在从事接触直接入口食品工作的人员。

一、食品生产经营者应当建立并执行从业人员健康管理制度

为了预防传染病的传播和由于食品污染引起的食源性疾病,保证消费者的身体健康,本条规定了患有国务院卫生行政部

门规定的有碍食品安全的疾病人员，禁止从事接触直接入口食品的工作。食品生产经营者建立并执行从业人员健康管理制度，是食品生产经营安全管理制度的重要内容之一，主要是为了防止食品生产经营从业人员因其所患疾病污染食品。食品从业人员的健康直接关系到广大消费者的健康。食品生产经营过程中很容易受到病原体的污染，从而成为食源性疾病，特别是肠道传染疾病的媒介。如果这些人患有传染病或者是带菌者，就容易通过被污染的食品造成传染病传播和流行，对消费者的身体健康造成威胁。因此，建立食品从业人员健康管理制度十分必要，这也是贯彻预防为主的重要措施。食品从业人员除应做好个人卫生外，食品生产经营者还要加强对食品从业人员健康的管理。

哪些人员不能从事接触直接入口食品的工作呢？2009 年的食品安全法，对一些主要的传染性疾病进行了列举，包括痢疾、伤寒、病毒性肝炎等消化道传染病的人员，活动性肺结核、化脓性或者渗出性皮肤病等有碍食品安全的疾病的人员。这次修订将不得从事接触直接入口食品工作的特殊性疾病的范围授权国务院卫生部门规定，主要考虑是，随着生活条件的改善，饮食结构的变化，人员流动的加强，疾病的病种也是在不断变化中的。卫生行政部门负责全国的传染性疾病工作，对全国的传染性疾病发病情况、传染途径都比较了解，可以随时更新传染性疾病的情况，由其规定哪些属于不得从事接触直接入口食品工作的特殊性疾病比较符合现实情况。因此，这次修订，将不能从事接触直接入口食品的特殊疾病的范围授权国务院卫生行政部门规定。

企业建立从业人员的健康管理制度可以从制度层面规范食品生产经营者的用人行为，对于不符合法定条件的从业人员一律不得安排其从事相关的食品生产经营活动。如果发现从事接触直接入口食品工作的人员中患有本条规定的不能从事接触直接入口食品工作的法定疾病的,食品生产经营者应当立即调换其工作。需要注意的是,食品生产经营者不得歧视患有疾病的从业人员,更不得以患有国务院卫生行政部门规定的疾病人员不能从事生产经营活动为借口,辞退职工。对于患有上述有碍食品安全疾病的人员,只限定在不能从事接触直接入口食品的生产经营,不影响其从事其他岗位的工作,如从事行政工作、管理工作、保安、技工、收银员等。对此类职工,食品生产经营者应当安排其转岗,将其调整到其他不影响食品安全的工作岗位。

二、定期进行健康检查

食品生产经营中的从事接触直接入口食品生产经营的从业人员,其健康与否直接决定了所生产的食品是否安全。因此,生产经营者需要组织对上述人员的身体状况进行健康检查。食品生产经营人员生活在复杂的自然环境中,身体状况在不断变化,有可能感染患有某些不适宜直接从事食品生产经营的疾病,因此在通过健康体检后不能一劳永逸,应当每年进行健康检查,及时了解自己的身体健康情况。发现有法律禁止从事接触直接入口食品工作疾病的,应当及时向所在企业、单位申报。食品生产经营者发现患有有碍食品安全疾病的从业者,应当及时采取调整工作岗位、治疗等措施。健康证明是食品生产经营者经过健康体检后取得的书面证明文件。从事接触直接入口食品的食品生产经营从业人员必须取得健康证明后才能上岗。健康证明过期的,应当立即停止食品生产经营活动,待重新进行健康体检后,才能继续上岗。

第四十六条　食品生产企业应当就下列事项制定并实施控制要求，保证所生产的食品符合食品安全标准：

（一）原料采购、原料验收、投料等原料控制；

（二）生产工序、设备、贮存、包装等生产关键环节控制；

（三）原料检验、半成品检验、成品出厂检验等检验控制；

（四）运输和交付控制。

【释义】　本条是关于食品生产企业制定并实施食品安全管理控制要求的规定。

本条是新增加的内容。对食品生产企业制定实施生产过程控制要求作出了具体规定。

安全食品是企业生产出来的，生产过程中的食品安全控制措施是保障食品安全的重中之重。企业应高度重视生产加工、产品贮存和运输等食品生产过程中的潜在危害控制，根据企业的实际情况制定并实施有效的控制措施，确保这些措施切实可行。这是生产企业落实食品安全管理制度的一项重要内容，是将关口前移，把危害降到最低，全面保障食品安全的重要措施。2013 年，国家卫计委颁布了《食品生产通用卫生规范》（GB14881－2013），要求企业具备良好的生产设备、合理的生产过程、完善的质量管理和严格的检测系统，以确保食品质量符合标准。为了进一步推行食品生产企业良好生产规范，保证出厂的食品符合食品安全标准，本条对食品生产企业应当制定并实施食品生产过程控制要求作出了规定。

具体需要制定哪些控制要求措施，本条规定了四方面的内容：

（一）原料控制。食品原料的采购、验收、投料等原料控制是食品安全的关键环节。有效管理食品原料、食品添加剂和食品相关产品等物料的采购和使用，确保原料合格是保证最终食品产品安全的先决条件。食品生产企业应按要求采购原料，根据企业自身的监控重点采取适当措施保证原料合格。可现场查验原料供应企业是否具有生产合格原料的能力，包括硬件条件和管理；应查验供货者的许可证和原料合格证明文件，如产品生产许可证、动物检疫合格证明、进口卫生证书等，并对原料进行验收审核。

（二）生产工序、设备、贮存、包装等生产关键环节控制。在生产工序上，应当按照生产工艺的次序和产品的特点，分开设置，分开操作，防止前后颠倒，交叉污染；生产设施、设备要清洗、消毒；贮存、包装时应当注意环境卫生以及包装材料和容器的卫生安全，防止污染食品等。在贮存物料时，应依照物料的特性分类存放，对有温度、湿度等要求的物料，应配置必要的设备设施。物料的贮存仓库应由专人管理，并制定有效的防潮、防虫害、清洁卫生等管理措施，及时清理过期或变质的物料，超过保质期的物料不得用于生产。不得将任何危害人体健康的非食用物质添加到食品中。此外，在食品的生产过程中使用的食品添加剂和食品相关产品也应符合食品安全国家标准。

（三）成品出厂检验等检验控制。检验是验证食品生产过程管理措施有效性、确保食品安全的重要手段。通过检验，企业可及时了解食品生产安全控制措施上存在的问题，及时排查原因，并采取改进措施。企业对各类样品可以自行进行检验，也可以委托具备相应资质的食品检验机构进行检验。企业开展自行检验应配备相应的检验设备、试剂、标准样品等，建立实验室管理制度，明确各检验项目的检验方法。检验人员应具备开展相应检验项目的资质，按规定的检验方法开展检验工作。为确保检验结果科学、准确，检验仪器设备精度必须符合要求。不具备产品出厂检验能力的企业，应委托外部食品检验机构进行检验，委托检验应选择获得相关资质的食品检验机构。企业应妥善保存检验记录,以备查询。

(四)运输和交付控制。食品运输、交付也是食品流通过程中的一个重要环节,要求食品生产企业对控制运输和交付过程中的风险制定相应的措施。要求运输工具、设备应当安全、无害,保持清洁,防止食品污染,并根据食品种类不同特殊要求保证相应的温度和湿度。不得将食品与有毒有害物品一同运输等。交付是生产者最终保障食品安全的控制阶段,食品生产企业应当在交付过程中做好防护措施、台账记录等。

食品生产过程中有不符合控制要求的,食品生产企业应立即进行整改,确保其所生产食品的安全。

第四十七条　食品生产经营者应当建立食品安全自查制度,定期对食品安全状况进行检查评价。生产经营条件发生变化,不再符合食品安全要求的,食品生产经营者应当立即采取整改措施;有发生食品安全事故潜在风险的,应当立即停止食品生产经营活动,并向所在地县级人民政府食品药品监督管理部门报告。

【释义】　本条是关于食品生产经营者建立食品安全自查制度的要求的规定。

本条是新增加的内容,对食品生产经营者建立食品安全自查制度提出了要求。

要求食品生产经营者建立食品安全自查制度,体现了政府监管思路的一种转变。为了保障食品的安全,仅仅依靠政府的监管力量是不够的,政府在加强监管的同时也要激励企业进行自我管理。在食品的生产经营过程中,随时存在由于人的不安全行为或者设备、设施等物的不安全状态,从而造成食品安全事故的因素。为了消除这些因素的存在，排除隐患，保障食品的安全，就要设法及时发现它，进而采取消除的措施。除了监管部门的日常检查外，生产经营单位对其自身企业的食品安全状况进行定期的检查、评价更为重要，也最为常见和普遍。因此，本条对食品生产经营企业进行自查作了规定。

根据本条规定，食品生产经营者应当根据本企业的生产经营特点，对本企业的食品安全状况定期进行检查。一般来说，食品安全检查可以从以下几个方面进行。(1)食品安全管理制度的建立落实情况。检查本企业的制度是否健全、完善，生产过程中每个环节是否按照控制要求进行操作。(2)设施、设备是否处于正常、安全的运行状态。餐具、饮具、包装材料等是否清洁、无毒无害。用水是否符合国家规定的标准；食品贮存和运输是否符合要求。(3)检查从业人员在工作中是否严格遵守操作规范和食品安全管理制度。(4)检查从业人员在工作中是否具备相应的安全知识和安全生产技能。(5)生产经营过程中是否符合食品生产经营的记录查验制度，生产企业出厂食品是否经过了检验。(6)食品的标签是否符合规定。(7)检查与食品安全有关的事故隐患。(8)发现问题食品是否及时召回处理。(9)其他事项。

食品生产经营者应当符合一定条件要求，当食品生产经营者对其食品安全状况进行检查的过程中，发现存在安全问题的，可以处理的应当立即采取措施进行处理，如发现安全隐患的，应当立即采取措施加以排除。对于不能当场处理的安全问题，如设施、设备不合格，需要改建，经营条件发生变化等情况，影响到食品安全的，生产经营者应当立即采取整改措施。有发生食品安全事故潜在风险的，应当立即停止生产经营，并将这一情况向所在地县级人民政府食品药品监督管理部门报告。包括检查的时间、范围、内容、发现的问题及其处理情况等都应详细地记录在案。

第四十八条　国家鼓励食品生产经营企业符合良好生产规范要求，实施危害分析与关键控制点体系，提高食品安全管理水平。

对通过良好生产规范、危害分析与关键控制点体系认证的食品生产经营企业，认证机构应当依法实施跟踪调查；对不再符合认证要求的企业，应当依法撤销认证，及时向县级以上人民政府食品药品监督管理部门通报，并向社会公布。认证机构实施跟踪调查不得收取费用。

【释义】　本条是关于鼓励食品生产经营企业采用现代管理方式，提高食品安全管理水平的规定。

本条沿用了原法第33条的规定，未作修改。

一、关于良好生产规范

良好生产规范（Good Manufacturing Practice，GMP），又叫良好操作规范，是为保证食品质量安全而制定的贯穿于食品生产全过程的一系列方法、技术要求和监控措施，是一种特别注重在生产过程中实施对产品质量与卫生安全的自主性管理的制度。企业通过建立一整套可操作的作业规范，可以帮助企业及时发现生产过程中存在的问题，改善企业卫生环境，保障食品的质量安全。良好生产规范以前较多应用于制药工业，现在许多国家将其用于食品工业，制定出相应的GMP法规。我国已颁布药品生产GMP标准，并实行企业GMP认证，使药品的生产及管理水平有了较大程度的提高。在食品领域，我国GMP也开始逐渐推行。我国食品企业质量管理规范的制定开始于20世纪80年代中期，重点对厂房、设备、设施和企业自身卫生管理等方面提出卫生要求,以促进我国食品卫生状况的改善,预防和控制各种有害因素对食品的污染。GMP 要求食品生产企业应具备良好的生产设备、科学合理的生产过程、完善的质量管理和严格的检测系统、高水平的人员素质、严格的管理体系和制度,确保最终产品的质量(包括食品安全卫生)符合法律、法规要求。

依据 GMP 的法律效力可以分为两类:一类是强制性的 GMP,如《食品生产通用卫生规范》(GB14881 - 2013),《保健食品良好生产规范》(GB17405 - 1998);另一类是指导性和推荐性的 GMP,由国家有关部门和行业协会制定并推荐给食品企业参照执行,属自愿遵守和认证的原则。本条规定国家鼓励食品生产企业符合良好生产规范的要求,就是鼓励企业的生产经营活动在达到国家标准的基础上,建立更加严格、更加完善的规范体系。

在食品生产经营企业中推广良好生产规范,具有重要意义:一是为食品生产提供一套必须遵循的组合标准。二是为卫生行政部门、食品卫生监督员提供监督检查的依据。三是使食品生产经营人员认识食品生产的特殊性,激发对食品质量高度负责的精神,消除生产上的不良习惯。四是使食品生产企业对原料、辅料、包装材料的要求更为严格。五是有助于食品生产企业采用新技术、新设备,从而保证食品质量。推行食品良好生产规范的主要目的在于:提高食品的品质与卫生安全、保障消费者与生产者的权益、强化食品生产者的自主管理体制、促进食品工业的健全发展。

二、关于危害分析和关键控制点体系

国家标准《食品工业基本术语》(GB/T15091 - 1994)对危害分析和关键控制点体系的定义是:生产(加工)安全食品的一种控制手段;对原料、关键生产工序及影响产品安全的人为因素进行分析,确定加工过程中的关键环节,建立、完善监控程序和监控标准,采取规范的纠正措施。危害分析和关键控制点体系(Hazard Analysis Critical Control Point,HACCP)是指对食品加工、运输以及销售整个过程中的各种危害进行分析和控制,从而保证食品达到安全水平。它是一个以预防食品安全为基础的食品生产、质量控制的保证体系,是一个系统的、连续性的食品安全预防和控制方法。该体系的核心是用来保护食品从田间到餐桌的整个过程中免受可能发生的生物、化学、物理因素的危害,尽可能把发生食品危险的可能性消灭在生产、运输过程中,而不是像传统的质量监督那样单纯依靠事后检验以保证食品的可靠性。这种步步为营的全过程的控制防御系统,可以最大限度地减少产生食品安全危害的风险。

该体系是当代用来保障食品安全的管理方法,它更新了传统的食品卫生监督观念,使食品安全的控制方法更科学、更经济、更有效、更可靠。HACCP 管理体系与重点放在监督检查,与对产成品进行检测的传统管理方法最大区别是:一是使食品生产对最终产品的检验转化为控制生产环节中的潜在危害,将预防和控制的重点前移,即由检验是否有不合格产品转化为预防不合格产品。二是节约检测成本,在危害发生之前即控制预防,不必在最终产品上花费大量的人、财、物。

三、认证机构的跟踪调查

所谓认证,是指由认证机构证明产品、服务、管理体系符合相关技术规范、相关技术规范的强制性要求或者标准的合格评定活动。企业通过了良好生产规范、危害分析和关键控制点体系的认证,并不意味着万事大吉。认证机构的认证,只是对某一时点企业符合该管理体系要求的认证。时过境迁,企业有可能出现一些不符合认证要求的事项,因此认证机构有必要对企业进行跟踪调查。《认证认可条例》第27条规定："认证机构应当对其认证的产品、服务、管理体系实施有效的跟踪调查，认证的产品、服务、管理体系不能持续符合认证要求的，认证机构应当暂停使用直至撤销认证证书，并予公布。"本法的该条除规定了认证机构应当依法实施跟踪调查外，对不再符合认证要求的企业，还应依法撤销认证，并及时向有关质量监督、工商行政管理、食品药品监督管理部门通报。对于认证机构的通报，有关质量监督、工商行政管理、食品药品监督管理部门应当进行调查核实，发现食品生产企业存在有关问题的，应及时采取措施予以处理。同时，为了减轻食品生产经营者负担，为广大食品生产经营者创造良好的生产经营环境，本条还规定，认证机构实施跟踪调查不得收取费用。

第四十九条　食用农产品生产者应当按照食品安全标准和国家有关规定使用农药、肥料、兽药、饲料和饲料添加剂等农业投入品，严格执行农业投入品使用安全间隔期或者休药期的规定，不得使用国家明令禁止的农业投入品。禁止将剧毒、高毒农药用于蔬菜、瓜果、茶叶和中草药材等国家规定的农作物。

食用农产品的生产企业和农民专业合作经济组织应当建立农业投入品使用记录制度。

县级以上人民政府农业行政部门应当加强对农业投入品使用的监督管理和指导，建立健全农业投入品安全使用制度。

【释义】　本条是关于农业投入品使用管理的规定。

农业投入品是在农产品生产过程中使用或添加的物质，包括肥料、农药、兽药、饲料及饲料添加剂等农用生产资料。农业投入品是农业生产必不可少的物质，是关系食用农产品安全问题的重要因素，依法严格规范农业投入品的使用管理，对于从源头上保证食品安全具有重要意义。

一、食用农产品生产者应当依照食品安全标准和国家有关规定使用农业投入品

我国食品安全国家标准中对农药残留、兽药残留、重金属等污染物质的限量值有明确的规定,食用农产品生产者在种植、养殖过程中使用农药、肥料、兽药、饲料和饲料添加剂等农业投入品,应当按照食品安全国家标准的相关规定使用。如使用农药应当按照规定的用量、用药次数等进行使用,以防止食用农产品农药残留超过食品安全国家标准的规定。除了遵守食品安全国家标准的规定外,使用农业投入品还应当遵守国家有关规定,这些规定包括有关法律法规、规章及其他规范性文件等。在法律、行政法规层面,除了食品安全法外,还有农产品质量安全法、《农药管理条例》、《兽药管理条例》、《饲料和饲料添加剂管理条例》等,对农药、兽药、饲料和饲料添加剂等农业投入品的使用作了规范。如《农药管理条例》规定,使用农药应当遵守国家有关农药安全、合理使用的规定,按照规定的用药量、用药次数、用药方法和安全间隔期施药,防止污染农副产品。《兽药管理条例》规定,兽药用于食用动物时,饲养者应当向购买者或者屠宰者提供准确、真实的用药记录;购买者或者屠宰者应当确保动物及其产品在用药期、休药期内不被用于食品消费。禁止在饲料和动物饮用水中添加激素类药品和国务院兽医行政管理部门规定的其他禁用药品。经批准可以在饲料中添加的兽药,应当由兽药生产企业制成药物饲料添加剂后方可添加,禁止将原料药直接添加到饲料及动物饮用水中或者直接饲喂动物,禁止将人用药品用于动物,等等。食用农产品生产者在使用农药、兽药等农业投入品时,应当遵守上述法规的规定。

这里应当指出一点,此次修改食品安全法,在农业投入品使

用管理方面增加了两处规定：

一是增加规定“严格执行农业投入品使用安全间隔期或者休药期的规定，不得使用国家明令禁止的农业投入品”，旨在进一步强调必须按照规定使用农业投入品，防止滥用，从源头上保证食品安全。安全间隔期，是对农药使用而言，指自喷药后到农药残留量降到最大允许残留量所需间隔时间，最后一次喷药与收获之间必须大于安全间隔期，以防人畜中毒。不同农药由于其降解所需时间不同，安全间隔期也不同。休药期也叫消除期，是对兽药使用而言，指动物从停止给药到许可屠宰或它们的乳、蛋等产品许可上市的间隔时间。休药期是依据药物在动物体内的消除规律确定的，就是按最大剂量、最长用药周期给药，停药后在不同的时间点屠宰，采集各个组织进行残留量的检测，直至在最后那一时间点采集的所有组织中均检测不出药物为止。休药期因动物种属、药物种类、制剂形式、用药剂量、给药途径及组织中的分布情况等不同而有差异。经过休药期，暂时残留在动物体内的药物被分解到对人体无害的浓度。如果不遵守休药期的规定，会造成药物在动物体内大量蓄积，导致动物产品中的残留药物超标，对人体造成危害。在农药、兽药使用中严格执行安全间隔期或者休药期的规定，是合理使用农业投入品的重要内容。根据《农药管理条例》和《兽药管理条例》及农业部有关规定的要求，农药、兽药在其标签或说明书上都应标明安全间隔期、休药期等内容，农产品生产者应当严格按照标明的安全间隔期、休药期使用农业投入品，确保农产品质量安全。

此外，在食用农产品生产过程中，不得使用国家明令禁止的农业投入品。国家明令禁止的农业投入品，在农药方面，2002年6月农业部发布公告，明令禁止使用六六六、滴滴涕、毒杀芬、毒鼠强等18种农药，2006年6月农业部等四部委发布公告，自

2007年1月起禁止生产销售使用甲胺磷、甲基对流磷、对流磷、久效磷、磷胺5种高毒农药。在兽药方面,2002年3月农业部发布公告,列明了21类食品动物禁用的兽药及其他化合物清单。此外,2001年2月农业部发布的《关于禁止在反刍动物饲料中添加和食用动物性饲料的通知》,明确禁止在反刍动物饲料中添加和使用骨粉、骨血、血粉等动物性饲料产品。对于国家已经明令禁止使用的农业投入品,食用农产品生产者一律不得使用,否则将承担相应的法律责任。

二是增加规定"禁止将剧毒、高毒农药用于蔬菜、瓜果、茶叶和中草药材等国家规定的农作物"。这一规定是与《农药管理条例》的相关规定相衔接的。该条例第27条第2款规定:"剧毒、高毒农药不得用于防治卫生害虫,不得用于蔬菜、瓜果、茶叶和中草药材。"依据这一规定,2002年农业部出台规定禁止将甲胺磷、甲基对流磷、对流磷、久效磷等19种高毒农药用于蔬菜、果树、茶叶和中草药材,禁止将三氯杀螨醇、氯戊菊酯用于茶树施药。剧毒、高毒农药的毒性相对较高,但目前全部淘汰这类农药的时机还不成熟,需要在使用方面加强管理,避免因为这类农药的滥用而影响食用农产品的安全。蔬菜、瓜果、茶叶和中草药材不同于一般的农作物,属于不需要经过脱壳等加工即可食用的产品,所以在种植过程中,需要在农药的使用方面有特别严格的要求,以保证这类产品的安全。应当指出的是,本条规定"禁止将剧毒、高毒农药用于蔬菜、瓜果、茶叶和中草药材等国家规定的农作物",为将来随着农业病虫害防治技术的发展,逐步扩大剧毒、高毒农药的禁用范围预留了法律空间,一旦条件具备、时机成熟,国家可以规定种植蔬菜、瓜果、茶叶和中草药材以外的农作物也不得使用剧毒、高毒农药,以更好地保证食品安全。

二、食用农产品的生产企业和农民专业合作经济组织应当建立农业投入品使用记录制度

根据农民专业合作社法的规定,农民专业合作经济组织是在农村家庭承包经营基础上,同类农产品的生产经营者或者同类农业生产经营服务的提供者、利用者,自愿联合、民主管理的互助性经济组织。当前,我国农村有各类农民专业合作经济组织 140 多万个,其中较为规范的有 14 万多个,广泛分布于种植业、畜牧业、水产业、林业、运输业、加工业以及销售服务行业等各领域,成为实施农业产业化经营的一支新生力量。

食用农产品的生产企业和农民专业合作经济组织不同于一般的农民个体,其具有一定的生产规模和技术能力,生产的农产品产量比较大,对这些法人实体,应当实行比一般的农民个体更严格的要求。具体到本条的要求就是建立农业投入品使用记录制度,如实记录所使用的农业投入品的名称、来源、用法、用量和使用、停用的日期等内容,以确保对生产过程中的问题进行追查,实现食用农产品安全可追溯。这里应当指出的是,原食品安全法规定,食用农产品的生产企业和农民专业合作经济组织应当建立食用农产品生产记录制度,此次修法,将“食用农产品生产记录制度”修改为“农业投入品使用记录制度”,主要是考虑“食用农产品生产记录制度”的内涵比较宽泛,除了农业投入品使用情况外,还包括动物疫病、植物病虫草害的发生和防治情况,收获、屠宰的日期,销售去向等内容。而本条主要是对农业投入品的使用进行规范,记录的内容也应与之衔接,所以作了上述修改。

三、农业行政部门应当加强对农业投入品使用的监督管理和指导,建立健全农业投入品的安全使用制度

农业行政部门作为农业生产环节的主管部门,应当建立健

全农业投入品的安全使用制度:一是要加强对食用农产品生产者的宣传和培训力度,增强他们对有害农业投入品的认识,提高安全使用农业投入品的意识、能力和责任。二是加强农业投入品生产环节和流通环节的监管,防止国家明令禁止的农业投入品流入市场。三是加强对农业投入品使用环节的监管,对于使用国家明令禁止使用的农业投入品的,要依法进行查处。

第五十条　食品生产者采购食品原料、食品添加剂、食品相关产品,应当查验供货者的许可证和产品合格证明;对无法提供合格证明的食品原料,应当按照食品安全标准进行检验;不得采购或者使用不符合食品安全标准的食品原料、食品添加剂、食品相关产品。

食品生产企业应当建立食品原料、食品添加剂、食品相关产品进货查验记录制度,如实记录食品原料、食品添加剂、食品相关产品的名称、规格、数量、生产日期或者生产批号、保质期、进货日期以及供货者名称、地址、联系方式等内容,并保存相关凭证。记录和凭证保存期限不得少于产品保质期满后六个月;没有明确保质期的,保存期限不得少于二年。

【释义】　本条是关于食品生产者进货查验记录制度的规定。

本条是对原法第36条的修改。对产品的记录、凭证的保存期限作了修改。

本条分为两款,对不同生产主体的进货查验规定了不同的要求。对生产企业除要求对采购的食品、食品添加剂和食品相关产品进行查验外,还要做好相关的记录。

一、食品生产者的进货查验制度

"进货查验制度"是指食品生产者依照法律、法规和规章的规定在采购时,对购进的食品原料、食品添加剂、食品相关产品的质量状况进行检查,对经检查确认符合食品安全标准的方可予以购进的进货质量保证制度。食品生产者采购食品原料、添加剂、相关产品是关系食品安全的源头。采购的这些物料品质、来源、安全状况如何,直接决定了其生产的食品是否安全。如果食品原料等不符合食品安全标准,就难以生产出符合食品安全标准的食品。为从源头上保障食品安全,需要加强食品生产者生产活动的监管,杜绝不合格产品进入生产环节。因此,本条规定,食品生产者在采购食品原料、食品添加剂、食品相关产品时,应当查验供货者的许可证和产品合格证明。也就是说,食品生产者在采购时需要履行检查或者检验的义务。食品生产者在采购时应当索取并查验供货者资格,检查供货者是否是获得许可证的合法企业,同时还要检验采购的原料是否有检验单位出具的同批次产品检验合格证明,如产品生产许可证、动物检疫合格证明、进口卫生证书等,并对物料进行验收审核。由于我国农业生产大多数还处于一家一户的分散经营状况,有的食品原料可能无法提供合格证明文件,对此法律要求食品生产者应当依照食品安全标准进行检验,不符合食品安全标准的,不得采购。而食品添加剂、食品相关产品由于工业化生产程度较高,一般不存在不能提供合格证明文件的情况,因此,对于不能提供合格证明文件的食品添加剂、食品相关产品,食品生产者不得采购。

二、食品生产企业进货查验记录制度

查验记录制度是食品生产企业建立追溯体系的具体手段,一方面有利于食品可追溯,确保监管链条不断;另一方面也可以保护生产经营企业自身的权益。本法第42条规定,食品生产经营者应当依照本法的规定,建立食品追溯体系,保证食品可追溯。如何做到食品可追溯,做好相应的信息记录,是必不可少的措施。因此,本条第 2 款规定,食品生产企业应当建立食品原料、食品添加剂、食品相关产品进货查验记录制度,记录相关信息。进货查验记录制度包括采购索证、进货验收和台账记录过程。第一,在采购索证方面。食品生产企业采购时,应当到证照齐全的食品生产经营者或市场采购,索取销售者或市场管理者出具的购物凭证并留存备查。要查验证件,以便溯源。如采购生猪肉应查验是否为定点屠宰企业屠宰的产品并查验检疫合格证明;采购其他肉类也应查验检疫合格证明。不得采购没有检疫合格证明的肉类。从固定供货商或供货基地采购食品的,应索取并留存供货基地或供货商的资质证明,供货商或供货基地应签订采购供货合同并保证食品卫生质量。第二,在进货验收方面,应有专人负责验收,原则上要符合食品安全标准的要求,对不符合标准的食品不得采购。第三,在台账记录方面,应如实记录食品原料、食品添加剂、食品相关产品的名称、规格、数量、生产日期或生产批号、保质期、进货日期、供货者名称及其联络方式等内容。一旦发生食品安全事故,能够确保迅速地追溯到源头和具体责任人。关于记录和凭证的保存期限,原食品安全法第 36 条规定不得少于 2 年。在这次修订过程中,一些食品生产经营者提出,食品不同于其他产品,保存期限短,有一个保质期的要求,笼统地要求企业将记录和凭证保存 2 年,会加重企业负担。因此,这次修订将保存期限修改为不得少于产品保质期满后 6 个月。对于一些没有保质期要求的产品,如酒类,规定了保存期限不得少于 2 年。

食品生产者如不认真履行本条所规定的进货查验记录制度,对不符合本法和有关规定要求的食品予以购进,出现问题后该食品生产者就要承担相应的法律责任。

第五十一条 食品生产企业应当建立食品出厂检验记录制度，查验出厂食品的检验合格证和安全状况，如实记录食品的名称、规格、数量、生产日期或者生产批号、保质期、检验合格证号、销售日期以及购货者名称、地址、联系方式等内容，并保存相关凭证。记录和凭证保存期限应当符合本法第五十条第二款的规定。

【释义】 本条是关于食品出厂检验记录的规定。

本条是对原法第37条的修改，对记录和凭证的保存期限作了修改。

出厂检验是食品生产中的最后一道工序，是食品生产者能够控制的最后一道关卡，是为了防止不合格的食品流入市场。生产企业建立食品出厂检验记录制度，既是对消费者身体健康的保障，也是对企业自身声誉的保障。如果食品生产企业不能严格把关，就有可能使不符合食品安全标准的食品流入市场，出厂后出现问题，食品生产企业即使召回食品，也会对其声誉造成不同程度的影响。企业作为食品安全的第一责任人，有责任、有义务对自己生产的食品进行检验，确保出厂的食品是合格、安全的。

食品出厂检验记录应当真实。食品生产企业不得凭空捏造、涂改食品出厂检验记录。其应如实记录出厂食品的名称、规格、数量、生产日期、生产批号、检验合格证号、购货者名称及联系方式、销售日期等内容，这是食品生产企业的法定义务。通过查验并如实记录：第一，可以及时发现没有食品检验合格证的不合格食品，或发现虽有检验合格证但安全状况有显著问题的食品，防止将不合格食品作为合格食品上市销售，损害公众身体健康。第二，出厂查验并记录是食品召回制度的基础和前提，当发现食品出现问题时，通过查找食品出厂检验记录，可以迅速找到是哪些购货者购买了该批食品，实施食品召回。第三，食品生产企业日后如果与购货者因为食品安全、质量等发生法律纠纷，食品出厂检验记录是重要证据。为了日后查询方便，出现问题及时追溯，法律规定食品出厂检验记录的保存期限不得少于产品保质期满后 6 个月，没有明确保质期要求的，规定了不得少于 2 年。

第五十二条　食品、食品添加剂、食品相关产品的生产者，应当按照食品安全标准对所生产的食品、食品添加剂、食品相关产品进行检验，检验合格后方可出厂或者销售。

【释义】　本条是关于食品、食品添加剂和食品相关产品的生产者的检验义务的规定。

本条沿用了原法第 38 条的规定，未作修改。

本法第 51 条的规定是侧重于对食品的检验合格证和相关记录方面的安全状况的查验，本条更侧重于对食品、食品添加剂和食品相关产品本身的安全性、品质等进行检验。

出厂检验，是指食品、食品添加剂和食品相关产品的生产者，对生产的食品、食品添加剂和食品相关产品按照食品安全法律、法规和标准的要求进行检验，是生产活动中的最后一道工序。检验是确保食品安全的重要手段。企业通过对出厂食品进行检验，及时发现不合格食品、食品添加剂和食品相关产品，防止流入社会，损害消费者健康。同时也可以及时了解食品生产安全控制措施上存在的问题，及时排查原因，并采取改进措施。这既是对消费者健康负责，也是对食品生产企业自身的品牌和信誉负责，真正体现企业是食品安全的第一责任人。

企业对各类样品可以自行进行检验，也可以委托具备相应资质的食品检验机构进行检验。企业开展自行检验应配备相应的检验设备、试剂、标准样品等，建立实验室管理制度，明确各检验项目的检验方法。检验人员应按规定的检验方法开展检验工作。为确保检验结果科学、准确，检验仪器设备精度必须符合要求。企业委托外部食品检验机构进行检验时，应选择获得相关资质的食品检验机构。企业应妥善保存检验记录，以备查询。

第五十三条　食品经营者采购食品，应当查验供货者的许可证和食品出厂检验合格证或者其他合格证明（以下称合格证明文件）。

食品经营企业应当建立食品进货查验记录制度，如实记录食品的名称、规格、数量、生产日期或者生产批号、保质期、进货日期以及供货者名称、地址、联系方式等内容，并保存相关凭证。记录和凭证保存期限应当符合本法第五十条第二款的规定。

实行统一配送经营方式的食品经营企业，可以由企业总部统一查验供货者的许可证和食品合格证明文件，进行食品进货查验记录。

从事食品批发业务的经营企业应当建立食品销售记录制度，如实记录批发食品的名称、规格、数量、生产日期或者生产批号、保质期、销售日期以及购货者名称、地址、联系方式等内容，并保存相关凭证。记录和凭证保存期限应当符合本法第五十条第二款的规定。

【释义】　本条是关于食品经营者、食品经营企业应当建立并执行食品进货查验记录制度的义务的规定。

本条是对原法第39条的修改，增加了从事食品批发业务的经营企业的销售记录制度。

本法第50条规定了食品生产者、食品生产企业的进货查验记录制度，本条是对食品经营者、食品经营企业制定并实施进货查验记录制度提出的要求。

一、食品经营者的进货查验制度

执行进货查验制度，不仅是保证食品安全的措施，也是保护食品经营者自身合法权益的重要措施。食品经营者对所进货物进行检查验收，发现存在食品安全问题时，可以提出异议，经进一步证实所进食品不符合食品安全要求的，可以拒绝验收进货。如果食品经营者不认真执行进货查验制度，对不符合食品安全标准的食品予以验收进货，则责任随即转移到食品经营者一方。因此食品经营者必须认真执行该项制度，避免因盲目采购不安全食品造成的经济损失和一旦造成食物中毒和人身伤亡事故所要承担的法律责任。

食品经营者在采购食品时，应当严格审查食品供应商的条件，认真查验供货者的许可证和食品合格证明文件，确保所采购的食品符合标准。食品合格证明文件，是生产者出具的用于证明出厂产品的质量经过检验，符合相关要求的凭证，包括食品生产者自行检验后出具的出厂检验合格证和第三方检验机构出具的检验报告、检疫合格证明等。

每个食品经营者，都应当意识到查验供货者的许可证和食品合格证明文件是必须履行的法定义务，在自己的经营活动中加强对食品进货查验制度的管理，建立严格的食品进货查验制度。严格要求食品及原料采购人员在签订购货合同时，必须查验供货者的许可证和食品合格证明文件，并亲自验货，货证相符方可采购。对购进的食品及食品原料，仓库保管人员应当首先检查有无食品合格的证明文件，以便及时发现问题，堵塞漏洞。

食品进货查验记录作为对供货者的许可证、食品出厂检验合格证和其他食品合格的证明文件进行查验的书面记载，应当真实，不能随意捏造、篡改。有的食品经营企业在进货时没有查验，随便捏造查验信息，有的将已过期或临近过期的食品修改生产日期应付监督检查，有的捏造虚假食品生产者等，这些伪造食品进货查验记录的行为都是法律禁止的。根据本法规定，进货时未查验许可证和相关证明文件的，由有关部门依据各自职责，责令立即改正，给予警告，拒不改正的，处 5 千元以上 5 万元以下罚款；情节严重的，责令停产停业，直至吊销许可证。食品进货查验记录的保存期限不得少于产品保质期满后 6 个月，没有明确保质期的，保存期限不得少于 2 年，以便日后查询。如果出现食品安全事故，食品安全监管部门可以通过查验这些记录、票据，追查问题食品出现于食品生产经营的具体环节，并追究当事人的法律责任。

二、实行统一配送经营方式的食品经营企业的进货查验记录制度

随着食品工业化、规模化的发展，一些食品经营企业，如麦当劳、肯德基等，采用了统一配送的经营方式。统一配送经营方式可以降低食品原料采购成本、提高采购效率、确保旗下不同店面经营的食品口感、品质等如一。对于这些企业而言，由企业总部统一查验，可以发挥总部的技术优势，避免各食品经营企业各自为政、分别查验造成的烦琐、不一致。因此本法规定，实行统一配送经营方式的食品经营企业，可以由企业总部统一查验供货者的许可证、食品合格证明文件，做好食品进货查验记录。

三、从事食品批发业务的经营企业的销售记录制度

本条第 4 款对从事食品批发业务的经营企业建立食品销售记录制度作了规定，是本次修改新增加的内容。从事食品批发业务的经营企业，是相对于零售企业而言的，是随着商品经济的发展，在流通领域逐步发展起来的一种经营模式。是指组织食品供应、转售等大宗交易的经营企业。由于食品批发经营企业

主要面向的是零售经营企业,不直接面向消费者个人,其销售食品量大,涉及的范围广、散,一旦出现问题影响大,如其不做好相应的记录,将无法查找问题的根源。因此,本条第4款对其进行销售记录进行了专门的规定。要求从事食品批发业务的经营企业应当建立食品销售记录制度,如实记录批发食品的名称、规格、数量、生产日期或者生产批号、保质期、销售日期以及购货者名称、地址、联系方式等内容,并保存相关凭证,以便日后查询。

第五十四条　食品经营者应当按照保证食品安全的要求贮存食品,定期检查库存食品,及时清理变质或者超过保质期的食品。

食品经营者贮存散装食品,应当在贮存位置标明食品的名称、生产日期或者生产批号、保质期、生产者名称及联系方式等内容。

【释义】　本条是关于食品经营者贮存食品的要求的规定。

本条是对原法第40条、第41条的修改。

一、食品经营者贮存预包装食品的要求

食品由于其质量特性,经过一段时间,品质会发生变化。贮存不当易使食品腐败变质,丧失原有的营养物质,降低或失去应有的食用价值。科学合理的贮存环境和运输条件是避免食品污染和腐败变质、保障食品性质稳定的重要手段。企业应根据食品的特点、卫生和安全需要选择适宜的贮存条件。贮存食品的容器和设备应当安全无害,避免食品污染的风险。食品经营者应当根据食品的不同特点,在贮存物料时,应依照物料的特性分类存放,对有温度、湿度等要求的物料,应配置必要的设备设施,采取必要的防雨、通风、防晒、防霉变、合理分类等方式,尽量保持进货时的状况,食品如果贮存在恶劣条件下,将加速食品的腐败变质。

食品的贮存仓库应由专人管理,并制定有效的防潮、防虫害、清洁卫生等管理措施。食品经营者应当定期检查库存食品,通过检查及时发现变质或者超过保质期的食品。有时由于一些原因,即使食品没有超过保质期,食品也会变质。食品变质就是食品内在质量发生了本质性的物理、化学变化,失去了食品应当具备的食用价值。这时食品经营者就应当及时清理这些变质食品。当然,已经超过保质期的食品,也并不一定都是变质的食品。尽管如此,食品经营者在清理时,只要食品已经变质或者已经超过保质期,都应当坚决清理,不能存有侥幸心理,更不能将已经变质或者超过保质期的食品正常销售。按照本法的规定,未按要求进行食品贮存、运输和装卸的,由县级以上人民政府食品药品监督管理等部门按照各自职责分工责令改正,给予警告;拒不改正的,责令停产停业,并处1万元以上5万元以下罚款;情节严重的,吊销许可证。

二、贮存散装食品的标注要求

本条第2款是针对散装食品在贮存方面的规定。食品经营者贮存散装食品时,应在贮存位置标明食品的名称、生产日期、保质期、生产者名称及联系方式,是食品经营者的一项法定义务。这样规定主要有以下考虑:第一,防止因经营者过失,将不同品种的食品相混淆,防止食品二次污染。第二,便于食品经营者及时清理过期食品,防止将过期食品销售给消费者。第三,防止经营者在食品中掺杂、掺假,以假充真、以次充好,以不合格食品冒充合格食品。第四,食品经营者销售食品后,如果发生问题,可以通过生产者名称及联系方式追溯,及时向食品生产者主张权利。食品经营者应当依照本款的规定如实标注信息,如果经营者为了自身利益标注了虚假信息,如现实中,有的商家为了减少自己的损失,将超过保质期的食品,更改日期后继续销售,这种行为已经构成标注虚假保质期的行为,按照本法第124条的规定需承担相应的法律责任。

第五十五条　餐饮服务提供者应当制定并实施原料控制要求,不得采购不符合食品安全标准的食品原料。倡导餐饮服务提供者公开加工过程,公示食品原料及其来源等信息。

餐饮服务提供者在加工过程中应当检查待加工的食品及原料,发现有本法第三十四条第六项规定情形的,不得加工或者使用。

【释义】　本条是关于餐饮服务提供者制定并实施原料采购控制要求以及加工检查措施的规定。

本条是本次修改新增加的内容。

一、餐饮服务提供者制定并实施原料控制要求

餐饮服务涉及原料采购、制作和加工、销售等若干环节。餐饮服务提供者通过对采购的食品原料进行即时制作加工,向消费者提供食品,满足消费者的消费需求。其中,食品原料采购是其中的关键环节,原料的质量对餐饮成品的质量起着决定性作用,原料不符合要求,其成品也难达到标准。食品原料采购的目的在于以合理的价格,在适当的时间,从安全可靠的货源,按规格标准和预定数量采购。对餐饮服务者采购的食品原料,本法规定必须符合食品安全标准。

餐饮服务提供者要确保食品原料安全,从源头上控制采购的食品原料,就应制定并实施食品原料采购标准或具体措施。对食品材料采购标准、采购措施和应采购的食品原料作出详细具体记录,如原料的产地、性能、数量、包装要求等,采购时要索取证明文件,并做好采购记录,便于溯源。餐饮服务提供者应根

据其自身的监控重点采取适当措施保证原料合格。可现场查验原料供应者是否具有生产合格原料的能力;应查验供货者原料合格证明文件、动物检疫合格证明,并对原料进行验收审核。发现不符合食品安全标准的,不得采购。

二、倡导餐饮服务提供者公开加工过程,公示食品原料及其来源等信息

该规定是本次修订新增加的内容。在现实中,后厨重地,一般的消费者是看不到的,卫生条件如何,加工过程是否符合要求,所使用的原料是否安全等,消费者不得而知。"闲人免进"的厨房虽然在一定程度上保障了餐饮服务的正常秩序,但不可否认的是,这种不透明给厨房提供了藏污纳垢的机会。为了让消费者吃得放心,一些餐饮服务提供者已经开始尝试透明厨房的做法,"公开透明"就是让阳光照进厨房,让消费者在就餐的过程中就能看到食品生产加工的全过程,及时发现不符合卫生要求,操作不符合规范等情况。一方面这是餐饮服务提供者对广大消费者的一种承诺,可以证明自己的食品是安全的,让你看得到、吃得放心;另一方面这也是消费者对餐饮服务提供者有效监督的一种方式。但目前让所有的餐饮服务提供者公开其加工过程,公示食品原料及其来源等信息,还不太现实。因此,本条规定倡导餐饮服务提供者公开加工过程,公示食品原料及其来源等信息。

三、餐饮服务加工的过程要求

加工制作是餐饮服务的一项重要内容。餐饮服务者应当检查待加工制作的食品及原料。本条规定餐饮服务提供者在加工制作过程中发现食品及原料有本法第 34 条第 6 项规定内容的,不得加工和使用。即发现食品、食品添加剂有腐败变质、油脂酸败、霉变生虫、污秽不洁、混有异物、掺假掺杂或者感官性状异常

的，不得使用和加工。因食品具有易腐烂变质、易受污染等特性，受到时间、温度、湿度等的限制，如贮存不当就极易变质或被污染，在微生物的作用下使食品中某些成分发生了变化，感官性状发生改变而丧失可食性，同时因这些食品往往含沙门氏菌等致病性病菌，易导致食物中毒，因此本法规定了这类食品、食品添加剂是禁止生产经营的。本法第 34 条第 6 项规定的这些内容，属于在生产加工过程中一般凭借经验和通过观察就可以发现的，因此，本条专门就这一项内容对餐饮服务提供者设定了义务性规定。餐饮服务提供者如未按要求加工和使用食品、食品添加剂，按照本法第 124 条的规定，应对其进行处罚。

第五十六条　餐饮服务提供者应当定期维护食品加工、贮存、陈列等设施、设备；定期清洗、校验保温设施及冷藏、冷冻设施。

餐饮服务提供者应当按照要求对餐具、饮具进行清洗消毒，不得使用未经清洗消毒的餐具、饮具；餐饮服务提供者委托清洗消毒餐具、饮具的，应当委托符合本法规定条件的餐具、饮具集中消毒服务单位。

【释义】　本条是关于餐饮服务提供者应当确保设施、设备和餐具、饮具等安全卫生的规定。

本条是本次修改新增加的内容。

一、对设施、设备的定期维护

设施与设备涉及生产过程控制的各个环节，包括供水、排水、清洁、消毒、废弃物存放、个人卫生、通风、照明、仓储、温控、生产加工、监控设施、设备等。企业设施与设备是否适宜、卫生、安全，不仅对确保企业正常生产运作、提高生产效率起到关键作用，同时也直接或间接地影响食品的安全性和质量的稳定性。

本法在食品生产经营的一般规定中，要求食品生产经营应当符合食品安全标准，并符合一定要求，其中规定，食品生产经营要具有与生产经营的食品品种、数量相适应的生产经营设备或者设施，有相应的消毒、更衣、盥洗、采光、照明、通风、防腐、防尘、防蝇、防鼠、防虫、洗涤以及处理废水、存放垃圾和废弃物的设备或者设施。具有合理的设备布局和工艺流程，防止待加工食品与直接入口食品、原料与成品交叉污染，避免食品接触有毒物、不洁物。贮存、运输和装卸食品的容器、工具和设备应当安全、无毒，保持清洁，防止食品污染，并符合保证食品安全所需要的温度、湿度等特殊要求，不得将食品与有毒、有害物品一同贮存、运输。

定期对设备、设施进行维护检查，可以避免食品受直接污染或交叉污染的风险，预防和控制食品安全事故。食品在加工、贮存、陈列等过程中，受到自身或外界的影响，很容易使一些污染物质滞留在生产设施、设备上，如不及时进行清洗、消毒、维修，滞留在设备、设施上的物质发生质变，一旦食品在此过程中遭到污染，极可能将污染物滞留在食品加工、贮存、陈列等设施、设备上，形成新的污染源。因此，餐饮服务提供者应在设施、设备使用后按规定进行清洗、消毒，定期维护，进而保证所生产加工的食品安全。餐饮服务提供者应当定期清洗、检验保温设施及冷藏、冷冻设施、设备。冷藏是指为保鲜和防腐的需要，将食品置于零度以上较低温度条件下贮存的过程。冷冻是指将食品或原料置于零度以下，以保持冰冻状态的贮存过程。无论是冷藏还是冷冻，都是在低于常温下贮存食品或食品原料，需要有专门的设施、设备。这些设施、设备的性能的安全性、稳定性直接关系到冷藏、冷冻食品的质量。对这些设施、设备应当定期清洗、除臭，温度指示装置应当定期校验，确保设备的正常运转和使用。

二、对餐具、饮具的卫生要求

本法第33条食品生产经营的一般规定中，要求餐具、饮具和盛放直接入口食品的容器，使用前应当洗净、消毒，炊具、用具用后应当洗净，保持清洁，这是对餐饮服务提供者的一般要求。随着社会的发展，生活水平的提高，生产节奏的加快，在外就餐的人越来越多，在外就餐就离不开餐具和饮具，餐饮服务提供者直接面向的是广大的消费者，如果这些餐具、饮具不卫生，极易造成食源性疾病的发生，也容易让使用者之间相互传染，造成疾病的传播。因此，餐具、饮具的卫生安全十分重要，直接关系广大消费者的身体健康。餐饮服务提供者在日常的经营中，应当保证消费者使用的餐具、饮具都是经过消毒的，以达到消灭病原体，降低细菌数量，防止使用者之间相互传染，最终保证消费者健康安全的目的。洗刷餐饮具必须有专门的水池，不得与清洗蔬菜、肉类等其他水池混用，洗刷餐饮具的水应当符合生活饮用水的标准。对餐饮具的消毒可以使用物理和化学的方法，物理方法一般就是指煮沸或蒸汽消毒法，化学消毒方法一般就是使用消毒剂或洗涤剂。餐饮服务提供者使用消毒剂或洗涤剂消毒的，应当是符合卫生标准和要求，对人体无害的产品。

餐饮服务提供者委托集中消毒服务单位进行清洗消毒的，应当委托符合本法规定的正规的消毒服务单位。本法第58条对从事集中消毒服务单位的条件、消毒工艺流程、使用消毒产品以及消毒餐饮具的产品包装和标签内容作了原则性规定。《卫生部、工商总局、食品药品监管局关于加强餐饮具集中消毒单位监督管理的通知》(卫监督发〔2010〕25号)中要求餐饮具集中消毒单位应当符合《消毒服务机构卫生规范》的要求。餐饮服务提供者在委托其从事清洗消毒服务时，应查清该消毒服务机构是否具备法律规定的条件，其选址、作业场所是否符合要求，生产用水是否符合生活饮用水卫生标准,使用的消毒产品是否符合国家卫生标准和规范。现实中,一些餐饮服务提供者为了经济利益,委托一些不正规的消毒服务单位对餐饮具进行消毒,由于该服务机构不具备消毒的条件,结果给委托的餐饮服务者提供的餐饮具清洗消毒不合格,那么餐饮服务提供者同样要承担法律责任。

第五十七条 学校、托幼机构、养老机构、建筑工地等集中用餐单位的食堂应当严格遵守法律、法规和食品安全标准;从供餐单位订餐的,应当从取得食品生产经营许可的企业订购,并按照要求对订购的食品进行查验。供餐单位应当严格遵守法律、法规和食品安全标准,当餐加工,确保食品安全。

学校、托幼机构、养老机构、建筑工地等集中用餐单位的主管部门应当加强对集中用餐单位的食品安全教育和日常管理,降低食品安全风险,及时消除食品安全隐患。

【释义】 本条是关于集中用餐单位食品安全管理的规定。

本条是本次修改新增加的内容。

本条所指的集中用餐单位一般是指机关、企事业单位、学校、工地等机构,为解决其内部职工、学生或者其他内部人员的就餐问题,而集中提供就餐服务的单位。集中用餐单位用餐人员相对集中,数量大,是发生食源性疾病、食物中毒的多发地之一,同时部分就餐人群属于较敏感人群,特别是学校、托幼机构、托老机构、建筑工地等场所的人员,更容易受到食源性疾病的感染。因此,应对其加强管理,避免发生食品安全事故,保障就餐人员的身体健康。

一、对集中用餐单位食堂的管理

食堂,指设于机关、学校、企业事业单位、工地等地点(场所),为供应内部职工、学生等就餐的单位。食堂的管理直接关系到职员、学生等就餐人员的基本权益和身体健康。因此,食堂的经营者必须严格按照法律、法规和食品安全标准的要求进行管理。既然是餐饮服务提供者,就要符合一定的要求,包括:(1)依法取得许可。本法第35条规定,对食品生产经营实行许可制度,从事食品生产、食品销售、餐饮服务,应当依法取得许可。未取得许可不能从事生产经营。(2)本法规定的食品生产经营应当符合食品安全标准和一定要求,如相应的经营场所、设备和设施、餐具饮具的卫生要求、从业人员的卫生要求、用水的要求、洗涤剂、消毒剂的要求等。(3)本法规定食品经营者应当建立健全食品安全管理制度,原料验收、索票索证、食品贮存、餐饮用具清洗消毒、健康管理、人员培训管理制度等一系列制度要求。(4)对生产经营食品的禁止性规定。(5)其他要求。

二、对从外订餐的集中用餐单位的要求

由于设立食堂要受场所和资金等条件的限制,对于一些没有能力设立食堂的机关、企业事业单位、学校、建设工地等集中用餐单位,为了解决内部员工就餐问题,有的单位采取的从供餐单位订购食品的方式。但是供餐单位多种多样,鱼龙混杂,有的存在卫生条件、安全状况不符合要求的情况。集中用餐单位如何保障订购食品的安全,进而保障所在单位用餐人员的健康。本条规定,集中用餐单位从供餐单位订购食品的,应从取得许可证的正规的食品企业进行订购,因为取得许可证的企业,应是达到国家规定的条件和标准的企业,在一定程度对食品的安全性有保障,另外,一旦发生食品安全事故,也可以及时查找到责任人。作为供餐单位也应按照法律、法规和食品安全标准的要求进行生产经营,即食即做,保障出售的食品是新鲜、安全可靠的。

三、集中用餐单位主管部门的责任

为了保障集中用餐单位的食品安全,除了集中用餐单位本身要做好自我管理外,其主管部门也要承担起相应的职责。这里讲的主管部门不是食药监等部门,而是机关、企业事业单位、建筑工地等机构的主管部门,例如,学校的主管部门是教育部、建筑工地的主管部门是住房和城乡建设部门,托老机构的主管部门是民政部门等。这些集中用餐单位的主管部门在主抓业务管理的同时,还要加强对集中用餐单位的食品安全教育和日常管理,让集中用餐单位随时绷紧食品安全这根弦,降低食品安全风险,及时消除食品安全隐患。

第五十八条　餐具、饮具集中消毒服务单位应当具备相应的作业场所、清洗消毒设备或者设施,用水和使用的洗涤剂、消毒剂应当符合相关食品安全国家标准和其他国家标准、卫生规范。

餐具、饮具集中消毒服务单位应当对消毒餐具、饮具进行逐批检验,检验合格后方可出厂,并应当随附消毒合格证明。消毒后的餐具、饮具应当在独立包装上标注单位名称、地址、联系方式、消毒日期以及使用期限等内容。

【释义】　本条是关于餐具、饮具集中消毒服务单位在食品安全方面责任的要求的规定。

本条是本次修改新增加的内容。

餐饮具集中消毒服务机构是近几年来出现的新型的消毒服务机构,其经过大型专业的流水线机械设备高温高压反复清洗,红外线高温杀毒,经过塑封包装后,为餐饮服务提供者配送成套的餐饮具,也有消毒服务机构将餐饮服务提供者使用过餐饮具进行回收,按照消毒工序进行清洗消毒包装后循环使用。由于其具有省时省力、消毒可靠、能有效防止食源性疾病的发生、降低企业成本等优点，受到众多餐饮服务提供者的青睐，特别是一些中小型餐饮机构由于场所和人员限制，为了节约成本，多是利用餐饮集中消毒单位对餐饮具进行集中消毒。但是，由于国家对这类新兴的服务行业还未出台相应的管理规范，对餐饮具的消毒没有相应的标准和操作流程的规定，导致许多餐具、饮具集中消毒单位参差不齐、消毒方法不规范等问题。目前，对餐饮具集中消毒服务的管理规定，是按照2002年卫生部颁布的《消毒服务机构卫生规范》（卫法监法〔2002〕142号）和2002年卫生部颁布的《消毒管理办法》（卫生部令第27号）进行管理的，但以上规定主要是针对为医疗机构提供消毒服务所提出的要求。为了加强对餐饮具集中消毒服务机构的管理，2010年《卫生部、工商总局、食品药品监管局关于加强餐饮具集中消毒单位监督管理的通知》（卫监督发〔2010〕25号）规定，餐饮具集中消毒单位应当符合《消毒服务机构卫生规范》，餐饮具消毒过程及消毒后餐饮具应符合相关法律法规、标准和规范的规定。卫生部门负责对餐具、饮具集中消毒服务单位进行监管。

餐具、饮具集中消毒单位作为一种新兴服务行业，其服务质量直接关系到人民群众身体健康。随着社会分工不断细化，集中消毒餐饮具需求量也日益增大，加强对餐饮具集中消毒企业的监管以及增强其行业自律性也显得十分必要。在常委会审议期间，一些常委委员也提出，要加强对餐饮具集中消毒单位的管理，规范其操作流程。因此，本法对餐饮具集中消毒单位的一些基本要求作出规定，明确操作规范，使其更有可操作性。

一、对餐饮具集中消毒单位的基本要求

本条规定餐饮具集中消毒服务单位应当具备相应的场所、

清洗消毒设备或者设施，用水和使用的洗涤剂、消毒剂应当符合相关食品安全国家标准和其他国家标准、卫生规范。1.生产场所、设备设施的要求。按照《消毒服务机构卫生规范》的要求，消毒服务机构的选址和布局必须符合国家有关规定，不得对周围人群、环境产生危害；应当具备满足消毒与灭菌所需要的环境，应无积水、无杂草、无露天堆放垃圾、无蚊蝇孳生地，环境清洁。生产布局应当合理，按照工艺流程分为待消毒物品存放区、消毒处理区、已消毒物品存放区。消毒工艺流程不得有逆向或交叉。各个区域应当通风、防爆、防尘、防鼠、防虫、防潮等。作为消毒服务单位，具备相应的消毒灭菌设施设备是必然的要求，消毒的设施设备应符合国家有关标准、规定和规范的要求。2.洗涤剂、消毒剂产品的要求。洗涤和消毒剂产品由于属于化学产品，具有一定的毒性，使用不当，很容易对人体造成危害。因此使用洗涤剂和消毒剂必须符合标准。卫生部2012年发布了《食品安全国家标准　消毒剂》（GB14930.2－2012），该标准适用于消毒剂、洗涤和消毒作用的制剂。3.用水的要求。生产用水要符合《生活饮用水卫生标准》（GB5749－2006）。

二、出厂检验记录制度

餐饮具同食品一样，都属于食品安全的范畴，直接关系到广大消费者的身体健康。因此，餐饮具集中消毒单位有责任、有义务对自己消毒的餐饮具的安全负责，严把出厂关，保证消毒后的餐饮具符合国家卫生标准。目前，对于餐饮具，国家有《食（饮）具消毒卫生标准》（GB14934－1994），消毒服务单位要按照该标准对本单位消毒的餐饮具逐批进行检验，发现不合格的，不能出厂。对检验合格的，要随附合格证明文件，并附相关信息。本条规定消毒后的餐具、饮具应当在独立包装上标注单位名称、地址、联系方式、消毒日期以及使用期限等内容。这样可以让餐饮服务提供者和消费者及时了解使用餐饮具的卫生情况，也便于监管部门进行监管，发现问题可以追本溯源。

从事餐饮具集中消毒服务单位应当认真履行上述职责，如违反本条规定的要求，需要承担相应的法律责任。

第五十九条　食品添加剂生产者应当建立食品添加剂出厂检验记录制度，查验出厂产品的检验合格证和安全状况，如实记录食品添加剂的名称、规格、数量、生产日期或者生产批号、保质期、检验合格证号、销售日期以及购货者名称、地址、联系方式等相关内容，并保存相关凭证。记录和凭证保存期限应当符合本法第五十条第二款的规定。

【释义】　本条是关于食品添加剂生产者建立出厂检验记录制度的义务性规定。

本条是本次修改新增加的内容。

本法第 51 条对食品生产企业建立食品出厂检验记录作了规定。由于食品添加剂本身不是食品，而是为食品生产加工的需要而加入的其他物质，不能单独使用，所以第 51 条的规定未能包括食品添加剂的出厂检验。2009 年的食品安全法对食品添加剂是按工业产品管理，因此，对食品添加剂的生产只是作了原则性的规定。这次修订食品安全法，对食品添加剂的生产、销售作了更加细致的规定。主要考虑到，食品添加剂作为食品的组织部分，用来改变食品的色泽、口味、延长食品保质期等，在生产过程中被普遍使用。食品添加剂的使用使食品的品种和花样大大增多，满足了人们对食品的追求，但同时，因食品添加剂多属于化学合成物质，如果使用不当或者过量使用，将会给人体健康带来危害。因此，对食品添加剂的生产使用必须严格管理。一旦某种食品添加剂出现问题，将不是一个企业对一小部分消费者的健康造成危害，而是意味着大批下游企业甚至整个行业都将受到影响。所以，食品添加剂生产者除按法律、标准的规定组织生产，保障产品的安全外，对生产的添加剂实施出厂检验显得更加重要。企业通过对出厂食品添加剂的检验，及时发现问题，防止不合格产品流入社会，损害消费者健康。

食品添加剂生产者应如实记录相关信息，这是建立可追溯制度的前提。本条规定食品添加剂生产者必须如实记录食品添加剂的名称、规格、数量、生产日期或者生产批号、保质期、检验合格证号、销售日期以及购货者名称、地址、联系方式等相关内容，这是食品添加剂生产者的法定义务。食品添加剂出厂检验记录应当真实，不得凭空捏造、涂改食品出厂检验记录。这样可以在出现问题时及时追溯，法律规定食品出厂检验记录和凭证的保存期限不得少于产品保质期满后 6 个月，没有明确保质期的，保存期限不得少于 2 年。

第六十条　食品添加剂经营者采购食品添加剂，应当依法查验供货者的许可证和产品合格证明文件，如实记录食品添加剂的名称、规格、数量、生产日期或者生产批号、保质期、进货日期以及供货者名称、地址、联系方式等内容，并保存相关凭证。记录和凭证保存期限应当符合本法第五十条第二款的规定。

【释义】　本条是关于食品添加剂经营者进货查验记录制度的规定。

本条是本次修改新增加的内容。

本条对食品添加剂经营者采购食品添加剂作了专门规定。食品添加剂经营者在采购食品添加剂时，应当严格把关，严格审查食品添加剂的来源。1. 查验添加剂许可证。按照本法的规定，食品添加剂生产必须取得许可。因此，食品添加剂经营者在采购食品添加剂时，首先要查验供货者的生产许可证，确保所采购的食品添加剂为合法企业生产的产品。2. 查验供货者的产品合格证明文件。产品合格证明文件是食品添加剂生产者或者第三方检验机构出具的用于证明出厂产品的质量经过检验，符合相关要求的证明文件。

执行进货查验制度，不仅是保证食品安全的措施，也是保护食品添加剂经营者自身合法权益的重要措施。食品添加剂经营者对所进货物进行检查验收，发现存在安全问题时，可以提出异议，经进一步证实所进食品添加剂不符合食品安全要求的，可以拒绝进货。如果食品添加剂经营者不认真执行进货查验制度，对不符合食品安全标准的食品添加剂予以验收进货，则责任随即转移到食品添加剂经营者一方。因此食品添加剂经营者必须认真执行进货查验制度，避免因盲目采购不安全食品添加剂造成的经济损失和一旦造成食物中毒和人身伤亡事故所要承担的法律责任。

食品添加剂进货查验记录作为对供货者的许可证和产品合格证明文件进行查验的书面记载，应当真实，不能随意捏造。本条规定，食品添加剂经营者应如实记录食品添加剂的名称、规格、数量、生产日期或者生产批号、保质期、进货日期以及供货者名称、地址、联系方式等内容。进货查验记录的保存期限不得少于产品保质期满后 6 个月，没有明确保质期的，保存期限不得少于 2 年，以便日后查询。如果出现食品安全事故，食品安全部门可以通过查验这些记录、票据，追查问题产品出现的具体环节，并追究当事人的法律责任。

根据本法规定，食品添加剂经营者在进货时未查验许可证和相关证明文件或者未按规定建立遵守进货查验记录制度的，由有关部门依据各自职责，责令立即改正，给予警告，处 5 千元以上5万元以下罚款；情节严重的，责令停产停业，直至吊销许可证。

第六十一条 集中交易市场的开办者、柜台出租者和展销会举办者，应当依法审查入场食品经营者的许可证，明确其食品安全管理责任，定期对其经营环境和条件进行检查，发现其有违反本法规定行为的，应当及时制止并立即报告所在地县级人民政府食品药品监督管理部门。

【释义】 本条是关于集中交易市场的开办者、柜台出租者和展销会举办者在食品安全方面的责任的规定。

本条是对原法第52条的修改。

集中交易市场是食品经营者在固定场所，按一定规则，有组织的集中买卖活动，是食品经营者开展食品销售、餐饮服务等食品经营活动的一个重要场所。在实践中，利用集中交易市场、柜台出租和展销会销售食品的现象比较普遍，且销售不合格食品时有发生，危及公众身体健康和生命安全，是重点监管区域。集中交易市场里的食品经营者具有经营规模小、流动性强的特点，这给食品安全监管工作带来很大难度，发生食品安全事故后，食品经营者往往一跑了之，或者由于规模小，难以承担巨大的赔偿责任，使消费者的损失难以获得补偿。考虑到集中交易市场的开办者、柜台出租者和展销会举办者是集中交易市场的管理者，对集中交易市场的食品安全负有管理责任，而且他们也具有承担义务的条件，他们是距离入场食品经营者最近、最直接的监督者，能够发挥食品安全监管部门难以发挥的监管作用。因此，为了有效预防和惩治违法行为，切实保护消费者的合法权益，本法对集中交易市场、出租柜台、展销会的食品安全问题作了有针对性的具体规定。

集中交易市场不直接从事食品生产经营的，一般不需要取得食品生产经营许可。为了加强对集中交易市场的食品安全监管，保障消费者的权益，本条规定了集中交易市场的开办者、柜台出租者和展销会举办者审查许可证、定期检查等方面的责任。1. 审查和检验的义务。集中交易市场的开办者、柜台出租者和展销会举办者应当允许有经营资格的主体入场经营。经营资格的凭证就是许可证和营业执照。通过对入场食品经营者许可证和营业执照的审查，确保入场经营者的主体资格。对未取得相关许可证的，不得允许其入场经营。2. 明确入场食品经营者的食品安全管理责任。集中交易市场应制定食品安全检查制度及其他管理制度，指定专人负责食品安全管理。食品安全管理人员应当接受食品安全知识和业务知识培训。对取得相关许可证的入场食品经营者，集中交易市场的开办者、柜台出租者和展销会举办者应当与其签订食品安全责任书，明确其食品安全管理责任。3. 定期进行检查。集中交易市场的开办者、柜台出租者和展销会举办者作为承担义务的主体，应当建立健全食品安全管理制度，定期对入场的食品经营者的经营环境和条件进行检查，看入场经营者的经营条件和经营环境是否符合本法的要求。如检查经营的内容是否与许可证的许可范围一致，检查经营者是否具有与经营的食品相适应的场所，场所是否干净整洁，是否有与经营的食品相适应的设备或设施，设备、设施是否符合要求，从业人员是否符合食品安全管理制度，是否建立和执行食品进货查验记录制度，经营的食品是否属于本法规定的禁止生产经营的食品，盛放食品的容器、工具和设备是否符合规定等，并将以上检查情况进行记录。4. 制止并报告的义务。对检查中发现的问题，应督促入场经营者及时采取整改措施，发现食品经营者有违法行为的，应当及时制止并立即报告县级人民政府食品药品监管部门。

此外，集中交易市场的开办者、柜台出租者和展销会的举办者应负责处理涉及食品安全问题的群众投诉，并主动向监管部门举报入场经营者的食品安全违法行为，积极配合有关部门调查处理入场食品经营者的食品安全违法案件。

未履行规定义务，本市场发生食品安全事故的，本法第130条规定了集中交易市场的开办者、柜台出租者和展销会的举办者应当承担连带责任。前者审查后者的许可证，明确其食品安全管理责任，是避免出现食品安全事故，防止承担连带责任必不可少的程序。集中交易市场的开办者、柜台出租者和展销会举办者只有严格把关，将无照经营或者不能保证食品安全的经营者拒之门外，才能避免因食品安全事故而承担连带责任。

第六十二条　网络食品交易第三方平台提供者应当对入网食品经营者进行实名登记，明确其食品安全管理责任；依法应当取得许可证的，还应当审查其许可证。

网络食品交易第三方平台提供者发现入网食品经营者有违反本法规定行为的，应当及时制止并立即报告所在地县级人民政府食品药品监督管理部门；发现严重违法行为的，应当立即停止提供网络交易平台服务。

【释义】 本条是关于网络食品交易第三方平台提供者的义务的规定。

本条是本次修改增加的内容。近年来，随着电子商务的迅猛发展，网络食品交易规模越来越大。对消费者而言，网络食品交易潜藏着一定风险，例如食品入网经营者资质、信誉良莠不齐，食品质量难以保证，容易引发食品安全问题；发生纠纷后，不可控因素增大，甚至出现入网经营者注销账户导致消费者难以求偿的情况。因此,有必要对网络食品交易进行规范,明确网络食品交易第三方平台提供者的义务。

一、网络食品交易第三方平台提供者对入网食品经营者的身份审查的义务

网络食品交易第三方平台提供者,是指在入网食品交易活动中为交易双方或者多方提供网页空间、虚拟经营场所、交易规则、交易撮合、信息发布等服务,供交易双方或者多方独立开展交易活动的信息网络系统。平台提供者自身并不参与交易,只是根据与买卖方双方分别订立的协议提供技术服务以保证网上交易的顺利进行,这类平台为中介型或者开放型的平台。

考虑到网络食品交易第三方平台提供者对入网食品经营者具有一定的控制能力,技术上可以对利用平台的卖家身份进行审查,本条规定了网络食品交易第三方平台提供者对入网食品经营者身份的审查义务。审查义务主要为实名登记义务,网络食品交易第三方平台提供者应当记录入网食品经营者的真实名称、地址和有效联系方式,以实现交易的可追溯和责任的可追究。对于依照本法第35条规定应当取得许可的入网食品经营者,还应当审查其许可证。网络食品交易第三方平台提供者在对入网食品经营者进行身份审查的同时,还应当明确其食品安全管理责任。

二、网络食品交易第三方平台提供者制止、报告和停止提供服务的义务

入网食品经营者作为食品经营者,应当遵守本法和相关法律、法规的规定,保证食品符合食品安全国家标准和法律、法规的要求,保证食品安全。网络食品交易第三方平台提供者应当对入网食品经营者及其发布的食品信息建立检查监控制度,并履行制止、报告和停止提供服务的义务,发现入网食品经营者有

违反本法规定行为的，应当履行及时制止违法行为的义务，并应当立即报告所在地的县级人民政府食品药品监督管理部门；发现入网食品经营者有严重违法行为的，应当立即停止提供网络交易平台服务。

第六十三条 国家建立食品召回制度。食品生产者发现其生产的食品不符合食品安全标准或者有证据证明可能危害人体健康的，应当立即停止生产，召回已经上市销售的食品，通知相关生产经营者和消费者，并记录召回和通知情况。

食品经营者发现其经营的食品有前款规定情形的，应当立即停止经营，通知相关生产经营者和消费者，并记录停止经营和通知情况。食品生产者认为应当召回的，应当立即召回。由于食品经营者的原因造成其经营的食品有前款规定情形的，食品经营者应当召回。

食品生产经营者应当对召回的食品采取无害化处理、销毁等措施，防止其再次流入市场。但是，对因标签、标志或者说明书不符合食品安全标准而被召回的食品，食品生产者在采取补救措施且能保证食品安全的情况下可以继续销售；销售时应当向消费者明示补救措施。

食品生产经营者应当将食品召回和处理情况向所在地县级人民政府食品药品监督管理部门报告；需要对召回的食品进行无害化处理、销毁的，应当提前报告时间、地点。食品药品监督管理部门认为必要的，可以实施现场监督。

食品生产经营者未依照本条规定召回或者停止经营的，县级以上人民政府食品药品监督管理部门可以责令其召回或者停止经营。

【释义】 本条是关于食品召回制度的规定。

为加强食品生产经营管理,减少和避免不安全食品的危害,保障公众身体健康和生命安全,2009 年食品安全法正式确立了食品召回制度,此次修改在原法的基础上对召回制度作了进一步的完善。

根据食品召回程序的启动方式,食品召回可分为食品生产经营者主动召回和监管部门责令召回两种。

一、主动召回

1. 食品生产者召回。食品生产者发现其生产的食品不符合食品安全标准或者有证据证明可能危害人体健康的,应当立即停止生产,召回已经上市销售的食品,通知相关生产经营者和消费者,并记录召回和通知情况。此次修改,增加了召回"有证据证明可能危害人体健康"食品的规定。随着人们对食品安全认识的不断深入,食品安全标准可能存在一定的滞后性,有些没有食品安全标准或者食品虽然满足了现有的食品安全标准,但仍可能存在危害人体健康的危险。对此类食品,只要有证据证明可能危害人体健康的,也应当予以召回。

2. 食品经营者召回。食品经营者发现其经营的食品不符合食品安全标准或者有证据证明可能危害人体健康的,应当立即停止经营,通知相关生产经营者和消费者,以便及时采取补救措施,避免危害进一步扩大,并记录停止经营和通知情况。食品生产者接到经营者的通知后,认为应当召回的,应当立即召回。由于食品经营者的原因,如贮存不当,造成其经营的食品有前述规定情形的,应当由食品经营者,而非生产者进行召回。

3. 召回后的处理。一般情况下,召回的食品不符合食品安全标准或者可能存在食品安全隐患,食品生产经营者应当对召回的食品采取无害化处理、销毁等措施,防止其再次流入市场。但是,对因标签、标志或者说明书不符合食品安全标准而被召回的食品，食品生产者在采取补救措施且能保证食品安全的情况下可以继续销售，但销售时应当向消费者明示补救措施。

4. 召回情况报告。食品生产经营者应当将食品召回和处理情况向所在地县级人民政府食品药品监督管理部门报告；需要对召回的食品进行无害化处理、销毁的，应当提前报告时间、地点。食品药品监督管理部门认为必要的，可以赴无害化处理或者销毁现场进行监督，以确保存在安全隐患的被召回食品不会再次流入市场。

二、责令召回

1. 县级以上人民政府食品药品监督管理部门发现食品生产经营者生产经营的食品不符合食品安全标准或者有证据证明可能危害人体健康，但未依照本条规定召回或者停止经营的，可以责令其召回或者停止经营。

2. 食品生产经营者在接到责令召回的通知后，应当立即停止生产或者经营，按照本条第 1 款、第 2 款和第 3 款规定的程序召回不符合食品安全标准的食品，进行相应的处理，并将食品召回和处理情况向所在地县级人民政府食品药品监督管理部门报告。

第六十四条　食用农产品批发市场应当配备检验设备和检验人员或者委托符合本法规定的食品检验机构，对进入该批发市场销售的食用农产品进行抽样检验；发现不符合食品安全标准的，应当要求销售者立即停止销售，并向食品药品监督管理部门报告。

【释义】　本条是关于食用农产品批发市场对进场销售的食用农产品进行抽样检验的规定。

本条为此次修改新增加的条文。食用农产品不同于加工食品，一般具有鲜活、易腐、无包装或者简易包装、保存期短等特点，所以食品安全法对食用农产品进入市场销售规定了特别的管理制度。

食用农产品批发市场是以粮油、畜禽肉、禽蛋、水产、蔬菜、水果、茶叶等食用农产品为交易对象，为买卖双方提供长期、固定、公开的批发交易设施设备，并具备商品集散、信息公示、结算、价格形成等服务功能的交易场所。食用农产品批发市场是我国改革开放以后形成的商业业态，是食用农产品流通的主渠道，食用农产品的70%以上经过批发市场进入百姓的菜篮子。农产品批发市场分为一级批发市场、二级批发市场和三级批发市场。一级批发市场，是直接从产地收购农产品、向中间批发商或代理商销售的批发市场。二级批发市场，其批发商从一级批发市场采购农产品，再销给中间商或零售商。三级批发市场，其批发商从二级批发市场采购农产品，再销给零售商。正是由于批发市场是食用农产品销售的主渠道，所以需要在保障入场销售的食用农产品安全方面承担责任。根据本条的规定，批发市场的主要责任包括以下两个方面：

一是对进场销售的食用农产品进行抽样检验。抽样检验是指在销售的食用农产品中随机抽取样品进行检验，从而确定所销售的食用农产品是否符合食品安全国家标准的检验方式。履行这一职责，批发市场应当配备检验设备和检验人员，如果因为条件所限无法配备，也可以委托符合食品安全法规定的食品检验机构进行抽样检验。符合食品安全法规定的食品检验机构，根据食品安全法“食品检验”一章的规定，是指按照国家有关认证认可管理规定，取得资质认定的食品检验机构，或者在2009年食品安全法颁布以前，经农业、质量监督、卫生、食品药品监督管理等有关部门批准成立的食品检验机构。应当指出的是，对食用农产品进行抽样检验,既可以采取一般实验室检验方式,也可以采用快速检测方式。

二是通过抽样检验发现不符合食品安全标准的,应当要求销售者立即停止销售,并向食品药品监督管理部门报告。对于通过抽样检验,发现不符合食品安全标准的食用农产品,批发市场因为不是执法部门,所以无权对销售者予以处罚,但应当要求销售者立即停止销售,并向当地的食品药品监督管理部门报告。

对于批发市场没有履行上述职责的,根据食品安全法第130条的规定,应当承担相应的法律责任。

第六十五条 食用农产品销售者应当建立食用农产品进货查验记录制度,如实记录食用农产品的名称、数量、进货日期以及供货者名称、地址、联系方式等内容,并保存相关凭证。记录和凭证保存期限不得少于六个月。

【释义】 本条是关于食用农产品销售者应当建立食用农产品进货查验记录制度的规定。

本条为此次修改新增加的条文。食品经营者建立进货查验记录制度,是实现食品安全可追溯的需要,通过进货查验记录,可以追查相关责任人,确保食品安全的全链条监管。食品安全法对一般的食品经营者规定了进货查验记录制度,要求食品经营者采购食品,应当查验供货者的许可证和食品出厂检验合格证或者其他合格证明。食品经营企业应当如实记录食品的名称、规格、数量、生产日期或者生产批号、保质期、进货日期以及供货者名称、地址、联系方式等内容。记录和凭证保存期限不得少于产品保质期满后6个月;没有明确保质期的,保存期限不得少于2年。考虑到食用农产品不同于一般的加工食品,具有鲜活易腐、保质期短、不经过工业加工等特点,无法适用上述一般食品经营者进货查验记录制度的规定，所以本条专门对销售食用农产品的进货查验记录制度作了特别规定，以适应对食用农产品市场销售管理的需要。

关于食用农产品进货查验记录制度，这里应当说明几点：一是适用这一制度的主体，包括食用农产品销售企业和个体工商户，但不包括食品摊贩，食品摊贩的具体管理制度适用有关省、自治区、直辖市地方立法的规定。二是需要查验并记录的具体事项，包括食用农产品的名称、数量、进货日期以及供货者名称、地址、联系方式等内容。三是食用农产品经营者除了要做好查验记录外，还要对记录予以保存，并保存相关凭证，二者的保存期限均不得少于6个月。6个月的时间从经营者购进该批产品之日起计算。对于食用农产品销售者违反本条规定的，要依据食品安全法第126条的规定，承担相应的法律责任。

第六十六条　进入市场销售的食用农产品在包装、保鲜、贮存、运输中使用保鲜剂、防腐剂等食品添加剂和包装材料等食品相关产品，应当符合食品安全国家标准。

【释义】　本条是关于食用农产品在包装、保鲜、贮存、运输过程使用食品添加剂和食品相关产品应当符合食品安全国家标准的规定。

本条为此次修改新增加的条文。

食用农产品进入市场销售后，在包装、保鲜、贮存、运输等环节通常需要使用保鲜剂、防腐剂等食品添加剂。保鲜剂是指用于防止食品在储存、流通过程中，由于微生物繁殖引起的变质，或由于储存销售条件不善，食品内在品质发生劣变、色泽下降，为提高保存期，延长食用价值而在食品中使用的添加剂。防腐剂是指能防止由微生物引起的腐败变质，延长食品保质期的添加剂，因兼有防止微生物繁殖引起食物中毒的作用，又称为抗微生物剂。它的主要作用是抑制微生物的生长和繁殖，以延长食品的保存时间。保鲜剂、防腐剂都属于食用农产品在包装、保鲜、贮存、运输过程中经常使用的食品添加剂。我国食品安全国家标准对食品添加剂的品种、使用范围和用量都有明确规定，食用农产品经营者和物流公司、仓储公司等其他主体应当按照食品安全国家标准的要求，使用这些食品添加剂，不得超范围、超限量使用，否则即为违法行为，应承担相应的法律责任。

食用农产品进入市场销售后，在包装、保鲜、贮存、运输环节，除了使用食品添加剂以外，还需要使用包装材料等食品相关产品。食品包装材料是指包装、盛放食品或者食品添加剂用的纸、竹、木、金属、搪瓷、陶瓷、塑料、橡胶、天然纤维、化学纤维、玻璃等制品和直接接触食品或者食品添加剂的涂料。除了包装材料外，食用农产品在贮存、运输过程中，还需要使用容器、工具和设备等食品相关产品。食品安全国家标准中，对食品相关产品中的致病性微生物、农药残留、兽药残留、生物毒素、重金属等污染物质以及其他危害人体健康物质的限量作了规定。如果在食用农产品的包装、贮存、运输环节使用了不符合食品安全国家标准的食品相关产品，会对食品安全造成危害，需要承担相应的法律责任。

应当指出的是，本条规定的主体，既包括食用农产品经营者，也包括专门运输和贮存食用农产品的物流公司、仓储公司等其他主体，都应当按照食品安全国家标准的要求，使用食品添加剂和食品相关产品，以确保食用农产品的安全。

第三节　标签、说明书和广告

第六十七条　预包装食品的包装上应当有标签。标签应当标明下列事项：

（一）名称、规格、净含量、生产日期；

（二）成分或者配料表；

（三）生产者的名称、地址、联系方式；

（四）保质期；

（五）产品标准代号；

（六）贮存条件；

（七）所使用的食品添加剂在国家标准中的通用名称；

（八）生产许可证编号；

（九）法律、法规或者食品安全标准规定应当标明的其他事项。

专供婴幼儿和其他特定人群的主辅食品，其标签还应当标明主要营养成分及其含量。

食品安全国家标准对标签标注事项另有规定的，从其规定。

【释义】　本条是关于预包装食品标签的规定。

本条是对原法第42条的修改，增加了第3款的规定。

食品标签，是指在食品包装容器上或附于食品包装容器上的一切附签、吊牌、文字、图形、符号说明物。食品标签的基本功能是通过对被标识食品的名称、规格、生产者名称等进行清晰、准确地描述，科学地向消费者传达该食品的安全特性等信息。

预包装食品，是指预先定量包装或者制作在包装材料或者容器中的食品。对预包装食品实行强制性标签是国际通行的做法，如美国是世界上食品标签较完备的国家之一。以1994年的

《食品标签法》为代表,美国政府不仅对所有的预包装食品实行强制性标签,还率先将食品营养标签作为一项安全性警示强制要求在食品标签上进行相应的注释。我国《预包装食品标签通则》、《预包装食品营养标签通则》、《预包装特殊膳食用食品标签》等国家食品安全标准对预包装食品的强制性标签作出了具体规定。对预包装食品实行强制性标签管理有以下原因:一是保护消费者的知情权。消费者权益保护法第 8 条规定,消费者享有知悉其购买、使用的商品或者接受的服务的真实情况的权利;消费者有权根据商品或者服务的不同情况,要求经营者提供商品的价格、产地、生产者、用途、性能、规格、等级、主要成分、生产日期、有效期限、检验合格证明、使用方法说明书、售后服务,或者服务的内容、规格、费用等有关情况。标签是消费者获取食品安全相关信息最直接的方式。消费者可以借助标签来了解食品名称、食品原料、保质期以及生产厂家等情况,在此基础上进而对是否购买食品和购买何种食品作出理性的选择。二是生产者的需要。生产者通过标签来扩大宣传,让广大消费者了解本企业和相关产品;同时,不同企业以自己特有的标签来维护自己的合法权益,以防其他假冒食品。三是出口和国际食品行业技术交流的需要。

预包装食品标签应当包括第 1 款规定的 9 项内容。通过名称、规格、净含量、生产日期,消费者可以选择、判断食品,区别食品的特征;通过成分或者配料表来识别食品的内在质量及特殊效用;对生产者的名称、地址、联系方式的标注有助于消费者根据生产者的美誉度进行选择,出现问题的可以方便消费者联系;保质期可以反映食品的新鲜程度;产品标准代号是反映安全性特性的全方位产品标准;贮存条件可以提醒消费者在特定条件下贮存,防止食品变质;标注食品添加剂在国家标准中的通用名称，有助于消费者了解使用的食品添加剂的种类和数量；标注生产许可证编号，有助于消费者查询，真正购买到放心食品；法律、法规或者食品安全标准规定必须标明的其他事项，是兜底条款，对法律、法规或者食品安全标准规定标明的，必须标明。

专供婴幼儿和其他特定人群的主辅食品，其标签还应当标明主要营养成分及其含量。婴幼儿是人类生长发育的基础阶段，必须食用符合一定营养标准的食品，才能保障其身心健康成长。其他特定人群一般指患有特殊疾病的人，如糖尿病人；或者身体有某种倾向的人，如易疲劳人群等。专供婴幼儿和其他特定人群的主辅食品区别于其他食品之处，就在于为了满足婴幼儿和其他特定人群的需要，其营养成分及含量有所不同。婴幼儿和其他特定人群主辅食品的购买者之所以购买这些食品就在于其声称的主要营养成分及成分含量。如果食品中声称具有某种营养成分而实际上没有，声称营养成分到了一定含量而实际上低于声称含量，就不能满足婴幼儿和其他特定人群的需求，甚至会影响婴幼儿的健康成长和其他特定人群的身体健康。目前，《预包装食品营养标签通则》将蛋白质、脂肪、碳水化合物、钠四种核心营养素列为强制标示内容；专供婴幼儿和其他特定人群的主辅食品的相关标准除核心营养素外，还对维生素和其他矿物质等营养物质的成分和含量提出了要求，也应当在标签中予以标明。

本条第3款是此次修改新增加的内容。食品安全国家标准对标签标注事项另有标示内容豁免规定的，从其规定。如《预包装食品标签通则》规定，进口预包装食品应标示原产国国名或地区区名（如香港、澳门、台湾），以及在中国依法登记注册的代理商、进口商或经销者的名称、地址和联系方式，可不标示生产者的名称、地址和联系方式；酒精度大于等于10%的饮料酒、食醋、食用盐、固态食糖类、味精可以免除标示保质期;当预包装食品包装物或包装容器的最大表面面积小于 $10cm^2$ 时可以只标示产品名称、净含量、生产者(或经销商)的名称和地址。

需要注意的是,预包装食品标签除了强制标示外,还有推荐标示(可选择标示)。如《预包装食品标签通则》规定,产品批号、食用方法和致敏物质等是推荐标示内容;《预包装特殊膳食用食品标签》(2015 年 7 月 1 日实施)规定,能量和营养成分占推荐摄入量或者适宜摄入量的质量百分比、能量和营养成分的含量声称、能量和营养成分的功能声称是可选择标示内容。

第六十八条　食品经营者销售散装食品,应当在散装食品的容器、外包装上标明食品的名称、生产日期或者生产批号、保质期以及生产经营者名称、地址、联系方式等内容。

【释义】 本条是关于食品经营者销售散装食品的标注要求的规定。

本条是原法第 41 条第 2 款规定的内容,未作修改。

散装食品,指无预包装的食品、食品原料及加工半成品,但不包括新鲜果蔬,以及需清洗后加工的原粮、鲜冻畜禽产品和水产品等,即消费者购买后可不需清洗即可烹调加工或直接食用的食品,主要包括各类熟食、面及面制品、速冻食品、酱腌菜、蜜饯、干果及炒货等。

目前食品超市、自选商场等是各地重要的食品经营形式,其经营的散装食品因经济实惠而备受消费者的青睐,并且流通数量也相当大。但是,一些食品超市和自选商场在经营散装食品过程中存在二次污染的安全隐患,因此有必要对销售散装食品进行标示,让消费者能够辨识安全的散装食品。食品经营者销售散装食品应当标注相关内容是一项法定义务,有以下作用:

(1)防止因经营者的过失,将不同品种的食品相混淆,防止食品二次污染;(2)便于食品经营者及时清理过期食品,防止将过期食品销售给消费者;(3)防止经营者在食品中掺杂使假,以假充真,以次充好,以不合格食品冒充合格食品;(4)消费者购买散装食品后,如果发生食品安全问题,可以通过生产经营者名称及联系方式追溯,及时主张权利。

经营者销售散装食品时应当在货架等容器、外包装上标明两个方面的内容:一是与食品相关的食品的名称、生产日期或者生产批号、保质期等;二是与生产经营者相关的生产经营者名称、地址、联系方式等。上述内容只是法定最低要求,食品经营者出于扩大信誉、保障消费者的知情权等因素考虑,可以在标注上述内容前提下,自行标注其他内容。

第六十九条　生产经营转基因食品应当按照规定显著标示。

【释义】 本条是关于转基因食品显著标示的规定。

本条是此次修改新增加的内容。在立法过程中,有些意见提出,我国《农业转基因生物安全管理条例》已经规定了农业转基因生物标识制度,一些国家也在法律中规定转基因食品应当在标签上予以明示。为保障消费者的知情权,建议本法对转基因食品标识作出规定。本法根据上述意见,增加了这一规定。

转基因食品,是利用基因工程技术改变基因组成而形成的食品。转基因食品主要分为三类:植物性转基因食品、动物转基因食品和微生物转基因食品。国际农业应用服务组织发布的报告显示,从1996年开始对转基因作物进行大规模推广,到2013年转基因作物种植面积已经达到1.75亿亩,与1996年相比大概增长了100倍。面对转基因食品的发展,转基因食品管理受到各国的重视。我国也对转基因食品实行特别管理。如农业法第 64 条第 2 款规定,农业转基因生物的研究、试验、生产、加工、经营及其他应用,必须依照国家规定严格实行各项安全控制措施。种子法第 14 条规定,转基因植物品种的选育、试验、审定和推广应当进行安全性评价,并采取严格的安全控制措施。具体办法由国务院规定。畜牧法第 20 条规定,转基因畜禽品种的培育、试验、审定和推广,应当符合国家有关农业转基因生物管理的规定。渔业法第 17 条第 2 款规定,引进转基因水产苗种必须进行安全性评价,具体管理工作按照国务院有关规定执行。

转基因食品标识是转基因食品管理中的重要环节。日常生活中,消费者对如何鉴别转基因食品的知识不够了解,更不知道生产转基因食品的企业是否依法进行了标注,以及有关执法部门对于转基因食品标识的监管力度到底如何。这种信息的不对称、不透明容易造成消费者对转基因食品的误解。对转基因食品实行标识制度,可以保障消费者的知情权,让消费者对转基因食品进行充分了解和自主选择。目前已有包括欧盟在内的 60 多个国家和地区实行了有关转基因食品的标识管理制度,有的是自愿标示,有的是强制标示。自愿标示的国家只有美国、加拿大、阿根廷等少数国家和地区。除此之外,大多数国家和地区要求对转基因食品进行强制性标示,其中有的要求对所有转基因食品进行标示,也有的只对主要的转基因食品,如大豆、玉米、土豆等进行标示。我国《农业转基因生物安全管理条例》第 8 条第 1 款规定,国家对农业转基因生物实行标识制度。《预包装食品标签通则》规定,转基因食品的标示应符合相关法律、法规的规定。《农业转基因生物标识管理办法》中规定,第一批实施标识管理的农业转基因生物目录有 5 大类 17 种,分别是:大豆种子、大豆、大豆粉、大豆油、豆粕;玉米种子、玉米、玉米油、玉米粉;油菜种子、油菜籽、油菜籽油、油菜籽粕;棉花种子;番茄种子、鲜番茄、番茄酱。

生产经营者对转基因食品进行标示应当具有显著性。转基因食品往往与非转基因食品一起销售,如果标注不清晰、不规范,则消费者难以辨识、极易混淆,其知情权也就无法得到充分保障。《农业转基因生物安全管理条例》第 28 条第 1 款规定,在中华人民共和国境内销售列入农业转基因生物目录的农业转基因生物,应当有明显的标识。

关于转基因食品,本法第 151 条还规定,转基因食品的食品安全管理,本法未作规定的,适用其他法律、行政法规的规定。

第七十条　食品添加剂应当有标签、说明书和包装。标签、说明书应当载明本法第六十七条第一款第一项至第六项、第八项、第九项规定的事项,以及食品添加剂的使用范围、用量、使用方法,并在标签上载明“食品添加剂”字样。

【释义】 本条是关于食品添加剂的标签、说明书和包装的规定。

本条是原法第 47 条的规定,未作修改。

食品添加剂的标签、说明书和包装是食品添加剂作为商品必不可少的组成部分。食品添加剂的标签、说明书和包装符合要求,对保持食品添加剂的品质,保证食品添加剂使用安全具有重要意义。

一、食品添加剂应当有标签、说明书和包装

食品添加剂标签,指食品添加剂包装上的文字、图形、符号等一切说明。食品添加剂说明书,指销售食品添加剂产品时所提供的除标签以外的说明材料。食品添加剂包装,指用于包裹食品添加剂以便于储存、销售和使用的塑料袋、纸盒、玻璃瓶等物品。食品添加剂标签、说明书和包装是一个整体,不得分离。

二、食品添加剂标签、说明书应当载明规定事项

为明确产品责任主体,保证食品添加剂正确贮存和安全使用,保障食品安全,食品添加剂应当载明下列事项:一是本法第67条规定的相关事项:(1)名称、规格、净含量、生产日期。单一品种食品添加剂应按相关规定的名称标示食品添加剂的中文名称;如果相关规定已规定了某食品添加剂的一个或几个名称时,应选用其中的一个。净含量的标示应由净含量、数字和法定计量单位组成。同一包装内含有多个单件食品添加剂时,大包装在标示净含量的同时还应标示规格。规格的标示应由单件食品添加剂净含量和件数组成,或只标示件数,可不标示“规格”二字。(2)成分或者配料表。配料表应该根据每种食品添加剂含量递减顺序排列。如果单一品种或复配食品添加剂中含有辅料,辅料应列在各单一品种食品添加剂之后,并按辅料含量递减顺序排列。(3)生产者的名称、地址、联系方式。生产者名称和地址应当是依法登记注册,能够承担产品安全质量责任的生产者的名称、地址。依法承担法律责任的生产者或经销者的联系方式可标示以下至少一项内容:电话、传真、网络联系方式等,或与地址一并标示的邮政地址。(4)保质期。(5)产品标准代号。国内生产并在国内销售的食品添加剂(不包括进口食品添加剂)应标示产品所执行的标准代号和顺序号。(6)贮存条件。(7)在国家标准中的通用名称。(8)生产许可证编号。国内生产并在国内销售的属于实施生产许可证管理范围之内的食品添加剂(不包括进口食品添加剂)应标示有效的食品添加剂生产许可证编号,标示形式按照相关规定执行。(9)法律、法规或者食品安全标准规定必须标明的其他事项。二是食品添加剂的使用范围、用量、使用方法。三是食品添加剂的标签应当载明“食

品添加剂”字样。字样应当清楚、明显，符合有关标准规定的要求，以便于食品生产者和消费者识别，避免误用。

第七十一条　食品和食品添加剂的标签、说明书，不得含有虚假内容，不得涉及疾病预防、治疗功能。生产经营者对其提供的标签、说明书的内容负责。

食品和食品添加剂的标签、说明书应当清楚、明显，生产日期、保质期等事项应当显著标注，容易辨识。

食品和食品添加剂与其标签、说明书的内容不符的，不得上市销售。

【释义】　本条是关于食品和食品添加剂的标签、说明书基本要求的规定。

本条是对原法第48条的修改。主要是在第2款增加“生产日期、保质期等事项应当显著标注”的规定。

食品、食品添加剂的标签、说明书不得含有虚假内容。食品和食品添加剂的标签、说明书的基本要求是真实性和准确性。其内容应当与食品和食品添加剂的有关情况相一致，其描述应当科学、客观。不得以虚假、使消费者误解或欺骗性的文字、图形等方式介绍食品和食品添加剂；不得利用字号大小或色差误导消费者；不得以直接或者间接暗示性的语言、图形、符号，使消费者或者使用者将食品、食品添加剂的某一性质与另一产品混淆。

食品、食品添加剂的标签、说明书不得涉及疾病预防、治疗功能。疾病预防、治疗功能是药品应具备的功能，食品、食品添加剂的标签、说明书的内容涉及疾病预防、治疗功能的，如果本身并无疾病预防、治疗功能，则构成欺诈；如果本身确有疾病预防、治疗功能，而未取得药品生产许可，则违反了药品管理的相关规定。对此,《药品管理法实施条例》第 43 条规定,非药品不得在其包装、标签、说明书及有关宣传资料上进行含有预防、治疗、诊断人体疾病等有关内容的宣传。《预包装食品标签通则》和《食品添加剂标识通则》规定,不应标注或者暗示具有预防、治疗疾病作用的内容。

生产经营者对其提供的标签、说明书的内容负责。食品、食品添加剂的标签、说明书上标有食品、食品添加剂的净含量、生产日期、成分或者配料等相关信息,标注其的生产经营者应当对这些内容的真实性负责,保证这些内容准确无误。另外,生产经营者如果在食品、食品添加剂的标签、说明书上对产品的品质、服务等作出保证或者承诺,也应当对这些保证或者承诺负责。食品、食品添加剂的标签、说明书上所载明的内容是消费者或者使用者购买、使用这些食品、食品添加剂的依据,如果内容与事实不符,生产经营者应当承担相应法律责任。

食品和食品添加剂的标签、说明书应当清楚和明显:其字体、背景和底色应当清晰、醒目、持久,应使消费者购买时易于辨认和识读;其所用文字除注册商标外应当为规范的中文,可以同时使用汉语拼音或者少数民族文字,也可以同时使用外文,但应当与中文有对应关系,除注册商标外所用外文不得大于相应的中文;其使用的文字、符号、数字的大小应当符合规定要求;具有装饰作用的各种艺术字,应书写正确,易于辨认;生产日期、保质期等事项应当显著标注,容易辨识,如应当清晰标示食品、食品添加剂的生产日期和保质期,日期标示采用"见包装物某部位"的形式,应标示所在包装物的具体部位;应当在标签的醒目位置,清晰地标示反映食品真实属性的专用名称以及"食品添加剂"字样。

食品和食品添加剂与其标签、说明书所载明的内容不符的,不得上市销售。食品、食品添加剂的标签、说明书所载明的内容应当与食品、食品添加剂的真实情况相符。生产者如果故意标注虚假信息,则构成欺诈,应依法承担相应法律责任。如果由于生产过程中的偶然因素导致食品、食品添加剂的真实情况与食品、食品添加剂的标签、说明书所载明的内容不相符,则应及时更改标签、说明书所载明的内容或者更换不相符的食品、食品添加剂,否则不得上市销售。

第七十二条　食品经营者应当按照食品标签标示的警示标志、警示说明或者注意事项的要求销售食品。

【释义】　本条是关于食品经营者按照食品标签的警示要求销售食品的规定。

本条对原法第49条作了文字修改。

食品标签标示的警示标志、警示说明或者注意事项,是指为引起人们对某些不安全因素的警惕或者注意,避免食品本身损坏或者危及人身、财产安全,而标示的图形标志或者文字说明。警示标志、警示说明或者注意事项事关人身和财产安全,食品经营者应认真对待,尽到注意义务。产品质量法第27条、第28条分别规定,使用不当,容易造成产品本身损坏或者可能危及人身、财产安全的产品,应当有警示标志或者中文警示说明。易碎、易燃、易爆、有毒、有腐蚀性、有放射性等危险物品以及储运中不能倒置和其他有特殊要求的产品,其包装质量必须符合相应要求,依照国家有关规定作出警示标志或者中文警示说明,标明储运注意事项。《食品标识管理规定》第15条规定,混装非食用产品易造成误食,使用不当,容易造成人身伤害的,应当在其标识上标注警示标志或者中文警示说明。根据婴幼儿配方食品、特殊医学用途配方食品的相关国家标准,该类食品应对配制不当和使用可能引起的健康危害给予警示说明。根据《发酵酒及其配制酒》国家标准，该类酒应当标示“过量饮酒有害健康”，可同时标示其他警示语；用玻璃瓶包装的啤酒应标示如“切勿撞击，防止爆瓶”等警示语。

对于标签上标有警示标志、警示说明或者注意事项的食品，食品经营者应当严格按照标签的要求销售。食品经营者没有按照警示标志、警示说明或者注意事项的要求销售，导致消费者损失的，应承担相应法律责任。

第七十三条 食品广告的内容应当真实合法，不得含有虚假内容，不得涉及疾病预防、治疗功能。食品生产经营者对食品广告内容的真实性、合法性负责。

县级以上人民政府食品药品监督管理部门和其他有关部门以及食品检验机构、食品行业协会不得以广告或者其他形式向消费者推荐食品。消费者组织不得以收取费用或者其他牟取利益的方式向消费者推荐食品。

【释义】 本条是关于食品广告内容的真实性和合法性以及特定主体不得采取不当方式向消费者推荐食品的规定。

本条对原法第54条作了两处修改：一是增加规定，食品生产经营者对食品广告内容的真实性、合法性负责。二是将消费者协会不得以广告或者其他形式向消费者推荐食品的规定修改为“消费者组织不得以收取费用或者其他牟取利益的方式向消费者推荐食品”。

广告，是指商品经营者或者服务提供者承担费用，通过一定媒介和形式直接或者间接地介绍自己所推销的商品或者所提供的服务的商业广告。食品广告是广告的一个重要类型。食品广告包括普通食品广告、保健食品广告和特殊膳食用食品广告等。

一、食品广告的内容应当真实合法，不得含有虚假内容

所谓真实，是指与客观事实相符合。广告的生命在于真实，反映在食品广告上，就应当如实介绍食品的名称、产地、用途、质量、价格、生产者、保质期以及生产日期等内容，不能进行任何形式的虚假、夸大宣传，也不能滥用艺术夸张而违背真实性原则。因为广告仅仅是一种介绍、推销、宣传手段，是否被消费者认可，还要由食品本身来确定，只有实事求是，才能最终取得消费者的信任和支持。食品广告中对商品的性能、功能、产地、用途、质量、成分、价格、生产者、有效期限、允诺等或者对服务的内容、提供者、形式、质量、价格、允诺等有表示的，应当准确、清楚、明白。食品广告中表明推销的商品或者服务附带赠送的，应当明示所赠送商品的品种、规格、数量、期限和方式。食品广告内容涉及的事项需要取得行政许可的，应当与许可的内容相符合。食品广告使用数据、统计资料、调查结果、文摘、引用语等引证内容的，应当真实、准确，并标明出处。引证内容有适用范围和有效期限的，应当明确表示。食品广告中涉及专利产品或者专利方法的，应当标明专利号和专利种类。食品广告应当具有可识别性，能够使消费者辨明其为广告。大众传播媒介不得以新闻报道形式变相发布食品广告。通过大众传播媒介发布的食品广告应当显著标明“广告”，与其他非广告信息相区别，不得使消费者产生误解。

所谓合法，是指符合食品安全法、广告法和相关法律、法规的规定。食品广告不得有下列情形：使用或者变相使用中华人民共和国国旗、国歌、国徽，军旗、军歌、军徽；使用或者变相使用国家机关、国家机关工作人员的名义或者形象；使用“国家级”、“最高级”、“最佳”等用语；损害国家的尊严或者利益，泄露国家秘密；妨碍社会安定，损害社会公共利益；危害人身、财产安全，

泄露个人隐私;妨碍社会公共秩序或者违背社会良好风尚;含有淫秽、色情、赌博、迷信、恐怖、暴力的内容;含有民族、种族、宗教、性别歧视的内容;妨碍环境、自然资源或者文化遗产保护;法律、行政法规规定禁止的其他情形。食品广告不得损害未成年人和残疾人的身心健康;不得贬低其他生产经营者的商品或者服务。

所谓虚假,是指广告的内容与客观事实不符,如将未获奖的食品宣传为获奖食品,将非进口食品宣传为进口食品。广告法第4条规定,广告不得含有虚假或者引人误解的内容,不得欺骗、误导消费者。第28条规定,广告以虚假或者引人误解的内容欺骗、误导消费者的,构成虚假广告。虚假广告具体包括:(1)商品或者服务不存在的;(2)商品的性能、功能、产地、用途、质量、规格、成分、价格、生产者、有效期限、销售状况、曾获荣誉等信息,或者服务的内容、提供者、形式、质量、价格、销售状况、曾获荣誉等信息,以及与商品或者服务有关的允诺等与实际情况不符,对购买行为有实质性影响的;(3)使用虚构、伪造或者无法验证的科研成果、统计资料、调查结果、文摘、引用语等信息作证明材料的;(4)虚构使用商品或者接受服务的效果的;(5)以虚假或者引人误解的内容欺骗、误导消费者的其他情形。

二、食品广告的内容不得涉及疾病预防、治疗功能

疾病预防、治疗功能是药品应具备的功能,食品广告的内容不得涉及疾病预防、治疗功能。对此,药品管理法第60条规定,非药品广告不得有涉及药品的宣传。广告法第18条规定,保健食品广告不得含有表示功效、安全性的断言或者保证;涉及疾病预防、治疗功能;声称或者暗示广告商品为保障健康所必需;与药品、其他保健食品进行比较;利用广告代言人作推荐、证明;法律、行政法规规定禁止的其他内容。第19条规定,广播电台、电

视台、报刊音像出版单位、互联网信息服务提供者不得以介绍健康、养生知识等形式变相发布保健食品广告。《食品广告发布暂行规定》第7条规定，食品广告不得出现与药品相混淆的用语，不得直接或者间接地宣传治疗作用，也不得借助宣传某些成分的作用明示或者暗示该食品的治疗作用。

有关主管部门在加大打击力度的同时，也陆续公布了违法食品广告（广告内容涉及疾病预防、治疗功能）的相关典型案例：如某保健食品广告宣称“只要睡前服用两粒，女人就可以像变戏法一样，脱胎换骨，推迟绝经期5～10年”；某玉薏茶食品广告宣称“胆囊炎、胆息肉、胆总管结石、胆囊结石、肝内胆管结石、肾结石、输尿管结石、膀胱结石、尿道结石、肾盂积水喝茶就好”，并使用专家、消费者名义证明产品功效。

根据本法、药品管理法和广告法的规定，违反法律规定，食品广告的内容涉及疾病预防、治疗功能的，应当承担相应法律责任。

三、食品生产经营者对食品广告内容的真实性、合法性负责

保证食品广告的真实性、合法性，维护广告的信誉，是食品生产经营者应负的社会责任和法律责任。广告法第4条规定，广告主应当对广告内容的真实性负责。因此，每个广告主都必须对自己的广告负责。广告法第55条规定，广告主发布虚假广告的，由工商行政管理部门责令停止发布广告，责令广告主在相应范围内消除影响，并由有关机关给予行政处罚。广告法第69条规定，广告主、广告经营者、广告发布者有下列侵权行为之一的，依法承担民事责任：（1）在广告中损害未成年人或者残疾人的身心健康的；（2）假冒他人专利的；（3）贬低其他生产经营者的商品、服务的；（4）在广告中未经同意使用他人名义或者形象的；（5）其他侵犯他人合法民事权益的。

四、特定主体不得以广告或者其他形式向消费者推荐食品

县级以上人民政府食品药品监督管理部门和其他有关部门以及食品检验机构、食品行业协会不得以广告或者其他形式向消费者推荐食品。县级以上人民政府食品药品监督管理部门和其他有关部门是负有监管职责的国家机关,包括食品生产、销售、餐饮服务各个环节的监管部门。食品检验机构是依法对食品进行检验的专业组织,包括食品检验机构和其他承担食品检验职责的机构。食品安全监督管理部门和承担食品检验职责的机构推荐食品极易牵扯利益关系,因此,应当保持中立,依法、公正地实施监管或者检验。食品行业协会是由食品行业的企业、事业、科研等单位及食品行业工作者等自愿组成的非营利性的社会团体法人组织,面向食品行业开展服务、协调、自律、监督工作。食品行业协会以广告或者其他形式向消费者推荐某个企业生产经营的食品是与它们的职责不相符的,会损害它们作为公益机构的中立性,不利于创造公平、公正的市场竞争环境。因此,本法规定上述特定主体都不得以广告或者其他形式向消费者推荐食品。

消费者组织不得以收取费用或者其他牟取利益的方式向消费者推荐食品。这一规定是本次新修改的内容,主要是与消费者权益保护法第38条的规定相衔接。消费者协会和其他消费者组织是依法成立的对商品和服务进行社会监督的保护消费者合法权益的社会组织。消费者组织可以分为两类;一类是政府发起成立的具有法定职能的组织,如消费者协会、消费者权益保护委员会等;另一类是消费者自发成立的自我保护的私益性民间组织。无论是哪一类消费者组织,都具有公益性质,因此不得从事商品经营和营利性服务。

五、关于食品广告的特殊性规定

此外,本法第 79 条规定,保健食品广告除应当符合本条第 1 款的规定外,还应当声明“本品不能替代药物”;其内容应当经生产企业所在地省、自治区、直辖市人民政府食品药品监督管理部门审查批准,取得保健食品广告批准文件。省、自治区、直辖市人民政府食品药品监督管理部门应当公布并及时更新已经批准的保健食品广告目录以及批准的广告内容。第 80 条第 2 款规定,特殊医学用途配方食品广告适用广告法和其他法律、行政法规关于药品广告管理的规定。

第四节 特 殊 食 品

第七十四条 国家对保健食品、特殊医学用途配方食品和婴幼儿配方食品等特殊食品实行严格监督管理。

【释义】 本条是关于特殊食品实行严格监督管理原则的规定。

本条在原法第 51 条第 1 款的基础上,增加了对特殊医学用途配方食品和婴幼儿配方食品等特殊食品实行严格监督管理的规定。

本节所称的特殊食品,是指保健食品,特殊医学用途配方食品、婴幼儿配方食品和其他专供特定人群的主辅食品。新法将特殊食品专设一节规定,充实了对保健食品的具体管理规定,增加了对特殊医学用途配方食品和婴幼儿配方食品的管理规定,体现了对保健食品、特殊医学用途配方食品和婴幼儿配方食品等特殊食品实行严格监督管理的原则。实行严格监督管理,是指比普通食品更加严格的监督管理,表现在:一是注册或者备案制度。生产普通食品只要求取得食品生产许可,并不需要进行产品注册或者备案;而生产保健食品、特殊医学用途配方食品、婴幼儿配方食品除需要取得食品生产许可外,还要进行产品或者配方的注册或者备案。二是生产质量管理体系。国家对普通食品生产经营企业符合良好生产规范要求,实施危害分析与关键控制点体系,是采取鼓励的态度,不强制要求。但是对生产保健食品,特殊医学用途配方食品、婴幼儿配方食品和其他专供特定人群的主辅食品的企业,要求按照良好生产规范的要求建立与所生产食品相适应的生产质量管理体系。三是其他管理制度。例如,特殊医学用途配方食品广告适用广告法和其他法律、行政法规关于药品广告管理的规定,婴幼儿配方食品生产企业对出厂的婴幼儿配方食品实施逐批检验等。这些都是比普通食品更严的要求。

同时,特殊食品在本质上仍是食品,其生产经营除应当遵守本节规定的要求以外,还应当遵守本法对食品规定的一般性要求。

第七十五条　保健食品声称保健功能,应当具有科学依据,不得对人体产生急性、亚急性或者慢性危害。

保健食品原料目录和允许保健食品声称的保健功能目录,由国务院食品药品监督管理部门会同国务院卫生行政部门、国家中医药管理部门制定、调整并公布。

保健食品原料目录应当包括原料名称、用量及其对应的功效;列入保健食品原料目录的原料只能用于保健食品生产,不得用于其他食品生产。

【释义】　本条是关于保健食品原料和功能声称的规定。

本条在原法第51条的基础上进行了修改,增加了保健食品原料目录和允许保健食品声称的保健功能目录的规定。

保健食品，是指声称具有保健功能或者以补充维生素、矿物质等营养物质为目的的食品，即适宜于特定人群食用，具有调节机体功能，不以治疗疾病为目的，并且对人体不产生任何急性、亚急性或者慢性危害的食品。我国早在1995年通过的食品卫生法中就对表明具有特定保健功能的食品的管理制度作了专门规定。近年来，我国保健食品产业增长十分迅速，但仍存在不少问题。一些保健食品企业受利益驱使，进行虚假、夸大宣传，有的甚至宣称或暗示具有治疗疾病的作用；有些企业不按批准的产品配方组织生产，为追求短期效果，违法添加违禁药品。2009年食品安全法草案在审议过程中，有些常委会组成人员提出，目前保健食品存在很多问题，将保健食品作为一般食品管理是不够的，应作出专门规定，实施有针对性的更加严格的监管。为规范保健食品的生产经营活动，保证保健食品安全，保障消费者合法权益。2009年通过的食品安全法增加了保健食品的专门规定，确立了对保健食品实行严格监管的原则，并规定保健食品的具体管理办法由国务院规定，明确有关监督管理部门应当依照本法和国务院的规定，对保健食品实施严格监管，依法履职，承担责任。此次食品安全法修订将保健食品管理制度予以具体化，增加了原料和功能目录、注册或者备案管理、广告审查等具体制度。

1. 保健食品的基本要求。保健食品声称保健功能，应当具有科学依据，不得对人体产生急性、亚急性或者慢性危害。这是对保健食品的基本要求。一是科学性。保健食品声称保健功能，应当具有科学依据，要建立在科学研究的基础上，有充足的研究数据和科学共识作为支撑，不能随意声称具有保健功能。二是安全性。保健食品不得对人体产生急性、亚急性或者慢性危害。与药品不同，保健食品最基本的要求是安全，不允许有任何毒副作用,不得对人体产生任何健康危害。保健食品所使用的原料应当能够保证对人体健康安全无害,符合国家标准和安全要求。国家规定不可用于保健食品的原料和辅料、禁止使用的物品等不得作为保健食品的原料和辅料。为此,本法规定,依法应当注册的保健食品,注册时应当提交保健食品的研发报告、安全性和保健功能评价等材料及样品,并提供相关证明文件;依法应当备案的保健食品,备案时应当提交表明产品安全性和保健功能的材料。

2. 保健食品原料目录。实行注册和备案相结合,是此次食品安全法修订确立的保健食品基本管理制度。而保健食品原料目录是保健食品实施注册或者备案管理的重要依据。《卫生部关于进一步规范保健食品原料管理的通知》(卫法监发〔2002〕51 号)发布了三个名单:“既是食品又是药品的物品名单”、“可用于保健食品的物品名单”和“保健食品禁用物品名单”。其中“既是食品又是药品的物品名单”包括丁香、八角茴香、山药、山楂、木瓜、甘草、白果、白扁豆、白扁豆花、龙眼肉(桂圆)、决明子、百合等。“可用于保健食品的物品名单”包括人参、人参叶、人参果、三七、生何首乌、当归、红花、红景天、西洋参等。两个名单皆为单一物质名单。借鉴欧盟、美国等对保健食品管理的经验,此次修订将保健食品原料目录从单一物质的名单扩充为包括原料名称、用量和对应的功效的完整目录,以保障产品的安全和保健功能。目录中的“原料”不再是单一物质,而是产生某一功效的单一物质或者是多种物质的组合、配伍。用量是指保证保健食品安全性和具备相应保健功能应当达到的最低和最高限量。功效是指保健食品原料在一定用量下的功效,原料或者用量的改变都有可能导致功效的改变。保健食品原料目录中的原料、用量、功效是一一对应的关系。原料目录的制定,有助于规范保健食品产品管理,为实施注册与备案相结合的管理制度奠定良好基础。虽然部分普通食品原料纳入了保健食品原料目录,但保健食品原料目录中不仅规定了原料名称,还规定了原料的用量和对应的功效,因此,列入保健食品原料目录的原料及用量和对应的功效只能用于保健食品生产,不能用于其他食品生产。此外,关于保健食品原料目录的制定主体,新法明确保健食品原料目录由国务院食品药品监督管理部门会同国务院卫生行政部门、国家中医药管理部门制定、调整并公布。

3. 保健食品功能目录。允许保健食品声称的保健功能目录,由国务院食品药品监督管理部门会同国务院卫生行政部门、国家中医药管理部门制定、调整并公布。目前,允许保健食品声称的保健功能有增强免疫力、抗氧化、辅助改善记忆、缓解体力疲劳、减肥、改善生长发育、提高缺氧耐受力、辅助降血脂、辅助降血糖、改善睡眠、改善营养性贫血、促进泌乳、缓解视疲劳、辅助降血压、促进消化、通便、补充营养素等28种。国务院食品药品监督管理部门可以会同国务院卫生行政部门、国家中医药管理部门对保健功能目录进行调整。

第七十六条　使用保健食品原料目录以外原料的保健食品和首次进口的保健食品应当经国务院食品药品监督管理部门注册。但是,首次进口的保健食品中属于补充维生素、矿物质等营养物质的,应当报国务院食品药品监督管理部门备案。其他保健食品应当报省、自治区、直辖市人民政府食品药品监督管理部门备案。

进口的保健食品应当是出口国(地区)主管部门准许上市销售的产品。

【释义】　本条是关于保健食品实行注册或者备案管理的

规定。

本条是新增加的规定，划分了应当注册与备案的保健食品范围，明确了保健食品注册与备案分类管理的基本制度。

新法明确对保健食品产品实行注册和备案相结合的管理制度，主要考虑是：不同类型的保健食品风险程度不同，有的保健食品，如体现我国特色的添加中药材的保健食品，存在中药材的用量、配伍等可能影响保健食品安全性和保健功能的问题，而补充维生素、矿物质等营养物质的保健食品，可以通过国家标准等通用要求对其安全性进行评价。如果全部实行注册管理，对所有产品都进行严格的审查，会造成注册周期长、重复审查、资源浪费等问题。如果全部取消注册制度，产品直接上市销售，一些产品的安全性和保健功能很难保证。根据我国保健食品的特殊情况，借鉴国际经验，按照简政放权、规范管理的精神，新法确立了注册与备案相结合的管理制度。

1. 实行注册管理的保健食品。使用保健食品原料目录以外原料的保健食品和首次进口的保健食品应当经国务院食品药品监督管理部门注册。使用保健食品原料目录以外原料的保健食品，包括使用全新原料的保健食品和改变原料目录中的原料、用量或者功效的保健食品，都应当经国务院食品药品监督管理部门注册。首次进口的保健食品是指第一次进口到中国境内的保健食品。使用保健食品原料目录以内原料（包括用量和对应的功效）的保健食品和再次进口到中国境内的保健食品，不需要再进行注册，只需要进行备案。

2. 实行备案管理的保健食品。因为标准化程度高、安全风险低，对首次进口的保健食品中属于补充维生素、矿物质等营养物质的，不实行注册管理，但应当报国务院食品药品监督管理部门备案。除应当注册的保健食品和首次进口的属于补充维生素、矿物质等营养物质的保健食品，其他保健食品应当报省、自治区、直辖市人民政府食品药品监督管理部门备案。

本条还规定了进口的保健食品应当是出口国（地区）主管部门准许上市销售的产品。这一规定要求保健食品不仅仅在进口时应当是出口国（地区）主管部门准许上市销售的产品，在进口后也应当是出口国（地区）主管部门准许上市销售的产品。在进口后因各种原因被出口国（地区）主管部门禁止上市销售的保健食品，应当停止进口，依法予以召回。

第七十七条　依法应当注册的保健食品，注册时应当提交保健食品的研发报告、产品配方、生产工艺、安全性和保健功能评价、标签、说明书等材料及样品，并提供相关证明文件。国务院食品药品监督管理部门经组织技术审评，对符合安全和功能声称要求的，准予注册；对不符合要求的，不予注册并书面说明理由。对使用保健食品原料目录以外原料的保健食品作出准予注册决定的，应当及时将该原料纳入保健食品原料目录。

依法应当备案的保健食品，备案时应当提交产品配方、生产工艺、标签、说明书以及表明产品安全性和保健功能的材料。

【释义】　本条是关于保健食品注册和备案的具体要求的规定。

本条是新增加的规定，明确了保健食品注册与备案应当提交的材料和食品药品监督管理部门实施注册的程序。

1. 保健食品注册应当提交的材料。依法应当注册的保健食品，注册时应当提交保健食品的研发报告、产品配方、生产工艺、安全性和保健功能评价、标签、说明书等材料及样品，并提供相关证明文件。研发报告是指反映产品整个研发过程和成果的报告。产品配方是指产品生产时使用，并存在于最终产品中的原料、辅料的品种及用量。生产工艺,根据产品的原料、剂型、工艺的不同,可有所不同,但一般均包含如下过程或其中部分过程:原料投料、前处理、提取、精制、浓缩、干燥、制剂成型、灭菌或消毒、包装、检验、入库等。安全性和保健功能评价材料是指关于保健食品的安全性和是否具有保健功能的材料。样品是指申请人根据申请材料组织试制的产品。

国务院食品药品监督管理部门经组织技术审评,对符合安全和功能声称要求的,准予注册;对不符合要求的,不予注册并书面说明理由。对使用保健食品原料目录以外原料的保健食品作出准予注册决定的,应当及时将该原料纳入保健食品原料目录。对纳入保健食品原料目录的原料(及用量和对应的功效),其他企业用相同原料(及用量和对应的功效)再次生产保健食品时,只需要进行备案,不需要再申请注册。

2. 保健食品备案应当提交的材料。实行备案管理的保健食品也应当提交相关材料,以备食品药品监督管理部门实行事后的监督检查。根据本条规定,备案时提交的材料包括产品配方、生产工艺、标签、说明书以及表明产品安全性和保健功能的材料。食品药品监督管理部门发现备案的保健食品不符合本法规定的,应当依法采取相应的处理措施。

第七十八条　保健食品的标签、说明书不得涉及疾病预防、治疗功能,内容应当真实,与注册或者备案的内容相一致,载明适宜人群、不适宜人群、功效成分或者标志性成分及其含量等,并声明“本品不能代替药物”。保健食品的功能和成分应当与标签、说明书相一致。

【释义】　本条是关于保健食品标签、说明书的规定。

本条对原法第 51 条有关保健食品标签、说明书的规定作了修改,增加了声明“本品不能代替药物”、“与注册或者备案的内容相一致”的要求。

1. 保健食品的标签、说明书不得涉及疾病预防、治疗功能,并声明“本品不能代替药物”。疾病预防、治疗功能是药品才具备的功能,非药品不得在其标签、说明书上进行含有预防、治疗人体疾病等有关内容的宣传。因此,保健食品不得用“治疗”、“治愈”、“疗效”、“痊愈”、“医治”等词汇描述和介绍产品的保健作用,也不得以图形、符号或其他形式暗示疾病预防、治疗功能。为防止保健食品生产经营过程中的误导性宣传,避免消费者过度依赖保健食品,耽误必要的药物治疗,本次修订增加规定,保健食品标签、说明书应当声明“本品不能代替药物”。

2. 保健食品标签、说明书应当真实。保健食品标签、说明书是消费者科学选购、合理食用保健食品的重要依据,其内容应当真实、准确反映产品信息,做到“两个一致”,即保健食品标签、说明书与注册或者备案的内容相一致,保健食品的功能和成分与标签、说明书相一致。标签、说明书标示的产品名称、主要原(辅)料、功效成分或者标志性成分及含量、保健功能、适宜人群、不适宜人群、食用量与食用方法、规格、保质期、贮藏方法、批准文号和注意事项等内容应当与产品的真实状况相符。保健食品功能和成分的真实情况与保健食品标签、说明书所载明的内容不一致的,不得上市销售。不得以虚假、夸张或欺骗性的文字、图形、符号描述或暗示保健功能。生产者如果故意在保健食品的标签、说明书上标注虚假信息,则构成欺诈,应依法承担相应的法律责任。保健食品注册或者备案时,标签和说明书是要求提交的重要申请材料之一。保健食品的标签、说明书应与注册或者备案的内容相一致,不得随意变更。

3. 保健食品的标签、说明书应当载明适宜人群、不适宜人群、功效成分或者标志性成分及其含量等。保健食品的适宜人群和不适宜人群是指为保证食用安全,根据保健功能的不同而在保健食品的标签、说明书中载明的适宜食用和不适宜食用该保健食品的人群。例如,抗氧化类保健食品的适宜人群是中老年人,不适宜人群是少年儿童。适宜人群的分类与表示应明确。保健食品的功效成分或者标志性成分是指保健食品中发挥特定保健作用的有效成分,包括功能性蛋白质、多肽和氨基酸,膳食纤维、低聚糖、活性多糖等功能性碳水化合物,功能性脂类,维生素,矿物质元素,乳酸菌类、双歧杆菌等微生态调节剂,酚类化合物、有机硫化合物、食物天然色素等功能性植物化学物质等。保健食品的功效成分或者标志性成分直接关系到保健食品是否能够发挥相应的保健功能。因此,保健食品的功效成分或者标志性成分及其含量必须在标签、说明书中载明。

第七十九条　保健食品广告除应当符合本法第七十三条第一款的规定外,还应当声明“本品不能代替药物”;其内容应当经生产企业所在地省、自治区、直辖市人民政府食品药品监督管理部门审查批准,取得保健食品广告批准文件。省、自治区、直辖市人民政府食品药品监督管理部门应当公布并及时更新已经批准的保健食品广告目录以及批准的广告内容。

【释义】　本条是关于保健食品广告的规定。

本条是新增加的规定,明确了保健食品广告的管理要求。

广告是商品经营者或者服务提供者通过一定媒介和形式直接或者间接地介绍自己所推销的商品或者服务的宣传方式。实践中,保健食品在广告中夸大保健功能,进行虚假宣传的现象比较突出。为了加强对保健食品广告的监管,新法专门对保健食品广告作了规定。

1. 保健食品广告的基本要求。保健食品广告首先是食品广告,应当符合本法第73条第1款关于食品广告的规定,即食品广告的内容应当真实合法,不得含有虚假内容,不得涉及疾病预防、治疗功能。保健食品广告涉及注册或者备案内容的,应当与注册或者备案的内容一致,不能进行虚假、夸大宣传。食品生产经营者对食品广告内容的真实性、合法性负责。

2. 声明"本品不能代替药物"。为防止保健食品生产经营过程中的误导性宣传,避免消费者过度依赖保健食品,耽误必要的药物治疗,与第78条中对标签、说明书的要求一致,本条规定在保健食品广告中必须声明"本品不能代替药物"。

3. 保健食品广告审查制度。保健食品广告的内容应当经生产企业所在地省、自治区、直辖市人民政府食品药品监督管理部门审查批准,取得保健食品广告批准文件。未经审查,不得发布保健食品广告。为便于社会监督,省、自治区、直辖市人民政府食品药品监督管理部门应当公布并及时更新已经批准的保健食品广告目录以及批准的广告内容。

新修订的广告法对保健食品广告作出了专门规定,明确保健食品广告不得含有下列内容:(1)表示功效、安全性的断言或者保证;(2)涉及疾病预防、治疗功能;(3)声称或者暗示广告商品为保障健康所必需;(4)与药品、其他保健食品进行比较;(5)利用广告代言人作推荐、证明;(6)法律、行政法规规定禁止的其他内容。广播电台、电视台、报刊音像出版单位、互联网信息服务提供者不得以介绍健康、养生知识等形式变相发布保健食品广告。保健食品的广告,除遵守本法规定外,还应当遵守广告法的上述规定。

第八十条 特殊医学用途配方食品应当经国务院食品药品监督管理部门注册。注册时,应当提交产品配方、生产工艺、标签、说明书以及表明产品安全性、营养充足性和特殊医学用途临床效果的材料。

特殊医学用途配方食品广告适用《中华人民共和国广告法》和其他法律、行政法规关于药品广告管理的规定。

【释义】 本条是关于特殊医学用途配方食品的规定。

本条为本次修改新增加的规定。

一、特殊医学用途配方食品概况

特殊医学用途配方食品是指为了满足进食受限、消化吸收障碍、代谢紊乱或特定疾病状态人群对营养素或膳食的特殊需要,专门加工配制而成的配方食品。该类产品必须在医生或临床营养师指导下,单独食用或与其他食品配合食用。

特殊医学用途配方食品是食品,而不是药品,但不是正常人吃的普通食品,而是经过临床医生和营养学家们大量的医学科学研究,以科学的客观事实为依据专门研制、生产的配方食品。其中,适用于0~12月龄的婴儿的特殊医学用途配方食品称为"特殊医学用途婴儿配方食品",是针对患有特殊紊乱、疾病或医疗状况等特殊医学状况婴儿的营养需求而设计制成的粉状或液态配方食品。

特殊医学用途配方食品分为全营养配方食品、特定全营养配方食品和非全营养配方食品。全营养配方食品指可作为单一营养来源满足目标人群营养需求的特殊医学用途配方食品。特定全营养配方食品指可作为单一营养来源能够满足目标人群在特定疾病或医学状况下营养需求的特殊医学用途配方食品。常见特定全营养配方食品有:糖尿病全营养配方食品、呼吸系统疾病全营养配方食品、肾病全营养配方食品、肿瘤全营养配方食品、肝病全营养配方食品、肌肉衰减综合症全营养配方食品、炎性肠病全营养配方食品、食物蛋白过敏全营养配方食品、难治性癫痫全营养配方食品、胃肠道吸收障碍、胰腺炎全营养配方食品、脂肪酸代谢异常全营养配方食品等。非全营养配方食品指可满足目标人群部分营养需求的特殊医学用途配方食品，不适用于作为单一营养来源。特殊医学用途配方食品采用的是标准化的、科学、均衡、全面的营养配方，可以方便地长期或短期满足患者的营养需求。特殊医学用途配方食品由于其专门的科学配方，营养成分全面均衡，容易消化吸收，具有良好的患者适应性，经过肠道进行消化和吸收，可以在更大程度上保留患者自身的消化吸收功能。同时操作使用方便，风险小，很少发生并发症。

二、特殊医学用途配方食品的注册

由于特殊医学用途配方食品食用人群的特殊性和敏感性，20 世纪 80 年代末，基于临床需要，特殊医学用途配方食品以肠内营养制剂形式进入中国，按照药品进行监管，经国家食品药品监督管理局药品注册后上市销售。截至目前，我国批准肠内营养制剂约 70 个药品批准文号，主要为进口产品。2010 年和 2013 年，国家卫生计生委先后公布了《特殊医学用途婴儿配方食品通则》（GB 25596－2010）、《特殊医学用途配方食品通则》（GB 29922－2013）、《特殊医学用途配方食品良好生产规范》（GB 29923－2013）等食品安全国家标准，对特殊医学用途配方食品的定义、类别、营养要求、技术要求、标签标识要求和生产规范等进行了明确规定。根据《特殊医学用途配方食品通则》，特殊医学用途配方食品的配方应以医学和（或）营养学的研究结果为依据，其安全性及临床应用（效果）均需要经过科学证实。特殊医学用途配方食品的生产条件应符合国家有关规定。

在食品安全法修订草案审议过程中，国家食品药品监督管理总局提出,特殊医学用途配方食品不同于普通食品,是为了满足特定疾病状态人群的特殊需要专门生产的,安全性要求高,需要在医生指导下使用,建议在本法中明确对其继续实行注册管理,避免形成监管缺失。立法机关经研究认为,为保障特定疾病状态人群的膳食安全,对这类食品维持现行做法,实施注册管理是必要的,为此增加了特殊医学用途配方食品实行注册的规定。

根据本条规定,特殊医学用途配方食品应当经国务院食品药品监督管理部门注册。注册时,应当提交产品配方、生产工艺、标签、说明书以及表明产品安全性、营养充足性和特殊医学用途临床效果的材料。

三、特殊医学用途配方食品的广告

鉴于特殊医学用途配方食品是为特殊病人提供的,应当在医生或临床营养师指导下使用,本法规定,特殊医学用途配方食品广告适用广告法和其他法律、行政法规关于药品广告管理的规定。例如,广告法规定,药品广告不得含有下列内容:(1)表示功效、安全性的断言或者保证;(2)说明治愈率或者有效率;(3)与其他药品、医疗器械的功效和安全性或者其他医疗机构比较;(4)利用广告代言人作推荐、证明;(5)法律、行政法规规定禁止的其他内容。药品广告的内容不得与国务院药品监督管理部门批准的说明书不一致,并应当显著标明禁忌、不良反应。发布药品广告,应当在发布前由广告审查机关对广告内容进行审查;未经审查,不得发布。

第八十一条　婴幼儿配方食品生产企业应当实施从原料进厂到成品出厂的全过程质量控制,对出厂的婴幼儿配方食品实施逐批检验,保证食品安全。

生产婴幼儿配方食品使用的生鲜乳、辅料等食品原料、食品

添加剂等，应当符合法律、行政法规的规定和食品安全国家标准，保证婴幼儿生长发育所需的营养成分。

婴幼儿配方食品生产企业应当将食品原料、食品添加剂、产品配方及标签等事项向省、自治区、直辖市人民政府食品药品监督管理部门备案。

婴幼儿配方乳粉的产品配方应当经国务院食品药品监督管理部门注册。注册时，应当提交配方研发报告和其他表明配方科学性、安全性的材料。

不得以分装方式生产婴幼儿配方乳粉，同一企业不得用同一配方生产不同品牌的婴幼儿配方乳粉。

【释义】 本条是关于婴幼儿配方食品管理的规定。

本条为新增加的规定，明确了生产婴幼儿配方食品的要求。

一、婴幼儿配方食品概况

婴幼儿配方食品包括婴儿配方食品、较大婴儿和幼儿配方食品。婴儿配方食品包括乳基婴儿配方食品和豆基婴儿配方食品。乳基婴儿配方食品，是指以乳类及乳蛋白制品为主要原料，加入适量的维生素、矿物质和（或）其他成分，仅用物理方法生产加工制成的液态或粉状产品。适于正常婴儿食用，其能量和营养成分能够满足0～6月龄婴儿的正常营养需要。豆基婴儿配方食品，是指以大豆及大豆蛋白制品为主要原料，加入适量的维生素、矿物质和（或）其他成分，仅用物理方法生产加工制成的液态或粉状产品。适于正常婴儿食用，其能量和营养成分能够满足0～6月龄婴儿的正常营养需要。较大婴儿（6～12月龄）和幼儿（12～36月龄）配方食品以乳类及乳蛋白制品和（或）大豆及大豆蛋白制品为主要原料，加入适量的维生素、矿物质和（或）其他辅料，仅用物理方法生产加工制成的液态或粉状产品，适用于较大婴儿和幼儿食用，其营养成分能满足正常较大婴儿和幼儿的部分营养需要。婴幼儿配方乳粉是一种重要的婴幼儿配方食品。

二、生产过程控制

国家为保证婴幼儿配方食品的安全,制定了一系列食品安全国家标准,如《婴儿配方食品》(GB 10765 - 2010)、《较大婴儿和幼儿配方食品》(GB 10767 - 2010)、《粉状婴幼儿配方食品良好生产规范》(GB 23790 - 2010)等。生产婴幼儿配方食品使用的生鲜乳、辅料等食品原料、食品添加剂等,应当符合法律、行政法规的规定和食品安全国家标准,保证婴幼儿生长发育所需的营养成分。婴幼儿配方食品生产企业应当严格按照法律、行政法规和食品安全国家标准的要求,实施从原料进厂到成品出厂的全过程质量控制,对出厂的婴幼儿配方食品逐批抽取样品实施检验,检验合格后方可出厂,确保婴幼儿配方食品的安全。

三、备案或者注册管理

本条第 3 款规定了婴幼儿配方食品的备案。婴幼儿配方食品生产企业应当将食品原料、食品添加剂、产品配方及标签等事项向省、自治区、直辖市人民政府食品药品监督管理部门备案。通过备案,便于省级食品药品监督管理部门通过核查有关备案材料进行事后监管,履行监管责任。

在食品安全法修订草案审议过程中,国家食品药品监督管理总局提出,目前我国婴幼儿配方乳粉的配方过多过滥,全国有近 1900 个配方,平均每个企业有 20 多个配方,而国外这类企业一般只有 2 ~ 3 个配方。一些企业为市场营销,随意制定不具有科技含量,对婴幼儿生长发育不具有特别意义的配方。为确保安全,建议对婴幼儿配方乳粉的配方实行注册管理。因这一问题涉及新设行政许可,国务院有关方面按照规定对此进行了论证,并报国务院同意,建议对婴幼儿配方乳粉的配方实行注册管理。考虑到对婴幼儿配方乳粉的配方实行注册管理,有利于保证这类特殊食品的安全,立法机关采纳了这一建议,增加了相关规定。

根据本条第4款的规定,对婴幼儿配方乳粉生产企业而言,除依照第3款的规定,将食品原料、食品添加剂、标签等事项向省、自治区、直辖市人民政府食品药品监督管理部门备案以外,婴幼儿配方乳粉的产品配方还应当经国务院食品药品监督管理部门注册。注册时,应当提交配方研发报告和其他表明配方科学性、安全性的材料。

四、对婴幼儿配方乳粉生产方式的规定

国务院提请审议的食品安全法修订草案规定,不得以委托、贴牌、分装方式生产婴幼儿配方乳粉,不得用同一配方生产不同品牌的婴幼儿配方乳粉。有的全国人大代表、商务部、工业和信息化部、社会公众和一些外国在华商会(一些国家驻华使馆、政府部门也对此表示关注)提出,委托、贴牌方式是国际上通行的生产方式,在法律中一律禁止,不符合市场经济规律,特别是如果禁止在国外采取委托、贴牌等方式生产的婴幼儿配方乳粉进口到我国,既不可行,生产企业也很容易通过合资、合作生产等方式予以规避。建议对此不作规定。立法机关采纳了这一意见,删去了不得以委托、贴牌方式生产婴幼儿配方乳粉的规定。

根据本条第5款的规定,企业不得以分装方式生产婴幼儿配方乳粉,同一企业不得用同一配方生产不同品牌的婴幼儿配方乳粉。禁止以进口大包装乳粉直接分装等分装方式生产婴幼儿配方乳粉,是为了避免在分装过程中造成乳粉污染,影响乳粉安全。禁止同一企业用同一配方生产不同品牌的婴幼儿配方乳粉,是为了防止企业将同一配方改头换面后用另一品牌上市销售,欺骗消费者,解决我国婴幼儿配方乳粉配方过多、过滥的问题。

第八十二条 保健食品、特殊医学用途配方食品、婴幼儿配方乳粉的注册人或者备案人应当对其提交材料的真实性负责。

省级以上人民政府食品药品监督管理部门应当及时公布注册或者备案的保健食品、特殊医学用途配方食品、婴幼儿配方乳粉目录,并对注册或者备案中获知的企业商业秘密予以保密。

保健食品、特殊医学用途配方食品、婴幼儿配方乳粉生产企业应当按照注册或者备案的产品配方、生产工艺等技术要求组织生产。

【释义】 本条是关于保健食品等注册或者备案材料的真实性等要求的规定。

本条是新增加的规定,明确注册人或者备案人应当对提交材料的真实性负责,应当按照注册或者备案要求组织生产,监管部门应当对获知的企业商业秘密予以保密。

1. 保健食品、特殊医学用途配方食品、婴幼儿配方乳粉的注册人或者备案人应当对其提交材料的真实性负责。保健食品、特殊医学用途配方食品、婴幼儿配方乳粉的注册或者备案材料是监管部门准予注册或者进行监督检查的重要依据。注册人或者备案人应当对其提交材料的真实性负责,不得提供虚假材料欺骗监管部门,否则应当承担相应的法律责任。根据行政许可法的规定,行政许可申请人隐瞒有关情况或者提供虚假材料申请行政许可的,行政机关不予受理或者不予行政许可,并给予警告;行政许可申请属于直接关系公共安全、人身健康、生命财产安全事项的,申请人在1年内不得再次申请该行政许可。被许可人以欺骗、贿赂等不正当手段取得行政许可的,行政机关应当依法给予行政处罚;取得的行政许可属于直接关系公共安全、人身健康、生命财产安全事项的,申请人在3年内不得再次申请该行政许可;构成犯罪的,依法追究刑事责任。

2. 省级以上人民政府食品药品监督管理部门应当及时公布注册或者备案的保健食品、特殊医学用途配方食品、婴幼儿配方乳粉目录，并对注册或者备案中获知的企业商业秘密予以保密。根据行政许可法的规定，行政许可的实施和结果，除涉及国家秘密、商业秘密或者个人隐私的外，应当公开。注册或者备案的保健食品、特殊医学用途配方食品、婴幼儿配方乳粉目录是重要的政府信息，应当及时主动向社会公开。食品药品监管部门可以通过政府网站等形式予以公布。在食品安全法修订草案审议过程中，有的常委委员和一些社会公众提出，主管部门在保健食品注册和备案工作中应当加强对企业商业秘密的保护。为此，本条规定，食品药品监督管理部门应当对注册或者备案中获知的企业商业秘密予以保密。

3. 保健食品、特殊医学用途配方食品、婴幼儿配方乳粉生产企业应当按照注册或者备案的产品配方、生产工艺等技术要求组织生产。产品配方、生产工艺等技术要求是保证产品安全的重要手段，也是产品进行注册或者备案的条件。既已进行注册或者备案就应当按照注册或者备案的技术要求组织生产，不得擅自变更其内容和要求，否则将难以保证产品安全。企业不按注册或者备案的技术要求组织生产的，将面临监管部门的处罚。

第八十三条　生产保健食品，特殊医学用途配方食品、婴幼儿配方食品和其他专供特定人群的主辅食品的企业，应当按照良好生产规范的要求建立与所生产食品相适应的生产质量管理体系，定期对该体系的运行情况进行自查，保证其有效运行，并向所在地县级人民政府食品药品监督管理部门提交自查报告。

【释义】　本条是关于特殊食品生产质量管理体系的规定。

本条是新增加的规定，对生产保健食品，特殊医学用途配方食品、婴幼儿配方食品和其他专供特定人群的主辅食品的企业建立与所生产食品相适应的生产质量管理体系提出了要求。

实施良好生产规范等生产质量管理体系是预防和控制各种有害因素危害食品安全的有效方法。保健食品，特殊医学用途配方食品、婴幼儿配方食品和其他专供特定人群的主辅食品，由于其食用人群的特殊性，要求生产企业按照良好生产规范的要求建立与所生产食品相适应的生产质量管理体系有利于保障特定人群的身体健康和生命安全。为此，本条要求生产特殊食品的企业，应当按照良好生产规范的要求建立与所生产食品相适应的生产质量管理体系，定期对该体系的运行情况进行自查，保证其有效运行，并向所在地县级人民政府食品药品监督管理部门提交自查报告。

良好生产规范（Good Manufacturing Practice，GMP），是一种注重在生产过程中对产品质量安全实施自主性管理的制度。它是一套适用于制药、食品等行业的强制性标准，要求企业从原料、人员、设施设备、生产过程、包装运输、质量控制等方面按照国家有关规定达到质量安全要求，形成一套可操作的作业规范，帮助企业改善卫生环境，及时发现生产过程中存在的问题，加以改善。我国以强制性国家标准的形式发布了多个特殊食品良好生产规范，包括《保健食品良好生产规范》（GB17405 - 1998）、《特殊医学用途配方食品良好生产规范》（GB 29923 - 2013）、《粉状婴幼儿配方食品良好生产规范》（GB 23790 - 2010）等。

第五章　食 品 检 验

第八十四条　食品检验机构按照国家有关认证认可的规定取得资质认定后,方可从事食品检验活动。但是,法律另有规定的除外。

食品检验机构的资质认定条件和检验规范,由国务院食品药品监督管理部门规定。

符合本法规定的食品检验机构出具的检验报告具有同等效力。

县级以上人民政府应当整合食品检验资源,实现资源共享。

【释义】　本条是关于食品检验机构的规定。

本条在原法第57条规定基础上作了较大幅度修改,以适应食品安全监管体制改革的需要。

一、食品检验与食品检验机构

食品检验,是对食品原料、辅助材料、成品的质量和安全性进行的检验,包括对食品理化指标、卫生指标、外观特性以及外包装、内包装、标志等进行的检验。食品检验的方法主要有感官检验法和理化检验法。食品检验是保证食品安全,加强食品安全监管的重要技术支撑,是食品安全法律制度中的重要制度之一。

本法在多处规定了食品检验。第一,为了保证食品源头的安全,本法要求食品生产者采购食品原料、食品添加剂、食品相关产品时,必须查验供货者的许可证和产品合格证明文件。对无法提供合格证明文件的食品原料，必须依据食品安全标准进行检验。如果食品生产者没有设立自己的检验机构或者不具备检验能力，应当委托依法设立的食品检验机构进行检验。第二，为了保证成品安全，本法要求食品、食品添加剂和食品相关产品的生产者建立食品出厂检验制度，按照食品安全标准对所生产的食品、食品添加剂和食品相关产品进行检验，检验合格后方可出厂或者销售。第三，食品检验是食品安全监管的技术支撑。本法规定，县级以上人民政府食品药品监督管理部门应当定期或者不定期对生产经营者所生产、销售的食品进行抽检。所抽取的样品应当委托依法设立的食品检验机构进行。检验结论是执法机关对相对人作出行政强制、行政处罚的重要依据。

通过以上可以看出，食品检验机构是承担食品检验的重要力量。2010 年 9 月 15 日中国国家认证认可监督管理委员会发布的《食品检验机构资质认定评审准则》所称的食品检验机构，是指依法设立或者经批准，从事食品检验活动并向社会出具具有证明作用的检验数据和结果的检验机构。

二、对食品检验机构的资质认定

食品检验工作十分重要，且技术性强，需要通过制度来保证食品检验工作的科学性、公正性和客观性。首先要从食品检验机构的资格入手，设立准入门槛，保证检验机构有足够的技术能力、人员配备、场所进行食品检验工作。应当说，在我国目前食品安全形势较为严峻，食品检验机构良莠不齐，市场秩序比较混乱的情况下，对食品检验机构进行资质认定是必要的。因此，本条规定食品检验机构应当按照国家有关认证认可的规定依法取得资质认定后，方可从事食品检验活动。

2010 年 8 月 5 日，国家质检总局发布了《食品检验机构资质认定管理办法》，该办法所称的食品检验机构资质认定，是指依法对食品检验机构的基本条件和能力，是否符合食品安全法律法规的规定以及相关标准或者技术规范要求实施的评价和认定活动。并规定，国家质检总局统一管理食品检验机构资质认定工作。同年9月中国国家认证认可监督管理委员会发布的《食品检验机构资质认定评审准则》规定，国家认证认可监督管理委员会和各省、自治区、直辖市人民政府质量技术监督部门依据本准则对食品检验机构的基本条件和能力实施评价，对符合法律、行政法规规定以及本准则要求的食品检验机构颁发资质认定证书。

必须说明的是，2013年3月14日，第十二届全国人大第一次会议通过了《国务院机构改革和职能转变方案》，其中包括组建国家食品药品监督管理总局，将国家质检总局的生产环节食品安全监督管理职责、国家工商行政管理总局的流通环节食品安全监督管理职责，交由新组建的国家食品药品监督管理总局行使，特别强调将工商行政管理、质量技术监督部门相应的检验检测机构划转食品药品监督管理部门。因此，预计国家食药总局会在国家质检总局制定的《食品检验机构资质认定管理办法》的基础上，制定新的食品检验机构资质认定管理办法，并规定由国家食药总局统一管理食品检验机构资质认定工作。

还有一点需要说明的是，本条第1款强调食品检验机构应当按照国家有关认证认可的规定取得资质认定后，方可从事食品检验活动。但是，法律另有规定的除外。所谓"法律另有规定的除外"，例如农产品质量安全法第35条第2款规定，从事农产品质量安全检测的机构，必须具备相应的检测条件和能力，由省级以上人民政府农业行政主管部门或者其授权的部门考核合格，具体办法由国务院农业行政主管部门制定。本条没有强调食品检验机构要经过监管部门考核合格，而是具备规定的资质认定条件，由监管部门予以资质认定后即可从事食品检验活动。

三、食品检验机构的资质认定条件

《食品检验机构资质认定管理办法》第 8 条规定："食品检验机构应当符合国务院卫生行政部门规定的资质认定条件。"2010 年 3 月 4 日，原卫生部制定了《食品检验机构资质认定条件》。需要说明的是，按照《国务院机构改革和职能转变方案》，新组建的国家卫生和计划生育委员会只负责食品安全风险评估和食品安全标准制定。因此，本条强调，食品检验机构的资质认定条件由国务院食品药品监督管理部门规定。相信在不久的将来，国家食药总局会在原卫生部制定的《食品检验机构资质认定条件》的基础上，制定新的食品检验机构资质认定条件。

根据《食品检验机构资质认定条件》第 3 条规定，食品检验机构的资质认定条件包括在组织机构、检验能力、质量管理、人员、设施和环境、仪器设备和标准物质等方面应当达到的要求。(1)在组织机构方面，食品检验机构应当是依法设立(注册)或相对独立的检验机构，能够承担法律责任。(2)在检验能力方面，食品检验机构应当具备一项或多项检验能力，如能对某类或多类食品相关食品安全标准所规定的检验项目进行检验，包括物理、化学与全部微生物项目，也包括对食品中添加剂与营养强化剂的检验；又如能对某类或多类食品添加剂相关食品安全标准所规定的检验项目进行检验，包括物理、化学与全部微生物项目等。(3)在质量管理方面，食品检验机构应当按照《食品检验工作规范》的要求，建立和实施与其所开展的检验活动相适应的质量管理体系。(4)在人员方面，食品检验机构应当具备与其所开展的检验活动相适应的检验人员和技术管理人员。(5)在设施和环境方面，食品检验机构应当具备固定的检验工作场所以及专用于食品检验活动所需的冷藏和冷冻、数据处理与分析、信息传输设施和设备等工作条件。(6)在仪器设备和标准物质方面,食品检验机构应当配备满足所开展的检验活动必需的仪器设备、样品前处理装置以及标准物质(参考物质)或标准菌(毒)种等。

四、食品检验工作规范

2010年3月4日,原卫生部制定了《食品检验工作规范》。同样需要说明的是,按照《国务院机构改革和职能转变方案》,新组建的国家卫生和计划生育委员会只负责食品安全风险评估和食品安全标准制定。因此,本条强调,食品检验工作规范由国务院食品药品监督管理部门规定。相信在不久的将来,国家食药总局会在原卫生部制定的《食品检验工作规范》的基础上,制定新的食品检验工作规范。

《食品检验工作规范》共29个条文,核心内容有:(1)食品检验机构应当符合《食品检验机构资质认定条件》。(2)食品检验实行食品检验机构与检验人负责制,食品检验机构和检验人对出具的食品检验报告负责,独立承担法律责任。(3)食品检验机构及其检验人应当尊重科学,恪守职业道德,保证出具的检验数据和结论客观、公正、准确,不得出具虚假或者不实数据和结果的检验报告。(4)食品检验机构应当按照相关标准、技术规范或委托方的要求进行样品采集、流转、处置等,并保存相关记录。(5)食品检验机构应当对其所使用的标准检验方法进行验证,保存相关记录。食品检验机构在建立和使用食品检验非标准方法时,应当制定并符合相应程序,对其可靠性负责。(6)食品检验机构应当公布检验的收费标准、工作流程和期限、异议处理和投诉程序。

五、食品检验报告的效力

《食品检验机构资质认定评审准则》规定,在中华人民共和国境内,对从事向社会出具具有证明作用的数据和结果的食品检验机构资质认定的评审应当遵守本准则。由此规定可以看出,食品检验报告具有证明效力。证明效力主要体现在:一是食品生产经营者委托食品检验机构对原料、成品等进行检验,出具的检验合格证对消费者来说具有证明该产品合格的证明效力。二是食品安全监督管理部门委托食品检验机构对抽检的样品或者可能导致食品安全事故的食品及其原料进行检验,所出具的检验报告是食品安全监督管理部门责令食品生产经营者召回或者进行行政处罚的依据。

我国食品检验机构主要分布在卫生、农业、质检、商务、工商行政管理等部门和粮食、轻工、商业等行业。同时,还有社会力量举办的食品检测技术服务中介机构,如中外合资、合作的食品检测技术服务中介机构在经济发达地区已比较常见,一些大、中型食品生产加工企业也建立了具备一定条件的检测实验室。食品检验机构无论是接受食品生产经营者的委托还是接受执法部门的委托,都是要收取费用的。因此,不排除有的执法部门就委托本系统的食品检验机构进行检验,也不排除存在有的执法部门强令食品生活经营者委托本系统的食品检验机构进行检验的不正当竞争行为。因此,为了杜绝以上不公平竞争的行为,本条第 3 款规定,符合本法规定的食品检验机构出具的检验报告具有同等效力。

六、对食品检验资源进行整合

我国食品检验机构有官办的也有民办的。而且由于过去对食品安全实行分段式监管,官办的食品检验机构有的是原卫生、食药监部门举办的,有的是农业、质检、商务、工商行政管理等部门举办的。食品安全监管体制调整后,有必要对原隶属于各个监管部门举办的食品检验机构进行整合。2013 年的《国务院机构改革和职能转变方案》明确提出，新组建国家食品药品监督管理总局对生产、流通、消费环节的食品安全和药品的安全性、有效性实施统一监督管理。将工商行政管理、质量技术监督部门相应的食品安全监督管理队伍和检验检测机构划转食品药品监督管理部门。目前已有一些地方将原属工商行政管理、质量技术监督部门的食品检验机构划转给食品药品监督管理部门。因此，本条第4款规定：县级以上人民政府应当整合食品检验资源，实现资源共享。

第八十五条　食品检验由食品检验机构指定的检验人独立进行。

检验人应当依照有关法律、法规的规定，并按照食品安全标准和检验规范对食品进行检验，尊重科学，恪守职业道德，保证出具的检验数据和结论客观、公正，不得出具虚假检验报告。

【释义】 本条是关于食品检验机构检验人的规定。

本条是原法第58条，未作修改。

食品检验是指运用科学的检验技术和方法，对食品安全特性进行测量、检查、试验、计量，并将这些特性与法律、法规、食品安全标准等规定的要求进行比较，以确定食品安全特性与其是否符合的评定活动，是一项科学性、技术性、规范性很强的工作。食品检验是食品安全监督管理的基础，为食品安全监督管理提供科学依据，为防止食品污染，减少食物中毒等食源性疾病发挥了积极作用。食品检验是保证食品安全的关键环节，同时也是食品安全监管的重要技术支撑。食品检验对保护企业、消费者的合法权益，维护正常的市场经济秩序等都具有十分重要的意义。良好的食品安全管理需要严格、训练有素、高效、客观公正的食品检验服务。

检验结论做到客观公正，对于保证食品安全至关重要，也是食品检验工作的基本要求和价值所在。一旦食品检验过程中出现失误，甚至虚假行为，就有可能直接威胁到广大人民群众的身体健康和生命安全，也可能给食品生产企业造成重大损失。

本条通过对检验人提出要求，来保证检验结果的客观公正。食品检验人是食品检验的直接执行者，检验人能否严格依法履行职责，对于检验结果的客观公正至关重要。

本条对检验人的具体要求主要分为两个部分，目的都是为了保证检验结果的客观公正。

第 1 款赋予检验人相对独立的检验权。根据该款规定，食品检验必须由检验人进行，食品检验人由食品检验机构指定，检验人进行食品检验时应当独立进行。本款赋予了检验人独立的检验权，以防止食品检验机构不独立所带来的负面影响。这种“独立”，就是要求检验机构及有关单位和个人不能非法干扰检验人依法进行的检验活动，目的是防止检验人在检验过程中受他人干预，以确保食品检验的独立性、客观性、公正性。这种独立性是与检验工作的特点相符合的。食品检验工作是技术性、科学性很强的事务，很多工作需要独立完成。独立检验权也是实行检验人责任制的基础，有了独立检验权才能明确责任承担。

第 2 款对检验人的检验工作提出了要求。检验人应当依照有关法律、法规的规定，并按照食品安全标准和检验规范对食品进行检验，尊重科学，恪守职业道德，保证出具的检验数据和结论客观、公正，不得出具虚假检验报告。一些部门规章对此作了进一步的规定。如 2010 年质检总局颁布的《食品检验机构资质认定管理办法》规定，食品检验机构应当指定检验人独立进行食品检验，与检验业务委托人有利害关系的检验人应当予以回避。食品检验人不得与其食品检验活动所涉及的检验业务委托人存在利益关系;不得参与任何影响其检验判断独立性和公正性的活动。食品检验人应当具备与食品检验活动相适应的检验能力和水平,并符合国家有关食品检验人员资质要求的规定。对检验人最终的要求是保证出具的检验数据和结论客观、公正,不出具虚假的检验报告。虚假检验报告主要是伪造检验结果,包括对未经检验的产品出具检验报告或未经检验的项目出具检验结论,出具载有虚假、失实的数据和结论的检验报告。如果出具了虚假的检验报告,检验人就要承担相应的法律责任。

第八十六条　食品检验实行食品检验机构与检验人负责制。食品检验报告应当加盖食品检验机构公章,并有检验人的签名或者盖章。食品检验机构和检验人对出具的食品检验报告负责。

【释义】　本条是关于食品检验机构与检验人共同负责制的规定。

本条是原法第 59 条,未作修改。

根据本条规定,食品检验实行食品检验机构与检验人共同负责制。食品检验报告应当加盖食品检验机构公章,并有检验人的签名或者盖章。食品检验机构和检验人对出具的食品检验报告负责。

规定食品检验机构与检验人共同负责,是本法第 85 条赋予检验人独立检验权的延续,有利于提高检验人的职业地位,发挥其主观能动性,也有利于在食品检验机构和检验人之间形成制约机制,这将有利于促进我国食品检验水平的提高,保证我国食品安全。

第八十七条 县级以上人民政府食品药品监督管理部门应当对食品进行定期或者不定期的抽样检验,并依据有关规定公布检验结果,不得免检。进行抽样检验,应当购买抽取的样品,委托符合本法规定的食品检验机构进行检验,并支付相关费用;不得向食品生产经营者收取检验费和其他费用。

【释义】 本条是关于监督抽检的规定。

本条对原法第60条作了概括性修改。原法第60条为3款,本条将其3款的内容合并,并将复检的内容单独规定为第88条。

一、不得实施免检

2008年9月18日,在多个属于“国家免检产品”的奶制品被检出含有三聚氰胺,导致许多婴幼儿患肾结石后,国务院办公厅发布《关于废止食品质量免检制度的通知》,决定废止1999年12月5日发布的《国务院关于进一步加强产品质量工作若干问题的决定》(国发〔1999〕24号)中有关食品质量免检制度的内容。同一天,国家质检总局发布第109号令,废止《产品免于质量监督检查管理办法》(国家质量监督检验检疫总局令第9号)。至此,实行多年的食品免检制度宣告结束。

免检制度,是指依据《产品免于质量监督检查管理办法》,对符合规定的产品,在3年内免于各级政府部门的质量监督抽查的制度。免检制度始于20世纪90年代,一些地方的技术监督部门对本地连续数年检查合格的产品,在一定时间内免于监督检查。1999年,《国务院关于进一步加强产品质量工作若干问题的决定》,规定实行免检制度,“对产品质量长期稳定、市场占有率高、企业标准达到或严于国家有关标准的,以及国家或省、自治区、直辖市质量技术监督部门连续三次以上抽查合格的产品,可确定为免检产品”,“在一定时间内免于各地区、各部门各种形式的检查”。2000 年 3 月，原国家质量技术监督局发布《产品免于质量监督检查管理办法》，规定在免检有效期内，各级政府部门以及流通领域均不得对其进行质量监督检查。2001 年 12 月，国家质检总局颁发新的《产品免于质量监督检查管理办法》，规定免检产品 3 年内免于各级政府部门的质量监督抽查。

设立免检制度的初衷是为了避免重复检查，防止地方利益保护和行业垄断，减轻企业负担，鼓励企业自律保证产品质量。但从实施效果来看，免检食品的安全情况却不令人满意。由于食品直接关系人民群众的身体健康和生命安全以及食品安全问题的重要性、复杂性，不应当实行免检。政府应当对食品安全进行严格监管，不能让企业在政府免予检验的担保下，生产经营不安全食品，危害人民群众的身体健康生命安全，损害政府的威信。因此，本法明确规定，食品安全监督管理部门对食品不得实施免检。

二、关于食品安全抽样检验制度

本条在否定免检制度的同时，明确规定对食品的检验采取定期或者不定期的抽样检验的方式。抽样检验是对食品安全进行监督检查的一种主要方式。

（一）抽样检验的主体

原法第 60 条规定县级以上质量监督、工商行政管理、食品药品监督管理部门履行各自食品安全监督管理职责，有权采取措施，对生产经营的食品进行抽样检验。为了适应食品安全监管体制调整以后的需要，本次修改只赋予县级以上人民政府食品药品监督管理部门对食品进行定期或者不定期抽样检验的权力，包括对食品生产、食品销售、餐饮服务活动环节的食品进行抽样检验。2014 年 12 月 31 日，国家食药总局制定了《食品安全抽样检验管理办法》，自 2015 年 2 月 1 日起施行。

（二）抽样检验的方式

食品安全抽样检验包括定期和不定期的抽样检验两种。定期检验主要是指监管部门根据监管工作的需要，作出明确规定和安排，在确定的时间，对食品进行抽样检验。不定期检验主要是针对特定时期的食品安全形势、消费者和有关组织反映的情况，或者因其他原因需要在定期检验的基础上，不定期地对某一类食品、某一生产经营者的食品或者某一区域的食品，进行抽样检验。定期检验和不定期检验的最大区别是实施抽样检验的时间是否确定，定期检验一般是常规的工作安排，不定期检验具有一定的灵活性，有利于迅速检查发现问题，及时排除食品安全隐患。

（三）抽样的范围和对抽取样品的保存

《食品安全抽样检验管理办法》第 18 条规定，抽样可以从食品生产者的成品库待销产品中或者从食品经营者仓库和用于经营的食品中随机抽取样品，不得由食品生产经营者自行提供样品。抽样数量原则上应当满足检验和复检的要求。

为了保证抽样检验的公正性，关于对所抽取样品的保存，《食品安全抽样检验管理办法》第 20 条规定，食品安全监督抽检中的样品应当现场封样。复检备份样品应当单独封样，交由承检机构保存。抽样人员应当采取有效的防拆封措施，并由抽样人员、被抽样食品生产经营者签字或者盖章确认。

（四）抽取样品的费用

对食品实施抽样检验，是食品安全监督管理部门代表国家对食品安全进行监督检查的执法行为，其执法过程所需要的有关费用应当由国家财政拨付。所以本条规定，进行抽样检验，应当购买抽取的样品。《食品安全抽样检验管理办法》第 16 条规定，食品安全监督抽检所抽取样品，应当向食品生产经营者支付费用。

（五）对抽取的样品进行检验

县级以上人民政府食品药品监督管理部门对抽取的样品，有的凭执法人员的感官就能作出判断，如是否属于腐败变质、油脂酸败、霉变生虫、污秽不洁、混有异物等的食品。但对致病性微生物、农药残留、兽药残留、生物毒素、重金属等污染物质以及其他危害人体健康的物质含量是否超过食品安全标准限量的规定，还要送食品检验机构进行检验。所以县级以上人民政府食品药品监督管理部门在执法工作中需要对食品进行检验的，应当委托符合本法规定的食品检验机构进行。

（六）关于检验费用

前文提到，对食品实施抽样检验，是食品安全监督管理部门代表国家对食品安全进行监督检查的执法行为，其执法过程所需要的有关费用应当由国家财政拨付。所以本条规定，抽样检验，不得向被抽检的食品生产经营者收取检验费和其他费用，而应当由委托的食品药品监督管理部门向受托的食品检验机构支付费用。如果向被抽检的食品生产经营者收取检验费等费用，不仅会增加被抽检人的负担，而且不利于保证检验结果的客观、公正。

（七）公布检验结果

抽检结果，特别是所抽取的样品经过检验得出不合格检验结论的，事关广大消费者的生命安全和健康，因此，本次修改新增加了一个规定，就是食品药品监督管理部门应当依据有关规定公布检验结果。《食品安全抽样检验管理办法》第 41 条、第 42 条规定，国家和省级食品药品监督管理部门应当汇总分析食品安全监督抽检结果，并定期或者不定期组织对外公布。食品药品监督管理部门公布食品安全监督抽检不合格信息，包括被抽检食品名称、规格、生产日期或批号、不合格项目，被抽检食品标称的生产者名称、商标、地址，经营者名称、地址等内容。

第八十八条　对依照本法规定实施的检验结论有异议的，食品生产经营者可以自收到检验结论之日起七个工作日内向实施抽样检验的食品药品监督管理部门或者其上一级食品药品监督管理部门提出复检申请，由受理复检申请的食品药品监督管理部门在公布的复检机构名录中随机确定复检机构进行复检。复检机构出具的复检结论为最终检验结论。复检机构与初检机构不得为同一机构。复检机构名录由国务院认证认可监督管理、食品药品监督管理、卫生行政、农业行政等部门共同公布。

采用国家规定的快速检测方法对食用农产品进行抽查检测，被抽查人对检测结果有异议的，可以自收到检测结果时起四小时内申请复检。复检不得采用快速检测方法。

【释义】　本条是关于复检的规定。

原法第 60 条第 2 款最后一句规定："对检验结论有异议的，可以依法进行复检。"本条为本次修改所新加，是将原法第 60 条第 2 款最后一句的规定具体化。

一、复检的意义

监督抽检不合格的检验结论，是执法机关责令食品生产经营者召回问题食品，或者对食品生产经营者采取行政强制措施或进行行政处罚的依据。《食品安全抽样检验管理办法》第 39 条规定，食品生产经营者收到监督抽检不合格检验结论后，应当立即采取封存库存问题食品，暂停生产、销售和使用问题食品，召回问题食品等措施控制食品安全风险，排查问题发生的原因并进行整改，及时向住所地食品药品监督管理部门报告相关处理情况。食品生产经营者不按规定及时履行前款规定义务的，食品药品监督管理部门应当责令其履行。因此，监督抽检不合格的检验结论事关被监督抽检的食品生产经营者的切身利益，为了维护其合法权益，有必要从法律上为其提供救济途径，所以本条规定了复检制度。

二、对一般检验的复检

（一）申请复检的期限

《食品安全抽样检验管理办法》第 34 条规定，被抽检的食品生产经营者和标称的食品生产者可以自收到食品安全监督抽检不合格检验结论之日起 5 个工作日内，依照法律规定提出书面复检申请，并说明理由。

在立法过程中，有些食品生产企业提出 5 个工作日的时间太短。因为企业不能盲目申请复检，有些情况下企业需要自己先自行检验一下，在比较有把握的情况下再申请复检，况且产品质量法规定的复检期限是 15 个自然日，因此建议适当延长。经过研究，《食品安全抽样检验管理办法》规定 5 个工作日的申请复检期限确实太短，因此本条将申请复检的期限确定为 7 个工作日。

（二）向谁申请复检

按照《食品安全抽样检验管理办法》第 34 条、第 35 条规定，复检申请人可以向任何有资质的检验机构申请复检，只是第 34 条第 2 款原则性地提出“复检机构与复检申请人存在日常检验业务委托等利害关系的，不得接受复检申请”。复检申请人应当在复检机构同意复检申请之日起 3 个工作日内向组织开展监督抽检的食品药品监督管理部门提交复检机构名称、资质证明文件、复检申请书、复检机构同意复检申请决定书等材料。

在立法过程中，有些地方的监管部门对以上规定提出了意见。理由是：复检申请人选择复检机构的随意性太大，尽管有

“复检机构与复检申请人存在日常检验业务委托等利害关系的,不得接受复检申请”的规定,但往往复检申请人选择的复检机构出具的复检结论会推翻监管部门委托的初检机构出具的检验结论,使监管部门的执法陷入困境。因此,建议借鉴产品质量法和农产品质量安全法的规定,复检申请人应当向实施监督抽查的监管部门或者其上级监管部门提出复检申请。基于此,本条规定:复检申请人向实施抽样检验的食品药品监督管理部门或者其上一级食品药品监督管理部门提出复检申请。

(三)复检机构

为了保证复检的公正性,本条规定,复检机构名录由国务院认证认可监督管理、食品药品监督管理、卫生行政、农业行政等部门共同公布。这意味着并不是任何一家有资质的食品检验机构都可以成为复检机构。

被抽检的食品生产经营者对检验结论有异议的,可以自收到检验结论之日起 7 个工作日内向实施抽样检验的食品药品监督管理部门或者其上一级食品药品监督管理部门提出复检申请,由受理复检的食品药品监督管理部门在公布的复检机构名录中随机确定复检机构进行复检。如果非常巧合,随机选择的复检机构是当初的初检机构,则复检机构与初检机构不得为同一机构,受理复检的食品药品监督管理部门只能随机选择另一复检机构。随机确定复检机构,有利于保证复检的公正性。

三、对食用农产品快速检测结果的复检以及对其他食品快速检测结果的复检

农产品质量安全法第 36 条第 2 款规定,采用国务院农业行政主管部门会同有关部门认定的快速检测方法进行农产品质量安全监督抽查检测,被抽查人对检测结果有异议的,可以自收到检测结果时起 4 小时内申请复检。复检不得采用快速检测方

法。本次修改食品安全法,按照国家调整食品安全监管体制的要求,将食用农产品的市场销售列入食品安全法的调整范围。因此,食品药品监督管理部门可以采用国家规定的快速检测方法对进入市场销售的食用农产品进行快速检测。被抽查的食用农产品销售者对监管部门或者其委托的检测机构采用快速检测方法进行检测的结果有异议的,可以自收到检测结果时起 4 个小时内向实施抽查的监管部门或者其上级监管部门申请复检。

本法第 112 条规定,县级以上人民政府食品药品监督管理部门在食品安全监督管理工作中可以采用国家规定的快速检测方法对食品进行抽查检测。抽查检测结果确定有关食品不符合食品安全标准,被抽查人对检测结果有异议的,可以依照本条的规定,在 7 个工作日内申请复检。

四、复检结论的效力

本条规定,复检机构出具的复检结论为最终检验结论。所谓“最终检验结论”是指行政机关对相对人作出具体行政行为的最终依据。如果食品生产经营者对监管部门作出的行政强制、行政处罚不服,有权依法向人民法院提起行政诉讼。法院在审理过程中要对被告行政机关提供的检验结论等证据进行审查,这个检验结论可能不被法院所采信,因此“最终检验结论”只是行政程序中的,而未必是司法程序中的。

需要讨论的问题是:如果初检结论或者快速检测结果表明被抽查的食品或者食用农产品不符合食品安全标准,在被抽查人提出异议并申请复检的情况下,监管部门能否以初检结论或者快速检测结果作为依据,对被抽查人作出行政处罚?本法第 112 条规定,采用国家规定的快速检测方法对食品进行抽查检测的结果确定有关食品不符合食品安全标准的,可以作为行政处罚的依据。那么,监管部门就可以以这个快速检测结果作出行政处罚吗?

《食品安全抽样检验管理办法》第39条规定:"食品生产经营者收到监督抽检不合格检验结论后,应当立即采取封存库存问题食品,暂停生产、销售和使用问题食品,召回问题食品等措施控制食品安全风险,排查问题发生的原因并进行整改,及时向住所地食品药品监督管理部门报告相关处理情况。食品生产经营者不按规定及时履行前款规定义务的,食品药品监督管理部门应当责令其履行。食品生产经营者在申请复检期间和真实性异议审核期间,不得停止上述义务的履行。"由此规定可以看出,初检结论或者快速检测结果表明被抽查的食品或者食用农产品不符合食品安全标准的,监管部门不能对被抽查人进行罚款等行政处罚。行政法一般理论认为,责令履行、责令召回等不属于行政处罚的种类,因为履行的行为按照法律规定本属于当事人应自觉履行的行为,如果当事人不自觉履行的,监管部门作出责令其履行的决定,没有增加当事人的义务,也没有减损当事人的权利。所以不属于行政处罚的种类。因此,即使初检结论或者快速检测结果表明被抽查的食品或者食用农产品不符合食品安全标准,监管部门也不能以此为依据对被抽查人进行行政处罚。《食品安全抽样检验管理办法》第40条规定,地方食品药品监督管理部门收到监督抽检不合格检验结论后,应当及时对不合格食品及其生产经营者进行调查处理。由此也可以得出一个结论:初检结论或者快速检测结果表明被抽查的食品或者食用农产品不符合食品安全标准,被抽检人提出异议并申请复检的,复检结论作为最终检验结论,监管部门只能以复检结论作为依据对被抽查人进行行政处罚。

第八十九条　食品生产企业可以自行对所生产的食品进行检验，也可以委托符合本法规定的食品检验机构进行检验。

食品行业协会和消费者协会等组织、消费者需要委托食品检验机构对食品进行检验的，应当委托符合本法规定的食品检验机构进行。

【释义】　本条是关于自行检验和委托检验的规定。

本条基本是原法第61条规定的内容，只是略作文字修改。

一、食品生产者自行检验、委托检验

（一）对食品原料的检验

按照本法第50条第1款规定，食品生产者采购食品原料，应当查验供货者的许可证和产品合格证明文件。对无法提供合格证明文件的食品原料，应当依照食品安全标准进行检验，不得采购或者使用不符合食品安全标准的食品原料。因此，对无法提供合格证明文件的食品原料，食品生产者，应当依照食品安全标准自行检验。如果不具备检验能力的，应当委托符合本法规定的食品检验机构进行检验。

（二）对食品的出厂检验

本法第52条规定，食品、食品添加剂和食品相关产品的生产者，应当按照食品安全标准对所生产的食品、食品添加剂和食品相关产品进行检验，检验合格后方可出厂或者销售。以上规定的是强制出厂检验制度，即未经检验或者检验不合格的，不得出厂销售。因此，具备出厂检验能力的企业，可以按要求自行进行出厂检验。不具备产品出厂检验能力的企业，应当委托有资质的检验机构进行出厂检验。

（三）食品生产者自行检验的能力要求

自行检验需要食品生产者具备相应检验能力，满足以下要求：(1)有独立行使食品检验并具有质量否决权的内部检验机构;(2)检验机构有健全的产品质量管理制度,包括岗位质量规范、质量责任以及相应的考核办法;(3)检验机构具有相关产品技术标准要求的检验仪器和设备,能满足规定的精度、检测范围要求,且经过计量检定合格并在有效期内;(4)检验机构有满足检验工作需要的员工数量,检验人员熟悉标准,经培训考核合格;(5)能科学、公正、准确及时提供检验报告,出具产品质量检验合格证明。符合上述要求并可以完成全部出厂检验项目的企业,可以确定为企业具有检验能力。

(四)食品生产者委托检验机构进行检验

规模大的食品生产企业一般具备检验能力,但我国的食品生产企业呈现小和散的特点,多数食品生产企业为中小企业,往往不具备检验能力,有的对某些项目不具备检验能力,如对食品中的污染物质、致病性微生物缺乏检测能力。因此,应当委托符合本法规定的食品检验机构进行检验。

二、有关社会组织、消费者的委托检验

本条第2款规定,食品行业协会、消费者协会等组织、消费者需要委托食品检验机构对食品进行检验的,应当委托符合本法规定的食品检验机构进行。

食品行业协会一般由食品生产企业、经销企业、原料供应企业及食品机械、包装等相关企业组成,性质属于非营利性社会团体法人。食品行业协会进行行业自律,主动对所属企业生产的食品进行检验,或者对监管部门进行的食品检验结果存有异议,食品行业协会协助企业进行检验的,应当委托符合本法规定的食品检验机构进行检验。

消费者协会和其他消费者组织是依法成立的对商品和服务进行社会监督的保护消费者合法权益的社会组织。消费者权益保护法规定消费者协会履行的公益性职责之一是受理消费者的投诉,并对投诉事项进行调查、调解。对投诉事项涉及商品和服务质量问题的,可以委托具备资格的鉴定人鉴定,鉴定人应当告知鉴定意见。因此,消费者协会和其他消费者组织可以对消费者所购买的食品委托符合本法规定的食品检验机构进行检验。

消费者对自己所购买的食品感到不安全时,也可以委托符合本法规定的食品检验机构进行检验。如果经过检验得出不符合食品安全标准的结论的,可以作为维权的证据,与食品生产经营者协调解决赔偿问题,或者通过仲裁、诉讼的途径解决纠纷。

第九十条　食品添加剂的检验,适用本法有关食品检验的规定。

【释义】 本条是关于对食品添加剂检验的规定。

本条为本次修改新增加的规定,目的是明确食品添加剂检验所适用的规范。

2013 年食品安全监管体制调整之前,食品添加剂作为工业产品对待,由国家质量监督部门负责食品添加剂生产的监督管理工作。食品安全监管体制调整之后,由国家食品药品监督管理部门负责食品添加剂的生产、销售、使用的监督管理工作。

原法第 20 条只要求对食品和食品相关产品中的致病性微生物、农药残留、兽药残留、重金属等污染物质以及其他危害人体健康物质的限量制定食品安全标准。本次修改食品安全法,也要求对食品添加剂中的致病性微生物,农药残留、兽药残留、生物毒素、重金属等污染物质以及其他危害人体健康物质的限量制定食品安全标准。企业生产的以及市场上销售的食品添加剂是否含有致病性微生物、重金属等危害人体健康的物质,就需要检验。因此,本法第 110 条规定,县级以上人民政府食品药品监督管理部门有权对生产经营的食品添加剂进行抽样检验。

本法设专章规定了食品检验，为了规范对食品添加剂的检验，因此本条规定：食品添加剂的检验，适用本法有关食品检验的规定。

第六章 食品进出口

第九十一条 国家出入境检验检疫部门对进出口食品安全实施监督管理。

【释义】 本条是关于食品进出口环节安全的监督管理部门的规定。

本条为此次修改新加的规定，目的是进一步厘清国家有关部门对食品安全的监管职责。

《进出口商品检验法实施条例》第2条第1款规定，国家质量监督检验检疫总局主管全国进出口商品检验工作。2001年4月，国务院对部分国务院直属机构作了调整，其中将国家质量技术监督局、国家出入境检验检疫局合并，组建中华人民共和国国家质量监督检验检疫总局，正部级，为国务院直属机构。根据2008年《国家质量监督检验检疫总局主要职责内设机构和人员编制规定》，国家质检总局的职责之一是负责进出口商品法定检验及监督管理，组织制定出入境检验检疫商品目录，综合协调、管理出入境检验检疫业务。

2013年《国务院机构改革和职能转变方案》只是将国家质检总局对国内生产环节食品安全的监督管理职责交由新组建的国家食药总局，但国家质检总局仍然承担食品进出口环节安全的监督管理职责，因此，国家质检总局就是本法所称的"国家出入境检验检疫部门"。

第九十二条 进口的食品、食品添加剂、食品相关产品应当符合我国食品安全国家标准。

进口的食品、食品添加剂应当经出入境检验检疫机构依照进出口商品检验相关法律、行政法规的规定检验合格。

进口的食品、食品添加剂应当按照国家出入境检验检疫部门的要求随附合格证明材料。

【释义】 本条是关于进口食品、食品添加剂以及食品相关产品应当符合我国食品安全国家标准的规定。

本条第1款、第2款对原法第62条第1款、第2款作了修改,并增加了第3款。

一、进口的食品、食品添加剂以及食品相关产品应当符合我国的食品安全国家标准

进口的食品、食品添加剂以及食品相关产品应当符合进口国的强制性食品安全标准,这是国际上的通行做法,目的是保障进口国的食品安全。因此,从国外进口到我国的食品、食品添加剂、食品相关产品,以及从香港特别行政区、澳门特别行政区和我国台湾地区进口到我国内地的食品、食品添加剂、食品相关产品,必须符合我国的食品安全国家标准。如果我国还没有制定该产品的国家安全标准,也不是不准进口,这个问题将在下一条中论述。

二、进口的食品应当经出入境检验检疫机构进行检验

(一)关于出入境检验检疫机构

《进出口商品检验法实施条例》第2条第2款规定,国家质检总局设在省、自治区、直辖市以及进出口商品的口岸、集散地的出入境检验检疫局及其分支机构(以下简称出入境检验检疫机构),管理所负责地区的进出口商品检验工作。

1999年,国务院批准了中央机构编制委员会办公室、原国

家出入境检验检疫局拟定的《全国各地出入境检验检疫机构组建方案》，将国务院有关部门原设置在各地的出入境卫生检疫、动植物检疫和进出口商品检验机构合并，组建为设置在各地的出入境检验检疫机构。各地出入境检验检疫机构分为直属局和分支局，是负责所辖区域出入境卫生检疫、动植物检疫和进出口商品检验的行政执法单位；实行垂直管理的体制，即直属局由2001 年成立的国家质检总局直接领导，分支局隶属于所在区域的直属局。

（二）关于对进口的食品、食品添加剂进行检验

按照本条第 2 款规定，凡是进口的食品、食品添加剂必须由出入境检验检疫机构依照我国的食品安全国家标准进行检验，只有经检验合格，出入境检验检疫机构才能签发入境货物通关单，允许该食品进口到我国境内，海关凭出入境检验检疫机构签发的入境货物通关单放行。

所谓“检验合格”，按照进出口商品检验法第 5 条、第 6 条规定，列入目录的进口商品，必须经过出入境检验检疫机构进行检验。列入目录的进口商品未经检验的，不准销售、使用。必须实施的进口商品检验，是指确定列入目录的进口商品是否符合国家技术规范的强制性要求的合格评定活动。合格评定程序包括：抽样、检验和检查；评估、验证和合格保证；注册、认可和批准以及各项的组合。根据以上规定，对于进口到我国境内的食品、食品添加剂而言，虽然经过出入境检验检疫机构的检验，并不能保证每件产品都是安全的，只是证明对该件产品的同批次产品进行了抽检并检验合格。

三、关于进口的食品、食品添加剂应当随附合格证明材料

本次修改食品安全法新增加了一款规定，即“进口的食品、食品添加剂应当按照国家出入境检验检疫部门的要求随附合格

证明材料”。增加此款的目的是进一步保障我国的食品安全，保障我国消费者的健康和生命安全。

关于进口的食品、食品添加剂随附的合格证明材料，是指境外生产企业或者境外出口商根据出口国家（地区）的食品安全标准，自行或委托出口国家（地区）的食品检验机构对进口到我国境内的食品、食品添加剂进行检验后，所出具的合格证明材料。该合格证明材料至少能够证明进口到我国境内的食品、食品添加剂符合出口国家（地区）的食品安全标准。

第九十三条　进口尚无食品安全国家标准的食品，由境外出口商、境外生产企业或者其委托的进口商向国务院卫生行政部门提交所执行的相关国家（地区）标准或者国际标准。国务院卫生行政部门对相关标准进行审查，认为符合食品安全要求的，决定暂予适用，并及时制定相应的食品安全国家标准。进口利用新的食品原料生产的食品或者进口食品添加剂新品种、食品相关产品新品种，依照本法第三十七条的规定办理。

出入境检验检疫机构按照国务院卫生行政部门的要求，对前款规定的食品、食品添加剂、食品相关产品进行检验。检验结果应当公开。

【释义】　本条是关于进口尚无食品安全国家标准的食品，或者进口利用新的食品原料生产的食品、进口食品添加剂新品种、食品相关产品新品种应当符合的要求的规定。

本条对原法第63条作了较大幅度的修改。

一、进口尚无食品安全国家标准的食品

按照前条规定，进口的食品应当符合我国食品安全国家标准。首先应当符合食品安全国家标准中的通用标准，如对致病性微生物、农药残留、兽药残留、生物毒素、重金属等污染物质以及其他危害人体健康的物质含量不得超过食品安全国家标准限量的规定。其次应当符合按照食品的分类制定的分类标准，如进口的伏特加酒除不仅应当符合食品安全国家标准中的通用标准，还要符合食品安全国家标准《蒸馏酒及其配制酒》(GB2757－2012)。如果进口的某种食品，国家通用标准中没有包括或者尚未制定食品安全标准的分类标准，那么境外出口商、境外生产企业或者其委托的进口商应当向国务院卫生行政部门提交所执行的相关国家(地区)食品安全标准或者国际标准。国务院卫生行政部门对相关标准进行审查后，认为符合食品安全要求的，决定暂予适用，该食品就可以进口到中国来。国务院卫生行政部门应当及时制定相应的食品安全国家标准。例如我国消费者食用燕窝已有很多年的历史，但我国不自产燕窝，这种食品主要从马来西亚等东南亚国家进口。燕窝中主要污染物质是亚硝酸盐，食品安全国家标准《食品中污染物限量》(GB2762－2012)虽然规定了亚碳酸盐的限量，但只规定了四大类食品的限量，即蔬菜及其制品、乳及乳制品、饮料类和婴幼儿配方食品，显然燕窝不在其中。为了解决燕窝的进口问题，2012年2月，当时的卫生部给负责食品安全的有关部门发了一个函，即"关于通报食用燕窝亚硝酸盐临时管理限量值的函"，全文如下："为确保燕窝食用安全，根据《食品安全法》及其实施条例，我部组织开展了食用燕窝亚硝酸盐风险评估，制定了食用燕窝亚硝酸盐的临时管理限量值，现通报如下：食用燕窝亚硝酸盐临时管理限量值为30毫克/千克，自即日起实施。"从此我国对进口燕窝中的亚硝酸盐有了一个临时限量值标准，从而使燕窝的进口没有障碍。以后再遇到类似燕窝这样的食品进口，境外出口商、境外生产企业或者其委托的进口商应当向国务院卫生行政部门提交所执行的相关国家(地区)食品安全标准或者国际标准。国务院卫生行政部门对相关标准进行审查后,认为符合食品安全要求的,决定暂予适用,该食品就可以进口到中国来。

需要说明的是,本条对进口尚无食品安全国家标准的食品的规定,较原法第 63 条的规定有了较大改动。原法第 63 条对进口尚无食品安全国家标准的食品,要求进口商要取得国务院卫生行政部门的许可后方准进口。而本次修改,要求境外出口商、境外生产企业或者其委托的进口商应当向国务院卫生行政部门提交所执行的相关国家(地区)食品安全标准或者国际标准,国务院卫生行政部门对这个标准认可后,一般由国务院卫生行政部门发一个公告,该食品就可进口。这样修改的目的是取消对进口尚无食品安全国家标准的食品的许可,符合行政审批制度改革的方向。

二、关于进口利用新的食品原料生产的食品或者进口食品添加剂新品种、食品相关产品新品种

按照本条规定,进口利用新的食品原料生产的食品或者进口食品添加剂新品种、食品相关产品新品种,依照本法第 37 条的规定办理。本法第 37 条规定,利用新的食品原料生产食品,或者生产食品添加剂新品种、食品相关产品新品种,应当向国务院卫生行政部门提交相关产品的安全性评估材料。国务院卫生行政部门应当自收到申请之日起 60 日内组织审查;对符合食品安全要求的,准予许可并公布;对不符合食品安全要求的,不予许可并书面说明理由。

需要说明的是,进口利用新的食品原料生产的食品要经过许可,是本次修改食品安全法新加的内容。原法第 63 条只强调进口食品添加剂新品种、食品相关产品新品种要经过许可。理由是:国外或者境外一些制作食品的原料在我国从没听说过,例如二十几年前,以原产非洲的多年生草本植物——芦荟作为食

品原料生产的食品在我国还没有出现。为了保障我国消费者的健康和生命安全,有必要对首次进口的添加了芦荟的食品进行风险评估并加以许可后方可进口。

对进口食品添加剂新品种、食品相关产品新品种进行安全性评估也是保障我国消费者健康和生命安全的需要。根据2010年原卫生部制定的《食品添加剂新品种管理办法》规定,食品添加剂新品种是指:(1)未列入食品安全国家标准的食品添加剂品种;(2)未列入卫生部公告允许使用的食品添加剂品种;(3)扩大使用范围或者用量的食品添加剂品种。为了确保食品添加剂的安全使用,防止不安全的食品添加剂进口到我国,对首次进口食品添加剂新品种的,必须进行安全性评估。只有经过评估证明是安全的,才能允许该食品添加剂进口。根据2011年原卫生部制定的《食品相关产品新品种行政许可管理规定》,食品相关产品新品种,是指用于食品包装材料、容器、洗涤剂、消毒剂和用于食品生产经营的工具、设备的新材料、新原料。例如,进口商首次进口一种新的食品洗涤剂,这个品牌的洗涤剂在我国市场上从没出现过。在这种情况下,应当依据本条的规定,对这个品牌的洗涤剂进行安全性评估并经许可后方能进口。

三、对进口尚无食品安全国家标准的食品及“三新”产品的检验

依照前条规定,所有进口的食品、食品添加剂、食品相关产品由出入境检验检疫机构依照我国的食品安全国家标准进行检验。但进口尚无食品安全国家标准的食品,由于国务院卫生行政部门认可了出口国家(地区)的食品安全标准或者国际标准,所以出入境检验检疫机构应当按照国务院卫生行政部门认可的标准进行检验。对于进口食品添加剂新品种、食品相关产品新品种,要由国务院卫生行政部门组织安全风险评估。经过评估,

国务院卫生行政部门认为符合食品安全要求的，作出准予进口的许可并公布风险评估结果。出入境检验检疫机构应当按照风险评估结果确定的标准进行检验。由于“三新”产品的检验更加关乎我国的食品安全，所以本法要求对“三新”产品的检验结果要向社会公开。

第九十四条 境外出口商、境外生产企业应当保证向我国出口的食品、食品添加剂、食品相关产品符合本法以及我国其他有关法律、行政法规的规定和食品安全国家标准的要求，并对标签、说明书的内容负责。

进口商应当建立境外出口商、境外生产企业审核制度，重点审核前款规定的内容；审核不合格的，不得进口。

发现进口食品不符合我国食品安全国家标准或者有证据证明可能危害人体健康的，进口商应当立即停止进口，并依照本法第六十三条的规定召回。

【释义】 本条是关于境外出口商、境外生产企业、进口商保障我国食品安全义务的规定。

本条为此次修改新加的规定，进一步明确境外出口商、境外生产企业和进口商的义务，以利于维护我国的食品安全。

一、境外出口商、境外生产企业的保证义务

（一）保证符合我国食品安全国家标准

从境外进口的食品、食品添加剂以及食品相关产品应当符合进口国的强制性食品安全标准，这是国际上的通行做法。因此，境外出口商、境外生产企业应当保证向我国出口的食品、食品添加剂、食品相关产品符合我国食品安全国家标准的要求。如果经出入境检验检疫机构检验不合格，海关将不予放行。

（二）保证符合本法以及我国其他法律、行政法规的规定

境外出口商、境外生产企业除应当保证向我国出口的食品、食品添加剂、食品相关产品符合我国食品安全国家标准之外，还要保证符合本法以及我国其他法律、行政法规的规定。

1. 保证符合本法的规定

如本法第96条规定，向我国境内出口食品的境外食品生产企业应当经国家出入境检验检疫部门注册。按此规定，如果某境外食品生产企业没有经我国出入境检验检疫部门注册，就委托境外出口商向我国出口其生产的食品，即使该食品符合我国食品安全国家标准，出入境检验检疫机构将不予检验，海关也会不予放行。

2. 保证符合我国其他法律、行政法规的规定

例如，某国的一个出口商向我国出口牛肉，按照我国进出境动植物检疫法的规定，该出口商必须向我国的进口商提交输出国家或者地区政府动植物检疫机关出具的检疫证书。进口商应当在该批牛肉进境前或者进境时持输出国家或者地区的检疫证书、贸易合同等单证，向进境口岸动植物检疫机关报检。

二、境外出口商、境外生产企业对标签、说明书的内容负责

本法第97条规定，进口的预包装食品、食品添加剂应当有中文标签；依法应当有说明书的，还应当有中文说明书。标签、说明书应当符合本法以及我国其他有关法律、行政法规的规定和食品安全国家标准的要求，并载明食品的原产地以及境内代理商的名称、地址、联系方式。境外出口商、境外生产企业应当对出口到我国的预包装食品、食品添加剂所附标签、说明书所载内容的真实性负责。因为标签、说明书本身是否符合我国食品安全国家标准，事关我国消费者的健康和生命安全，例如进口的预包装食品标签强调含有特殊成分或者标注营养成分含量的，

都应当名实相符。为此,2012 年 3 月 1 日起施行的《进出口食品安全管理办法》第 16 条规定,出入境检验检疫机构应当对进口预包装食品的标签内容是否符合法律法规和食品安全国家标准要求以及与质量有关内容的真实性、准确性进行检验,包括格式版面检验和标签标注内容的符合性检测。进口食品标签、说明书中强调获奖、获证、产区及其他内容的,或者强调含有特殊成分的,应当提供相应证明材料。2012 年 6 月 1 日施行的《进出口预包装食品标签检验监督管理规定》第 10 条规定,进口预包装食品标签检验不合格的,检验检疫机构一次性告知进口商或者其代理人不符合项的全部内容。涉及安全、健康、环境保护项目不合格的,由出入境检验检疫机构责令进口商或者其代理人销毁,或者出具退货处理通知单,由进口商或者其代理人办理退运手续。

三、进口商建立境外出口商、境外生产企业审核制度

本次修改食品安全法增加的进口商的义务之一是建立对境外出口商、境外生产企业的审核制度。审核制度主要包括以下内容:

(一)向我国境内出口食品的境外出口商或者代理商是否已经在国家出入境检验检疫部门备案。向我国境内出口食品的境外食品生产企业是否已经国家出入境检验检疫部门注册。如果没有备案或者未经注册,进口商不得与之签订食品进口合同。

(二)进口的食品、食品添加剂是否随附合格证明材料。如果进口的是肉类,是否随附输出国家或者地区政府动植物检疫机关出具的检疫证书。

(三)进口的食品、食品添加剂、食品相关产品是否符合我国食品安全国家标准的要求。虽然进口的产品要经过出入境检

验检疫机构检验后才能得出是否符合我国食品安全国家标准的结论,但进口商明知进口的产品不符合我国食品安全国家标准的,不得进口。

(四)进口的预包装食品、食品添加剂是否有中文标签或者按规定应有的中文说明书。标签和说明书是否符合我国食品安全国家标准的要求。

四、进口商的主动召回义务

本次修改食品安全法增加的进口商的另一项义务是主动召回义务,即发现进口食品不符合我国食品安全国家标准或者有证据证明可能危害人体健康的,进口商应当立即停止进口,并依照本法第 63 条的规定实施召回。《进出口食品安全管理办法》第 48 条第 1 款规定,进口食品存在安全问题,已经或者可能对人体健康和生命安全造成损害的,进口食品进口商应当主动召回并应当向社会公布有关信息,通知销售者停止销售,告知消费者停止使用,做好召回食品情况记录。

需要说明的是,由于我国食品安全监管体制在 2013 年以后作出调整,如果进口食品进口商不主动实施召回的,有权责令其召回的主体也发生了变化。《进出口食品安全管理办法》第 48 条第 3 款规定,进口食品进口商不主动实施召回的,由国家质检总局直属检验检疫局向其发出责令召回通知书并报告国家质检总局。必要时,国家质检总局可以责令其召回。但是由于进口食品已经在市场上销售,所以本法第 95 条第 2 款规定,县级以上人民政府食品药品监督管理部门对国内市场上销售的进口食品、食品添加剂实施监督管理。因此,按照本法第 63 条规定,如果进口食品进口商不主动实施召回的,县级以上人民政府食品药品监督管理部门可以责令其召回。

第九十五条　境外发生的食品安全事件可能对我国境内造成影响，或者在进口食品、食品添加剂、食品相关产品中发现严重食品安全问题的，国家出入境检验检疫部门应当及时采取风险预警或者控制措施，并向国务院食品药品监督管理、卫生行政、农业行政部门通报。接到通报的部门应当及时采取相应措施。

县级以上人民政府食品药品监督管理部门对国内市场上销售的进口食品、食品添加剂实施监督管理。发现存在严重食品安全问题的，国务院食品药品监督管理部门应当及时向国家出入境检验检疫部门通报。国家出入境检验检疫部门应当及时采取相应措施。

【释义】　本条是关于进口食品、食品添加剂、食品相关产品出现严重食品安全问题时对应措施的规定。

本条第1款是原法第64条的规定，本次修改增加了第2款，进一步明确由县级以上人民政府食品药品监督管理部门对国内市场上销售的进口食品、食品添加剂实施监督管理的职责。

在世界范围内，食源性疾病都是广泛存在并影响公众身体健康的主要问题，是世界公认的食品安全问题最直接的表现形式。近年来，国外的食品卫生问题也时有发生，如"口蹄疫事件"、"疯牛病事件"、"二噁英事件"、大肠杆菌0157中毒等。如果这些境外发生的食品安全事件可能对我国境内造成影响，或者在已经进口的食品、食品添加剂、食品相关产品中发现严重食品安全问题时，主管部门应当采取相应的管理措施予以应对。

2011年9月国家质检总局制定的《进出口食品安全管理办法》设专章规定了"风险预警及相关措施"。该办法第41条规定，国家质检总局对进口食品实施风险预警制度。进口食品中发现严重食品安全问题或者疫情的，以及境内外发生食品安全事件或者疫情可能影响到进口食品安全的，国家质检总局和检验检疫机构应当及时采取风险预警及控制措施。

一、风险预警

风险预警有别于风险警示。风险预警是部门内或者行业内发布警示公告,目的是为了采取控制措施;而风险警示是向社会公开发布警示信息,告知消费者对有风险的食品、食品添加剂、食品相关产品停止食用或者使用。本法第118条规定,国家建立统一的食品安全信息平台,实行食品安全信息统一公布制度。明确指出,食品安全风险警示信息由国务院食品药品监督管理部门统一公布。因此,本条规定,国家出入境检验检疫部门应当及时将境外发生的食品安全事件可能对我国境内造成影响,或者对进口食品、食品添加剂、食品相关产品检验过程中发现严重食品安全问题等有关信息向国务院食品药品监督管理、卫生行政、农业行政部门通报。接到通报的部门应当及时采取相应措施,包括立即组织对国内市场上已经销售的进口食品、食品添加剂、食品相关产品进行安全性评估,经过评估得出不安全结论的,国务院食品药品监督管理部门向社会发布食品安全风险警示,让消费者停止食用或者使用,同时责令进口商召回。

二、控制措施

2013年,国家对食品安全监管体制作出调整后,由县级以上人民政府食品药品监督管理部门对国内市场上销售的进口食品、食品添加剂实施监督管理。如果食品药品监督管理部门通过抽样检查等途径发现市场上销售的进口食品、食品添加剂存在严重食品安全问题的,国务院食品药品监督管理部门应当及时向国家出入境检验检疫部门通报。国家出入境检验检疫部门应当及时采取相应措施。

国家出入境检验检疫部门收到国际组织、境外政府机构发布的食品安全信息、风险预警信息,认为境外发生的食品安全事件可能对我国境内造成影响，或者在进口食品、食品添加剂、食品相关产品检验过程中发现严重食品安全问题的，或者收到国务院食品药品监督管理部门通报市场上销售的进口食品、食品添加剂存在严重食品安全问题的，应当采取相应的控制措施。《进出口食品安全管理办法》第45条规定，国家质检总局和直属检验检疫局应当根据食品安全风险信息的级别采取以下控制措施：(1)有条件地限制进口，包括严密监控、加严检验等；(2)禁止进口，就地销毁或者作退运处理；(3)启动进口食品安全应急处置预案。

进口食品安全风险已不存在或者已降低到可接受的程度时，应当及时解除风险预警通报及控制措施。

第九十六条　向我国境内出口食品的境外出口商或者代理商、进口食品的进口商应当向国家出入境检验检疫部门备案。向我国境内出口食品的境外食品生产企业应当经国家出入境检验检疫部门注册。已经注册的境外食品生产企业提供虚假材料，或者因其自身的原因致使进口食品发生重大食品安全事故的，国家出入境检验检疫部门应当撤销注册并公告。

国家出入境检验检疫部门应当定期公布已经备案的境外出口商、代理商、进口商和已经注册的境外食品生产企业名单。

【释义】　本条是关于对向我国境内出口食品的出口商、代理商和境外食品生产企业以及进口商进行管理的规定。

本条对原法第65条作了修改，增加了进口商备案的规定，还增加了对境外食品生产企业撤销注册的规定。

一、对境外出口商或者代理商、进口食品的进口商实行备案管理

为掌握进口食品进出口商信息及进口食品来源和流向，保

障进口食品可追溯性，有效处理进口食品安全事件，保障进口食品安全，有必要对向我国境内出口食品的境外出口商或者代理商、进口食品的进口商实行备案管理。为此，2012 年 4 月，国家质检总局制定了《进口食品进出口商备案管理规定》。该规定要求向中国出口食品的出口商或者代理商向国家质检总局申请备案。国家质检总局对完整提供备案信息的出口商或者代理商予以备案。该规定要求进口商向其工商注册登记地出入境检验检疫机构申请备案，备案申请资料齐全的，出入境检验检疫机构应当受理并在 5 个工作日内予以备案。

二、对境外食品生产企业实行注册管理

备案与注册是两种性质不同的制度，备案是告知行为，不属于行政许可；而注册则是一种事前的审查行为，属于行政许可。也就是说，不经国家出入境检验检疫部门注册，境外的食品生产企业不得向我国出口食品。之所以对向我国境内出口食品的出口商、代理商和境外食品生产企业，实行不同的管理制度，主要是考虑到生产企业是进口食品的生产者，为了确保进口食品的安全，国家出入境检验检疫部门需要对这些境外企业的资质、信誉情况进行考察，确认这些企业是信誉良好的合法生产企业后，才能给它们注册，允许他们生产的食品进口到我国境内；而对出口商、代理商而言，他们不是进口食品的直接生产者，不需要主管部门进行事前的审查，只需要事后备案，使主管部门掌握他们的相关信息即可。

2012 年 3 月，国家质量监督检验检疫总局制定了《进口食品境外生产企业注册管理规定》。该规定明确规定，境外食品生产企业只有获得注册后，其产品方可进口。国家认证认可监督管理委员会（以下简称国家认监委）组织实施进口食品境外生产企业的注册及其监督管理工作。国家认监委按照工作程序对注册申请和评审报告进行审查,做出是否注册的决定。符合注册要求的,予以注册,并书面通告境外食品生产企业所在国家(地区)的主管当局;不予注册的,应当书面通告境外食品生产企业所在国家(地区)的主管当局,并说明理由。注册有效期为4年,境外食品生产企业需要延续注册的,应当在注册有效期届满前1年,通过其所在国家(地区)主管当局或其他规定的方式向国家认监委提出延续注册申请。已获得注册的境外食品生产企业有下列情形之一的,国家认监委应当撤销其注册并报国家质检总局,同时向其所在国家(地区)主管当局通报,予以公告:(1)因境外食品生产企业的原因造成相关进口食品发生重大食品安全事故的;(2)其产品进境检验检疫中发现不合格情况,情节严重的;(3)经查发现食品安全卫生管理存在重大问题,不能保证其产品安全卫生的;(4)整改后仍不符合注册要求的;(5)提供虚假材料或者隐瞒有关情况的;(6)出租、出借、转让、倒卖、涂改注册编号的。

三、国家出入境检验检疫部门应当定期公布已经备案的出口商、代理商、进口商和已经注册的境外食品生产企业名单

食品安全事关人民群众的身体健康和生命安全,所以必须在食品安全监督管理中确保公众的知情权。本法规定,任何组织和个人有权举报食品生产经营中的违法犯罪行为,有权向有关部门了解食品安全信息,对食品安全监督管理工作提出意见和建议。已经备案的出口商、代理商、进口商和已经注册的境外食品生产企业名单是非常重要的食品安全信息,国家出入境检验检疫部门应当通过政府公报、政府网站、新闻发布会以及报刊、广播、电视等便于公众知晓的方式定期予以公开,使广大的消费者和国内的生产经营企业了解这些信息,一方面有助于促进食品进出口贸易的发展,另一方面也有助于广大消费者对市

场上销售的进口食品进行监督，确保进口食品的安全。

《进口食品进出口商备案管理规定》规定，国家质检总局对出口商或者代理商予以备案后，在国家质检总局网站公布。公布名单的信息包括备案出口商或者代理商名称及所在国家或者地区。《进口食品进出口商备案管理规定》还规定，出入境检验检疫机构对进口商备案后，在国家质检总局网站公布。公布名单的信息包括进口商名称、所在地直属出入境检验检疫局名称等。

《进口食品境外生产企业注册管理规定》第 4 条规定，《进口食品境外生产企业注册实施目录》由国家认监委负责制定、调整，国家质检总局公布。

第九十七条　进口的预包装食品、食品添加剂应当有中文标签；依法应当有说明书的，还应当有中文说明书。标签、说明书应当符合本法以及我国其他有关法律、行政法规的规定和食品安全国家标准的要求，并载明食品的原产地以及境内代理商的名称、地址、联系方式。预包装食品没有中文标签、中文说明书或者标签、说明书不符合本条规定的，不得进口。

【释义】　本条是关于进口的预包装食品、食品添加剂标签、说明书的规定。

本条对原法第 66 条作了简要修改，只是增加规定进口的食品添加剂应当有中文标签和说明书。

我国加入 WTO 后，大量的进口食品、食品添加剂涌入国内市场。消费者、生产者如何选择这些产品，如何了解这些产品的名称、品质，营养成分、产地，以及如何食用或者使用，只有通过产品包装上所附的标签所标注的内容来辨识，或者通过说明书进一步了解产品的用途和使用方法。因此标签、说明书的内容非常重要。规范进口食品、食品添加剂的标签、说明书是保证进口食品、食品添加剂安全的重要手段。

一、进口的预包装食品、食品添加剂应当有中文标签

本法第67条规定,预包装食品的包装上应当有标签。本条规定,进口的预包装食品不但应有标签,而且应当有中文标签。

本法第70条规定,食品添加剂应当有包装、标签,并在标签上载明“食品添加剂”字样。原法第66条只规定进口的预包装食品应当有中文标签。考虑到我国食品生产者从境外进口食品添加剂的情况越来越多,因此本次修改食品安全法增加规定:进口的食品添加剂不但应有标签,而且应当有中文标签。

标签是指粘贴、印刷、标记在食品、食品添加剂或者其包装上,用以表示食品或者食品添加剂名称、质量等级、商品量、食用或者使用方法、生产者或者销售者等相关信息的文字、符号、数字、图案以及其他说明的总称。标签是反映商品内在品质及相关信息的载体,它对于指导消费者、保护消费者利益、防止欺诈、规范市场有着关键的作用。通过标签的描述,一方面便于选购食品、食品添加剂,另一方面如果食品、食品添加剂食用或者使用后出现问题,也便于追溯。为了保护我国消费者的合法权益,本条强调进口的预包装食品、食品添加剂应当有中文标签。如果没有中文标签则不得进口。

二、进口的预包装食品、食品添加剂依法应当有说明书的,还应当有中文说明书

原法第66条规定,进口的预包装食品应当有中文标签、中文说明书。本次修改食品安全法,考虑到并不是所有的预包装食品都需要有说明书,因此将其修改为:进口的预包装食品、食品添加剂依法应当有说明书的,还应当有中文说明书。所谓“依法”,例如依照本法第70条规定,食品添加剂应当有说明

书。说明书应当载明食品添加剂的使用范围、用量和使用方法。因此，进口的食品添加剂应当有中文说明书，说明该食品添加剂的使用范围、用量和使用方法，否则不得进口。

三、对标签和说明书的要求

本条规定，标签、说明书应当符合本法以及我国其他有关法律、行政法规的规定和食品安全国家标准的要求，并载明食品的原产地以及境内代理商的名称、地址、联系方式。

按照国际惯例，各国对进口食品、食品添加剂等涉及人民生命健康的特殊产品，都要求遵守本国的有关法律规范及强制性标准。

关于遵守本法，例如本法第 71 条规定，食品和食品添加剂的标签、说明书，不得含有虚假内容，不得涉及疾病预防、治疗功能。食品和食品添加剂的标签、说明书应当清楚、明显，生产日期、保质期等事项应当显著标注，容易辨识。食品和食品添加剂与其标签、说明书的内容不符的，不得上市销售。再例如本法第 67 条第 2 款规定，专供婴幼儿和其他特定人群的主辅食品，其标签还应当标明主要营养成分及其含量。

关于符合我国其他有关法律、行政法规的规定，例如产品质量法关于产品标识应当载明的内容之一是“使用不当，容易造成产品本身损坏或者可能危及人身、财产安全的产品，有警示标志或者中文警示说明”。如果进口的食品或者食品添加剂因食用或使用不当，可能会危及人身安全，其产品标识上必须有警示标志或者中文警示说明。例如，2009 年 2 月，卫生部等六部门发布了《关于含库拉索芦荟凝胶食品标识规定的公告》，对于这种以原产非洲的库拉索芦荟叶片为原料制作的新资源食品库拉索芦荟凝胶的标识专门作出规定。由于添加了库拉索芦荟凝胶的食品不宜被孕妇、婴幼儿食用，所以要求添加了库拉索芦荟凝胶的食品标签必须标注“本品添加芦荟，孕妇与婴幼儿慎用”字样，并应当在配料表中标注“库拉索芦荟凝胶”。

关于符合我国食品安全国家标准的要求，例如2011年卫生部制定的《预包装食品标签通则》（GB7718－2011）规定，“预包装食品标签可同时使用外文，但所使用外文字号不得大于相应的汉字字号”。因此，进口的预包装食品、食品添加剂的中文标签中如果有外文的，所使用外文字号不得大于相应的汉字字号。

本条还要求进口的预包装食品、食品添加剂的中文标签、说明书中应当载明食品的原产地以及境内代理商的名称、地址、联系方式。这些事项所以由法律规定一一列出，因为它们是与产品质量、安全、明确责任、监督管理有着紧密联系，应当准确注明，不能有遗漏，缺一不可，否则就要影响到该标签或者说明书在法律上的合法性、有效性。

四、标签、说明书不合格的不得进口

本条规定进口的预包装食品、食品添加剂没有中文标签或者应有的中文说明书，以及标签、说明书不符合本条规定的，不得进口。2012年2月，国家质检总局制定的《进出口预包装食品标签检验监督管理规定》第10条规定，进口预包装食品标签检验不合格的，出入境检验检疫机构一次性告知进口商或者其代理人不符合项的全部内容。涉及安全、健康、环境保护项目不合格的，由出入境检验检疫机构责令进口商或者其代理人销毁，或者出具退货处理通知单，由进口商或者其代理人办理退运手续。其他项目不合格的，进口商或者其代理人可以在出入境检验检疫机构的监督下进行技术处理。不能进行技术处理或者技术处理后重新检验仍不合格的，出入境检验检疫机构应当责令进口商或者其代理人退货或者销毁。

第九十八条　进口商应当建立食品、食品添加剂进口和销售记录制度,如实记录食品、食品添加剂的名称、规格、数量、生产日期、生产或者进口批号、保质期、境外出口商和购货者名称、地址及联系方式、交货日期等内容,并保存相关凭证。记录和凭证保存期限应当符合本法第五十条第二款的规定。

【释义】　本条是关于进口商应当建立食品、食品添加剂进口和销售记录制度的规定。

本条对原法第67条作了小幅修改,只是增加规定进口商也应当建立食品添加剂的进口和销售记录制度。

为了保证食品、食品添加剂的可追溯,保障消费者、生产经营者的合法权益,本法第53条要求食品经营企业应当建立食品进货查验记录制度,从事食品批发业务的食品经营企业还应当建立食品销售记录制度。本法第60条还要求食品添加剂经营者建立进货查验记录制度。进口商是指依据进出口合同或外贸合同从境外购进食品、食品添加剂的企业,其从事的活动也属于食品经营活动,进口商的性质就是食品经营者,因此本条要求进口商应当对进口食品、食品添加剂建立购销记录制度。

为掌握进口食品来源和流向,确保进口食品可追溯性,加强食品进口记录和销售记录的监督管理,2012年4月,国家质检总局制定了《食品进口记录和销售记录管理规定》,自2012年10月1日起施行。需要说明的是,该规定只针对食品进口记录和销售记录进行规范,食品种类之外的产品,如食品添加剂、食品相关产品、部分粮食品种、部分油籽类、水果、食用活动物等依照其他有关规定执行。

一、食品进口记录

进口商应当建立专门的食品进口记录。食品进口记录是指记载食品及其相关进口信息的纸质或者电子文件。食品进口记录应当包括以下内容:进口食品的名称、品牌、规格、数重量、货值、生产批号、生产日期、保质期、原产地、输出国家或者地区、生产企业名称及在华注册号、出口商或者代理商备案编号、名称及联系方式、贸易合同号、进口口岸、目的地、根据需要出具的国(境)外官方或者官方授权机构出具的相关证书编号、报检单号、入境时间、存放地点、联系人及电话等内容。

二、进口食品销售记录

进口商应当建立专门的进口食品销售记录。进口食品销售记录是指记载进口商将进口食品提供给食品经营者或者消费者的纸质或者电子文件。进口食品销售记录应当包括销售流向记录、销售对象投诉及召回记录等内容。其中销售流向记录应当包括进口食品名称、规格、数重量、生产日期、生产批号、销售日期、购货人(使用人)名称及联系方式、出库单号、发票流水编号、食品召回后处理方式等信息。

三、保存相关凭证

本条不但要求进口商建立进口食品、食品添加剂的购销记录制度,而且要求保存相关凭证。关于保存凭证的范围,《食品进口记录和销售记录管理规定》第 8 条规定,收货人应当保存如下进口记录档案材料:贸易合同、提单、根据需要出具的国(境)外官方相关证书、报检单的复印件、出入境检验检疫机构出具的《入境货物检验检疫证明》、《卫生证书》等文件副本。第 11 条规定,收货人应当保存如下销售记录档案材料:购销合同、销售发票留底联、出库单等文件原件或者复印件,自用食品的收货人还应当保存加工使用记录等资料。

关于记录和相关凭证的保存期限,本条规定,记录和凭证保存期限应当符合本法第 50 条第 2 款的规定,即记录和凭证保存期限不得少于产品保质期满后 6 个月;没有明确保质期的,保存期限不得少于2年。

第九十九条　出口食品生产企业应当保证其出口食品符合进口国(地区)的标准或者合同要求。

出口食品生产企业和出口食品原料种植、养殖场应当向国家出入境检验检疫部门备案。

【释义】 本条是关于出口食品和出口食品企业要求的规定。

本条第1款对原法第68条第1款作了重大修改,第2款未作修改。

一、出口食品生产企业应当保证其出口食品符合进口国(地区)的标准或者合同要求

原法第68条第1款规定:"出口的食品由出入境检验检疫机构进行监督、抽检,海关凭出入境检验检疫机构签发的通关证明放行。"本次修改食品安全法将该款修改为:出口食品生产企业应当保证其出口食品符合进口国(地区)的标准或者合同要求。

这样修改并不是说出口食品可以免予检验,而是因为进出口商品检验法等法律、行政法规明确要求对出口食品要进行检验,为了避免重复,所以才将原法第68条第1款修改为现在的内容。按照进出口商品检验法第5条规定,列入目录的出口商品,由出入境检验检疫机构实施检验。列入目录的出口商品未经检验合格的,不准出口,但其中符合国家规定的免予检验条件的,由出口商申请,经国家出入境检验检疫部门审查批准,可以免予检验。但是,在"三鹿奶粉事件"之后,2008年9月17日,国家质检总局发布了《关于停止实行食品类生产企业出口食品免检的公告》。该公告提出,为进一步加强出口食品安全监管,

确保出口食品的质量安全,从公告日起,停止实行食品类生产企业出口食品免检,取消有关企业获得的出口食品免检资格。因此,所有食品类生产企业出口的食品必须经过出境检验。按照进出口商品检验法第15条规定,出口食品的出口商或者其代理人,应当在出入境检验检疫机构规定的地点和期限内,向出入境检验检疫机构报检。出入境检验检疫机构应当在国家出入境检验检疫部门统一规定的期限内检验完毕,并出具检验证单。海关凭出入境检验检疫机构签发的货物通关证明验放。

出口食品的安全直接关系到进口该食品的国家消费者的身体健康与生命安全,同时影响到我国食品出口企业的商业信誉和国际市场竞争能力,更关系到我国在国际上的政治形象。本法在规范国内食品生产经营活动,保证国内消费者食品安全的同时,加强对出口食品安全的监管。2012年3月1日起施行的《进出口食品安全管理办法》第24条规定:“出口食品生产经营者应当保证其出口食品符合进口国家(地区)的标准或者合同要求。进口国家(地区)无相关标准且合同未有要求的,应当保证出口食品符合中国食品安全国家标准。”本条根据以上规定,考虑到“进口国家(地区)无相关标准且合同未有要求”的情况很少见,因此只借鉴了第1款,即出口食品生产企业应当保证其出口食品符合进口国(地区)的标准或者合同要求。

二、出口食品生产企业和出口食品原料种植、养殖场应当向国家出入境检验检疫部门备案

对出口食品生产企业和出口食品原料种植、养殖场实行备案管理,一方面有利于监管部门及时掌握食品生产企业的生产状况,规范出口食品生产企业和食品原料种植、养殖场的行为。另一方面将出口食品的监管工作向生产领域延伸,有利于鼓励

出口食品生产企业提高管理水平和食品质量，从源头上把好质量关，提高出口食品的质量。

（一）出口食品生产企业的备案管理制度

为了加强出口食品生产企业食品安全卫生管理，2011 年 7 月 26 日，国家质检总局制定了《出口食品生产企业备案管理规定》，自 2011 年 10 月 1 日起施行。该规定要求出口食品生产企业向国家质检总局设在各地直属的出入境检验检疫机构申请备案。出口食品生产企业未依法履行备案法定义务的，其产品不予出口。出入境检验检疫机构予以备案的，向出口食品生产企业颁发《备案证明》，《备案证明》有效期为 4 年。出口食品生产企业需要延续依法取得的《备案证明》有效期的，应当至少在《备案证明》有效期届满前 3 个月，向其所在地直属检验检疫机构提出延续备案申请。

（二）出口食品原料种植场、养殖场的备案管理制度

为加强出口食品原料质量安全管理，2012 年 4 月 5 日，国家质检总局制定了《出口食品原料种植场备案管理规定》。该规定要求对列入出口食品原料目录的种植场、养殖场实施备案管理。2012 年 10 月 8 日，国家质检总局公布了《实施备案管理的出口食品原料品种目录》，要求以蔬菜（含栽培食用菌）、茶叶、大米、禽肉、禽蛋、猪肉、兔肉、蜂产品、水产品作为主要加工原料的出口食品，其原料种植、养殖场应当向出入境检验检疫机构备案。申请人向种植场、养殖场所在地的出入境检验检疫机构提出申请。出入境检验检疫机构经过审核，认为符合《出口食品原料种植场备案管理规定》第 6 条规定的条件且材料齐全的，予以备案。国家质检总局在其网站上统一公布备案种植场、养殖场名单。

第一百条 国家出入境检验检疫部门应当收集、汇总下列进出口食品安全信息,并及时通报相关部门、机构和企业:

(一)出入境检验检疫机构对进出口食品实施检验检疫发现的食品安全信息;

(二)食品行业协会和消费者协会等组织、消费者反映的进口食品安全信息;

(三)国际组织、境外政府机构发布的风险预警信息及其他食品安全信息,以及境外食品行业协会等组织、消费者反映的食品安全信息;

(四)其他食品安全信息。

国家出入境检验检疫部门应当对进出口食品的进口商、出口商和出口食品生产企业实施信用管理,建立信用记录,并依法向社会公布。对有不良记录的进口商、出口商和出口食品生产企业,应当加强对其进出口食品的检验检疫。

【释义】 本条是关于国家出入境检验检疫部门收集信息及对进口商、出口商和出口食品生产企业实施信用管理的规定。

本条第1款对原法第69条第1款收集信息的内容予以细化,第2款只对原法第69条第2款作了文字修改。

一、对进出口食品安全信息的收集、整理、通报

食品安全信息是制定食品安全政策法规的基础,是现代食品安全保证体系建设的重要内容,也是食品安全监管执法和综合监督的重要支撑。食品安全信息将为食品安全工作决策、政策制定提供重要参考依据,为企业实现食品安全控制、消费者了解食品安全信息提供科学指南,有利于实现对食品安全问题的早发现、早预防、早整治、早解决,全面提高我国食品安全保障水平。随着我国经济的迅速发展,特别是我国加入WTO后,与有关国家和地区的对外经济贸易往来快速发展,进出口商品种类

日益增多,食品的安全性越来越受到重视。对于进出口的食品是否存在安全隐患,是否含有有害因素,其他国家对食品检验检疫的要求是什么,等等,这些信息对于其他监管部门、外贸企业、产品生产加工企业来说很难及时获取。国家出入境检验检疫部门即国家质量监督检验检疫总局,其在全国31个省(自治区、直辖市)共设有35个直属出入境检验检疫局,海陆空口岸和货物集散地设有近300个分支局和200多个办事处,在从事进出口食品监管及具体的进出口食品检验工作过程中,掌握大量的食品检验方面的情况,同时也能及时了解国际上有关食品安全方面上的信息。这些信息对有关方面非常重要,有关方面如能及时掌握这些信息,就能及时采取相应的措施,避免食品安全事故的发生。国家出入境检验检疫部门应当将收集来的食品安全信息及时通报相关部门、机构和企业。向有关方面提供进出口商品信息是进出口商品检验法赋予出入境检验检疫部门的职责。进出口商品检验法第10条规定,国家商检部门和商检机构应当及时收集和向有关方面提供进出口商品检验方面的信息。

2012年2月25日,国家质检总局制定了《进出口食品安全信息及风险预警管理实施细则》。进出口食品安全信息是指国家质检总局及其直属单位、各地出入境检验机构在履行职责过程中获知的、以一定形式记录保存的食品进出口等环节的有关信息。国家质检总局建立进出口食品安全信息收集网络,组织对进出口食品安全信息进行收集、整理、分级、通报。进出口食品安全信息分为风险信息和一般信息。风险信息是指与检验检疫系统职责相关的,涉及生命健康,社会影响面广,可能形成系统性危害,对进出口食品贸易、相关产业可能产生影响,或者会对安全、卫生、环境、反欺诈等方面形成危害,需要及时进行分析、研判、处置的进出口食品安全方面的信息。风险信息根据危害和影响程度，分为一级、二级和三级信息。一般信息是指与检验检疫系统职责相关的，风险得到有效控制，没有受到境内外关注，未造成较大经济损失，未影响正常进出口食品贸易的信息。

二、对进口商、出口商和出口食品生产企业建立信用档案

本条第 2 款的规定是要求企业建立诚信制度的一种体现。要求从事进出口食品经营活动的企业要讲诚信。企业信誉度的好坏直接影响企业的核心竞争力。只有保持良好的信誉，企业才能长久生存下去。对于那些诚信度好、产品安全风险能够得到有效控制、享有良好声誉的企业，列入“优良企业名单”。对于那些发生严重质量违规问题或逃避检验检疫的企业，在依法处罚的同时，列入“违规企业名单”并予以公布。对有不良记录的进口商、出口商和出口食品生产企业，在进行进出口食品检验检疫时要采取更加严格的手段，这样一来可以促进这些企业形成自我管理、自我约束、诚信经营的良好机制。

第一百零一条　国家出入境检验检疫部门可以对向我国境内出口食品的国家（地区）的食品安全管理体系和食品安全状况进行评估和审查，并根据评估和审查结果，确定相应检验检疫要求。

【释义】　本条是关于国家出入境检验检疫部门职责的规定。

本条为本次修改新加的规定，目的是进一步明确国家出入境检验检疫部门的职责，确保进口食品的安全。

向我国境内出口食品的国家（地区）的食品安全管理体系对该国家（地区）的食品安全起决定性作用。首先，该国家（地区）的食品安全标准是否全面、是否与国际标准接轨，是决定该国家（地区）食品是否安全的基础；其次，该国家（地区）食品安

全的监管体系是否完备、是否科学，是决定该国家（地区）食品是否安全的关键。因此，对向我国境内出口食品的国家（地区）的食品安全管理体系进行了解和评估，对保证进口到我国境内食品的安全是至关重要的，也是保障进口食品安全的基础性工作。如果某国家（地区）的食品安全管理体系涣散，为了保证该国家（地区）出口到我国境内的食品符合我国食品安全国家标准，有必要对从该国家（地区）进口的食品提高检验检疫要求。

向我国境内出口食品的国家（地区）的食品安全状况是决定进口到我国境内的食品是否安全的重要因素。近年来，国外的食品安全问题时有发生，如“口蹄疫事件”、“疯牛病事件”、“二噁英事件”等。《国家中长期动物疫病防治规划》（2012 ~ 2020 年）指出，牛海绵状脑病（疯牛病）、非洲猪瘟等外来动物疫病对我国的传入风险持续存在，全球动物疫情日趋复杂。随着畜牧业生产规模不断扩大，养殖密度不断增加，畜禽感染病原机会增多，病原变异概率加大，新发疫病发生风险增加。研究表明，70% 的动物疫病可以传染给人类，75% 的人类新发传染病来源于动物或动物源性食品，动物疫病如不加强防治，将会严重危害公共卫生安全。因此，随时对向我国境内出口食品的国家（地区）的食品安全状况进行评估和审查，特别是对发生重大疫情或者重大食品安全事故的国家（地区）要紧密跟踪，并根据评估和审查结果，确定相应检验检疫要求。2006 年 6 月 29 日，国家质检总局发布了《关于有条件恢复进口美国剔骨牛肉检验检疫要求的公告》。特别对随附的合格证明材料提出要求，即向中国输出的每一集装箱或运输容器剔骨牛肉应随附一份美国官方兽医卫生证书正本。证书中至少包括以下内容：（1）牛的来源，必须来自从未发生过疯牛病（BSE）病例的饲养场；（2）屠宰日期及屠宰、加工企业名称、地址和企业批准代码；（3）证书的签发机构、日期和地点以及签发人姓名和职务;(4)集装箱或运输容器铅封号。同时还明确规定:美国输华剔骨牛肉到达中国口岸后,须由口岸出入境检验检疫机构检验检疫合格后方可入境。

2012 年 3 月 1 日起施行的《进出口食品安全管理办法》第 7 条规定:“国家质检总局依据中国法律法规规定对向中国出口食品的国家或者地区的食品安全管理体系和食品安全状况进行评估,并根据进口食品安全监督管理需要进行回顾性审查。国家质检总局依据中国法律法规规定、食品安全国家标准要求、国内外疫情疫病和有毒有害物质风险分析结果,结合前款规定的评估和审查结果,确定相应的检验检疫要求。”借鉴上述规定,在文字上予以凝练,规定到修改后的食品安全法中。

第七章　食品安全事故处置

第一百零二条　国务院组织制定国家食品安全事故应急预案。

县级以上地方人民政府应当根据有关法律、法规的规定和上级人民政府的食品安全事故应急预案以及本行政区域的实际情况，制定本行政区域的食品安全事故应急预案，并报上一级人民政府备案。

食品安全事故应急预案应当对食品安全事故分级、事故处置组织指挥体系与职责、预防预警机制、处置程序、应急保障措施等作出规定。

食品生产经营企业应当制定食品安全事故处置方案，定期检查本企业各项食品安全防范措施的落实情况，及时消除事故隐患。

【释义】　本条是关于食品安全事故应急预案的规定。

本条是对原法第70条的修改，增加一款作为第3款，明确食品安全事故应急预案的相关内容。

食品安全是重大民生问题，直接关系到公众健康与生命安全，食品安全工作强调关口前移，实行预防为主、风险管理。食品安全事故，指食物中毒、食源性疾病、食品污染等源于食品，对人体健康有危害或者可能有危害的事故。建立健全食品安全事故应急预案体系，是贯彻食品安全工作方针，筑牢食品安全防线的重要内容，也是食品安全工作的重要一环。食品安全事故应急预案的制定、完善,意义重大,是有效预防、积极应对食品安全事故的重要制度保障,有利于高效组织应急处置工作,有利于最大限度地减少食品安全

事故的危害,保障公众健康与生命安全,维护正常的社会经济秩序。

一、关于食品安全事故应急预案体系

食品安全事故一般是突然发生的,为最大限度地减少人员伤亡、财产损失,必须反应迅速,协调一致,及时有效采取应对措施。因此,事先制定预案是必要的。预案是为完成某项工作任务所作的全面、具体的实施方案,针对性、操作性、科学性更强,内容也更加系统、详尽。法律中重视应急预案制度,发端于2003年"非典"后出台的《突发公共卫生事件应急条例》,要求对重大食物中毒等公共卫生事件,国务院和省、自治区、直辖市人民政府应当制定全国应急预案和各地本行政区域的应急预案。2006年《国家突发公共事件总体应急预案》的发布,标志着我国应急预案编制工作基本完成,基本覆盖了我国经常发生的包括公共卫生事件在内的突发公共事件的主要方面,全国应急预案框架体系初步形成。2006年制定、2011年修订的《国家食品安全事故应急预案》,标志着我国食品安全事故应急预案工作进入规范化、制度化阶段。2009年制定的食品安全法将食品安全事故应急预案上升为法律制度,明确规定各级人民政府都要制定食品安全事故应急预案,使食品安全事故应急预案工作法定化,为食品安全事故妥善处理提供了法制保障。这次修法,在原法基础上,进一步加强了食品安全事故应急预案的规定。

食品安全事故应急预案遵循国家突发事件应急预案的基本原则,与国家突发事件应急预案有机衔接。突发事件应对法规定,国家建立健全突发事件应急预案体系。突发事件应急预案

的编制遵循“统一领导，分级负责”原则，建立健全分类管理、分级负责，条块结合、属地管理为主的应急管理体制。应急预案包括国家和地方两个层面。国家突发事件应急预案体系包括突发事件总体应急预案、专项应急预案和部门应急预案；地方突发事件应急预案体系包括省级人民政府的突发事件总体应急预案、专项应急预案和部门应急预案，以及各市、县人民政府及基层政权组织的突发事件应急预案。据此，本条规定了食品安全事故应急预案分为国家和地方两个层面，由国务院制定国家食品安全事故应急预案，地方各级政府制定本区域的食品安全事故应急预案；地方政府制定的食品安全事故应急预案应当遵循法律、法规的规定以及上级政府制定的食品安全事故应急预案，与上级应急预案共同形成食品安全事故应急预案体系；食品安全事故应急预案是国家突发事件应急预案体系中的一部分，属于政府专项应急预案。

为了保障整个食品安全事故应急预案体系内部相互衔接、协同一致，更为有效地处理食品安全事故，本条规定，各级人民政府是食品安全事故应急预案的制定主体，同时各级地方人民政府在制定本区域应急预案时，除了考虑本行政区域的特点，还要根据有关法律、法规以及上级人民政府制定的食品安全事故应急预案。县级以上地方人民政府制定的食品安全事故应急预案，应当报上一级人民政府备案。需要遵循的法律、法规，包括突发事件应对法、食品安全法、农产品质量安全法、《食品安全法实施条例》、《突发公共卫生事件应急条例》等。

二、关于食品安全事故应急预案的内容

食品安全事故应急预案应当包括食品安全事故分级、事故处置指挥体系与职责、预防预警机制、处置程序、应急保障措施等内容。

1. 食品安全事故等级。国家食品安全事故应急预案规定，食品安全事故共分四级，即特别重大食品安全事故、重大食品安全事故、较大食品安全事故和一般食品安全事故。事故等级的评估核定，由相关部门依照有关规定进行。

2. 事故处置指挥体系与职责。食品安全事故发生后，相关部门应当依法组织对事故进行分析评估，核定事故级别，并依法成立应急处置指挥机构，统一领导和指挥事故应急处置工作。应急处置指挥机构由相关部门作为成员单位参加，具体成员单位根据事故的性质和应急处置工作的需要确定。应急处置指挥机构负责统一领导事故应急处置工作；研究重大应急决策和部署；组织发布事故的重要信息；审议批准指挥部办公室提交的应急处置工作报告；应急处置的其他工作。

应急处置指挥机构成立办公室。应急处置指挥机构办公室承担日常工作，主要负责贯彻落实各项部署，组织实施事故应急处置工作；检查督促相关地区和部门做好各项应急处置工作，及时有效地控制事故，防止事态蔓延扩大；研究协调解决事故应急处理工作中的具体问题；报告、通报事故应急处置的工作情况；组织信息发布。

根据事故处置需要，应急处置指挥机构可下设事故调查组、危害控制组、医疗救治组、检测评估组、维护稳定组、新闻宣传组、专家组等若干工作组，分别开展相关工作。各工作组在应急处置指挥机构的统一指挥下开展工作，并随时向应急处置指挥机构办公室报告工作开展情况。

3. 预防预警机制。相关部门应当根据食品安全风险监测工作需要，在综合利用现有监测机构能力的基础上，建立食源性疾病、食品污染和食品中有害因素监测体系。根据食品安全风险监测结果，对食品安全状况进行综合分析，对可能具有较高程度安全风险的食品,提出并公布食品安全风险警示信息。有关监管部门发现食品安全隐患或问题,应及时通报,依法及时采取有效控制措施。同时,建立事故报告和事故评估制度,食品生产经营者、医疗机构、技术机构和社会团体、个人都有报告食品安全事故的义务,相关部门应当统一组织协调开展食品安全事故评估。在食品安全事故应急预案启动后,应当做好相关信息的统一发布,提醒社会和相关部门做好应对准备。

4. 处置程序。国家食品安全事故应急预案规定,根据食品安全事故分级情况,食品安全事故应急响应分为Ⅰ级、Ⅱ级、Ⅲ级和Ⅳ级响应。确定为特别重大食品安全事故,报经国务院批准并宣布启动Ⅰ级响应后,指挥部立即成立运行,组织开展应急处置。重大、较大、一般食品安全事故分别由事故发生地的省、市、县级人民政府启动相应级别响应,成立食品安全事故应急处置指挥机构进行处置。必要时上级人民政府派出工作组指导、协助事故应急处置工作。事故发生后,根据事故性质、特点和危害程度,立即组织有关部门,依照有关规定采取应急处置措施,以最大限度减轻事故危害。

5. 应急保障措施。应急保障措施包括信息保障、医疗保障、人员及技术保障、物资与经费保障、社会动员保障、宣传教育等方面。如信息保障措施是指建立统一的食品安全信息网络体系和医疗救治信息网络,实现相关信息共享;设立信息报告和举报电话,畅通信息报告渠道,确保食品安全事故的及时报告与相关信息的及时收集。

三、关于食品生产经营企业在食品安全事故应急中的义务

食品生产经营企业,是食品安全的第一责任人,有防范食品安全事故发生的义务。为了降低食品安全事故发生的危险,从源头上消除事故隐患,发生食品安全事故后尽早发现,将事故危

害控制在可控范围，需要将食品生产经营企业纳入食品安全事故应急预案体系中。食品生产经营企业有义务制定食品安全事故处置方案，确定食品安全事故易发点、薄弱环节，明确科学、完备的防范措施；定期检查本企业各项食品安全防范措施的落实情况，及时消除事故隐患；发生食品安全事故后的控制措施、报告义务等。

第一百零三条　发生食品安全事故的单位应当立即采取措施，防止事故扩大。事故单位和接收病人进行治疗的单位应当及时向事故发生地县级人民政府食品药品监督管理、卫生行政部门报告。

县级以上人民政府质量监督、农业行政等部门在日常监督管理中发现食品安全事故或者接到事故举报，应当立即向同级食品药品监督管理部门通报。

发生食品安全事故，接到报告的县级人民政府食品药品监督管理部门应当按照应急预案的规定向本级人民政府和上级人民政府食品药品监督管理部门报告。县级人民政府和上级人民政府食品药品监督管理部门应当按照应急预案的规定上报。

任何单位和个人不得对食品安全事故隐瞒、谎报、缓报，不得隐匿、伪造、毁灭有关证据。

【释义】　本条是关于发生食品安全事故后应急处置、报告、通报的规定。

本条是对原法第71条的修改，这次修法涉及到食品安全管理体制的调整，本条根据调整后的食品安全管理体制作了修改，将卫生行政部门调整为食品药品监督管理部门。

实践证明，处理食品安全事故，两个环节非常重要，一是事故发生单位在第一时间内采取应急措施，防止危害扩散；二是及时报告和通报,启动相应级别的食品安全事故应急预案,果断采取措施。

一、事故单位的应急处置

事故发生单位是食品安全事故的源头,处在事故第一线,掌握事故第一手资料,其反应是否快速,采取的措施是否得当,直接影响到事故的涉及面和危害程度,因此本条明确规定:发生食品安全事故的单位应当立即予以处置,防止事故扩大。要求事故发生单位及时、主动、有效地采取应急处置措施,控制事态。国家食品安全事故应急预案对企事业单位处理食品安全事故也提出了要求,有关企事业单位应当根据自身特点,定期或者不定期组织本单位的应急救援演习演练。事故发生单位采取应急处置措施,主要是为了控制事态发展和蔓延。一般来讲,事故发生单位采取的应急处置措施包括:采取措施立即停止可能导致食品安全事故的食品及原料的食用和使用;密切注意已食用可能导致事故的食品的人员,一旦出现不适症状的,立即送至医院救治;保护食品安全事故发生的现场,控制和保存可能导致食品安全事故的食品及其原料,以便有关部门采集、分析;立即将事故情况如实向所在地县级人民政府食品药品监督管理、卫生行政部门报告等。

二、报告制度

事故报告是食品安全应急处置的重要环节。报告制度主要包括以下内容:

1. 报告责任主体。有义务向食品药品监督管理部门报告食品安全事故的主体包括:发生可能与食品有关的急性群体性健康损害的单位、接收食品安全事故病人治疗的单位。质量监督、农业行政、卫生行政等部门在日常监督管理中发现食品安全事故或者接到事故举报的,应当立即向食品药品监督管理部门通报。根据《国家食品安全事故应急预案》的规定，食品生产经营者、食品安全相关技术机构、有关社会团体及个人也有报告义务。另外，事故信息来源还包括经核实的公众举报信息、经核实的媒体披露与报道信息、世界卫生组织等国际机构、其他国家和地区通报我国的信息，这些主体也可以报告食品安全事故。

2. 接收报告的部门。食品药品监督管理部门是食品生产经营活动监督管理机关，相关报告责任主体应当向事故发生地县级人民政府食品药品监督管理部门报告或者通报，由其统一汇总信息，按照应急预案进行处理。根据本条第 1 款规定，事故发生单位和接收病人进行治疗的单位，除向食品药品监督管理部门报告外，还要向卫生行政部门报告。

3. 行政机关内部逐级报告。事故发生地县级人民政府食品药品监督管理部门接到食品安全事故报告后，应当按照食品安全事故应急预案的规定向本级人民政府和上级食品药品监督管理部门报告。县级人民政府和上级人民政府食品药品监督管理部门应当按照应急预案的规定上报。根据《国家食品安全事故应急预案》的规定，必要时，可直接向国务院食品药品监督管理部门报告。

三、任何单位和个人不得对食品安全事故隐瞒、谎报、缓报，不得隐匿、伪造、毁灭有关证据

隐瞒是指明知食品安全事故的真实情况，故意不按照规定报告的行为。谎报是指明知食品安全事故的真实情况，故意编造虚假或者不真实的食品安全事故情况。缓报是指超过食品安全事故的报告时限，不按照规定的时限拖延报告的行为。隐瞒、谎报、缓报不同于一般的漏报，主要区别在于有无故意隐瞒食品安全事故的主观动机以及是否对食品安全事故知晓。隐瞒、谎报、缓报食品安全事故行为的危害性很大，不利于及时处置和危

害控制,不利于保护人民群众生命健康。2008 年问题奶粉事件由于在发现事故苗头和初始阶段,不报告、缓报告甚至搞所谓的“危机公关”,错失了有利时机,造成食品安全事故蔓延、损害扩大的惨痛教训。隐匿、伪造、毁灭有关证据不利于查清事实真相,也不利于追究相关责任人的法律责任。本法禁止任何单位或者个人有隐瞒、谎报、缓报,隐匿、伪造、毁灭有关证据的行为,并在第 142 条、第 144 规定了相应的法律责任。

第一百零四条　医疗机构发现其接收的病人属于食源性疾病病人或者疑似病人的,应当按照规定及时将相关信息向所在地县级人民政府卫生行政部门报告。县级人民政府卫生行政部门认为与食品安全有关的,应当及时通报同级食品药品监督管理部门。

县级以上人民政府卫生行政部门在调查处理传染病或者其他突发公共卫生事件中发现与食品安全相关的信息,应当及时通报同级食品药品监督管理部门。

【释义】　本条是关于医疗机构报告、卫生行政部门通报的规定。

本条是新增加的内容。

食源性疾病与食品安全关系密切,本法第 150 条规定:食源性疾病,指食品中致病因素进入人体引起的感染性、中毒性等疾病,包括食物中毒;食品安全事故,指食源性疾病、食品污染等源于食品,对人体健康有危害或者可能有危害的事故。实践中,食源性疾病可能是因为食品生产经营行为不当造成,也可能是因为个人误食引起的。食源性疾病很可能是发生食品安全事故的信号,属于涉及食品安全的重要信息,应当予以重视。本条规定了食源性疾病的报告制度,有利于及时采取措施,防止食品安全事故的发生和蔓延。

一、医疗机构的报告义务

医疗机构处在疾病治疗的第一线,掌握食源性疾病的第一手资料,属于重要的食品安全信息来源。长期以来,为了做好食品安全工作,卫生行政部门赋予了医疗机构报告食源性疾病信息的职责,要求医疗机构及时报告食源性疾病信息。本条明确了各级医疗机构都有报告义务;报告的内容是食源性疾病或者疑似食源性疾病信息;向所在地县级人民政府卫生行政部门报告;报告的时间和方式,根据有关规定执行。

二、卫生行政部门的通报义务

对与食品安全有关的信息,卫生行政部门有通报义务,及时向同级食品药品监督管理部门通报。这次修法,根据食品安全管理体制的调整,将分段管理模式改为统一监管模式,并将食品安全的监督管理职责赋予了食品药品监督管理部门,规定国务院食品药品监督管理部门依照本法和国务院规定的职责,对食品生产经营活动实施监督管理。国务院卫生行政部门依照本法和国务院规定的职责,组织开展食品安全风险监测和风险评估,制定并公布食品安全国家标准。同时,还规定食品药品监督管理部门和其他有关部门应当加强沟通、密切配合。卫生行政部门在其职责范围内,尤其是作为医疗机构的主管机关,了解和掌握第一手的食源性疾病信息和相关食品安全信息,做好通报工作,将这些食源性疾病信息和相关食品安全信息及时向食品药品监督管理部门通报,对做好食品安全工作很重要。卫生行政部门的通报信息来源有两方面:一是医疗机构报告的食源性疾病信息,二是在调查处理传染病或者其他突发公共卫生事件中发现与食品安全有关的信息。通报的对象是同级食品药品监督管理部门。

第一百零五条 县级以上人民政府食品药品监督管理部门接到食品安全事故的报告后,应当立即会同同级卫生行政、质量监督、农业行政等部门进行调查处理,并采取下列措施,防止或者减轻社会危害:

(一)开展应急救援工作,组织救治因食品安全事故导致人身伤害的人员;

(二)封存可能导致食品安全事故的食品及其原料,并立即进行检验;对确认属于被污染的食品及其原料,责令食品生产经营者依照本法第六十三条的规定召回或者停止经营;

(三)封存被污染的食品相关产品,并责令进行清洗消毒;

(四)做好信息发布工作,依法对食品安全事故及其处理情况进行发布,并对可能产生的危害加以解释、说明。

发生食品安全事故需要启动应急预案的,县级以上人民政府应当立即成立事故处置指挥机构,启动应急预案,依照前款和应急预案的规定进行处置。

发生食品安全事故,县级以上疾病预防控制机构应当对事故现场进行卫生处理,并对与事故有关的因素开展流行病学调查,有关部门应当予以协助。县级以上疾病预防控制机构应当向同级食品药品监督管理、卫生行政部门提交流行病学调查报告。

【释义】 本条是关于食品安全事故发生后应当采取相应措施的规定。

本条将原法第72条与第74条合并后作了修改,这次修法涉及食品安全管理体制的调整,本条根据调整后的食品安全管理体制作了修改,将牵头单位由卫生行政部门调整为食品药品监督管理部门。

食品安全事故是指食源性疾病、食品污染等源于食品,对人体健康有危害或者可能有危害的事故。为了控制事故范围,防止和减轻社会危害,需要行政管理部门快速反应,对事故进行调查处理,并应当采取相应的行政处理措施。

一、实施主体

考虑到食品安全事故涉及面广,需要多部门协同应对,因此本条规定,县级以上人民政府食品药品监督管理部门接到报告并初步确认为食品安全事故后,应当立即牵头会同本级人民政府卫生行政部门、质量监督、农业行政等部门开展调查处理,并采取相应的行政处理措施。

二、行政处理措施内容

本条规定了四项措施:

第一,开展应急救援工作,对因食品安全事故导致人身伤害的人员,卫生行政部门应当立即组织救治。生命无价,在处理食品安全事故中应当把救治放在首位,尽量减少人员伤亡。对在食品安全事故中受伤的人员,卫生行政部门有义务立即组织救治,不得以任何理由加以拒绝。这既是卫生行政部门的一种法定义务,更是体现了以人为本的执政理念。

第二,封存可能导致食品安全事故的食品及其原料,并立即进行检验;对确认属于被污染的食品及其原料,责令食品生产经营者依法予以召回、停止经营。通过对涉嫌事故的食品及原料的封存和检验,找到食品安全事故的原因。一旦食品及原料被确认为被污染,应当责令食品生产企业召回,责令食品经营企业停止经营,并对该食品及原料予以无害化处理、销毁等。另外,根据本法第 94 条第 3 款的规定,发现进口食品不符合我国食品安全国家标准或者有证据证明可能危害人体健康的,进口商应当立即停止进口,并依法实施召回。

第三,封存被污染的用于食品的包装材料、容器,以及用于食品生产经营的工具、设备等食品相关产品,并责令进行清洗消毒。通过对被污染的食品相关产品加以封存,可以有效防止食品生产经营企业继续生产、经营被污染的食品,企业必须在对食品相关产品进行彻底清洗消毒,消除污染后,才可继续使用。封存措施是一项较为严厉的行政措施,应当依法实施。

第四,做好信息发布工作。食品安全事故危及公众的,影响到不特定多数人的健康和生命安全,社会关注度比较大。一旦发生食品安全事故,如果信息不实、不畅,容易引起社会恐慌。因此食品药品监督管理部门要做好信息发布工作,一方面要统一、全面公布食品安全事故的情况,调查处理工作的进展,防止社会的猜疑和误解;另一方面要普及食品安全知识,对可能产生的危害加以解释、说明,以消除公众的不安。

三、发生食品安全事故需要启动应急预案,应当采取的行政处置措施

食品安全事故实行分级处理原则。根据事故危害性程度、涉及人群范围、后果大小等因素,食品安全事故从大类上分为应当启动应急预案和不需启动应急预案的食品安全事故。同时,根据国家食品安全事故应急预案规定,应当启动应急预案的食品安全事故分四级,即特别重大食品安全事故、重大食品安全事故、较大食品安全事故和一般食品安全事故。事故等级的评估核定,由相关部门依照有关规定进行。

根据《国家食品安全事故应急预案》规定,需要启动应急预案的食品安全事故,事故发生地的相应级别的人民政府应当立即成立事故处置组织指挥机构,可以采取除本条规定的四项行政处理措施外,还可以根据应急预案的规定采取处置措施,如对涉嫌犯罪的,公安机关及时介入,开展相关违法犯罪行为侦破工

作;及时组织研判事故发展态势,并向事故可能蔓延到的地方人民政府通报信息,提醒做好应对准备,事故可能影响到国(境)外时,及时协调有关涉外部门做好相关通报工作等。

四、疾病预防控制机构承担的义务

疾病预防控制机构是法定的从事疾病预防控制工作的公益性事业单位,专门开展疾病预防控制、公共卫生技术管理和服务等技术支持工作。发生食品安全事故后,需要疾病预防控制机构提供相应技术支持,来协助相关部门,对事故现场进行卫生处理,并对与食品安全事故有关的因素开展流行病学调查,便于消除事故危害、查清事故原因。“对事故现场进行卫生处理”主要是按照食品安全事故处理的有关规定和工作流程,对食品安全事故现场的清洗消毒,对有关物品的无害化处置,采集生物样品、可疑中毒食品及其原料、相关物品样品等。“开展流行病学调查”,指对人群中疾病或者健康状况的分布及其决定因素进行调查研究,提出预防疾病预防控制措施及保健对策。即通过查明传染源、传播途径、易感者三个环节,采取相应的预防控制措施,防止二代病例的发生。

疾病预防控制机构在进行流行医学调查后,应当向本级人民政府食品药品监督管理机构、卫生行政部门提交流行病学调查报告。流行病学调查是判定食物中毒、食源性疾病等食品安全事故的重要技术依据之一,也是公认的食品安全事故调查不可或缺的科学方法。食品安全事故的流行病学调查为食品安全事故的责任认定提供科学依据。

第一百零六条　发生食品安全事故,设区的市级以上人民政府食品药品监督管理部门应当立即会同有关部门进行事故责任调查,督促有关部门履行职责,向本级人民政府和上一级人民

政府食品药品监督管理部门提出事故责任调查处理报告。

涉及两个以上省、自治区、直辖市的重大食品安全事故由国务院食品药品监督管理部门依照前款规定组织事故责任调查。

【释义】 本条是有关食品安全事故责任调查的规定。

本条对原法第73条作了修改,这次修法涉及食品安全管理体制的调整,本条根据调整后的食品安全管理体制作了修改,将牵头单位由卫生行政部门调整为食品药品监督管理部门。

发生重大食品安全事故后,应当开展食品安全事故责任调查工作,查清事故原因,分清事故责任,这既是为了吸取事故教训,防止类似事故发生,也是为了惩戒有关责任人。

一、开展食品安全事故责任调查的主体

本条规定,开展食品安全事故责任调查的牵头部门为食品药品监督管理部门。为了保证事故责任调查工作更为公正、权威,食品药品监督管理部门应当会同其他有关部门共同进行事故责任调查,如行政监察部门、公安机关等。为了减小事故责任调查工作的阻力,进一步保证调查工作的公正性,本条还适当提高了调查机关层级,规定由设区的市级以上人民政府食品药品监督管理部门进行事故责任调查。

随着食品安全管理体制的调整,由分段管理模式改为统一监管模式,相应的食品安全事故责任调查模式也有所改变。原法规定卫生行政部门是食品安全综合协调部门,有权组织查处食品安全重大事故,质量监督、工商行政管理、食品药品监督管理等部门分工负责监管职责范围内的调查处理,依法采取控制措施、查处违法行为,提出职责范围内的调查报告和处理意见。在现行管理体制和本法中,食品安全监管职责已经集中,应当由食品药品监督管理部门会同有关部门进行调查处理,提出事故责任调查处理报告。

另外，如果重大食品安全事故涉及两个以上省、自治区、直辖市的，由国务院食品药品监督管理部门组织事故责任调查。这主要考虑到涉及两个以上省、自治区、直辖市的食品安全事故，不好确定由哪个省的食品药品监督管理部门进行事故责任调查，社会影响也相对大，更适合由中央层面的监管部门进行责任调查。

二、开展食品安全事故责任调查的时间

考虑到被污染食品、原料、食品相关产品不易保存或者容易被毁灭，事故责任调查与事故应急处理应当同步进行，边报告、边调查、边处置，尽快查明事故原因。一旦发生食品安全事故，就应当立即组织人员进行事故责任调查。对于调查报告的出具也应当有时间限制。

三、开展食品安全事故责任调查的内容

食品安全事故责任调查应当查清事故发生原因、人员伤亡和经济损失等情况，查明事故性质，分析事故责任和影响因素，提出防范措施和对事故责任人的处理意见。这里事故责任人不仅包括食品生产经营者，还包括没有依法履行监管职责的行政机关等单位及其工作人员。事故责任调查处理报告应当向本级人民政府和上一级人民政府食品药品监督管理部门提出。

第一百零七条　调查食品安全事故，应当坚持实事求是、尊重科学的原则，及时、准确查清事故性质和原因，认定事故责任，提出整改措施。

调查食品安全事故，除了查明事故单位的责任，还应当查明有关监督管理部门、食品检验机构、认证机构及其工作人员的责任。

【释义】　本条是关于调查食品安全事故原则、主要任务的规定。

本条是对原法第75条的修改，增加了调查食品安全事故的原则和主要任务，以及将事故责任承担者的范围扩大至食品检验机构及其工作人员。

一、调查食品安全事故原则

调查食品安全事故，应当遵循实事求是、遵循科学的原则。"实事求是"，是指要根据客观存在的情况和证据，研究与事故发生的有关事实，寻求事故发生的原因。在事故调查过程中，必须客观全面、彻底查清食品安全事故的原因，不得夸大事故事实或者缩小事故事实，不得弄虚作假。要从实际出发，在查明事故原因的基础上认定事故责任。提出处理意见要实事求是，不得从主观出发，不能感情用事，要根据事故责任划分，按照法律、法规和国家有关规定对事故责任人提出处理意见。"遵循科学"，是指事故调查要尊重事故发生的客观规律，采取科学的方法，认真、细致、全面地获取、分析事故调查收集的每一份证据、材料。食品安全事故的调查处理具有很强的科学性和技术性，特别是事故原因的调查，往往需要作很多技术上的分析和研究，利用很多技术手段。事故调查应当有科学的态度，不主观臆想，不轻易下结论，努力做到客观、公正；要注意充分发挥专家和技术人员的作用，把对事故原因的查明、事故责任的认定建立在科学的基础上。

二、调查食品安全事故的主要任务

调查食品安全事故主要有三项任务：及时、准确查清事故性质和原因，认定事故责任，提出整改措施。

1. 及时、准确查清事故性质和原因。查清事故发生的经过和原因，是事故调查处理的首要任务和内容，也是进一步认定事故性质，分清事故责任，出具处理意见的基础。事故原因的调查离不开对事故发生经过的调查,深入分析以下方面:事故发生的经过、健康损害情况;食品原料、食品生产加工过程、工艺流程,生产经营场所环境卫生、从业人员健康和卫生状况等可能影响食品安全的相关因素,判定导致事故发生的原因;事故单位在食品生产经营过程中食品安全管理情况及遵守相关法律法规、制度规范操作规程的情况;食品安全监管部门对事故单位许可和监管情况,查明事故中监管部门工作人员的履职情况;检验机构、认证机构,对事故单位认证、评价、检验检测情况,查明有关机构工作人员是否存在失职、渎职情况等。食品安全事故责任调查处理报告应当包括:事故单位概况;导致事故的食品名称、来源、数量、流向;事故发生经过和事故应急处置情况;事故造成的健康损害、死亡情况;事故发生的主要原因;流行病学调查及相关检测、诊断和鉴定结果等。

事故性质是指事故是人为事故还是非人为事故,是意外事故还是责任事故。查明事故性质是认定事故责任的基础和前提。如果事故纯属非人为事故或者意外事故,不需要认定事故责任。如果事故属于人为事故或者责任事故,就应当查明哪些人员对事故负有责任。

2. 认定事故责任。事故责任有直接责任,也有间接责任;有主要责任,也有次要责任。事故责任认定,根据事故调查所确认的事实,通过对直接原因和间接原因的分析,确定事故中的直接责任者、主要责任者和领导责任者。一般而言,直接责任者是指其行为与事故发生有直接因果关系的人员;主要责任者是指对事故发生负有主要责任的人员;领导责任者是指对事故发生负有领导责任的人员。结合对事故责任的认定,对事故责任人分别提出不同的处理建议,使有关责任人受到相应的处理。

3. 提出整改措施。通过查明事故经过和原因,发现食品生产经营和监管过程中的漏洞,从事故中总结教训,并提出整改措施,防止类似事故再次发生,这是事故调查处理的重要任务,也是事故调查处理的最终目的。

三、事故责任承担者的范围

食品安全事故的发生,原因是复杂、多样的,可能是因为食品生产经营企业铤而走险、违法生产经营,也可能是因为制度不完善、执法不到位。在调查食品安全事故时,不能只是调查食品生产经营企业的责任,还要从完善制度的角度出发,查清楚食品监督管理制度的漏洞、监督管理权的运行状况,明确食品安全监督管理部门、食品检验机构、认证机构及其工作人员的责任。因此,本条将食品安全事故责任者范围予以扩大,规定除了查明事故单位的责任,还要查明有关监督管理部门、食品检验机构、认证机构及其工作人员的责任。

第一百零八条　食品安全事故调查部门有权向有关单位和个人了解与事故有关的情况,并要求提供相关资料和样品。有关单位和个人应当予以配合,按照要求提供相关资料和样品,不得拒绝。

任何单位和个人不得阻挠、干涉食品安全事故的调查处理。

【释义】　本条是关于食品安全事故调查中调查权和配合义务的规定。

本条是本次修改新增加的内容。

为了保障食品安全事故调查的及时、有效开展,本法赋予了食品安全事故调查部门相应的调查权,被调查的单位和个人有配合调查的义务,同时任何单位和个人不得阻挠、干涉调查。

一、调查权

食品安全事故发生后,应当组成调查组进行事故责任调查。

事故调查组一般在同级人民政府领导下，由食品药品监督管理部门牵头，监察机关、公安机关以及有关部门参加。食品安全事故调查需要深入分析事故发生的经过，相关人员健康损害情况，食品原料、食品生产加工过程、工艺流程，生产经营场所环境卫生、从业人员健康和卫生状况等可能影响食品安全的相关因素，事故单位在食品生产经营过程中食品安全管理情况及遵守相关法律法规、制度规范操作规程的情况；食品安全监管部门对事故单位许可和监管情况，查明事故中监管部门工作人员的履职情况；检验机构、认证机构，对事故单位认证、评价、检验检测情况，查明有关机构工作人员是否存在失职、渎职情况等。因此，食品安全事故调查部门有权向事故单位、有关监督管理单位、食品检验机构、认证机构及其工作人员了解与事故有关的情况，并要求其提供相关资料和样品。提供样品，应当是免费的。这不同于日常食品安全风险监测和日常监管时食品检验中样品需要购买的规定。本法第 15 条规定开展日常食品安全风险监测，采集样品的，应当按照市场价格支付费用。本法第 87 条规定，食品药品监督管理部门对食品进行定期或者不定期的抽样检验时，应当购买抽取的样品。

二、配合义务以及不得阻挠、干涉调查义务

对食品安全事故进行调查处理，是严格执法、做好食品安全工作的重要方面。通过食品安全事故调查处理，查清事故发生原因和事故性质，找到食品安全管理存在的问题，可以更有针对性地采取措施，教育有关人员从中吸取教训，增强食品安全意识和执行食品安全法律、法规的观念。为了保证食品安全事故调查的顺利开展，被调查单位和个人有配合调查的义务，任何单位和个人不得阻挠、干涉事故调查。具体而言，对于食品安全事故调查部门的调查，被调查单位和个人应当按照要求提供相关资料和样品，不得拒绝提供。相关地方人民政府、政府有关部门及其工作人员以及其他任何单位和个人，都不得阻挠和干涉对食品安全事故的依法调查。如果违反了配合义务，或者阻挠、干涉了事故调查，需要承担法律责任。本法第 133 条规定，违反本法规定，拒绝、阻挠、干涉有关部门、机构及其工作人员依法开展食品安全事故调查处理的，由有关主管部门按照各自职责分工责令停产停业，并处罚款；情节严重的，吊销许可证；构成违反治安管理行为的，由公安机关依法给予治安管理处罚。

第八章　监 督 管 理

第一百零九条　县级以上人民政府食品药品监督管理、质量监督部门根据食品安全风险监测、风险评估结果和食品安全状况等，确定监督管理的重点、方式和频次，实施风险分级管理。

县级以上地方人民政府组织本级食品药品监督管理、质量监督、农业行政等部门制定本行政区域的食品安全年度监督管理计划，向社会公布并组织实施。

食品安全年度监督管理计划应当将下列事项作为监督管理的重点：

（一）专供婴幼儿和其他特定人群的主辅食品；

（二）保健食品生产过程中的添加行为和按照注册或者备案的技术要求组织生产的情况，保健食品标签、说明书以及宣传材料中有关功能宣传的情况；

（三）发生食品安全事故风险较高的食品生产经营者；

（四）食品安全风险监测结果表明可能存在食品安全隐患的事项。

【释义】　本条是关于食品安全风险分级管理和食品安全年度监督管理计划的规定。

本条是对原法第 76 条的修改。第 1 款增加了实施食品安全风险分级管理的规定；第 2 款在原法制定并组织实施食品安全年度监督管理计划规定的基础上，增加了“向社会公布”的要求；第 3 款增加了有关食品安全年度监督管理计划重点内容的规定。

一、实施食品安全风险分级管理

食品安全风险分析是国际上公认的实现食品安全科学管理的有效手段,通过风险评估、风险管理和风险交流三个步骤能够最大限度地降低食品安全风险。食品安全风险管理作为食品安全风险分析方法的核心步骤,应当体现食品安全风险监测、风险评估和风险交流的作用,努力追求实现食品安全管理工作的科学高效。

鉴于我国严峻的食品安全形势,应当如何科学、高效地利用好有限的监管资源,成为立法研究过程中的一个重要问题。欧盟、日本等在食品安全风险管理方面的一条重要经验就是综合运用食品安全风险分析方法,实施食品安全风险分级管理;以食品安全风险评估结果等为依据,对于高风险食品实行严格监管,对于高风险企业增加监督检查频次。目前,我国食品药品监督管理部门也正在探索完善食品安全风险分级管理,以达到合理分配监管资源的目的。例如,一些地方为提高食品安全监管工作效率,颁布了《食品生产企业风险分级监管指导意见》,综合食品种类、企业管理水平、诚信记录三要素,确定每家食品生产企业的风险等级,并依据风险等级重点排查隐患,明确监督检查频次及重点内容,实施针对性分级监管。为了实现科学高效的监管,在法律中有必要规定县级以上人民政府食品药品监督管理、质量监督部门,根据食品安全风险监测、风险评估结果和食品安全状况等,确定食品安全监督管理的重点、方式和频次,实施食品安全风险分级管理。

需要说明的是,本条中的食品安全风险分级管理,并不是指中央和地方政府之间的分级管理,因为食品安全监管主要是县级以上地方政府及其有关部门的责任。食品安全风险分级管理是指根据食品安全风险等级等实际情况，科学确定食品安全监督管理的重点、方式和频次。

二、制定、公布和组织实施食品安全年度监督管理计划

食品安全监督管理涉及监管部门较多，食品药品监督管理、质量监督、农业行政等部门，分别承担食品和食品添加剂、食品相关产品、食用农产品生产环节等的监督管理职责。为实现食品安全的全程监管和各监管部门之间的无缝衔接，有必要规定县级以上地方人民政府负责组织本级食品药品监督管理、质量监督、农业行政等部门制定本行政区域的食品安全年度监督管理计划。

年度监督管理计划是监管部门年度监管的重要指导文件。制定全面系统可行的食品安全年度监督管理计划统领年度监管工作，并以此作为年度监督管理工作的重心，作为年度评估监管绩效的标准，有利于提高食品安全监管工作的效率。为了充分发挥年度监督管理计划的指导和规范作用，新法还进一步增加规定，食品安全年度监督管理计划应当向社会公布，以更好地促使监管部门在公众监督的压力下做好食品安全监管工作。

三、食品安全年度监督管理计划的法定重点内容

食品安全年度监督管理计划应当全面、具体，具有可操作性，为此就需要合理安排监管资源，科学确定监督管理重点。与第 1 款规定实施风险分级管理的精神相一致，新法在修改过程中根据食品安全风险程度和人民群众反映的食品安全状况，将以下四项内容确定为食品安全年度监督管理计划的监管重点：

（一）专供婴幼儿和其他特定人群的主辅食品。2009 年《食品安全法实施条例》第 47 条也曾经规定，“县级以上地方人民政府制定的食品安全年度监督管理计划，应当包含食品抽样检验的内容。对专供婴幼儿、老年人、病人等特定人群的主辅食

品,应当重点加强抽样检验”。本法进一步将婴幼儿用配方食品和特殊医学用途食品等专供婴幼儿和其他特定人群的主辅食品,作为“特殊食品”规定,依法应当实行严格监督管理。

(二)保健食品生产过程中的添加行为和按照注册或者备案的技术要求组织生产的情况,保健食品标签、说明书以及宣传材料中有关功能宣传的情况。保健食品作为本法规定的“特殊食品”,食品安全风险程度较高,也应当依法实行严格监督管理。为了制定更加具体可操作的食品安全年度监督管理计划,本项规定还进一步细化指出了保健食品容易出现食品安全风险或者损害消费者权益的关键点,依法应当对本项规定的内容重点监管。

(三)发生食品安全事故风险较高的食品生产经营者。随着第1款中规定的食品安全风险分级管理的实施,县级以上人民政府食品药品监督管理、质量监督部门应当根据食品安全风险监测、评估结果和发生食品安全事故的历史状况等,确定哪些属于发生食品安全事故风险较高的食品生产经营者,并对其实行重点监督管理。

(四)食品安全风险监测结果表明可能存在食品安全隐患的事项。本项规定突出了第1款中规定的食品安全风险监测结果可以作为确定食品安全年度监督管理计划重点的科学依据作用。只要是通过食品安全风险监测表明可能存在食品安全隐患的事项,监管部门就应当本着未雨绸缪的预防原则,及时将其列为食品安全年度监督管理计划的重点。

第一百一十条　县级以上人民政府食品药品监督管理、质量监督部门履行各自食品安全监督管理职责,有权采取下列措施,对生产经营者遵守本法的情况进行监督检查:

（一）进入生产经营场所实施现场检查；

（二）对生产经营的食品、食品添加剂、食品相关产品进行抽样检验；

（三）查阅、复制有关合同、票据、账簿以及其他有关资料；

（四）查封、扣押有证据证明不符合食品安全标准或者有证据证明存在安全隐患以及用于违法生产经营的食品、食品添加剂、食品相关产品；

（五）查封违法从事生产经营活动的场所。

【释义】 本条是关于食品安全监督检查措施的规定。

本条是对原法第 77 条的修改。依据部门监管职责的调整，原法第 1 款规定的监管主体有所变化，并增加“对生产经营者遵守本法的情况进行监督检查”的规定。此外，依据新法确立的食用农产品分段监管职责，删除了原法第 77 条第 2 款的规定。

一、关于食品安全监督检查措施

本条第 1 款规定了县级以上人民政府食品药品监督管理、质量监督部门履行各自食品安全监督管理职责，对生产经营者遵守本法的情况进行监督检查时可以采取的监督检查措施。从功能和性质上划分，本条中的“监督检查措施”可以分为行政检查措施和行政强制措施。本条规定的五项监督检查措施中，“进入生产经营场所实施现场检查”，“对生产经营的食品、食品添加剂、食品相关产品进行抽样检验”和“查阅、复制有关合同、票据、账簿以及其他有关资料”属于行政检查措施；“查封、扣押有证据证明不符合食品安全标准或者有证据证明存在安全隐患以及用于违法生产经营的食品、食品添加剂、食品相关产品”和“查封违法从事生产经营活动的场所”属于行政强制措施。

行政强制法已于 2011 年 6 月 30 日颁布，自 2012 年 1 月 1

日起实施。行政强制措施,是指行政机关在行政管理过程中,为制止违法行为、防止证据损毁、避免危害发生、控制危险扩大等情形,依法对公民的人身自由实施暂时性限制,或者对公民、法人或者其他组织的财物实施暂时性控制的行为。行政强制措施的本质特征是具有强制性。本法对食品安全监管部门可以采取的行政强制措施作出规定,一方面是对行政主体行使强制权的确认和保障,使其能够依法积极防止和查处食品安全违法行为,保护公众的人身财产安全以及社会公共利益等;另一方面也是对食品安全监管部门行使强制权的规范和制约,避免行政强制措施的滥用对食品生产经营者的合法权益造成侵害。食品安全监管部门进行监督检查采取行政强制措施时,必须具有法律规定的主体资格,遵循法定程序,对违法实施行政强制措施造成相对人损害的及时予以法律救济。

依据本条规定,有权采取食品安全监督检查措施的主体是县级以上食品药品监督管理、质量监督部门。县级以上食品药品监督管理、质量监督部门,虽然都有权采取本条规定的监督管理措施,但各自履行监督管理职责的对象却是不同的,其中食品药品监督管理部门依法对食品、食品添加剂生产经营活动(包括进入市场流通的食用农产品),质量监督部门依法对食品相关产品实施监督管理。

二、具体监督检查措施

为保证食品安全监督管理的效果,本法规定县级以上食品药品监督管理、质量监督部门,在履行各自食品安全监督管理职责时,有权采取下列措施对生产经营者遵守本法的情况进行监督检查:

(一)现场检查

县级以上食品药品监督管理、质量监督部门有权进入生产经营场所实施现场检查，对生产经营者是否按照本法要求进行生产经营活动，如是否具有相应的生产经营设备设施，是否生产经营法律法规禁止生产经营的食品、食品添加剂、食品相关产品，以及食品原料、食品添加剂的使用情况等进行检查。进入食品生产经营场所进行现场检查，是对生产经营过程进行监督检查，有利于食品安全问题的早预防、早发现、早整治、早解决，防止发生食品安全事故。实践中有些企业以各种理由拒绝食品安全监督管理部门进入现场进行检查，甚至暴力抗法事件也时有发生。因此，法律明确规定县级以上食品药品监督管理、质量监督部门有权进入生产经营现场进行检查，被检查单位不得拒绝、阻挠。否则，可以依照治安管理处罚法的有关规定给予治安管理处罚；构成犯罪的，可以依照刑法的有关规定追究刑事责任。但另一方面，食品安全监督管理部门进入生产经营场所，也应当遵循一定的程序，避免影响生产经营者合法、正常的生产经营活动。

（二）抽样检验

县级以上食品药品监督管理、质量监督部门有权对生产经营的食品、食品添加剂、食品相关产品进行抽样检验。抽样检验是指借助数理统计和概率论的基本原理，从成批的食品、食品添加剂、食品相关产品中随机抽取部分样本进行检验，根据对样本的检验结果，判断食品、食品添加剂、食品相关产品是否合格的方法。从实际来看，由于食品安全监管部门人力、物力和财力的限制以及食品安全监管范围的广泛性，抽样检验是提高行政效率，对食品安全进行监督检查的一种科学方法和主要方式。食品安全监管部门进行抽样检验时必须遵循本法对抽样检验作出的明确规定，例如第 87 条规定，“进行抽样检验，应当购买抽取的样品，委托符合本法规定的食品检验机构进行检验，并支付相关费用;不得向食品生产经营者收取检验费和其他费用”。

(三)查阅、复制有关资料

县级以上食品药品监督管理、质量监督部门进行食品安全监督管理,有权查阅、复制与食品安全有关的合同、票据、账簿以及其他有关资料。“查阅、复制有关合同、票据、账簿以及其他有关资料”,主要是指查阅、复制与食品安全有关的资料,如食品生产经营者的生产、销售或者餐饮服务许可证,食品生产经营人员的健康证明,食品生产企业的进货查验记录、出厂检验记录等。查阅、复制有关资料,是保证县级以上食品药品监督管理、质量监督部门依法履行食品安全监督检查职责,查清违法事实,获取书证的重要手段,被检查的单位或者个人必须如实提供,不得拒绝、转移、销毁有关文件和资料,不得提供虚假的文件和资料。同时,执行该项措施的食品安全监督管理部门,不得滥用该项权力,查阅、复制与食品安全监督检查无关的信息,并且应当依法对因此获知的信息进行保密,非因法定原因,不得泄露。

(四)查封、扣押有关物品

县级以上食品药品监督管理、质量监督部门进行食品安全监督管理,有权查封、扣押有证据证明不符合食品安全标准或者有证据证明存在安全隐患以及用于违法生产经营的食品、食品添加剂、食品相关产品。“查封”是指食品安全监督管理部门以张贴封条或其他必要措施,将有证据证明不符合食品安全标准或者有证据证明存在安全隐患以及用于违法生产经营的食品、食品添加剂、食品相关产品封存起来,未经查封部门许可,任何单位和个人不得启封、动用。“扣押”是指食品安全监督管理部门将上述物品等运到另外的场所予以扣留。查封、扣押有关物品是比较严厉的行政强制措施,县级以上食品药品监督管理、质量监督部门在进行查封、扣押时应当符合法定条件,遵循法定程序，妥善行使行政强制权。

（五）查封违法从事生产经营活动的场所

县级以上食品药品监督管理、质量监督部门进行食品安全监督检查时，有权对违法从事食品生产经营活动的场所进行查封。规定此项强制措施的目的，一是可以方便调查取证，为进一步处罚和遏制违法生产经营不安全食品行为保留现场证据；二是可以在责令停产停业、吊销许可证等正式行政处罚作出之前防止违法生产经营行为继续进行。

第一百一十一条　对食品安全风险评估结果证明食品存在安全隐患，需要制定、修订食品安全标准的，在制定、修订食品安全标准前，国务院卫生行政部门应当及时会同国务院有关部门规定食品中有害物质的临时限量值和临时检验方法，作为生产经营和监督管理的依据。

【释义】　本条是关于有害物质的临时限量值和临时检验方法的规定。

本条是新增加的规定。主要是基于发生食品安全事故等紧急状况下生产经营和稽查执法的需要，要求卫生行政部门及时会同有关部门规定有害物质的临时限量值和临时检验方法，作为生产经营和监督管理的依据。

2008 年 9 月河北三鹿为代表的问题奶粉事件爆发以后，由于当时的食品（乳品）安全检测标准中并不涉及三聚氰胺，为了给监督检测提供应急的执法依据，10 月 7 日原卫生部、工业和信息化部、农业部、国家工商总局、国家质检总局联合发布了关于乳制品及含乳食品中三聚氰胺临时管理限量值规定的公告。公告首先声明，三聚氰胺不是食品原料，也不是食品添加剂，禁止人为添加到食品中。但是由于资料表明，三聚氰胺作为化工原料可能从环境、食品包装材料等途径少量进入到食品中。为了确保乳品质量安全，规定婴幼儿配方乳粉中三聚氰胺的限量值为1mg/kg，高于1mg/kg的产品一律不得销售；液态奶（包括原料乳）、奶粉、其他配方乳粉中三聚氰胺的限量值为2.5mg/kg，高于2.5mg/kg的产品一律不得销售；含乳15%以上的其他食品中三聚氰胺的限量值为2.5mg/kg，高于2.5mg/kg的产品一律不得销售。2010年4月，经过科学论证和食品安全国家标准审评委员会审查，卫生部公布了《生乳》（GB19301－2010）等66项新乳品安全国家标准。新的乳品安全国家标准包括乳品产品标准15项、生产规范2项、检验方法标准49项。

2011年6月，台湾发生在饮料中人为添加高剂量塑化剂事件，为防范类似风险，《卫生部办公厅关于通报食品及食品添加剂邻苯二甲酸酯类物质最大残留量的函》（551号文件）规定，食品、食品添加剂中的邻苯二甲酸二（α—乙基已脂）（DEHP）、邻苯二甲酸二异壬酯（DINP）和邻苯二甲酸二正丁酯（DBP）最大残留量分别为1.5mg/kg、9.0mg/kg和0.3mg/kg。2012年10月酒鬼酒被曝塑化剂严重超标，比原卫生部551号文件规定的限量值超标达260%。随后中国酒业协会通过对全国白酒产品大量而全面的检测，认定我国白酒产品中基本上都含有塑化剂成分，其中高档白酒含量较高，低档白酒含量较低。但是经过科学分析，我国白酒行业在技术上没有人为添加塑化剂的必要，污染源头主要来源于企业使用的塑料输酒管道。在政府指导下白酒企业已陆续完成塑料输酒管道的更换，塑化剂风险得到有效控制。但当时问题的焦点在于原卫生部551号文件规定的限量值是否是等同于食品安全标准，监管部门能否以此为据进行监督管理和处罚。

三聚氰胺、塑化剂等事件说明，对于随时可能爆发的未知风险，在缺乏食品安全标准或者卫生行政部门不能及时修订食品安全标准时，食品生产经营者和食品安全监管部门仍然需要有食品中有害物质的临时限量值和临时检验方法，作为生产经营和监督管理的依据。本条规定的主要意义在于要求国务院卫生行政部门应当及时会同国务院食品药品监督管理、农业行政等有关部门，规定食品中有害物质的临时限量值和临时检验方法，在未知风险爆发的紧急情况下为生产经营和监督管理提供临时性的依据。

关于临时限量值和临时检验方法，需要注意两个问题：一是必要性。食品安全风险评估结果证明存在食品安全隐患，需要制定、修订食品安全标准，但标准的制定和修订需要较长时间，因而确有必要及时规定临时限量值和临时检验方法。二是临时性。食品中有害物质的临时限量值和临时检验方法作为生产经营和监督管理的依据，因其应急性特点往往会有不够科学的缺陷，因而其性质或效力应当是临时性的，事后应当尽快经过科学评估和论证制定、修订食品安全标准，以取代临时限量值和临时检验方法。

第一百一十二条 县级以上人民政府食品药品监督管理部门在食品安全监督管理工作中可以采用国家规定的快速检测方法对食品进行抽查检测。

对抽查检测结果表明可能不符合食品安全标准的食品，应当依照本法第八十七条的规定进行检验。抽查检测结果确定有关食品不符合食品安全标准的，可以作为行政处罚的依据。

【释义】 本条是关于快速检测的规定。

本条是新增加的规定。主要目的是适应我国食品安全监管需要，规范快速检测，明确快速检测的法律效力。

一、关于食品安全快速检测方法

食品安全检测的技术和方法是保障食品安全的重要技术支撑。现阶段,我国农业生产仍以小农户分散经营为主,食品生产主体90%以上都是小微企业,大型分析仪器难以满足田间地头、生产基地、超市、批发市场、进出口口岸的快速检测要求,因此发展低成本、便携的快速检测技术和方法在我国具有特殊意义。食品安全法修订之际,有必要从法律层面肯定快速检测技术和方法,明确采取快速检测方法得出的抽查检测结果的法律效力。

食品安全快速检测方法是一个约定俗成的概念,意指具有快速、简便、灵敏等特点,能够在短时间内制备样品并出具食品安全初步筛查结果的检测手段。所谓快速检测方法,首要目的是能缩短检测时间,以及在样品制备、实验准备、操作过程和自动化上采用简化的方法,表现为:使用较少的试剂,简化实验准备过程;使用高效快速的样品处理方式,样品经简单处理后即可测试;使用简单、快速和准确的分析方法,能对处理好的样品在很短时间内测试出结果。从广义上讲,能将原有检测时间缩短的都可以称为快速检测方法,但从严格意义上讲,快速检测方法与常规方法相比,应具有明显的简洁性、经济性与便携性。当前比较常用的食品安全快速检测方法主要有快速检验纸片法、免疫学技术、分子生物学检测方法等。

需要注意的是,本条规定的食品安全"快速检测方法"必须是国家规定的快速检测方法,以保障食品安全监督执法中快速检测工作的科学与公正。例如,依据2011年6月30日国家食品药品监督管理局印发的《餐饮服务食品安全快速检测方法认定管理办法》,认定餐饮服务食品安全快速检测方法应当遵循一定程序,采取审评专家主审负责制进行技术审评,坚持科学严谨、公开透明和公正高效的原则。

二、食品安全快速检测方法的法律效力

快速检测方法得出的抽查检测结果虽然能够简单快捷地得出是否符合食品安全标准的结论，但并不能保证百分百的科学、准确。采用快速检测方法进行抽检有两种可能性：一是结果确定的，应当可以作为行政处罚的依据；二是结果不够确定的，出于风险预防原则可以暂时采取扣押等行政强制措施，但不能作为行政处罚的依据。随着快速检测技术和方法的发展，快速检测方法得出的抽查检测结果越来越准确，尤其是在定性方面能够得出确定结果的，如果不承认其法律效力就会造成检验检测资源的浪费和执法效率的降低。因此本法规定，对抽查检测结果表明可能不符合食品安全标准的食品，因为结果不够确定不能作为行政处罚的依据，应当依照本法第 87 条的规定进行检验。对于抽查检测结果确定有关食品不符合食品安全标准的，可以作为行政处罚的依据。被抽查当事人对抽查检测结果如有异议，应当视为“对依照本法规定实施的检验结论有异议”，依照本法第 88 条的规定申请复检。对于快速检测方法得出的检测结果能够确定不符合食品安全标准的，直接申请复检，减少了一个检验环节，有利于节约执法成本。需要注意，一般情况下，食品生产经营者应当自收到检验结论之日起 7 个工作日内向实施抽样检验的食品药品监督管理部门或者其上一级食品药品监督管理部门提出复检申请。但是对于食用农产品，考虑食用农产品许多属于鲜活易腐产品，存在运输保管难、储存难的问题，对食用农产品的快速抽查检测结果有异议的，应当自收到检测结果时起 4 小时内申请复检。

第一百一十三条　县级以上人民政府食品药品监督管理部门应当建立食品生产经营者食品安全信用档案，记录许可颁发、日常监督检查结果、违法行为查处等情况，依法向社会公布并实时更新；对有不良信用记录的食品生产经营者增加监督检查频次，对违法行为情节严重的食品生产经营者，可以通报投资主管部门、证券监督管理机构和有关的金融机构。

【释义】　本条是关于食品安全信用档案的规定。

本条是对原法第79条的修改，主要变化是规定由负责综合监管的食品药品监督管理部门建立食品生产经营者食品安全信用档案，并增加规定主管部门对违法行为情节严重的食品生产经营者，可以通报投资主管部门、证券监督管理机构和有关的金融机构。

一、食品安全信用档案的建立

党的十八届四中全会决定提出，要加强社会诚信建设，健全公民和组织守法信用记录，完善守法诚信褒奖机制和违法失信行为惩戒机制，使遵法守法成为全体人民共同追求和自觉行动。建立食品生产经营者食品安全信用档案，是增强食品生产经营者的第一责任，加快形成优胜劣汰、竞争有序的现代市场体系的客观需要。当前，食品生产经营者制假售假，生产经营不符合食品安全标准的食品，致使食品安全事故频发，扰乱了正常的市场经济秩序，严重损害了人民群众的身体健康和社会稳定。建立食品生产经营者食品安全信用档案制度，对于打击食品生产经营者的失信行为，防范和化解食品不安全因素，强化食品生产经营者的责任意识，引导企业诚信守法，促进食品行业的稳定和发展，维护正常的社会经济秩序，保护群众权益，推进政府更好地履行经济调节、市场监管、社会管理和公共服务的职能，具有重要的现实意义。

根据本条的规定，食品生产经营者食品安全信用档案由原来县级以上质量监督、工商行政管理、食品药品监督管理部门分别建立，改为由负责食品安全综合监管的县级以上食品药品监督管理部门统一建立。监管体制调整以后为适应统一监管的需要，法律规定由县级以上食品药品监督管理部门统一建立食品安全信用档案，最为适合。因其职责所在，需要掌握食品生产经营者的食品安全信息，同时也因为工作之便，对于食品生产经营者的食品安全信息最为熟悉。

二、食品安全信用档案的内容

食品安全信用档案的内容主要包括记录对食品生产经营者的许可颁发、日常监督检查结果、违法行为查处等情况，本法第35条规定，国家对食品生产经营实行许可制度。除销售食用农产品以外，从事食品生产、食品销售、餐饮服务的，应当依法取得许可。食品生产经营者的许可颁发情况，是食品安全信用档案的基本内容，表明该生产经营者是否取得、何时取得食品生产经营的资格。县级以上食品药品监督管理部门按照综合管理职责，对食品生产经营者进行监督检查，并对监督检查情况和处理结果，以及对违法行为的查处情况进行记录归档，日常监督检查结果、违法行为查处等情况也是食品安全信用档案的主要内容。食品安全信用档案的内容，还可以包括认证机构的认证情况、消费者的投诉情况等有关食品生产经营者的食品安全信用信息。

三、食品安全信用档案的管理

食品安全信用档案是食品安全信用制度的基础，食品安全监督管理部门在建立食品安全信用档案的基础上，还要建立相应的征信制度、评价制度、披露制度、服务制度、奖惩制度等，确保整个安全信用制度有序运转，发挥食品安全信用档案对食品安全工作的规范、引导、督促功能。因此，新法增加了“向社会公开”食品安全信用档案的规定，旨在借助新闻媒体的舆论宣传和消费者等的社会监督，发挥食品安全信用档案对食品生产经营者威慑和激励的双重作用。

县级以上食品药品监督管理部门建立食品安全信用档案制度，就是要在各领域根据信用等级状况，对食品生产经营者实行分类监管。对有不良信用记录的食品生产经营者要加强监管，增加监督检查的频次，对长期信用良好的，给予宣传、支持和表彰；对严重违反食品安全管理制度、制假售假等严重失信的，可采用信用提示、警示、公示等方式进行惩戒；涉嫌犯罪的，要依法移送公安机关，追究其刑事责任。

县级以上食品药品监督管理部门建立食品安全信用档案，还要注意统筹协调，与其他监管部门实现信用资源共享，为公众营造良好的食品安全信用环境。为加强对违法食品生产经营行为的威慑和惩处力度，对违法行为情节严重的食品生产经营者，县级以上食品药品监督管理部门可以通报投资主管部门、证券监督管理机构和有关的金融机构，可以通过这些部门或者机构直接影响到食品生产者的信用评级和资金管理。

第一百一十四条　食品生产经营过程中存在食品安全隐患，未及时采取措施消除的，县级以上人民政府食品药品监督管理部门可以对食品生产经营者的法定代表人或者主要负责人进行责任约谈。食品生产经营者应当立即采取措施，进行整改，消除隐患。责任约谈情况和整改情况应当纳入食品生产经营者食品安全信用档案。

【释义】　本条是关于对食品生产经营者进行责任约谈的规定。

本条是新增加的规定。对于食品安全领域新的行政执法方式——对食品生产经营者进行责任约谈，对约谈事由、约谈对象和约谈的效力等方面作出了有针对性的规定。

一、对食品生产经营者进行责任约谈制度的建立

本条所说的“责任约谈”，是指依法享有监督管理职权的行政主体，发现其所监管的行政相对人出现了特定问题，为了防止发生违法行为，在事先约定的时间、地点与行政相对人进行沟通、协商，然后给予警示、告诫的一种非强制行政行为。责任约谈实现了行政监管方式由事后处罚打击型向事前监督指导型的转变。

自2003年起，责任约谈作为一种新的行政执法方式在我国税务征管领域悄然兴起。这种新的柔性行政执法方式取得了良好的实践效果，又契合了建设法治型、服务型政府的发展方向，土地管理、环境保护等各主管部门也纷纷推广实践责任约谈制度。2003年年底制定并公布的银行业监督管理法第35条规定，“银行业监督管理机构根据履行职责的需要，可以与银行业金融机构董事、高级管理人员进行监督管理谈话，要求银行业金融机构董事、高级管理人员就银行业金融机构的业务活动和风险管理的重大事项作出说明”，成为在法律层面规定“监督管理谈话”或者“责任约谈”的首次实践。2010年12月22日，国家食品药品监督管理局发布《关于建立餐饮服务食品安全责任人约谈制度的通知》（国食药监食〔2010〕485号），率先在国家层面建立食品安全监管领域的责任约谈制度。2011年国家食品药品监督管理局政策法规司又发布了《食品药品安全责任约谈办法（征求意见稿）》，继续探索完善食品安全领域的责任约谈制度。2014年7月20日，据上海广播电视台电视新闻中心官方微博报道，麦当劳、肯德基等洋快餐供应商上海福喜食品公司被曝使用过期劣质肉。上海食药监等部门连夜行动对上海福喜有限公司及相关企业采取彻查措施，并对22家下游食品流通和

快餐连锁企业进行紧急约谈,取得了良好的监管控制效果。在此背景下,新法对食品生产经营者进行责任约谈的制度作出了规定。

二、对食品生产经营者进行责任约谈制度的实施

依据本条的规定,对食品生产经营者进行责任约谈制度的实施,需要注意以下几个方面:

(一)法定的约谈事由

经食品安全风险监测、风险评估,或者接到举报、投诉等,发现食品生产经营过程中存在安全隐患,未及时采取措施消除的,县级以上人民政府食品药品监督管理部门就可以对食品生产经营者进行责任约谈。责任约谈不是简单的谈话聊天,而是要给予警示或告诫,涉及到食品生产经营者的责任承担问题,是一种对食品生产经营活动的干预,不符合法定事由不能动辄搞责任约谈。

(二)法定的约谈对象

发现食品生产经营过程中存在安全隐患,未及时采取措施消除的,县级以上人民政府食品药品监督管理部门就可以对食品生产经营者进行责任约谈,约谈对象应当是食品生产经营者的法定代表人或者主要负责人。约谈法定代表人固然可以提高食品生产企业的重视程度,但有时候并不必要。对于企业的某些具体行为,其法定代表人也未必知情。因此法律规定约谈对象不限于法定代表人,出于监管实际工作需要,也可以约谈食品生产经营者的主要负责人。

(三)责任约谈的效力或后果

有的意见认为,责任约谈就是一种类似行政指导的行政活动。但是法律规定,食品生产经营者应当在责任约谈后立即采取措施,进行整改,消除食品安全隐患。这种法律效力与传统行

政指导的自愿性或者说非强制性有着本质的区别。而且，传统行政指导往往是针对不特定人群，通过奖励措施、导向性政策来进行宏观指导，属于“利益诱导”；而责任约谈是针对特定的行政相对人，目的就在于警示或告诫，有一定威慑性，属于“责任告诫”。如果不按照食品安全监管部门提出的意见采取措施进行整改，极有可能会招致后续调查、检查甚至处罚程序的启动。责任约谈的法律效力可以说是一种新型的带有责任告诫意味的行政指导行为。

责任约谈的一个必然法律后果，就是责任约谈情况和整改情况应当纳入食品生产经营者食品安全信用档案。食品安全监管部门对有不良信用记录的食品生产经营者应当增加监督检查频次，对违法行为情节严重的食品生产经营者，可以通报投资主管部门、证券监督管理机构和有关的金融机构。

第一百一十五条　县级以上人民政府食品药品监督管理、质量监督等部门应当公布本部门的电子邮件地址或者电话，接受咨询、投诉、举报。接到咨询、投诉、举报，对属于本部门职责的，应当受理并在法定期限内及时答复、核实、处理；对不属于本部门职责的，应当移交有权处理的部门并书面通知咨询、投诉、举报人。有权处理的部门应当在法定期限内及时处理，不得推诿。对查证属实的举报，给予举报人奖励。

有关部门应当对举报人的信息予以保密，保护举报人的合法权益。举报人举报所在企业的，该企业不得以解除、变更劳动合同或者其他方式对举报人进行打击报复。

【释义】　本条是关于有奖举报和保护举报人合法权益的规定。

本条是对原法第80条的修改。在原法规定食品安全监督管理部门应当及时受理和处理咨询、投诉、举报的基础上，增加规定了有奖举报和保护举报人合法权益的内容。

一、及时受理和处理咨询、投诉、举报

任何组织或者个人有权举报食品安全违法行为，依法向有关部门了解食品安全信息，对食品安全监督管理工作提出意见和建议。同时，咨询、投诉、举报往往对监督管理部门获取食品安全信息，取得食品生产经营者违法行为的证据，有针对性地打击违法行为具有重要意义。因此，及时对咨询、投诉、举报进行处理是体现社会共治、加强食品安全监督管理的需要。

县级以上人民政府食品药品监督管理、质量监督等部门应当公布本部门的电子邮件地址或者电话，接受咨询、投诉、举报。接到咨询、投诉、举报，对属于本部门职责的，应当受理并在法定期限内及时答复、核实、处理；对不属于本部门职责的，应当移交有权处理的部门并书面通知咨询、投诉、举报人。有权处理的部门应当在法定期限内及时处理，不得推诿。关于“法定期限”并无统一的规定，应当依照相关法律、法规等的具体规定。例如，咨询内容属于政府信息公开的，应当依照《政府信息公开条例》第 24 条的规定，行政机关收到政府信息公开申请，能够当场答复的，应当当场予以答复；行政机关不能当场答复的，应当自收到申请之日起 15 个工作日内予以答复；如需延长答复期限的，应当经政府信息公开工作机构负责人同意，并告知申请人，延长答复的期限最长不得超过 15 个工作日。消费者向有关行政部门投诉的，有关部门应当依照消费者权益保护法第 46 条的规定，自收到投诉之日起 7 个工作日内，予以处理并告知消费者。

二、对查证属实的举报，给予举报人奖励

2011 年 7 月 7 日，国务院食品安全委员会办公室发布《关于建立食品安全有奖举报制度的指导意见》，之后，据 2012 年搜狐网报道，我国已有21个省份出台食品安全有奖举报制度。我国地方立法出台的食品安全有奖举报制度对食品安全受理、核查以及奖励范围、条件、标准、程序等作出详细规定。福建规定食品安全举报受理工作实行首负责任制，相关部门接到举报后要立即受理，并在案件查处结束后负责向举报人反馈结果。吉林设立了专门的食品安全投诉举报机构。河北要求各市县人民政府设立本级食品安全举报中心，并公布24小时举报电话。同时，各地积极落实奖励资金，陕西、湖南分别设立500万元和300万元专项奖励资金，广州、石家庄明确市财政安排举报奖励资金600万元和300万元。在奖励标准方面，北京、浙江将最高奖励金额提高至30万元。江苏、广西、海南等地还规定，举报人有特别重大贡献的，奖励额度不封顶。在食品安全法修改过程中，要求将有奖举报制度写入法律，加强社会共治具有高度的社会共识，因此新法增加规定"对查证属实的举报，给予举报人奖励"。奖励的标准可以由法规、规章具体规定。

三、保护举报人的合法权益，禁止变相打击报复

地方实践在推行食品安全有奖举报制度的过程中也存在不少问题，例如举报人信息泄露导致遭受所在企业的打击报复等问题。对于类似问题，2004年日本制定了《公益通报者保护法》，即《内部告发者保护法》，规定了禁止解雇的职业保障措施等，旨在创造良好的社会氛围，鼓励有良知的公民特别是企业内部人员告发食品安全违法行为。例如2007年北海道的肉食品加工厂把猪肉冒充成牛肉加工，有内部员工进行了告发，并被朝日新闻曝光，直接导致该企业破产，其法定代表人也被追究了刑事责任。1984年美国制定的《证人安全改革法》规定，对于出庭作证的举报人，如果遭遇生命危险，可以申请联邦政府提供24小时贴身保卫、更换身份、工作地点等保护措施，以确保其人身、

财产安全。1989 年美国进一步制定了《吹哨人保护法》，通过立法来鼓励和保护居民的举报行为，明确规定了打击报复性的人事行为种类，具体包括针对举报人而作出的任命、处分、工作指派、调职、绩效考评、工资福利的决定，以及其他职责或工作条件的重大改变，等等。同时为了保证正常的人事变动，该法还规定对于报复性的人事行为必须是重大的，且必须是对举报人明显不利的调动，这种不利不仅仅是经济上和职务上的不利，同时也包括权利和责任上的重大分配变化。

食品安全法修改过程中，立法机关对完善举报制度的程序设计、保护举报人合法权益进行了广泛深入的比较研究。为鼓励和保护内部举报，规定有关部门应当对举报人的信息予以保密，保护举报人的合法权益。举报人举报所在企业的，该企业不得以解除、变更劳动合同或者其他方式对举报人进行打击报复。无论以何种形式对举报人进行打击报复的，都应当依法承担法律责任，包括依照劳动合同法支付赔偿金的民事责任、依照治安管理处罚法给予行政处罚，以及司法程序中按照打击报复证人罪追究刑事责任等。

第一百一十六条　县级以上人民政府食品药品监督管理、质量监督等部门应当加强对执法人员食品安全法律、法规、标准和专业知识与执法能力等的培训，并组织考核。不具备相应知识和能力的，不得从事食品安全执法工作。

食品生产经营者、食品行业协会、消费者协会等发现食品安全执法人员在执法过程中有违反法律、法规规定的行为以及不规范执法行为的，可以向本级或者上级人民政府食品药品监督管理、质量监督等部门或者监察机关投诉、举报。接到投诉、举报的部门或者机关应当进行核实，并将经核实的情况向食品安

全执法人员所在部门通报;涉嫌违法违纪的,按照本法和有关规定处理。

【释义】 本条是关于加强食品安全执法人员管理的规定。

本条是新增加的规定。为提高食品安全监管水平,从培训考核食品安全执法人员的执法能力和规范监督食品安全执法人员的执法行为的角度作了规定。

一、培训考核食品安全执法人员的专业知识与执法能力

徒法不足以自行,徒善不足以为政。党的十八届四中全会决定指出:"法律的生命力在于实施,法律的权威也在于实施。各级政府必须坚持在党的领导下、在法治轨道上开展工作,创新执法体制,完善执法程序,推进综合执法,严格执法责任,建立权责统一、权威高效的依法行政体制,加快建设职能科学、权责法定、执法严明、公开公正、廉洁高效、守法诚信的法治政府。"实施贯彻好"最严格"的食品安全法,在食品安全领域依法加强监督管理,关键在于加强食品安全执法人员能力建设。

县级以上人民政府食品药品监督管理、质量监督等部门应当加强对食品安全执法人员的执法能力建设,主要做好两个方面的工作。一是做好食品安全法律、法规、标准和专业知识与执法能力等的培训,这是由食品安全监管工作的复杂性和专业性决定的。二是加强对食品安全专业知识和执法能力等的组织考核,不具备相应知识和能力的,不得从事食品安全执法工作。

二、规范监督食品安全执法人员的执法行为

我国食品安全基层执法人员队伍素质良莠不齐,这也是第1款强调要加强食品安全执法人员专业知识和执法能力培训考核的重要用意。立法修改过程中,有的企业反映仍然存在一些食品安全执法人员"吃拿卡要"的现象,使得企业不堪其扰。为此,食品安全法修改过程中为了发挥好社会共治和社会监督的

作用,专门强调食品生产经营者、食品行业协会、消费者协会等最容易发现食品安全执法人员违法违纪的单位或者个人,发现食品安全执法人员在执法过程中有违反法律、法规规定的行为以及不规范执法行为的,可以向本级或者上级人民政府食品药品监督管理、质量监督等部门或者监察机关投诉、举报。接到投诉、举报的部门或者机关应当进行核实,并将经核实的情况向食品安全执法人员所在部门通报。关于监察机关处理投诉、举报,行政监察法第6条规定:"监察工作应当依靠群众。监察机关建立举报制度,公民、法人或者其他组织对于任何国家行政机关及其公务员和国家行政机关任命的其他人员的违反行政纪律行为,有权向监察机关提出控告或者检举。监察机关应当受理举报并依法调查处理;对实名举报的,应当将处理结果等情况予以回复。监察机关应当对举报事项、举报受理情况以及与举报人相关的信息予以保密,保护举报人的合法权益,具体办法由国务院规定。"

需要注意的是,新法的实施有赖于食品安全执法人员,也有赖于社会共治和群众监督。食品安全法修改过程中所宣传的"最严格",不仅仅是对食品生产经营者课以最严格的法律责任,对于食品安全监管部门和食品安全执法人员也是要严格监督,涉嫌违法违纪的要严格依照本法和有关规定处理。尤其是在立法加重食品生产经营者的行政处罚之后,食品安全执法人员的自由裁量权加大,一方面要考验食品安全执法人员提高执法能力,规范执法的裁量基准等;另一方面也要加强社会监督,避免食品安全执法人员滥用权力。

第一百一十七条　县级以上人民政府食品药品监督管理等部门未及时发现食品安全系统性风险,未及时消除监督管理区

域内的食品安全隐患的，本级人民政府可以对其主要负责人进行责任约谈。

地方人民政府未履行食品安全职责，未及时消除区域性重大食品安全隐患的，上级人民政府可以对其主要负责人进行责任约谈。

被约谈的食品药品监督管理等部门、地方人民政府应当立即采取措施，对食品安全监督管理工作进行整改。

责任约谈情况和整改情况应当纳入地方人民政府和有关部门食品安全监督管理工作评议、考核记录。

【释义】　本条是关于对所属食品安全监管部门或下级地方人民政府进行责任约谈的规定。

本条是新增加的规定。虽然也是关于责任约谈的规定，但是与第 114 条规定的对生产经营者的责任约谈在性质上有很大差异，属于一种行政层级监督。

一、对食品安全监管部门进行责任约谈制度的建立

行政层级监督，是指行政机关系统内负有行政监督职能的上级行政机关监督下级行政机关是否依法行使职权的一种监督制度体系，是预防和解决行政机关不作为、行政乱作为和违法行政的最直接和最有效手段。对所属食品安全监管部门或下级地方人民政府进行责任约谈，具有行政层级监督的内部性、专业性、高效性、广泛性等特点，是完善和规范行政层级监督的有益立法实践，能够使上级对下级的行政层级监督落到实处，促使和推动食品安全领域实现政令畅通，落实好食品安全监督管理责任制。

二、对所属食品安全监管部门或下级地方人民政府进行责任约谈制度的实施

依据本条的规定，属于行政层级监督性质的责任约谈制度，

实际上有两种法定类型:一是县级以上人民政府对所属食品安全监管部门的责任约谈;二是上级人民政府对下级地方人民政府的责任约谈。要实施好这两种类型的责任约谈制度,需要注意以下几个方面:

(一)法定的约谈事由

县级以上人民政府对所属食品安全监管部门的责任约谈的法定事由是,县级以上人民政府食品药品监督管理等部门未及时发现食品安全系统性风险,未及时消除监督管理区域内的食品安全隐患。上级人民政府对下级地方人民政府的责任约谈的法定事由是,地方人民政府未履行食品安全职责,未及时消除区域性重大食品安全隐患。经食品安全风险监测、风险评估,或者接受投诉、举报获知存在食品安全隐患的,上级就可以对下级进行责任约谈,要求下级积极履行相应的监督管理职责,及时消除食品安全隐患。

(二)法定的约谈对象

无论是县级以上人民政府对所属食品安全监管部门的责任约谈,还是上级人民政府对下级地方人民政府的责任约谈,法定的约谈对象都是下级部门或政府的主要负责人。这是由行政机关首长负责制的特点决定的,约谈下级部门或政府的主要负责人可以提高下级部门或政府的重视程度,以最快的速度促进食品安全隐患的消除。

(三)责任约谈的效力或后果

本条所规定的"责任约谈",是一种具有法律效力的行政层级监督行为。等于是上级对下级提出警示或者告诫,甚至是下达了命令。被约谈的食品药品监督管理等部门、地方人民政府应当立即采取措施,对食品安全监督管理工作进行整改。

责任约谈情况和整改情况应当纳入地方人民政府和有关部

门食品安全监督管理工作评议、考核记录。这与本法第 7 条规定的县级以上地方人民政府实行食品安全监督管理责任制的精神相一致。上级人民政府负责对下一级人民政府的食品安全监督管理工作进行评议、考核。县级以上地方人民政府负责对本级食品药品监督管理部门和其他有关部门的食品安全监督管理工作进行评议、考核。

第一百一十八条 国家建立统一的食品安全信息平台，实行食品安全信息统一公布制度。国家食品安全总体情况、食品安全风险警示信息、重大食品安全事故及其调查处理信息和国务院确定需要统一公布的其他信息由国务院食品药品监督管理部门统一公布。食品安全风险警示信息和重大食品安全事故及其调查处理信息的影响限于特定区域的，也可以由有关省、自治区、直辖市人民政府食品药品监督管理部门公布。未经授权不得发布上述信息。

县级以上人民政府食品药品监督管理、质量监督、农业行政部门依据各自职责公布食品安全日常监督管理信息。

公布食品安全信息，应当做到准确、及时，并进行必要的解释说明，避免误导消费者和社会舆论。

【释义】 本条是关于食品安全信息统一公布制度的规定。

本条是对原法第 82 条的修改。在原法规定食品安全信息统一公布的基础上，增加规定了“食品安全信息平台”，进一步强调“未经授权不得发布上述信息”，并依据职责调整将统一公布食品安全信息的主体由“国务院卫生行政部门”修改为“国务院食品药品监督管理部门”。

一、食品安全信息平台

《国家食品安全监管体系“十二五”规划》（国办发〔2012〕

36号)曾经将建设食品安全信息平台列为重点任务。国家食品安全信息平台由一个主系统(设国家、省、市、县四级平台)和各食品安全监管部门的相关子系统共同构成。主系统与各子系统建立横向联系网络。国家级平台依托国家食品安全风险评估中心建设;省、市、县三级平台按照国家统一的技术要求设计,由同级食品安全办组织建设。各级科技、工业和信息化、环境保护、农业、商务、卫生、工商、质检、粮食、食品药品监管等部门根据职能分工和主系统功能要求建设子系统。国家食品安全信息平台主系统与各子系统对接,并延伸到信息使用终端。主系统要实现对各子系统数据的实时、全权调用,可实时向各类终端发布预警等信息。各子系统通过主系统实现信息共享。各地区、各有关部门可根据工作需要在该平台基础上扩展功能。统一平台的信息化建设可以加快食品安全信息共享的速度,极大提高食品安全信息化监管水平。欧盟的快速预警系统与此类似,并成为欧盟成员国及时共享食品安全信息和实现快速预警的成功经验。

二、食品安全信息统一公布制度

食品安全关系着人民群众的生命安全和身体健康,食品安全信息的公布格外受到关注。食品安全信息公布不规范、不统一,就可能出现公布的信息不科学、不准确,给消费者造成不必要的恐慌。例如2005年10月,有媒体报道国内超市大量采用PVC保鲜膜包装蔬菜、水果及熟食,该保鲜膜对人体有致癌作用,此消息一经传出,引来公众恐慌。其后,原卫生部明确表态,只要是按照国标生产,正品的PVC保鲜膜都对人体无害,才使事件归于平静。这样的情况不仅让消费者无所适从,而且不利于社会稳定,损害政府的权威。为准确、及时、客观地公布食品安全信息,维护人民群众的身体健康和社会稳定,必须对食品安全信息的公布进行规范。同时也为了防止“政出多门”，避免不同监管部门发布相互矛盾的食品安全信息，本条规定国家建立食品安全信息统一公布制度，并对信息公布的主体、内容、要求等作出明确规定。

根据食品安全信息的内容，及其重要程度、影响范围的不同，可以确定食品安全信息的不同层次。依据本条规定，需要有关部门进行公布的食品安全信息可以分为三个层次：一是国家食品安全总体情况、食品安全风险警示信息、重大食品安全事故及其调查处理信息和国务院确定需要统一公布的其他信息。这些信息与公众日常生活以及食品生产经营关系紧密，且影响范围大、力度强、涉及面广，为保证食品安全信息公布的规范性、严肃性，必须由国务院食品药品监督管理部门统一公布。二是食品安全风险警示信息和重大食品安全事故及其调查处理信息的影响限于特定区域的，一般由省、自治区、直辖市人民政府食品药品监督管理部门公布，但也可以由国务院食品药品监督管理部门公布。三是县级以上人民政府食品药品监督管理、质量监督、农业行政部门的食品安全日常监督管理信息，如对食品生产经营者进行现场检查、抽样检验的结果，对违法生产经营者的查处情况等，依据各自职责，由各部门按照规定的程序和形式公布。需要注意的是，无论是哪个层次的食品安全信息，有关部门在进行公布时都应当做到准确、及时，并进行必要的解释说明，避免误导消费者和社会舆论。

三、未经授权不得发布上述信息

食品安全法修改过程中，一些社会公众意见提出，未经授权不得公布需要统一公布的食品安全信息，可能影响媒体、公民的舆论监督。立法机关在研究这一问题时，考虑到建立食品安全信息统一公布制度的初衷，就是要求任何部门、组织或者个人不得随意发布有重大社会影响的食品安全信息，仍然有必要作出“未经授权不得发布上述信息”的禁止性规定。具体法律责任应当依照本法第 141 条的规定，违反本法规定，编造、散布虚假食品安全信息，构成违反治安管理行为的，由公安机关依法给予治安管理处罚。媒体编造、散布虚假食品安全信息的，由有关主管部门依法给予处罚，并对直接负责的主管人员和其他直接责任人员给予处分；使公民、法人或者其他组织的合法权益受到损害的，依法承担消除影响、恢复名誉、赔偿损失、赔礼道歉等民事责任。此外，《出版管理条例》、《广播电视管理条例》等行政法规对出版、播放含有法律法规禁止内容的出版物、节目也规定了相应的法律责任。

第一百一十九条　县级以上地方人民政府食品药品监督管理、卫生行政、质量监督、农业行政部门获知本法规定需要统一公布的信息，应当向上级主管部门报告，由上级主管部门立即报告国务院食品药品监督管理部门；必要时，可以直接向国务院食品药品监督管理部门报告。

县级以上人民政府食品药品监督管理、卫生行政、质量监督、农业行政部门应当相互通报获知的食品安全信息。

【释义】　本条是关于食品安全信息的报告、通报制度的规定。

本条是对原法第 83 条的修改。主要是基于部门职责调整，将接受报告的部门由“国务院卫生行政部门”修改为“国务院食品药品监督管理部门”。

一、重要食品安全信息的报告制度

第 1 款是关于重要食品安全信息报告制度的规定。“本法规定需要统一公布的信息”，是指依照本法第 118 条的规定需要由国务院食品药品监督管理部门统一公布的信息,包括国家食品安全总体情况、食品安全风险警示信息、重大食品安全事故及其调查处理信息和国务院确定的需要统一公布的其他信息。

根据报告程序的不同,主要有两种方式:一是县级以上地方人民政府食品药品监督管理、卫生行政、质量监督、农业行政部门获知本法规定需要统一公布的信息,应当向上级主管部门报告,由上级主管部门立即报告国务院食品药品监督管理部门。二是必要时,县级以上地方人民政府食品药品监督管理、卫生行政、质量监督、农业行政部门获知本法规定需要统一公布的信息,可以直接向国务院食品药品监督管理部门报告。依据本法第118条关于建立食品安全信息统一公布制度的规定,重大食品安全信息由国务院食品药品监督管理部门统一公布。因此,两种方式虽程序不同,但最终都是向国务院食品药品监督管理部门报告。

二、食品安全信息通报制度

第2款是关于食品安全监督管理各有关部门相互通报食品安全信息的规定。

县级以上人民政府食品药品监督管理、卫生行政、质量监督、农业行政部门之间构建信息沟通平台,及时顺利地进行食品安全信息通报,有利于实现食品安全信息的统筹管理和综合利用、实现互联互通和资源共享,而且有利于及时研究分析食品安全情况,对食品安全问题做到及早发现、及早解决。因此,法律规定县级以上人民政府食品药品监督管理、卫生行政、质量监督、农业行政部门应当相互通报获知的食品安全信息。例如,食用农产品生产环节由农业行政部门负责监管,但是生产环节农业投入品尤其是农药的使用也要受新法调整;食用农产品进入市场销售环节由食品药品监督管理部门负责监管,两个部门应当相互通报获知的食用农产品安全信息，才能实现对食用农产品的全程、无缝监管，确保食用农产品符合食品安全法的要求。通报可采用信息化手段，通过食品安全信息平台，提高食品安全监管效率。

第一百二十条　任何单位和个人不得编造、散布虚假食品安全信息。

县级以上人民政府食品药品监督管理部门发现可能误导消费者和社会舆论的食品安全信息，应当立即组织有关部门、专业机构、相关食品生产经营者等进行核实、分析，并及时公布结果。

【释义】 本条是关于不得编造、散布虚假食品安全信息的规定。

本条是新增加的规定，旨在加强食品安全信息统一公布制度，消除和减少虚假食品安全信息。

一、任何单位和个人不得编造、散布虚假食品安全信息

在我国目前食品安全形势严峻的情况下，任何虚假食品安全信息都可能会被无限放大，打击社会公众的食品安全信心，甚至破坏正常生产经营和市场经济秩序，给企业和社会公众造成严重经济损失。2011 年 3 月，受日本核电站爆炸引发的核泄漏恐慌在全国蔓延，在绍兴、宁波、福州等江浙沿海城市开始出现抢盐潮，不少居民纷纷奔走各大超市抢购食盐以备战日本核辐射污染。出现抢盐潮原因主要是有人谣传“吃碘盐可防辐射”、“核泄漏污染了海盐”。之后随着网络信息的扩散传播，数天之内，抢盐潮席卷我国大江南北，短期内食盐价格飙涨让很多抢盐的市民都遭受了经济损失。2012 年 8 月 28 日，河北沧州市运河公安分局接到线索，夏某、李某的凉皮抽检中检测出硼砂，两人称可能是由于使用五得利面粉所致。此后的近一个月时间

里，沧州市运河区公安分局、北京市出入境检验检疫局检验检疫技术中心、沧州市工商局等多个部门先后介入，让这一事件扑朔迷离。9 月 20 日，有媒体报道称，由于被发现涉嫌添加致癌物硼砂，五得利集团被工商部门查封问题产品，其位于河北省衡水深州和保定雄县的工厂被勒令停工。报道一经刊发引起广泛关注。9 月 26 日，河北省食品安全办公室在石家庄召开新闻发布会，强调五得利深州厂、雄县厂在生产过程中不存在非法添加硼砂行为，五得利面粉是安全的，至此蹊跷而又沸沸扬扬的五得利"硼砂门"事件才渐趋平静。尽管企业及官方先后举行发布会澄清五得利未有非法添加硼砂问题，但据媒体调查发现，五得利面粉销量暴跌 40%，出现"建厂以来最黯淡的销售记录"，给企业声誉和经济利益造成难以挽回的损失。

尽管我国食品安全法从 2009 年就开始建立食品安全信息统一公布制度，但是类似抢盐潮、五得利"硼砂门"事件这样因为虚假食品安全信息造成食品安全形势紧张，严重影响企业正常生产经营和市场经济秩序的事情仍然时有发生。新法有必要增加规定，任何单位和个人不得编造、散布虚假食品安全信息，否则要依法追究法律责任。

二、政府部门组织核实、分析可能虚假的食品安全信息

食品安全法修订草案送审稿第 106 条规定："任何单位和个人发布可能对社会或者食品产业造成重大影响的食品安全信息，应当事先向食品生产经营企业、行业协会、科研机构、食品安全监督管理部门核实。任何单位和个人不得发布未经核实的食品安全信息，不得编造、散布虚假食品安全信息。"该条规定在征求意见过程中遭到很多反对，例如一些媒体和社会组织认为，食品安全与每个人的生活息息相关，食品安全信息的发布不能由政府部门单向掌控，应该有风险预警和双向交流机制。而

"事先核实"的规定意味着政府对任何食品安全信息的公布都需进行事先审查和批准,这不仅会加大食品安全风险瞒报、延报的隐患,而且也会形成信息的堵塞甚至扭曲,使消费者失去知情权和社会监督通道。

在草案审议过程中,考虑到食品安全从根本上要依靠社会共治,建立和完善食品安全信息统一公布制度,主要是为了防止"政出多门",避免不同监管部门发布相互矛盾的食品安全信息。为了避免虚假食品安全信息引发的食品安全恐慌,一方面要严惩任何单位和个人编造、散布虚假食品安全信息的行为,另一方面也要保护消费者的知情权和社会监督渠道畅通。因此,二审稿删除了一审稿中关于监管部门事先核实、审批食品安全信息的规定,修改为事后的核实、分析,加强对虚假食品安全信息的事后监管和责任追究,加大打击查处编造、散布虚假食品安全信息违法行为的力度。规定县级以上人民政府食品药品监督管理部门发现可能误导消费者和社会舆论的食品安全信息,应当立即组织有关部门、专业机构、相关食品生产经营者等进行核实、分析,并及时公布结果。

第一百二十一条　县级以上人民政府食品药品监督管理、质量监督等部门发现涉嫌食品安全犯罪的,应当按照有关规定及时将案件移送公安机关。对移送的案件,公安机关应当及时审查;认为有犯罪事实需要追究刑事责任的,应当立案侦查。

公安机关在食品安全犯罪案件侦查过程中认为没有犯罪事实,或者犯罪事实显著轻微,不需要追究刑事责任,但依法应当追究行政责任的,应当及时将案件移送食品药品监督管理、质量监督等部门和监察机关,有关部门应当依法处理。

公安机关商请食品药品监督管理、质量监督、环境保护等部

门提供检验结论、认定意见以及对涉案物品进行无害化处理等协助的,有关部门应当及时提供,予以协助。

【释义】 本条是关于涉嫌食品安全犯罪案件处理的规定。

本条是新增加的规定,旨在加强行政处罚和刑事责任追究之间的无缝衔接,规定了食品安全犯罪案件的双向移送和协同处理机制。

一、涉嫌食品安全犯罪案件

遵循罪刑法定原则,依照刑法和有关司法解释规定,涉嫌食品安全犯罪案件主要有以下几种:生产、销售不符合安全标准的食品罪;生产、销售有毒、有害食品罪;生产、销售伪劣产品罪;非法经营罪;虚假广告罪;提供虚假证明文件罪;食品监管渎职罪;徇私舞弊罪、渎职罪等。

二、双向案件移送制度

依照我国刑事诉讼法的规定,对一般刑事案件的侦查、拘留、执行逮捕、预审,由公安机关负责。除法律特别规定的以外,其他任何机关、团体和个人都无权行使这些权力。因此,处理涉嫌食品安全犯罪案件,食品安全法确立了双向移送制度,体现了先刑事后行政的责任追究机制。本条第1款规定了食品安全监管部门向公安机关的案件移送制度。县级以上人民政府食品药品监督管理、质量监督等部门发现涉嫌食品安全犯罪的,应当按照有关规定及时将案件移送公安机关。对移送的案件,公安机关应当及时审查;认为有犯罪事实需要追究刑事责任的,应当立案侦查。第2款规定了公安机关向食品安全监管部门的案件移送制度。公安机关在食品安全犯罪案件侦查过程中认为没有犯罪事实,或者犯罪事实显著轻微,不需要追究刑事责任,但依法应当追究行政责任的,应当及时将案件移送食品药品监督管理、质量监督等部门和监察机关,有关部门应当依法处理。关于及时移送的时间节点、移送的具体程序等，应当按照国务院颁布的《行政执法机关移送涉嫌犯罪案件的规定》、最高人民检察院印发的《人民检察院办理行政执法机关移送涉嫌犯罪案件的规定》等执行。

三、公安机关商请有关部门协助

本条第3款规定了公安机关和食品安全监管有关部门在处理食品安全犯罪案件中的协作机制。为了充分发挥有关部门的专业技术优势，法律规定公安机关商请食品药品监督管理、质量监督、环境保护等部门提供检验结论、认定意见以及对涉案物品进行无害化处理等协助的，有关部门应当及时提供，予以协助。例如对于“足以造成严重食物中毒事故或者其他严重食源性疾病”、“有毒、有害非食品原料”难以确定的，往往需要监督管理部门协助提供检验结论、认定意见。在处理涉案物品时，可能还需要环境保护等部门对受污染食品或有毒有害非食品原料进行无害化处理等协助。

第九章 法律责任

第一百二十二条 违反本法规定，未取得食品生产经营许可从事食品生产经营活动，或者未取得食品添加剂生产许可从事食品添加剂生产活动的，由县级以上人民政府食品药品监督管理部门没收违法所得和违法生产经营的食品、食品添加剂以及用于违法生产经营的工具、设备、原料等物品；违法生产经营的食品、食品添加剂货值金额不足一万元的，并处五万元以上十万元以下罚款；货值金额一万元以上的，并处货值金额十倍以上二十倍以下罚款。

明知从事前款规定的违法行为，仍为其提供生产经营场所或者其他条件的，由县级以上人民政府食品药品监督管理部门责令停止违法行为，没收违法所得，并处五万元以上十万元以下罚款；使消费者的合法权益受到损害的，应当与食品、食品添加剂生产经营者承担连带责任。

【释义】 本条是关于未经许可从事食品生产经营活动等相关法律责任的规定。

本条是对原法第 84 条的修改。除了将起罚点由 2 千元提高到 5 万元，将罚款货值金额倍数加倍以外，还增加了对于明知从事未经许可生产经营活动仍为其提供生产经营场所或者其他条件者的处罚。

一、本条规定的违法行为

第 1 款规定了未取得食品生产经营许可从事食品生产经营

活动,或者未取得食品添加剂生产许可从事食品添加剂生产活动的,要承担相应的法律责任。食品生产经营活动关系到公众的身体健康和生命安全,必须要依法取得许可才能进行。根据本法第35条的规定,国家对食品生产经营实行许可制度。从事食品生产、食品销售、餐饮服务,应当依法取得许可。但是,销售食用农产品,不需要取得许可。本法第36条规定,食品生产加工小作坊和食品摊贩等的具体管理办法由省、自治区、直辖市制定。各省可以根据本省的实际情况,对食品生产加工小作坊和食品摊贩等设定相应许可进行管理,也可以不设定许可进行日常和现场监督管理。此外,本法第39条规定,国家对食品添加剂生产实行许可制度。从事食品添加剂生产,应当具有与所生产食品添加剂品种相适应的场所、生产设备或者设施、专业技术人员和管理制度,并依照本法第35条第2款规定的程序,取得食品添加剂生产许可。未经许可从事食品生产经营活动,破坏了市场管理秩序,对食品安全带来隐患,应当依法予以惩处。

第2款规定了明知从事第1款规定的违法行为,仍为其提供生产经营场所或者其他条件的,要承担相应的法律责任。所谓"明知"强调主观故意,明知食品生产经营者未取得许可仍为其提供生产经营场所或者其他条件的,性质恶劣,属于故意的共同违法行为,应当承担相应的法律责任。

二、本条规定的法律责任

(一)关于行政处罚

本条两款规定都涉及行政处罚。违反本法规定,未取得食品生产经营许可从事食品生产经营活动,或者未取得食品添加剂生产许可从事食品添加剂生产活动的,由县级以上人民政府食品药品监督管理部门没收违法所得和违法生产经营的食品、食品添加剂以及用于违法生产经营的工具、设备、原料等物品;

违法生产经营的食品、食品添加剂货值金额不足1万元的,并处5万元以上10万元以下罚款;货值金额1万元以上的,并处货值金额10倍以上20倍以下罚款。明知从事第1款规定的违法行为,仍为其提供生产经营场所或者其他条件的,由县级以上人民政府食品药品监督管理部门责令停止违法行为,没收违法所得,并处5万元以上10万元以下罚款。这里要说明以下四点:

一是关于执法主体的调整。新法规定由食品药品监督管理部门对上述违法行为进行行政处罚,取代了原来"有关主管部门"的表述,也是与新法修改过程中监管部门职责调整情况相一致,体现了统一综合执法的新态势。

二是关于处罚种类。本条规定的处罚种类为没收违法所得、没收非法财物和罚款。没收违法所得、没收非法财物和罚款主要是对当事人的财产权予以剥夺,并不影响违法者的人身自由和进行其他活动的权利。本条规定的违法行为主要是为了获得经济利益,通过剥夺违法行为人财产的方式对其进行处罚,具有较好的威慑和惩戒作用。

三是关于货值金额。第1款规定的罚款数额以固定罚款额度与货值金额的倍数相结合的方式来决定,比较科学合理有弹性;第2款的违法行为因为没有货值金额而规定了固定的罚款额度。所谓"货值金额",是指非法生产经营的食品或者食品添加剂的市值金额,新法将原法规定货值金额的5倍以上10倍以下修改为10倍以上20倍以下,加重了处罚,以加大食品安全违法成本。

四是关于处罚起点。立法审议过程中,一些基层执法单位提出,很多无证经营的食品生产经营者具有小、散特点,本条规定的行政处罚起点过高,恐难以执行。多数审议意见认为无证食品生产经营行为是严重的食品安全隐患,必须要严厉打击和惩处。对于食品生产加工小作坊、食品摊贩等小微食品生产经营者，依照本法第36条、第127条的规定，已经授权省、自治区、直辖市制定具体管理办法，是否实行许可管理及其相应法律责任可以在具体管理办法中规定，对其违法行为的处罚，依照省、自治区、直辖市的具体管理办法执行。按照修改后的立法法对于制定配套具体规定的时间要求，各省、自治区、直辖市应当在本法施行后1年内制定有关食品生产加工小作坊和食品摊贩等的具体管理办法。未能在期限内作出规定的，应当依法向全国人大常委会说明情况。

（二）关于连带责任

明知从事第1款规定的违法行为，仍为其提供生产经营场所或者其他条件，使消费者的合法权益受到损害的，还应当与食品、食品添加剂生产经营者承担连带责任。所谓“连带责任”，是指依照法律规定或者当事人约定，两个或者两个以上当事人对其共同债务全部承担或部分承担，并能因此引起其内部债务关系的一种民事责任。明知从事第1款规定的违法行为，仍为其提供生产经营场所或者其他条件，视为有了共同从事违法行为的“合意”，法律上规定连带责任是合理而有意义的，可以促使相关主体提高法律责任意识，也可以从外围源头上打击食品生产经营的违法行为。

第一百二十三条　违反本法规定，有下列情形之一，尚不构成犯罪的，由县级以上人民政府食品药品监督管理部门没收违法所得和违法生产经营的食品，并可以没收用于违法生产经营的工具、设备、原料等物品；违法生产经营的食品货值金额不足一万元的，并处十万元以上十五万元以下罚款；货值金额一万元以上的，并处货值金额十五倍以上三十倍以下罚款；情节严重

的，吊销许可证，并可以由公安机关对其直接负责的主管人员和其他直接责任人员处五日以上十五日以下拘留：

（一）用非食品原料生产食品、在食品中添加食品添加剂以外的化学物质和其他可能危害人体健康的物质，或者用回收食品作为原料生产食品，或者经营上述食品；

（二）生产经营营养成分不符合食品安全标准的专供婴幼儿和其他特定人群的主辅食品；

（三）经营病死、毒死或者死因不明的禽、畜、兽、水产动物肉类，或者生产经营其制品；

（四）经营未按规定进行检疫或者检疫不合格的肉类，或者生产经营未经检验或者检验不合格的肉类制品；

（五）生产经营国家为防病等特殊需要明令禁止生产经营的食品；

（六）生产经营添加药品的食品。

明知从事前款规定的违法行为，仍为其提供生产经营场所或者其他条件的，由县级以上人民政府食品药品监督管理部门责令停止违法行为，没收违法所得，并处十万元以上二十万元以下罚款；使消费者的合法权益受到损害的，应当与食品生产经营者承担连带责任。

违法使用剧毒、高毒农药的，除依照有关法律、法规规定给予处罚外，可以由公安机关依照第一款规定给予拘留。

【释义】　本条是关于 8 类最严重违法食品生产经营行为的法律责任的规定。

本条是对原法第 85 条的修改，加大了对生产经营本法所禁止生产经营食品的行为的处罚力度。第 1 款列举规定了 6 类适用“并处货值金额十五倍以上三十倍以下罚款”等法律责任的违法情形。第 2 款增加规定了明知从事前款规定的违法行为，仍为其提供生产经营场所或者其他条件者的法律责任。第3款增加了违法使用剧毒、高毒农药者的法律责任。

一、本条规定的违法行为

为了确保食品安全,新法第34条明确规定了13种禁止生产经营的食品、食品添加剂、食品相关产品,都是性质恶劣、一旦生产经营就应当追究法律责任的情形。本条第1款前5项内容是将新法第34条中性质尤为恶劣,一旦违法生产经营必然会严重影响食品安全的情形单独列举出来,在本条中规定了最为严格的法律责任。第1款第6项是本法第38条中明令禁止的内容,食品中添加药品的也应给予最严格的处罚。

第2款增加规定了明知从事第1款规定的违法行为,仍为其提供生产经营场所或者其他条件的违法行为。

第3款增加规定了违法使用剧毒、高毒农药者的法律责任。为了确保食用农产品源头安全,本法第49条对农业投入品包括农药的使用作出严厉的禁止性规定。

二、本条规定的法律责任

(一)关于行政处罚

针对第1款规定的违法行为,尚不构成犯罪的,由县级以上人民政府食品药品监督管理部门没收违法所得和违法生产经营的食品,并可以没收用于违法生产经营的工具、设备、原料等物品;违法生产经营的食品货值金额不足1万元的,并处10万元以上15万元以下罚款;货值金额1万元以上的,并处货值金额15倍以上30倍以下罚款;情节严重的,吊销许可证,并可以由公安机关对其直接负责的主管人员和其他直接责任人员处5日以上15日以下拘留。这里要说明以下四点:

一是关于执法主体的调整。新法规定由食品药品监督管理部门对上述违法行为进行行政处罚,取代了原来“有关主管部门”的表述，与监管部门职责调整情况相一致，体现了统一综合执法的新态势。

二是关于处罚种类。本条规定的处罚种类较多，既有没收违法所得、没收非法财物和罚款的财产罚，又有吊销许可证的资格罚、拘留的人身罚。相比于财产罚，吊销许可证或者拘留的处罚更为严厉，适用于情节严重的上述违法行为。本条还应当注意处罚种类之间的选择关系，例如“并可以没收用于违法生产经营的工具、设备、原料等物品”，主要是考虑食品生产经营者违法行为多样、复杂，一律没收工具、设备过于严厉；食品生产者往往使用同一工具、设备生产多种食品，某个品种或者某个批次食品不合格就没收相关工具、设备也难以执行。因此，法律采取“并可以”的表述，实际上给了食品安全监管部门必要的裁量权。监管部门应当注意视情形科学规范执法，违法情节严重或者造成严重后果的应当并处拘留等行政处罚，行使好法律赋予的裁量权。

三是关于最高货值金额处罚倍数。本条规定的罚款数额以货值金额来决定，违法生产经营的食品货值金额不足 1 万元的，并处 10 万元以上 15 万元以下罚款；货值金额 1 万元以上的，并处货值金额 15 倍以上 30 倍以下罚款。新法将原法规定货值金额的 5 倍以上 10 倍以下提高了 3 倍，修改为 15 倍以上 30 倍以下，是新法最高、最严的以货值金额倍数计算行政处罚的法律责任方式，体现了对上述违法行为坚决打击的态度。

四是关于行政拘留。本条第 1 款规定的 6 类违法生产经营行为，情节严重的适用“拘留”的行政处罚。违法使用剧毒、高毒农药的，除依照《农药管理条例》等法律法规给予处罚外，情节严重的，还应当依照本条规定给予拘留。食品药品监督管理、农业等监管部门在执法过程中发现情节严重的违法使用剧毒、高毒农药行为,需要给予拘留的,应当及时将案件移送公安机关。公安机关也可以主动立案查处。

(二)关于连带责任

第2款增加规定了明知从事第1款规定的违法行为,仍为其提供生产经营场所或者其他条件者的法律责任,除了由县级以上人民政府食品药品监督管理部门责令停止违法行为,没收违法所得,并处10万元以上20万元以下罚款以外,使消费者的合法权益受到损害的,还应当与食品生产经营者承担连带责任。这一规定的法理在于,明知从事第1款规定的违法行为,仍为其提供生产经营场所或者其他条件,等于有了共同从事违法行为的"合意",法律上规定连带责任是合理而有意义的,可以促使相关主体提高法律责任意识,也可以从外围源头上打击食品生产经营的违法行为。

(三)关于刑事责任

对于本条规定的违法行为,有可能构成犯罪。例如,如果符合刑法第143条、第144条规定的犯罪要件的,要按照生产、销售不符合安全标准的食品罪或者生产、销售有毒、有害食品罪追究刑事责任。因此本条第1款就规定,违反本法规定,尚不构成犯罪的,才依照本条处罚,防止以罚代刑。

第一百二十四条　违反本法规定,有下列情形之一,尚不构成犯罪的,由县级以上人民政府食品药品监督管理部门没收违法所得和违法生产经营的食品、食品添加剂,并可以没收用于违法生产经营的工具、设备、原料等物品;违法生产经营的食品、食品添加剂货值金额不足一万元的,并处五万元以上十万元以下罚款;货值金额一万元以上的,并处货值金额十倍以上二十倍以下罚款;情节严重的,吊销许可证:

（一）生产经营致病性微生物，农药残留、兽药残留、生物毒素、重金属等污染物质以及其他危害人体健康的物质含量超过食品安全标准限量的食品、食品添加剂；

（二）用超过保质期的食品原料、食品添加剂生产食品、食品添加剂，或者经营上述食品、食品添加剂；

（三）生产经营超范围、超限量使用食品添加剂的食品；

（四）生产经营腐败变质、油脂酸败、霉变生虫、污秽不洁、混有异物、掺假掺杂或者感官性状异常的食品、食品添加剂；

（五）生产经营标注虚假生产日期、保质期或者超过保质期的食品、食品添加剂；

（六）生产经营未按规定注册的保健食品、特殊医学用途配方食品、婴幼儿配方乳粉，或者未按注册的产品配方、生产工艺等技术要求组织生产；

（七）以分装方式生产婴幼儿配方乳粉，或者同一企业以同一配方生产不同品牌的婴幼儿配方乳粉；

（八）利用新的食品原料生产食品，或者生产食品添加剂新品种，未通过安全性评估；

（九）食品生产经营者在食品药品监督管理部门责令其召回或者停止经营后，仍拒不召回或者停止经营。

除前款和本法第一百二十三条、第一百二十五条规定的情形外，生产经营不符合法律、法规或者食品安全标准的食品、食品添加剂的，依照前款规定给予处罚。

生产食品相关产品新品种，未通过安全性评估，或者生产不符合食品安全标准的食品相关产品的，由县级以上人民政府质量监督部门依照第一款规定给予处罚。

【释义】　本条是关于11类违法生产经营行为的法律责任的规定。

本条是新增加的规定。第1款列举规定了应当适用“并处货值金额十倍以上二十倍以下罚款”等法律责任的违法情形。第2款规定了法律责任的兜底条款。第3款规定了未经安全性评估生产食品相关产品新品种等的法律责任。

一、本条规定的违法行为

为了确保食品安全,新法第34条明确规定了13种禁止生产经营的食品、食品添加剂、食品相关产品,都是性质恶劣、一旦有了生产经营行为就应当追究法律责任的情形。本条第1款前5项内容是将第34条中性质较为恶劣,一旦出现生产经营行为必然会影响食品安全的情形单独列举出来,在本条中规定了第二种幅度的严格法律责任。第1款第6项是对应本法第76条、第77条、第80条、第81条和第82条的规定,落实保健食品、特殊医学用途配方食品、婴幼儿配方乳粉必须依法注册和按照注册内容组织生产的法律责任。第1款第7项是对应本法第81条第5款的禁止性规定。第1款第8项是对应本法第37条的规定,利用新的食品原料生产食品,或者生产食品添加剂新品种,是应当向国务院卫生行政部门提交相关产品的安全性评估材料并申请许可的行为,未通过安全性评估并取得许可就利用新的食品原料生产食品,或者生产食品添加剂新品种应当依照本条追究法律责任。第1款第9项对应本法第63条第5款的规定。食品生产经营者未依照本条规定召回或者停止经营的,县级以上人民政府食品药品监督管理部门可以责令其召回或者停止经营。食品生产经营者在食品药品监督管理部门责令其召回或者停止经营后,仍拒不召回或者停止经营的,应当依照本条规定追究法律责任。

第2款规定的违法行为对应第34条第13项,主要是作为兜底法律责任条款,防止列举不全。但是,这里的兜底法律责任也是有限定的，即“不符合法律、法规或者食品安全标准”。除第1款已经列明的情形和本法第123条、第125条规定的情形外，生产经营不符合本法和相关法律、法规或者食品安全标准的食品、食品添加剂的，依照第1款规定给予处罚。例如，除致病性微生物，农药残留、兽药残留、生物毒素、重金属等污染物质以及其他危害人体健康的物质含量超过食品安全标准限量的以外，食品安全标准还规定了其他限量指标。违反这些指标的，应当依照第1款的规定给予处罚。又如，新法第75条规定了“列入保健食品原料目录的原料只能用于保健食品生产，不得用于其他食品生产”，违反这一规定的，应当依照第1款的规定给予处罚。

第3款规定的生产食品相关产品新品种，未通过安全性评估获得国务院卫生行政部门颁发的新品种许可，或者生产不符合食品安全国家标准的食品相关产品的，与第1款第8项规定的违法行为性质类似。违反了本法第37条的规定，应当依照第1款的规定追究法律责任，但是因为食品相关产品生产环节的监管职责在质量监督部门，所以执法主体是“县级以上人民政府质量监督部门”。

二、本条规定的法律责任

（一）关于行政处罚

针对第1款规定的违法行为，尚不构成犯罪的，由县级以上人民政府食品药品监督管理部门没收违法所得和违法生产经营的食品、食品添加剂，并可以没收用于违法生产经营的工具、设备、原料等物品；违法生产经营的食品、食品添加剂货值金额不足1万元的，并处5万元以上10万元以下罚款；货值金额1万元以上的，并处货值金额10倍以上20倍以下罚款；情节严重的，吊销许可证。需要注意的是，该款规定的逻辑思路与本法第

123 条第 1 款基本一致，执法主体是食品药品监督管理部门，行政处罚的种类既有财产罚又有资格罚，但有一条重要的不同就是行政处罚幅度要较第 123 条第 1 款轻。表现在两个方面：一是“并处五万元以上十万元以下罚款”和“并处货值金额十倍以上二十倍以下罚款”，二是没有拘留有关责任人的人身罚的规定。

（二）关于刑事责任

对于第 1 款规定的违法行为，有可能构成犯罪。因此本条第 1 款规定违反本法规定，尚不构成犯罪的，才依照本条处罚，防止以罚代刑。

第一百二十五条　违反本法规定，有下列情形之一的，由县级以上人民政府食品药品监督管理部门没收违法所得和违法生产经营的食品、食品添加剂，并可以没收用于违法生产经营的工具、设备、原料等物品；违法生产经营的食品、食品添加剂货值金额不足一万元的，并处五千元以上五万元以下罚款；货值金额一万元以上的，并处货值金额五倍以上十倍以下罚款；情节严重的，责令停产停业，直至吊销许可证：

（一）生产经营被包装材料、容器、运输工具等污染的食品、食品添加剂；

（二）生产经营无标签的预包装食品、食品添加剂或者标签、说明书不符合本法规定的食品、食品添加剂；

（三）生产经营转基因食品未按规定进行标示；

（四）食品生产经营者采购或者使用不符合食品安全标准的食品原料、食品添加剂、食品相关产品。

生产经营的食品、食品添加剂的标签、说明书存在瑕疵但不影响食品安全且不会对消费者造成误导的，由县级以上人民政

府食品药品监督管理部门责令改正;拒不改正的,处二千元以下罚款。

【释义】 本条是关于4类违法生产经营行为的法律责任的规定。

本条是对原法第86条的修改,除了第1款执法主体和违法情形调整、处罚力度加大之外,还在第2款增加了标签、说明书瑕疵的例外规定。

一、本条规定的违法行为

相比于前两条的规定,本条规定的标签违法行为适用较轻的法律责任规定。

第1款第1项规定了生产经营被包装材料、容器、运输工具等污染的食品、食品添加剂的违法情形。新法第33条规定了食品生产经营应当符合无毒无害等安全要求:贮存、运输和装卸食品的容器、工具和设备应当安全、无害,保持清洁,防止食品污染,并符合保证食品安全所需的温度、湿度等特殊要求,不得将食品与有毒、有害物品一同贮存、运输;直接入口的食品应当使用无毒、清洁的包装材料、餐具、饮具和容器。本条第1款第2项规定了生产经营无标签的预包装食品、食品添加剂或者标签、说明书不符合本法规定的食品、食品添加剂的违法情形。新法第34条第11项规定了禁止生产经营无标签的预包装食品、食品添加剂。新法第4章第3节对于标签、说明书的规范要求作出了规定,违反就应追究相应的法律责任。本条第1款第3项规定了生产经营转基因食品未按规定进行标示的违法行为,对于社会公众广泛关注的转基因食品问题,落实了新法第69条的法律规定。本条第1款第4项规定了食品生产经营者采购或者使用不符合食品安全标准的食品原料、食品添加剂、食品相关产品的违法行为。这是为了落实新法确立的进货查验制度,对应本法第 50 条、第 55 条等规定。例如第 55 条第 1 款规定，餐饮服务提供者应当制定并实施原料控制要求，不得采购不符合食品安全标准的食品原料。

本条第 2 款规定了生产经营的食品、食品添加剂的标签、说明书存在瑕疵但不影响食品安全且不会对消费者造成误导的轻微违法行为。

二、本条规定的法律责任

违反本法规定，有第 1 款规定的违法情形的，由县级以上人民政府食品药品监督管理部门没收违法所得和违法生产经营的食品、食品添加剂，并可以没收用于违法生产经营的工具、设备、原料等物品；违法生产经营的食品、食品添加剂货值金额不足 1 万元的，并处 5 千元以上 5 万元以下罚款；货值金额 1 万元以上的，并处货值金额 5 倍以上 10 倍以下罚款；情节严重的，责令停产停业，直至吊销许可证。需要注意的是，该款规定的逻辑思路与本法第 123 条第 1 款、第 124 条第 1 款基本一致，执法主体是食品药品监督管理部门，行政处罚的种类既有财产罚又有资格罚，主要不同就是处罚要较前两条都更轻。表现在两个方面：一是“并处五千元以上五万元以下罚款”和“并处货值金额五倍以上十倍以下罚款”，虽然比原法规定的“二倍以上五倍以下罚款”还是加重了，但这是本法第三个以货值金额的倍数计算的罚款幅度，也是按货值金额倍数计算的最轻的罚款幅度。二是既没有拘留有关责任人的人身罚的规定，又在吊销许可证的资格罚前，增加了“责令停产停业”的过渡性行政处罚手段。也就意味着，第 1 款规定的违法行为情节严重的，也不是立即就要吊销许可证，而是首先选择责令停产停业，视情节严重程度和整改情况可以加重行政处罚直至吊销许可证。

第 2 款规定的标签、说明书瑕疵的行政处罚，可以视作第 1

款的但书，是在第1款违法行为适用相对较轻的法律责任的基础上，又再次根据标签违法行为的轻微程度适用更轻的行政处罚，进一步体现了“过罚相当原则”。立法机关考虑要根据客观实际情况分清责任，生产经营的食品、食品添加剂的标签、说明书存在瑕疵但不影响食品安全且不会对消费者造成误导的轻微违法行为，应当给予一定程度的容忍，由县级以上人民政府食品药品监督管理部门责令改正。自觉改正的可以不予处罚，仅对拒不改正的处2千元以下罚款。标签、说明书是重要的食品安全管理载体，存在影响食品安全或者会对消费者造成误导的瑕疵不属于本款规定的轻微违法行为，应当依照第1款规定给予处罚。

第一百二十六条　违反本法规定，有下列情形之一的，由县级以上人民政府食品药品监督管理部门责令改正，给予警告；拒不改正的，处五千元以上五万元以下罚款；情节严重的，责令停产停业，直至吊销许可证：

（一）食品、食品添加剂生产者未按规定对采购的食品原料和生产的食品、食品添加剂进行检验；

（二）食品生产经营企业未按规定建立食品安全管理制度，或者未按规定配备或者培训、考核食品安全管理人员；

（三）食品、食品添加剂生产经营者进货时未查验许可证和相关证明文件，或者未按规定建立并遵守进货查验记录、出厂检验记录和销售记录制度；

（四）食品生产经营企业未制定食品安全事故处置方案；

（五）餐具、饮具和盛放直接入口食品的容器，使用前未经洗净、消毒或者清洗消毒不合格，或者餐饮服务设施、设备未按规定定期维护、清洗、校验；

（六）食品生产经营者安排未取得健康证明或者患有国务院卫生行政部门规定的有碍食品安全疾病的人员从事接触直接入口食品的工作；

（七）食品经营者未按规定要求销售食品；

（八）保健食品生产企业未按规定向食品药品监督管理部门备案，或者未按备案的产品配方、生产工艺等技术要求组织生产；

（九）婴幼儿配方食品生产企业未将食品原料、食品添加剂、产品配方、标签等向食品药品监督管理部门备案；

（十）特殊食品生产企业未按规定建立生产质量管理体系并有效运行，或者未定期提交自查报告；

（十一）食品生产经营者未定期对食品安全状况进行检查评价，或者生产经营条件发生变化，未按规定处理；

（十二）学校、托幼机构、养老机构、建筑工地等集中用餐单位未按规定履行食品安全管理责任；

（十三）食品生产企业、餐饮服务提供者未按规定制定、实施生产经营过程控制要求。

餐具、饮具集中消毒服务单位违反本法规定用水，使用洗涤剂、消毒剂，或者出厂的餐具、饮具未按规定检验合格并随附消毒合格证明，或者未按规定在独立包装上标注相关内容的，由县级以上人民政府卫生行政部门依照前款规定给予处罚。

食品相关产品生产者未按规定对生产的食品相关产品进行检验的，由县级以上人民政府质量监督部门依照第一款规定给予处罚。

食用农产品销售者违反本法第六十五条规定的，由县级以上人民政府食品药品监督管理部门依照第一款规定给予处罚。

【释义】 本条是关于16类生产经营过程违法行为所应承

担的法律责任的规定。

本条对原法第 87 条的主要修改：一是明确了执法主体，将“有关主管部门按照各自职责分工”修改为“县级以上人民政府食品药品监督管理部门”，并明确餐具和饮具集中消毒服务单位、食品相关产品生产者以及食用农产品销售者违法行为的执法主体；二是加大了处罚力度，将“处二千元以上二万元以下罚款”修改为“处五千元以上五万元以下罚款”；三是本次修法强化了生产经营过程控制，相应增加了生产经营过程相关违法行为的法律责任，将违法行为种类由 7 类增加到 16 类。

一、本条规定的违法行为

（一）食品、食品添加剂生产者未按规定对采购的食品原料和生产的食品、食品添加剂进行检验。本类违法行为主要针对的是：1. 新法第 50 条规定，食品生产者采购无法提供合格证明的食品原料，应当按照食品安全标准进行检验。2. 新法第 52 条规定，食品、食品添加剂的生产者，应当按照食品安全标准对所生产的食品、食品添加剂进行检验，检验合格后方可出厂或者销售。3. 新法第 81 条规定，婴幼儿配方食品生产企业应当对出厂的婴幼儿配方食品实施逐批检验。如果未遵守新法第 50 条、第 52 条、第 81 条前述规定，就属于本类违法行为。

（二）食品生产经营企业未按规定建立食品安全管理制度，或者未按规定配备或者培训、考核食品安全管理人员。本类违法行为主要针对的是：新法第 44 条规定，食品生产经营企业应当建立食品安全管理制度，对职工进行食品安全知识培训；配备食品安全管理人员，加强对其培训和考核，经考核不具备食品安全管理能力的，不得上岗。如果未遵守新法第 44 条前述规定，就属于本类违法行为。

（三）食品、食品添加剂生产经营者进货时未查验许可证和相关证明文件,或者未按规定建立并遵守进货查验记录、出厂检验记录和销售记录制度。本类违法行为主要针对的是:1. 新法第 50 条规定,食品生产者采购食品原料、食品添加剂、食品相关产品,应当查验供货者的许可证和产品合格证明。食品生产企业应当建立食品原料、食品添加剂、食品相关产品进货查验记录制度,如实记录食品原料、食品添加剂、食品相关产品的名称、规格、数量、生产日期或者生产批号、保质期、进货日期以及供货者名称、地址、联系方式等内容,并保存相关凭证。记录和凭证保存期限不得少于产品保质期满后 6 个月;没有明确保质期的,保存期限不得少于 2 年。2. 新法第 51 条规定,食品生产企业应当建立食品出厂检验记录制度,查验出厂食品的检验合格证和安全状况,如实记录食品的名称、规格、数量、生产日期或者生产批号、保质期、检验合格证号、销售日期以及购货者名称、地址、联系方式等内容,并保存相关凭证。记录和凭证保存期限应当符合新法第 50 条第 2 款的规定。3. 新法第 53 条规定,食品经营者采购食品,应当查验供货者的许可证和食品出厂检验合格证或者其他合格证明;食品经营企业应当建立食品进货查验记录制度,如实记录食品的名称、规格、数量、生产日期或者生产批号、保质期、进货日期以及供货者名称、地址、联系方式等内容,并保存相关凭证。记录和凭证保存期限应当符合新法第 50 条第 2 款的规定。实行统一配送经营方式的食品经营企业,可以由企业总部统一查验供货者的许可证和食品合格证明文件,进行食品进货查验记录。从事食品批发业务的经营企业应当建立食品销售记录制度,如实记录批发食品的名称、规格、数量、生产日期或者生产批号、保质期、销售日期以及购货者名称、地址、联系方式等内容,并保存相关凭证。记录和凭证保存期限应当符合新法第 50 条第 2 款的规定。4. 新法第 59 条规定,食品添加剂生产者应当建立食品添加剂出厂检验记录制度,查验出厂产品的检验合格证和安全状况,如实记录食品添加剂的名称、规格、数量、生产日期或者生产批号、保质期、检验合格证号、销售日期以及购货者名称、地址、联系方式等相关内容,并保存相关凭证。记录和凭证保存期限应当符合新法第 50 条第 2 款的规定。5. 新法第 60 条规定,食品添加剂经营者采购食品添加剂,应当依法查验供货者的许可证和产品合格证明文件,如实记录食品添加剂的名称、规格、数量、生产日期或者生产批号、保质期、进货日期以及供货者名称、地址、联系方式等内容,并保存相关凭证。记录和凭证保存期限应当符合新法第 50 条第 2 款的规定。如果未遵守新法第 50 条、第 51 条、第 53 条、第 59 条、第 60 条前述规定,食品、食品添加剂生产经营者进货时未查验许可证和相关证明文件,或者未按规定建立并遵守进货查验记录、出厂检验记录和销售记录制度,就属于本类违法行为。

(四)食品生产经营企业未制定食品安全事故处置方案。本类违法行为主要针对的是:新法第 102 条规定,食品生产经营企业应当制定食品安全事故处置方案。如果未遵守新法第 102 条前述规定,就属于本类违法行为。

(五)餐具、饮具和盛放直接入口食品的容器,使用前未经洗净、消毒或者清洗消毒不合格,或者餐饮服务设施、设备未按规定定期维护、清洗、校验。本类违法行为主要针对的是:1. 新法第 33 条规定,餐具、饮具和盛放直接入口食品的容器,使用前应当洗净、消毒。2. 新法第 56 条规定,餐饮服务提供者应当定期维护食品加工、贮存、陈列等设施、设备;定期清洗、校验保温设施及冷藏、冷冻设施;按照要求对餐具、饮具进行清洗消毒,不得使用未经清洗消毒的餐具、饮具。如果未遵守新法第 33 条、第 56 条前述规定,就属于本类违法行为。

（六）食品生产经营者安排未取得健康证明或者患有国务院卫生行政部门规定的有碍食品安全疾病的人员从事接触直接入口食品的工作。本类违法行为主要针对的是：新法第45条规定，患有国务院卫生行政部门规定的有碍食品安全疾病的人员，不得从事接触直接入口食品的工作。从事接触直接入口食品工作的食品生产经营人员每年应当进行健康检查，取得健康证明后方可上岗工作。如果食品生产经营者在安排人员工作时未遵守新法第45条前述规定，就属于本类违法行为。

（七）食品经营者未按规定要求销售食品。本类违法行为主要针对的是：1. 新法第68条规定，食品经营者销售散装食品，应当在散装食品的容器、外包装上标明食品的名称、生产日期或者生产批号、保质期以及生产经营者名称、地址、联系方式等内容。2. 新法第72条规定，食品经营者应当按照食品标签标示的警示标志、警示说明或者注意事项的要求销售食品。如果未遵守新法第68条、第72条前述规定，就属于本类违法行为。

（八）保健食品生产企业未按规定向食品药品监督管理部门备案，或者未按备案的产品配方、生产工艺等技术要求组织生产。本类违法行为主要针对的是：1. 新法第76条规定，国内生产的保健食品，除使用保健食品原料目录以外原料的保健食品外，都应当报省、自治区、直辖市人民政府食品药品监督管理部门备案。2. 新法第77条规定，依法应当备案的保健食品，备案时应当提交产品配方、生产工艺、标签、说明书以及表明产品安全性和保健功能的材料。3. 新法第82条规定，保健食品生产企业应当按照备案的产品配方、生产工艺等技术要求组织生产。如果保健食品生产企业未遵守新法第76条、第77条、第82条前述规定，就属于本类违法行为。

（九）婴幼儿配方食品生产企业未将食品原料、食品添加剂、产品配方、标签等向食品药品监督管理部门备案。本类违法行为主要针对的是:新法第 81 条第 3 款规定,婴幼儿配方食品生产企业应当将食品原料、食品添加剂、产品配方及标签等事项向省、自治区、直辖市人民政府食品药品监督管理部门备案。如果未遵守新法第 81 条前述规定,就属于本类违法行为。新法第 81 条第 4 款规定,婴幼儿配方乳粉的产品配方应当经国务院食品药品监督管理部门注册,即婴幼儿配方乳粉生产企业作为婴幼儿配方食品生产企业的重要一员,其生产的婴幼儿配方乳粉的产品配方应当注册,而不是备案,但是其应当将食品原料、食品添加剂、标签等事项向省、自治区、直辖市人民政府食品药品监督管理部门备案。如果婴幼儿配方乳粉生产企业未遵守新法第 81 条前述规定,未将食品原料、食品添加剂、标签等向食品药品监督管理部门备案,也属于本类违法行为。

(十)特殊食品生产企业未按规定建立生产质量管理体系并有效运行,或者未定期提交自查报告。本类违法行为主要针对的是:新法第 83 条规定,生产保健食品,特殊医学用途配方食品、婴幼儿配方食品和其他专供特定人群的主辅食品的企业,应当按照良好生产规范的要求建立与所生产食品相适应的生产质量管理体系,定期对该体系的运行情况进行自查,保证其有效运行,并向所在地县级人民政府食品药品监督管理部门提交自查报告。如果未遵守新法第 83 条前述规定,就属于本类违法行为。

(十一)食品生产经营者未定期对食品安全状况进行检查评价,或者生产经营条件发生变化,未按规定处理。本类违法行为主要针对的是:新法第 47 条规定,食品生产经营者应当建立食品安全自查制度,定期对食品安全状况进行检查评价。生产经营条件发生变化,不再符合食品安全要求的,食品生产经营者应当立即采取整改措施;有发生食品安全事故的潜在风险的,应当立即停止食品生产经营活动,并向所在地县级人民政府食品药品监督管理部门报告。如果未遵守新法第 47 条前述规定,就属于本类违法行为。

(十二)学校、托幼机构、养老机构、建筑工地等集中用餐单位未按规定履行食品安全管理责任。本类违法行为主要针对的是:新法第 57 条规定,学校、托幼机构、养老机构、建筑工地等集中用餐单位的食堂应当严格遵守法律、法规和食品安全标准;从供餐单位订餐的,应当从取得食品生产经营许可的企业订购,并按照要求对订购的食品进行查验。如果未遵守新法第 57 条前述规定,就属于本类违法行为。

(十三)食品生产企业、餐饮服务提供者未按规定制定、实施生产经营过程控制要求。本类违法行为主要针对的是:1. 新法第 46 条规定,食品生产企业应当就下列事项制定并实施控制要求,保证所生产的食品符合食品安全标准:(1)原料采购、原料验收、投料等原料控制;(2)生产工序、设备、贮存、包装等生产关键环节控制;(3)原料检验、半成品检验、成品出厂检验等检验控制;(4)运输和交付控制。2. 新法第 55 条规定,餐饮服务提供者应当制定并实施原料控制要求。食品生产企业、餐饮服务提供者如果未遵守新法第 46 条、第 55 条前述规定,就属于本类违法行为。

(十四)食用农产品销售者违反新法第 65 条规定。本类违法行为主要针对的是:新法第 65 条规定,食用农产品销售者应当建立食用农产品进货查验记录制度,如实记录食用农产品的名称、数量、进货日期以及供货者名称、地址、联系方式等内容,并保存相关凭证。记录和凭证保存期限不得少于 6 个月。如果未遵守新法第 65 条前述规定,就属于本类违法行为。

（十五）食品相关产品生产者未按规定对生产的食品相关产品进行检验。本类违法行为主要针对的是：新法第52条规定，食品相关产品的生产者，应当按照食品安全标准对所生产的食品相关产品进行检验，检验合格后方可出厂或者销售。如果未遵守新法第52条前述规定，就属于本类违法行为。

（十六）餐具、饮具集中消毒服务单位违反新法规定用水，使用洗涤剂、消毒剂，或者出厂的餐具、饮具未按规定检验合格并随附消毒合格证明，或者未按规定在独立包装上标注相关内容。本类违法行为主要针对的是：新法第58条规定，餐具、饮具集中消毒服务单位用水和使用的洗涤剂、消毒剂应当符合相关食品安全国家标准和其他国家标准、卫生规范，应当对消毒餐具、饮具进行逐批检验，检验合格后方可出厂，并应当随附消毒合格证明。消毒后的餐具、饮具应当在独立包装上标注单位名称、地址、联系方式、消毒日期以及使用期限等内容。如果未遵守新法第58条前述规定，就属于本类违法行为。

二、本条规定的法律责任

有本条规定的第1类至第14类违法行为之一的，由县级以上人民政府食品药品监督管理部门责令改正，给予警告；拒不改正的，处5千元以上5万元以下罚款；情节严重的，责令停产停业，直至吊销许可证。

有本条规定的第15类违法行为的，由县级以上人民政府质量监督部门责令改正，给予警告；拒不改正的，处5千元以上5万元以下罚款；情节严重的，责令停产停业，直至吊销许可证。

有本条规定的第16类违法行为的，由县级以上人民政府卫生行政部门责令改正，给予警告；拒不改正的，处5千元以上5万元以下罚款；情节严重的，责令停产停业，直至吊销许可证。

本条规定“吊销许可证”中的许可证，是指食品生产经营许可证或者食品添加剂、食品相关产品生产许可证。

第一百二十七条　对食品生产加工小作坊、食品摊贩等的违法行为的处罚，依照省、自治区、直辖市制定的具体管理办法执行。

【释义】　本条是关于食品生产加工小作坊、食品摊贩等的违法行为如何处罚的规定。

本条为新增加内容，主要理由是：生产加工小作坊、食品摊贩等小微食品生产经营者规模不大，数量不少，考虑到这类生产经营者的实际情况，新法第 36 条规定，食品生产加工小作坊和食品摊贩等的具体管理办法由省、自治区、直辖市制定，即授权省、自治区、直辖市制定这类生产经营者的具体管理办法，相应这类生产经营者的违法行为的处罚也应当由省、自治区、直辖市根据这类生产经营者的特点及其违法行为的危害程度制定。

本条规定“违法行为”主要包括：一是未遵守新法第 36 条规定，即食品生产加工小作坊和食品摊贩等从事食品生产经营活动，不符合新法规定的与其生产经营规模、条件相适应的食品安全要求，所生产经营的食品不符合卫生、无毒、无害的要求。二是省、自治区、直辖市制定的生产加工小作坊、食品摊贩等的具体管理办法中规定的违法行为。

本条授权省、自治区、直辖市在制定食品生产加工小作坊、食品摊贩等的具体管理办法时，对这类生产经营者的违法行为的处罚作出规定。需要说明：

一是省、自治区、直辖市可以根据实际情况，对食品生产加工小作坊、食品摊贩等的违法行为的处罚，作出不同于新法有关法律责任的规定。

二是省、自治区、直辖市在规定食品生产加工小作坊、食品摊贩等的违法行为的处罚时,应当遵守立法法、行政处罚法等法律的规定。如行政处罚法第9条规定,限制人身自由的行政处罚,只能由法律设定。第11条规定,地方性法规可以设定除限制人身自由、吊销企业营业执照以外的行政处罚。法律、行政法规对违法行为已经作出行政处罚规定,地方性法规需要作出具体规定的,必须在法律、行政法规规定的给予行政处罚的行为、种类和幅度的范围内规定。第13条规定,省、自治区、直辖市人民政府制定的规章可以在法律、法规规定的给予行政处罚的行为、种类和幅度的范围内作出具体规定。尚未制定法律、法规的,省、自治区、直辖市人民政府制定的规章对违反行政管理秩序的行为,可以设定警告或者一定数量罚款的行政处罚。罚款的限额由省、自治区、直辖市人民代表大会常务委员会规定。

三是原法施行近6年来很多地方尚未制定食品生产加工小作坊、食品摊贩等的具体管理办法。依照修改后的立法法的规定,法律规定明确要求有关国家机关对专门事项作出配套的具体规定的,有关国家机关应当自法律施行之日起1年内作出规定。据此,各省、自治区、直辖市应当在新法施行后1年内制定食品生产加工小作坊、食品摊贩等的具体管理办法,未能在期限内作出规定的,应当依法向全国人大常委会说明情况。在省、自治区、直辖市制定食品生产加工小作坊、食品摊贩等的具体管理办法施行之前,对食品生产加工小作坊、食品摊贩等的违法行为的处罚,应当适用新法有关法律责任的规定。

第一百二十八条　违反本法规定,事故单位在发生食品安全事故后未进行处置、报告的,由有关主管部门按照各自职责分工责令改正,给予警告;隐匿、伪造、毁灭有关证据的,责令停产停业,没收违法所得,并处十万元以上五十万元以下罚款;造成

严重后果的，吊销许可证。

【释义】 本条是关于事故单位违法行为所应承担的法律责任的规定。

本条对原法第88条的主要修改：一是和新法第103条对原法第71条的修改一致，将“毁灭有关证据”修改为“隐匿、伪造、毁灭有关证据”；二是加大了处罚力度，增加了处罚种类“没收违法所得”，将“处二千元以上十万元以下罚款”修改为“处十万元以上五十万元以下罚款”。

一、本条规定的违法行为

（一）事故单位在发生食品安全事故后未进行处置、报告。本类违法行为主要针对的是：新法第103条规定，发生食品安全事故的单位应当立即采取措施，防止事故扩大；及时向事故发生地县级人民政府食品药品监督管理、卫生行政部门报告。如果未遵守新法第103条前述规定，就属于本类违法行为。

（二）事故单位在发生食品安全事故后隐匿、伪造、毁灭有关证据。本类违法行为主要针对的是：新法第103条规定，任何单位和个人不得隐匿、伪造、毁灭食品安全事故有关证据。如果事故单位在发生食品安全事故后未遵守新法第103条前述规定，就属于本类违法行为。

二、本条规定的法律责任

有本条规定的第1类违法行为的，由有关主管部门按照各自职责分工责令改正，给予警告。

有本条规定的第2类违法行为的，由有关主管部门按照各自职责分工责令停产停业，没收违法所得，并处10万元以上50万元以下罚款；造成严重后果的，吊销许可证。

本条规定“吊销许可证”中的许可证主要是指食品生产经营许可证、食品添加剂生产许可证等相关许可证，吊销许可证的执法主体按照职责分工应当是准予许可的部门。如食品生产经营企业未遵守新法第 103 条规定，在发生食品安全事故后毁灭食品安全事故有关证据，造成严重后果的，应当由食品药品监督管理部门吊销食品生产经营许可证。

第一百二十九条　违反本法规定，有下列情形之一的，由出入境检验检疫机构依照本法第一百二十四条的规定给予处罚：

（一）提供虚假材料，进口不符合我国食品安全国家标准的食品、食品添加剂、食品相关产品；

（二）进口尚无食品安全国家标准的食品，未提交所执行的标准并经国务院卫生行政部门审查，或者进口利用新的食品原料生产的食品或者进口食品添加剂新品种、食品相关产品新品种，未通过安全性评估；

（三）未遵守本法的规定出口食品；

（四）进口商在有关主管部门责令其依照本法规定召回进口的食品后，仍拒不召回。

违反本法规定，进口商未建立并遵守食品、食品添加剂进口和销售记录制度、境外出口商或者生产企业审核制度的，由出入境检验检疫机构依照本法第一百二十六条的规定给予处罚。

【释义】　本条是关于进出口违法行为所应承担的法律责任的规定。

本条对原法第 89 条的主要修改：一是明确执法主体为出入境检验检疫机构；二是本条指向的新法第 124 条、第 126 条和原法第 89 条指向的原法第 85 条、第 87 条比较，在处罚种类、罚款数额等方面作了修改，加大了处罚力度；三是本次修法增加了进口商召回和建立境外出口商或者生产企业审核制度的规定，相应增加了进口商在有关主管部门责令其依照新法规定召回进口的食品后仍拒不召回和未建立并遵守境外出口商或者生产企业审核制度的法律责任。

一、本条规定的违法行为

（一）提供虚假材料，进口不符合我国食品安全国家标准的食品、食品添加剂、食品相关产品。本类违法行为主要针对的是：新法第92条规定，进口的食品、食品添加剂、食品相关产品应当符合我国食品安全国家标准。如果提供虚假材料，进口不符合我国食品安全国家标准的食品、食品添加剂、食品相关产品，出入境检验检疫机构应当不允许进口，并依照本条规定给予处罚。

（二）进口尚无食品安全国家标准的食品，未提交所执行的标准并经国务院卫生行政部门审查，或者进口利用新的食品原料生产的食品或者进口食品添加剂新品种、食品相关产品新品种，未通过安全性评估。本类违法行为主要针对的是：新法第93条规定，进口尚无食品安全国家标准的食品，由境外出口商、境外生产企业或者其委托的进口商向国务院卫生行政部门提交所执行的相关国家（地区）标准或者国际标准。国务院卫生行政部门对相关标准进行审查，认为符合食品安全要求的，决定暂予适用，并及时制定相应的食品安全国家标准。进口利用新的食品原料生产的食品或者进口食品添加剂新品种、食品相关产品新品种，应当依照新法第37条的规定，向国务院卫生行政部门提交相关产品的安全性评估材料。国务院卫生行政部门应当自收到申请之日起60日内组织审查；对符合食品安全要求的，准予许可并公布；对不符合食品安全要求的，不予许可并书面说明理由。如果未遵守新法第93条的前述规定，就属于本类违法行为。

（三）未遵守新法的规定出口食品。本类违法行为主要针对的是:新法第99条规定,出口食品生产企业和出口食品原料种植、养殖场应当向国家出入境检验检疫部门备案。如果未遵守新法第99条前述规定,就属于本类违法行为。

(四)进口商在有关主管部门责令其依照新法规定召回进口的食品后,仍拒不召回。一是本条规定"有关主管部门"主要是指县级以上食品药品监督管理部门。二是本条规定"召回"包括新法第63条规定的召回、无害化处理、销毁等一系列措施。三是进口商在食品药品监督管理部门责令其依照新法规定召回进口的食品后,仍拒不召回,食品药品监督管理部门应当通报出入境检验检疫机构,由出入境检验检疫机构依照本条规定给予处罚。

(五)进口商未建立并遵守食品、食品添加剂进口和销售记录制度、境外出口商或者生产企业审核制度。本类违法行为主要针对的是:1.新法第94条规定,境外出口商、境外生产企业应当保证向我国出口的食品、食品添加剂、食品相关产品符合新法以及我国其他有关法律、行政法规的规定和食品安全国家标准的要求,并对标签、说明书的内容负责。进口商应当建立境外出口商、境外生产企业审核制度,重点审核前述内容;审核不合格的,不得进口。2.新法第98条规定,进口商应当建立食品、食品添加剂进口和销售记录制度,如实记录食品、食品添加剂的名称、规格、数量、生产日期、生产或者进口批号、保质期、境外出口商和购货者名称、地址及联系方式、交货日期等内容,并保存相关凭证。记录和凭证保存期限应当符合新法第50条第2款的规定,即不得少于产品保质期满后6个月,没有明确保质期的,保存期限不得少于2年。如果未遵守新法第94条、第98条前述规定,进口商未建立并遵守食品、食品添加剂进口和销售记录制度、境外出口商或者生产企业审核制度,就属于本类违法行为。

二、本条规定的法律责任

有本条规定的第1类至第4类违法行为之一的，由出入境检验检疫机构依照新法第124条的规定给予处罚。依照新法第124条的规定给予处罚是指：没收违法所得和违法生产经营的食品、食品添加剂、食品相关产品，并可以没收用于违法生产经营的工具、设备、原料等物品；违法生产经营的食品、食品添加剂、食品相关产品货值金额不足1万元的，并处5万元以上10万元以下罚款；货值金额1万元以上的，并处货值金额10倍以上20倍以下罚款；情节严重的，吊销许可证。

有本条规定的第5类违法行为的，由出入境检验检疫机构依照新法第126条的规定给予处罚。依照新法第126条的规定给予处罚，是指责令改正，给予警告；拒不改正的，处5千元以上5万元以下罚款；情节严重的，责令停产停业，直至吊销许可证。

进口食品、食品添加剂在我国销售时，和国内生产的食品、食品添加剂一样，应当符合我国法律、法规和食品安全标准。如果食品药品监督管理等部门在执法过程中发现在我国销售的进口食品、食品添加剂不符合我国法律、法规和食品安全标准，应当和对待国内生产的食品、食品添加剂一样，依法给予其经营者相应的处罚。

第一百三十条　违反本法规定，集中交易市场的开办者、柜台出租者、展销会的举办者允许未依法取得许可的食品经营者进入市场销售食品，或者未履行检查、报告等义务的，由县级以上人民政府食品药品监督管理部门责令改正，没收违法所得，并处五万元以上二十万元以下罚款；造成严重后果的，责令停业，直至由原发证部门吊销许可证；使消费者的合法权益受到损害

的，应当与食品经营者承担连带责任。

食用农产品批发市场违反本法第六十四条规定的，依照前款规定承担责任。

【释义】　本条是关于集中交易市场违法行为所应承担的法律责任的规定。

本条对原法第90条的主要修改：一是明确了执法主体，将“有关主管部门按照各自职责分工”修改为“县级以上人民政府食品药品监督管理部门”；二是加大了处罚力度，增加了处罚种类“责令改正，没收违法所得”，将“处二千元以上五万元以下罚款”修改为“处五万元以上二十万元以下罚款”；三是将原法第52条关于连带责任的规定移至此处，并将“本市场发生食品安全事故的”这一前提条件修改为“使消费者的合法权益受到损害的”，加强了对消费者权益的保护；四是本次修法增加了食用农产品批发市场的相关规定，相应增加了食用农产品批发市场违法行为的法律责任。

一、本条规定的违法行为

（一）集中交易市场的开办者、柜台出租者、展销会的举办者允许未依法取得许可的食品经营者进入市场销售食品，或者未履行检查、报告等义务。本类违法行为主要针对的是：新法第61条规定，集中交易市场的开办者、柜台出租者和展销会举办者，应当依法审查入场食品经营者的许可证，明确其食品安全管理责任，定期对其经营环境和条件进行检查，发现其有违反新法规定行为的，应当及时制止并立即报告所在地县级人民政府食品药品监督管理部门。如果未遵守新法第61条前述规定，就属于本类违法行为。本条规定的“未依法取得许可的食品经营者”，是指依法应当取得许可食品经营者未取得许可。如果集中交易市场的开办者、柜台出租者、展销会的举办者允许未取得许可的食品经营者进入市场销售食用农产品，就不属于本类违法行为，因为依据新法第35条规定，销售食用农产品不需要取得许可。

（二）食用农产品批发市场违反新法第64条规定。本类违法行为主要针对的是：新法第64条规定，食用农产品批发市场应当配备检验设备和检验人员或者委托符合新法规定的食品检验机构，对进入该批发市场销售的食用农产品进行抽样检验；发现不符合食品安全标准的，应当要求销售者立即停止销售，并向食品药品监督管理部门报告。如果未遵守新法第64条前述规定，就属于本类违法行为。

二、本条规定的法律责任

有本条规定的两类违法行为的，由县级以上人民政府食品药品监督管理部门责令改正，没收违法所得，并处5万元以上20万元以下罚款；造成严重后果的，责令停业，直至由原发证部门吊销许可证；使消费者的合法权益受到损害的，应当与食品经营者承担连带责任。

本条规定，食用农产品批发市场违反新法第64条规定的，依照前述规定承担责任，既包括依照前述规定承担行政责任，又包括依照前述规定承担民事责任。

第一百三十一条　违反本法规定，网络食品交易第三方平台提供者未对入网食品经营者进行实名登记、审查许可证，或者未履行报告、停止提供网络交易平台服务等义务的，由县级以上人民政府食品药品监督管理部门责令改正，没收违法所得，并处五万元以上二十万元以下罚款；造成严重后果的，责令停业，直至由原发证部门吊销许可证；使消费者的合法权益受到损害的，应当与食品经营者承担连带责任。

消费者通过网络食品交易第三方平台购买食品，其合法权益受到损害的，可以向入网食品经营者或者食品生产者要求赔偿。网络食品交易第三方平台提供者不能提供入网食品经营者的真实名称、地址和有效联系方式的，由网络食品交易第三方平台提供者赔偿。网络食品交易第三方平台提供者赔偿后，有权向入网食品经营者或者食品生产者追偿。网络食品交易第三方平台提供者作出更有利于消费者承诺的，应当履行其承诺。

【释义】　本条是关于网络食品交易违法行为所应承担的法律责任的规定。

本条为新增加内容，主要理由是：网购已经成为我国居民日常消费的主要方式之一，网络食品交易作为新兴的食品经营方式，在食品经营中发挥越来越重要的作用，同时也带来了一些新情况、新问题，需要立法上作出相应规定，加强对网络食品交易的监督管理，强化网络食品交易第三方平台提供者的食品安全管理责任。

一、本条规定的违法行为

（一）网络食品交易第三方平台提供者未对入网食品经营者进行实名登记、审查许可证，或者未履行报告、停止提供网络交易平台服务等义务。本类违法行为主要针对的是：新法第62条规定，网络食品交易第三方平台提供者应当对入网食品经营者进行实名登记，明确其食品安全管理责任；依法应当取得许可证的，还应当审查其许可证。网络食品交易第三方平台提供者发现入网食品经营者有违反新法规定行为的，应当及时制止并立即报告所在地县级人民政府食品药品监督管理部门；发现严重违法行为的，应当立即停止提供网络交易平台服务。如果未遵守新法第62条前述规定，就属于本类违法行为。

（二）消费者通过网络食品交易第三方平台购买食品，其合法权益受到损害。食品生产经营者生产经营的食品通过网络食品交易第三方平台销售给消费者，导致消费者人身、财产等合法权益受到损害的，就属于本类违法行为。

（三）消费者通过网络食品交易第三方平台购买食品，其合法权益受到损害，网络食品交易第三方平台提供者不能提供入网食品经营者的真实名称、地址和有效联系方式。新法第 62 条规定了网络食品交易第三方平台提供者对入网食品经营者的身份审查义务，该项义务应当是事先的、主动性的，一旦消费者通过网络食品交易第三方平台购买食品，其合法权益受到损害，发生纠纷，消费者难以找到入网食品经营者求偿时，网络食品交易第三方平台提供者应当向消费者提供入网食品经营者的真实名称、地址和有效联系方式；不能提供的，就属于本类违法行为。

二、本条规定的法律责任

有本条规定的第 1 类违法行为的，由县级以上人民政府食品药品监督管理部门责令改正，没收违法所得，并处 5 万元以上 20 万元以下罚款；造成严重后果的，责令停业，直至由原发证部门吊销许可证；使消费者的合法权益受到损害的，应当与食品经营者承担连带责任。本条规定“由原发证部门吊销许可证”是指吊销许可证的执法主体是准予许可的部门。如吊销网络食品交易第三方平台提供者的互联网信息服务业务经营许可证的执法主体应当是工业和信息化部门。

有本条规定的第 2 类违法行为的，消费者可以向入网食品经营者或者食品生产者要求赔偿。消费者权益保护法第 44 条规定，消费者通过网络交易平台购买商品，其合法权益受到损害的，可以向销售者要求赔偿。考虑到食品安全的特殊性和建立最严格的食品安全法律责任制度的需要，为了方便食品消费者行使求偿权，更好地保护其合法权益，本条规定，消费者通过网络食品交易第三方平台购买食品，其合法权益受到损害的，消费者可以向入网食品经营者或者食品生产者要求赔偿。依照新法第 148 条的规定，接到消费者赔偿要求的入网食品经营者或者食品生产者，应当实行首负责任制，先行赔付，不得推诿。

有本条规定的第 3 类违法行为的，由网络食品交易第三方平台提供者赔偿。网络食品交易第三方平台提供者赔偿后，有权向入网食品经营者或者食品生产者追偿。网络食品交易第三方平台提供者作出更有利于消费者承诺的，应当履行其承诺。网络食品交易第三方平台提供者的先行赔付责任是法律为维护消费者合法权益而确定的最低标准，法律鼓励其采取更有利于消费者的做法。实践中，有些网络食品交易第三方平台提供者已经推出无限制条件的先行赔付制度，一旦发生消费纠纷，消费者与经营者协商无果的，网络食品交易第三方平台提供者承诺一律向消费者先行赔付。这类承诺属于网络食品交易第三方平台提供者作出的更有利于消费者的承诺，网络食品交易第三方平台提供者应当履行。

第一百三十二条　违反本法规定，未按要求进行食品贮存、运输和装卸的，由县级以上人民政府食品药品监督管理等部门按照各自职责分工责令改正，给予警告；拒不改正的，责令停产停业，并处一万元以上五万元以下罚款；情节严重的，吊销许可证。

【释义】　本条是关于进行食品贮存、运输和装卸违法行为所应承担的法律责任的规定。

本条对原法第 91 条的主要修改：一是将“有关主管部门”修改为“县级以上人民政府食品药品监督管理等部门”，强调了食品药品监督管理部门的执法主体地位；二是将原法第 87 条关于未按要求进行食品贮存的规定移至此处，并增加了未按要求进行食品装卸的规定；三是加大了处罚力度，将“处二千元以上五万元以下罚款”修改为“处一万元以上五万元以下罚款”。

本条规定的违法行为“未按要求进行食品贮存、运输和装卸”主要针对的是：1. 新法第 33 条规定，贮存、运输和装卸食品的容器、工具和设备应当安全、无害，保持清洁，防止食品污染，并符合保证食品安全所需的温度、湿度等特殊要求，不得将食品与有毒、有害物品一同贮存、运输。非食品生产经营者从事食品贮存、运输和装卸的，也应当符合前述规定。2. 新法第 54 条规定，食品经营者应当按照保证食品安全的要求贮存食品，定期检查库存食品，及时清理变质或者超过保质期的食品。食品经营者贮存散装食品，应当在贮存位置标明食品的名称、生产日期或者生产批号、保质期、生产者名称及联系方式等内容。如果食品生产经营者或者专门从事仓储物流等的经营者进行食品贮存、运输和装卸，未遵守新法第 33 条、第 54 条前述规定，就属于本条规定的违法行为。

有本条规定的违法行为的，承担的法律责任是：由县级以上人民政府食品药品监督管理等部门按照各自职责分工责令改正，给予警告；拒不改正的，责令停产停业，并处 1 万元以上 5 万元以下罚款；情节严重的，吊销许可证。

本条规定“食品药品监督管理等部门”主要是指食品药品监督管理、交通运输等部门。如食品经营者未遵守新法第 54 条规定贮存食品，应当由食品药品监督管理部门责令改正，给予警告；拒不改正的，责令停业，并处 1 万元以上 5 万元以下罚款；情节严重的，吊销许可证。本条规定“吊销许可证”中的许可证包括食品生产经营许可证、道路运输经营许可证等相关许可证。吊销许可证的执法主体按照职责分工应当是准予许可的部门。如物流企业未遵守新法第33条规定从事食品运输,情节严重的,由道路运输管理机构吊销其道路运输经营许可证。

第一百三十三条 违反本法规定,拒绝、阻挠、干涉有关部门、机构及其工作人员依法开展食品安全监督检查、事故调查处理、风险监测和风险评估的,由有关主管部门按照各自职责分工责令停产停业,并处二千元以上五万元以下罚款;情节严重的,吊销许可证;构成违反治安管理行为的,由公安机关依法给予治安管理处罚。

违反本法规定,对举报人以解除、变更劳动合同或者其他方式打击报复的,应当依照有关法律的规定承担责任。

【释义】 本条是关于拒绝、阻挠、干涉有关部门、机构及其工作人员依法开展食品安全工作,或者对举报人打击报复的法律责任的规定。

本条为新增加内容,主要理由:一是实践中拒绝、阻挠、干涉有关部门、机构及其工作人员依法开展食品安全监督检查、事故调查处理、风险监测和风险评估的行为时有发生,不利于执法,应当对这类违法行为规定相应的法律责任。二是企业内部人员举报对发现食品安全违法行为具有重要作用,应当加强对举报人权益的保护,举报人所在企业对举报人打击报复的,应当规定相应的法律责任。

一、本条规定的违法行为

(一)拒绝、阻挠、干涉有关部门、机构及其工作人员依法开展食品安全监督检查、事故调查处理、风险监测和风险评估。本类违法行为主要针对的是:1.新法第15条规定,食品安全风险监测工作人员有权进入相关食用农产品种植养殖、食品生产经营场所采集样品、收集相关数据。2. 新法第 108 条规定,食品安全事故调查部门有权向有关单位和个人了解与事故有关的情况,并要求提供相关资料和样品。有关单位和个人应当予以配合,按照要求提供相关资料和样品,不得拒绝。任何单位和个人不得阻挠、干涉食品安全事故的调查处理。3. 新法关于食品安全监督检查、事故调查处理、风险监测和风险评估的其他规定。如果未遵守新法第 15 条、第 108 条等前述规定,拒绝、阻挠、干涉有关部门、机构及其工作人员依法开展食品安全监督检查、事故调查处理、风险监测和风险评估,就属于本类违法行为。

(二)对举报人以解除、变更劳动合同或者其他方式打击报复。本类违法行为主要针对的是:新法第 115 条规定,举报人举报所在企业的,该企业不得以解除、变更劳动合同或者其他方式对举报人进行打击报复。如果举报人所在企业未遵守新法第 115 条前述规定,就属于本类违法行为。

二、本条规定的法律责任

有本条规定的第 1 类违法行为的,由有关主管部门按照各自职责分工责令停产停业,并处 2 千元以上 5 万元以下罚款;情节严重的,吊销许可证;构成违反治安管理行为的,由公安机关依法给予治安管理处罚。

有本条规定的第 2 类违法行为的,依照有关法律的规定承担责任。

本条规定"有关主管部门"主要是指食品药品监督管理、质量监督等部门。如食品生产经营企业未遵守新法第 108 条规定,阻挠食品安全事故的调查处理,应当由食品药品监督管理部门责令停产停业,并处 2 千元以上 5 万元以下罚款;情节严重的,吊销许可证。

本条规定"构成违反治安管理行为"的主体包括个人和单

位。治安管理处罚法第 18 条规定,单位违反治安管理的,对其直接负责的主管人员和其他直接责任人员依照治安管理处罚法的规定处罚。其他法律、行政法规对同一行为规定给予单位处罚的,依照其规定处罚。第 50 条规定,阻碍国家机关工作人员依法执行职务的,情节严重的,处 5 日以上 10 日以下拘留。如果个人或者单位未遵守新法规定,阻挠食品安全监督管理部门工作人员依法执行食品安全监督检查工作,情节严重的,由公安机关依照治安管理处罚法前述规定给予拘留的处罚。

本条规定"依照有关法律的规定承担责任"主要是指依照劳动合同法、治安管理处罚法等法律的规定承担责任。劳动合同法第 42 条、第 87 条规定,用人单位违反法律规定解除劳动合同的,应当依照劳动合同法第 47 条规定的经济补偿标准的 2 倍向劳动者支付赔偿金,劳动合同法第 47 条规定,经济补偿按劳动者在本单位工作的年限,每满 1 年支付 1 个月工资的标准向劳动者支付。6 个月以上不满 1 年的,按 1 年计算;不满 6 个月的,向劳动者支付半个月工资的经济补偿。劳动者月工资高于用人单位所在直辖市、设区的市级人民政府公布的本地区上年度职工月平均工资 3 倍的,向其支付经济补偿的标准按职工月平均工资 3 倍的数额支付,向其支付经济补偿的年限最高不超过 12 年。如果举报人所在企业未遵守新法第 115 条规定,对举报人以解除劳动合同的方式进行打击报复,应当依照劳动合同法前述规定承担责任。

第一百三十四条　食品生产经营者在一年内累计三次因违反本法规定受到责令停产停业、吊销许可证以外处罚的,由食品药品监督管理部门责令停产停业,直至吊销许可证。

【释义】 本条是关于食品生产经营者屡次违法可以增加

处罚的规定。

本条是新法增加的规定，明确食品生产经营者在1年内累计3次受到处罚的，可以责令停产停业，直至吊销许可证。

在食品安全法修订草案审议过程中，有些常委委员提出，应当进一步加大对食品安全违法行为的处罚力度，对屡次违法的食品生产经营者应当加重处罚，为此新法增加了相应规定。

根据本条规定，累计的处罚应当是因为违反本法规定而受到的处罚，处罚种类包括警告、罚款、没收违法所得和没收工具、设备、物品等责令停产停业、吊销许可证以外的处罚。1年内累计3次是指食品生产经营者在1年之内有3次违反本法规定且受到处罚的违法行为。

食品生产经营者在1年内累计3次因违反本法规定受到处罚的，食品药品监督管理部门应当责令其停产停业，直至吊销许可证。

第一百三十五条　被吊销许可证的食品生产经营者及其法定代表人、直接负责的主管人员和其他直接责任人员自处罚决定作出之日起五年内不得申请食品生产经营许可，或者从事食品生产经营管理工作、担任食品生产经营企业食品安全管理人员。

因食品安全犯罪被判处有期徒刑以上刑罚的，终身不得从事食品生产经营管理工作，也不得担任食品生产经营企业食品安全管理人员。

食品生产经营者聘用人员违反前两款规定的，由县级以上人民政府食品药品监督管理部门吊销许可证。

【释义】　本条是关于严重违法犯罪者一定期限内禁止从事食品生产经营相关活动的规定。

本条对原法第92条作了修改，一是增加规定，被吊销许可证的食品生产经营者及其法定代表人5年内不得申请食品生产经营许可或者从事食品生产经营管理工作、担任食品生产经营企业食品安全管理人员；二是增加规定，因食品安全犯罪被判处有期徒刑以上刑罚的，终身不得从事食品生产经营管理工作，也不得担任企业食品安全管理人员。

1. 关于被吊销许可证的食品生产经营者及其有关人员。根据本条规定，一是被吊销许可证的食品生产经营者（包括企业、个体工商户）及其法定代表人、直接负责的主管人员和其他直接责任人员，自吊销许可证的处罚决定作出之日起5年内不得申请食品生产经营许可；二是被吊销许可证的食品生产经营者的法定代表人、直接负责的主管人员和其他直接责任人员，自吊销许可证的处罚决定作出之日起5年内不得从事食品生产经营管理工作、担任食品生产经营企业食品安全管理人员。

2. 关于因食品安全犯罪被判处有期徒刑以上刑罚的人。食品安全犯罪是指生产、销售不符合安全标准的食品罪，生产、销售有毒、有害食品罪等与食品安全有关的犯罪。根据刑法的规定，刑罚分为主刑和附加刑，主刑包括管制、拘役、有期徒刑、无期徒刑、死刑。有期徒刑以上刑罚指有期徒刑、无期徒刑和死刑。因食品安全犯罪被判处有期徒刑以上刑罚的，说明违法犯罪的情节恶劣，已不适合再从事食品生产经营管理工作或者担任企业食品安全管理人员。因此新法规定此类人员终身不得从事食品生产经营管理工作，也不得担任食品生产经营企业食品安全管理人员。

3. 食品生产经营者聘用人员违反本条规定的法律责任。食品生产经营者聘用人员时应当审查拟聘用人员是否属于本条规定的人员，属于本条规定人员的，不得聘用。违反本条规定聘用人员的，由县级以上人民政府食品药品监督管理部门吊销许可证。

第一百三十六条　食品经营者履行了本法规定的进货查验等义务，有充分证据证明其不知道所采购的食品不符合食品安全标准，并能如实说明其进货来源的，可以免予处罚，但应当依法没收其不符合食品安全标准的食品；造成人身、财产或者其他损害的，依法承担赔偿责任。

【释义】　本条是关于食品经营者履行了本法规定的义务可以免予处罚的规定。

本条是新增加的规定。

在食品安全法修订草案审议过程中，有的意见提出，在大多数情况下，食品不符合食品安全标准是由生产者造成的，如果食品经营者履行了进货查验义务，不知道所经营的食品不符合食品安全标准，并能说明进货来源的，不应处罚。现行法律法规中已经有类似规定。例如，产品质量法第55条规定，销售者销售本法第49条至第53条规定禁止销售的产品，有充分证据证明其不知道该产品为禁止销售的产品并如实说明其进货来源的，可以从轻或者减轻处罚。《药品管理法实施条例》第81条规定，药品经营企业、医疗机构未违反药品管理法和本条例的有关规定，并有充分证据证明其不知道所销售或者使用的药品是假药、劣药的，应当没收其销售或者使用的假药、劣药和违法所得；但是，可以免除其他行政处罚。根据上述意见，并参照有关法律法规的规定，本法增加了相关规定。

根据本条规定，食品经营者经营的食品不符合食品安全标准，但是符合以下三个条件的，可以免予处罚。一是履行了本法规定的进货查验等义务。本法对食品经营者规定了进货查验等义务,例如本法第 53 条规定,食品经营者采购食品,应当查验供货者的许可证和食品出厂检验合格证或者其他合格证明。食品经营企业应当建立食品进货查验记录制度,如实记录食品的名称、规格、数量、生产日期或者生产批号、保质期、进货日期以及供货者名称、地址、联系方式等内容,并保存相关凭证。记录和凭证保存期限应当符合本法第 50 条第 2 款的规定。二是有充分证据证明其不知道所采购的食品不符合食品安全标准。经营者负有举证义务,必须拿出充分证据,证明自己确实不知道所采购的食品不符合食品安全标准。例如进货时留存的食品出厂检验合格证或者其他合格证明。但是,消费者提供相反证据,证明经营者知情的,不能免予处罚。三是能如实说明其进货来源。经营者应当提供真实的进货的食品生产经营者的名称、地址、联系方式,以便于追根溯源,对违法的食品生产经营者进行查处。

同时符合上述三个条件的,食品药品监督管理部门可以对食品经营者免予处罚,但应当依法没收其不符合食品安全标准的食品,并依法处理。同时,不免除食品经营者应负的民事责任,因不合格食品造成人身、财产或者其他损害的,依法承担赔偿责任。

第一百三十七条　违反本法规定,承担食品安全风险监测、风险评估工作的技术机构、技术人员提供虚假监测、评估信息的,依法对技术机构直接负责的主管人员和技术人员给予撤职、开除处分;有执业资格的,由授予其资格的主管部门吊销执业证书。

【释义】　本条是关于提供虚假监测、评估信息的法律责任的规定。

本条为新增加内容，主要理由是：承担食品安全风险监测、风险评估工作的技术机构、技术人员提供虚假监测、评估信息将严重影响食品安全风险监测、风险评估制度的运行，应当规定相应的法律责任。

本条规定的违法行为“承担食品安全风险监测、风险评估工作的技术机构、技术人员提供虚假监测、评估信息”主要针对的是：1. 新法第 15 条规定，承担食品安全风险监测工作的技术机构应当保证监测数据真实、准确。2. 新法第 23 条规定，食品安全风险评估专家委员会的技术机构，应当按照科学、客观、及时、公开的原则，组织食品生产经营者、食品检验机构、认证机构、食品行业协会、消费者协会以及新闻媒体等，就食品安全风险评估信息进行交流沟通。如果承担食品安全风险监测、风险评估工作的技术机构、技术人员未遵守新法第 15 条、第 23 条前述规定，提供虚假监测、评估信息，就属于本条规定的违法行为。

有本条规定的违法行为的，承担的法律责任是：依法对技术机构直接负责的主管人员和技术人员给予撤职、开除处分；有执业资格的，由授予其资格的主管部门吊销执业证书。

本条规定“依法对技术机构直接负责的主管人员和技术人员给予撤职、开除处分”的执法主体是承担食品安全风险监测、风险评估工作的技术机构及其主管部门。如依法对承担食品安全风险评估工作的技术机构“国家食品安全风险评估中心”直接负责的主管人员和技术人员给予撤职、开除处分，依据《事业单位工作人员处分暂行规定》，执法主体应当是国家食品安全风险评估中心或者国务院卫生行政部门。

本条规定“有执业资格的，由授予其资格的主管部门吊销执业证书”是指承担食品安全风险监测、风险评估工作的技术机构直接负责的主管人员和技术人员有相关执业资格的，由授予其资格的主管部门吊销执业证书。如承担食品安全风险监测工作的技术机构“疾病预防控制中心”的技术人员未遵守新法规定，提供虚假食品安全风险监测信息，有执业医师资格的，由授予其资格的卫生行政部门吊销医师资格证。

第一百三十八条　违反本法规定，食品检验机构、食品检验人员出具虚假检验报告的，由授予其资质的主管部门或者机构撤销该食品检验机构的检验资质，没收所收取的检验费用，并处检验费用五倍以上十倍以下罚款，检验费用不足一万元的，并处五万元以上十万元以下罚款；依法对食品检验机构直接负责的主管人员和食品检验人员给予撤职或者开除处分；导致发生重大食品安全事故的，对直接负责的主管人员和食品检验人员给予开除处分。

违反本法规定，受到开除处分的食品检验机构人员，自处分决定作出之日起十年内不得从事食品检验工作；因食品安全违法行为受到刑事处罚或者因出具虚假检验报告导致发生重大食品安全事故受到开除处分的食品检验机构人员，终身不得从事食品检验工作。食品检验机构聘用不得从事食品检验工作的人员的，由授予其资质的主管部门或者机构撤销该食品检验机构的检验资质。

食品检验机构出具虚假检验报告，使消费者的合法权益受到损害的，应当与食品生产经营者承担连带责任。

【释义】　本条是关于食品检验机构、食品检验人员出具虚假检验报告以及食品检验机构聘用不得从事食品检验工作的人员等的法律责任的规定。

原法第93条对食品检验机构、食品检验人员出具虚假检验报告等的法律责任作了规定。新法的主要修改有以下几点：1. 加大处罚力度，新增了没收检验费用、罚款的责任形式；2. 明确导致发生重大食品安全事故的，要对直接负责的主管人员和食品检验人员给予开除处分；3. 对受到刑事处罚或者开除处分的食品检验机构人员的从业限制进行了细化；4. 明确了食品检验机构出具虚假检验报告应与食品生产经营者承担连带责任。

食品检验机构和食品检验人员承担着对食品进行依法检验的职责。食品检验是食品安全执法的重要依据，食品药品监督管理部门在日常的执法中，如果发现生产经营的食品可能存在安全问题的，需要将有可能存在问题的食品送到食品检验机构进行检验，如果经检验发现食品确实不符合食品安全标准的，则执法机关应当对当事人给予处罚。所以，食品检验机构所出据的检验结论是食品安全执法的重要依据。本法第 85 条规定，食品检验由食品检验机构指定的检验人独立进行，检验人应当依照有关法律、法规的规定，并按照食品安全标准和检验规范对食品进行检验，尊重科学，恪守职业道德，保证出具的检验数据和结论客观、公正，不得出具虚假检验报告。本法第 86 条规定，食品检验实行食品检验机构与检验人负责制，食品检验报告应当加盖食品检验机构公章，并有检验人的签名或者盖章，食品检验机构和检验人对出具的食品检验报告负责。如果食品检验机构、食品检验人员违反上述规定，出具虚假检验报告的，应当依法承担相应的法律责任。

对于食品检验机构、食品检验人员出具虚假检验报告的，本条规定的法律责任包括：

一、撤销检验资质

本法第 84 条规定，食品检验机构按照国家有关认证认可的规定取得资质认定后，方可从事食品检验活动。也就是说，国家对食品检验实行许可制，没有获得食品检验资质就不得从事食品检验活动。依照本条规定，食品检验机构会被撤销资质的情况有两种：一是食品检验机构、食品检验人员出具虚假检验报告的，二是食品检验机构聘用不得从事食品检验工作的人员的。撤销食品检验资质的主体是授予其资质的主管部门或者机构，如果食品检验机构的检验资质是由行政部门授予的，则由行政部门负责撤销；如果食品检验机构的检验资质是由国务院认证认可监督管理部门确定的认证认可机构授予的，则由该机构予以撤销。

二、没收检验费用和罚款

没收违法所得、没收非法财物和罚款是行政处罚法规定的行政处罚种类，都属于财产罚。在修改过程中，有的意见提出，由于食品检验机构从事食品检验活动具有有偿性，建议对出具虚假检验报告的行为实行财产罚。立法机关吸收了这方面的意见，即违反本法规定，食品检验机构、食品检验人员出具虚假检验报告的，没收所收取的检验费用，并处检验费用 5 倍以上 10 倍以下罚款，检验费用不足 1 万元的，并处 5 万元以上 10 万元以下罚款。

三、行政处分

行政处分是行政法律责任的重要内容。根据轻重程度，行政处分包括警告、记过、记大过、降级、撤职和开除等种类。由于出具虚假检验报告属于比较重的违法行为，因此本条对相关违法主体课予比较严厉的行政处分。食品检验机构、食品检验人员出具虚假检验报告的，依法对食品检验机构直接负责的主管人员和食品检验人员给予撤职或者开除处分；导致发生重大食品安全事故的，对直接负责的主管人员和食品检验人员给予开除处分。为了加大对出具虚假检验报告行为的打击力度，本条还进一步规定，受到开除处分的食品检验机构人员，自处分决定作出之日起10年内不得从事食品检验工作;因食品安全违法行为受到刑事处罚或者因出具虚假检验报告导致发生重大食品安全事故受到开除处分的食品检验机构人员,终身不得从事食品检验工作。

在民事责任方面,食品检验机构出具虚假检验报告,使消费者的合法权益受到损害的,应当与食品生产经营者承担连带责任。

第一百三十九条 违反本法规定,认证机构出具虚假认证结论,由认证认可监督管理部门没收所收取的认证费用,并处认证费用五倍以上十倍以下罚款,认证费用不足一万元的,并处五万元以上十万元以下罚款;情节严重的,责令停业,直至撤销认证机构批准文件,并向社会公布;对直接负责的主管人员和负有直接责任的认证人员,撤销其执业资格。

认证机构出具虚假认证结论,使消费者的合法权益受到损害的,应当与食品生产经营者承担连带责任。

【释义】 本条是关于虚假认证的法律责任的规定。

本条规定是此次修改新增内容。

认证是指由认证机构证明产品、服务、管理体系符合相关技术规范、相关技术规范的强制性要求或者标准的合格评定活动。认可是指由认可机构对认证机构、检查机构、实验室以及从事评审、审核等认证活动人员的能力和执业资格,予以承认的合格评定活动。检验检测认证是现代服务业的重要组成部分,对于加强质量安全、促进产业发展、维护群众利益等具有重要作用。开展认证认可工作,对从源头上确保食品安全,规范市场行为,指导消费和促进对外贸易具有重要作用。

本法第48条规定,国家鼓励食品生产经营企业符合良好生产规范要求，实施危害分析与关键控制点体系，提高食品安全管理水平；对通过良好生产规范、危害分析与关键控制点体系认证的食品生产经营企业，认证机构应当依法实施跟踪调查；对不再符合认证要求的企业，应当依法撤销认证，及时向县级以上人民政府食品药品监督管理部门通报，并向社会公布，认证机构实施跟踪调查不得收取费用。因此，本条所称“违反本法规定，认证机构出具虚假认证结论”，主要是指对于那些没有符合良好生产规范、危害分析与关键控制点体系认证相关要求的食品生产经营企业，认证机构却故意作出不符合实际情况的认证结论的情形。

依照本条规定，认证机构出具虚假认证结论需要同时承担两个方面的行政法律责任：一是没收所收取的认证费用，并处认证费用5倍以上10倍以下罚款，认证费用不足1万元的，并处5万元以上10万元以下罚款；二是对直接负责的主管人员和负有直接责任的认证人员，撤销其执业资格。除此之外，如果出具虚假认证结论的情节严重，还将被责令停业，直至撤销认证机构批准文件，并向社会公布。民事责任方面，认证机构出具虚假认证结论，使消费者的合法权益受到损害的，应当与食品生产经营者承担连带责任。

需要说明的是，由于《认证认可条例》第62条对出具虚假认证结论的行为也规定了法律责任，所以在执法实践中需要做好法律适用。《认证认可条例》第62条规定，认证机构出具虚假的认证结论，或者出具的认证结论严重失实的，撤销批准文件，并予公布；对直接负责的主管人员和负有直接责任的认证人员，撤销其执业资格；造成损害的，认证机构应当承担相应的赔偿责任。按照立法法有关法律适用的规定，条例的规定与法律的规定不一致的，应当适用法律的规定。

另外，对于认证机构没有对其认证的产品、服务、管理体系实施有效的跟踪调查，或者发现其认证的产品、服务、管理体系不能持续符合认证要求，不及时暂停其使用或者撤销认证证书并予公布的，依照《认证认可条例》的规定，将被责令改正，处5万元以上20万元以下的罚款，有违法所得的，没收违法所得；情节严重的，责令停业整顿，直至撤销批准文件，并予公布。

第一百四十条　违反本法规定，在广告中对食品作虚假宣传，欺骗消费者，或者发布未取得批准文件、广告内容与批准文件不一致的保健食品广告的，依照《中华人民共和国广告法》的规定给予处罚。

广告经营者、发布者设计、制作、发布虚假食品广告，使消费者的合法权益受到损害的，应当与食品生产经营者承担连带责任。

社会团体或者其他组织、个人在虚假广告或者其他虚假宣传中向消费者推荐食品，使消费者的合法权益受到损害的，应当与食品生产经营者承担连带责任。

违反本法规定，食品药品监督管理等部门、食品检验机构、食品行业协会以广告或者其他形式向消费者推荐食品，消费者组织以收取费用或者其他牟取利益的方式向消费者推荐食品的，由有关主管部门没收违法所得，依法对直接负责的主管人员和其他直接责任人员给予记大过、降级或者撤职处分；情节严重的，给予开除处分。

对食品作虚假宣传且情节严重的，由省级以上人民政府食品药品监督管理部门决定暂停销售该食品，并向社会公布；仍然销售该食品的，由县级以上人民政府食品药品监督管理部门没收违法所得和违法销售的食品，并处二万元以上五万元以下罚款。

【释义】 本条是关于违法发布食品广告和承担食品安全监管、检验职责的部门、机构,以及一些特定的社会组织违法推荐食品的法律责任的规定。

原法第55条、第94条对违法发布食品广告、推荐食品作了规定。此次修改主要有以下几点:一是增加规定,明确对于发布未取得批准文件、广告内容与批准文件不一致的保健食品广告的,依照广告法的规定给予处罚;二是明确广告经营者、发布者设计、制作、发布虚假食品广告,使消费者的合法权益受到损害的,应当与食品生产经营者承担连带责任;三是新增了社会团体或者其他组织、个人在虚假广告以外的其他虚假宣传中有关连带责任的规定;四是新增了对食品作虚假宣传且情节严重的法律责任。

本法第73条规定,食品广告的内容应当真实合法,不得含有虚假内容,不得涉及疾病预防、治疗功能。食品生产经营者对食品广告内容的真实性、合法性负责。县级以上人民政府食品药品监督管理部门和其他有关部门以及食品检验机构、食品行业协会不得以广告或者其他形式向消费者推荐食品;消费者组织不得以收取费用或者其他牟取利益的方式向消费者推荐食品。本条规定是对违反本法第73条规定而确定的法律责任。

一、依照广告法处罚的情形

目前,虚假食品广告误导消费者的问题时有发生。这些虚假广告不负责任地对食品,特别是保健食品的质量和功能作虚假宣传,欺骗和误导消费者,影响很坏,需要依法治理。本条第1款规定,违反本法规定,在广告中对食品作虚假宣传,欺骗消费者,或者发布未取得批准文件、广告内容与批准文件不一致的保健食品广告的,依照广告法的规定给予处罚。

广告法第55条规定,违反本法规定,发布虚假广告的,由工商行政管理部门责令停止发布广告，责令广告主在相应范围内消除影响，处广告费用3倍以上5倍以下的罚款，广告费用无法计算或者明显偏低的，处20万元以上100万元以下的罚款；2年内有3次以上违法行为或者有其他严重情节的，处广告费用5倍以上10倍以下的罚款，广告费用无法计算或者明显偏低的，处100万元以上200万元以下的罚款，可以吊销营业执照，并由广告审查机关撤销广告审查批准文件、1年内不受理其广告审查申请。依照广告法的规定，广告经营者、广告发布者明知或者应知广告虚假仍设计、制作、代理、发布的，由工商行政管理部门没收广告费用，并处广告费用3倍以上5倍以下的罚款，广告费用无法计算或者明显偏低的，处20万元以上100万元以下的罚款；2年内有3次以上违法行为或者有其他严重情节的，处广告费用5倍以上10倍以下的罚款，广告费用无法计算或者明显偏低的，处100万元以上200万元以下的罚款，并可以由有关部门暂停广告发布业务、吊销营业执照、吊销广告发布登记证件。对于发布虚假食品广告的行为，依据广告法上述规定给予处罚。同时，本条还明确，广告经营者、发布者设计、制作、发布虚假食品广告，使消费者的合法权益受到损害的，应当与食品生产经营者承担连带责任。

本法第79条规定，保健食品广告的内容应当经生产企业所在地省、自治区、直辖市人民政府食品药品监督管理部门审查批准，取得保健食品广告批准文件。如果发布未取得批准文件、广告内容与批准文件不一致的保健食品广告，应当依照广告法第58条的规定给予处罚，即由工商行政管理部门责令停止发布广告，责令广告主在相应范围内消除影响，处广告费用1倍以上3倍以下的罚款，广告费用无法计算或者明显偏低的，处10万元以上20万元以下的罚款；情节严重的，处广告费用3倍以上5

倍以下的罚款,广告费用无法计算或者明显偏低的,处 20 万元以上 100 万元以下的罚款,可以吊销营业执照,并由广告审查机关撤销广告审查批准文件、1 年内不受理其广告审查申请。

二、关于组织、个人的连带责任

原法规定,社会团体或者其他组织、个人在虚假广告中向消费者推荐食品,使消费者的合法权益受到损害的,都要与食品生产经营者承担连带责任。此次修改,进一步扩大了适用范围,社会团体或者其他组织、个人在虚假广告之外的其他虚假宣传中向消费者推荐食品,使消费者的合法权益受到损害的,也应当与食品生产经营者承担连带责任。

按照《社会团体登记管理条例》的规定,社会团体是指公民自愿组成,为实现会员共同意愿,按照其章程开展活动的非营利性社会组织。按照性质和任务,社会团体可以分为学术性、行业性、专业性和联合性四类。例如各类研究会、行业协会、律师协会、消费者协会、妇女联合会等都是社会团体。“其他组织”指社会团体以外的其他各类组织,包括机关、企业、事业单位、民办非企业单位和其他能够独立承担民事责任的组织。“个人”主要是指名人,当然也包括普通人。

连带责任是指根据法律规定或者当事人的约定,债权人有权请求数个债务人中的任何一人履行全部债务的一种民事责任承担方式。民法通则规定,债务人一方人数为两个以上的,依照法律规定或当事人约定,负有连带义务的每个债务人,都负有清偿全部债务的义务,履行了义务的人,有权要求其他负有连带义务的人偿付他应当承担的份额。连带责任更能保护权利主体的合法权益。消费者可以要求违法推荐食品的社会团体或者其他组织、个人承担全部或者部分民事责任,也可要求食品生产经营者承担全部或者部分民事责任。推荐食品的社会团体或者其他组织、个人与食品生产经营者之间的责任分配，依照法律或者约定确定。推荐食品的社会团体或者其他组织、个人不得以承担的责任超出与食品生产经营者约定的份额而拒绝消费者要求其承担全部责任的主张。推荐食品的社会团体或者其他组织、个人承担的责任超过应当承担的份额的，可以就超额的部分向食品生产经营者追偿。

三、有关部门、机构、协会等的法律责任

本法明确规定，县级以上人民政府食品药品监督管理部门和其他有关部门以及食品检验机构、食品行业协会不得以广告或者其他形式向消费者推荐食品；消费者组织不得以收取费用或者其他牟取利益的方式向消费者推荐食品。如果上述主体违反了这一规定，向消费者推荐了食品的，不论推荐的食品是否为不符合食品安全标准的食品，也不论是否因该食品给消费者造成了损害，均应当依据本条第 4 款的规定承担相应的法律责任，即由有关主管部门没收违法所得，依法对直接负责的主管人员和其他直接责任人员给予记大过、降级或者撤职处分；情节严重的，给予开除处分。

另外，为了防止给消费者造成损害，此次修改还对食品虚假宣传情节严重的作了进一步处理。对食品作虚假宣传且情节严重的，由省级以上人民政府食品药品监督管理部门决定暂停销售该食品，并向社会公布；仍然销售该食品的，由县级以上人民政府食品药品监督管理部门没收违法所得和违法销售的食品，并处 2 万元以上 5 万元以下罚款。

第一百四十一条　违反本法规定，编造、散布虚假食品安全信息，构成违反治安管理行为的，由公安机关依法给予治安管理处罚。

媒体编造、散布虚假食品安全信息的，由有关主管部门依法给予处罚，并对直接负责的主管人员和其他直接责任人员给予处分；使公民、法人或者其他组织的合法权益受到损害的，依法承担消除影响、恢复名誉、赔偿损失、赔礼道歉等民事责任。

【释义】 本条是关于编造、散布虚假食品安全信息的法律责任的规定。

本条是此次修改新增加的内容。

本法规定，任何单位和个人不得编造、散布虚假食品安全信息。新闻媒体应当开展食品安全法律、法规以及食品安全标准和知识的公益宣传，并对食品安全违法行为进行舆论监督。有关食品安全的宣传报道应当真实、公正。这些规定的目的是为了维护社会公共秩序，防止由虚假信息、失实宣传报道等给人们正常生产生活秩序造成干扰或者冲击。

本条第1款是与治安管理处罚法的衔接性规定。治安管理处罚法规定，散布谣言，谎报险情、疫情、警情或者以其他方法故意扰乱公共秩序的，处5日以上10日以下拘留，可以并处500元以下罚款；情节较轻的，处5日以下拘留或者500元以下罚款。治安管理处罚由县级以上人民政府公安机关决定；其中警告、500元以下的罚款可以由公安派出所决定。依照治安管理处罚法的规定，违反治安管理有下列情形之一的，可以减轻处罚或者不予处罚：情节特别轻微的；主动消除或者减轻违法后果，并取得被侵害人谅解的；出于他人胁迫或者诱骗的；主动投案，向公安机关如实陈述自己的违法行为的；有立功表现的。有下列情形之一的，从重处罚：有较严重后果的；教唆、胁迫、诱骗他人违反治安管理的；对报案人、控告人、举报人、证人打击报复的；6个月内曾受过治安管理处罚的。当然，被处罚人对治安管理处罚决定不服的，可以依法申请行政复议或者提起行政诉讼。

本条第2款规定，媒体编造、散布虚假食品安全信息的，由有关主管部门依法给予处罚，并对直接负责的主管人员和其他直接责任人员给予处分。这是衔接性规定，具体如何处罚，要按照其他法规、规章的规定处理。如《新闻记者证管理办法》规定，新闻记者使用新闻记者证从事新闻采访活动，应遵守法律规定和新闻职业道德，确保新闻报道真实、全面、客观、公正，不得编发虚假报道，不得刊播虚假新闻，不得徇私隐匿应报道的新闻事实，如果违反该规定，由新闻出版总署或者省、自治区、直辖市新闻出版行政部门给予警告，并处3万元以下罚款，情节严重的，吊销其新闻记者证。

另外，本条还规定了民事责任。依照侵权责任法的规定，承担侵权责任的方式主要有：停止侵害、排除妨碍、消除危险、返还财产、恢复原状、赔偿损失、赔礼道歉、消除影响、恢复名誉。本条结合媒体编造、散布虚假食品安全信息侵权的特点，规定了消除影响、恢复名誉、赔偿损失、赔礼道歉等民事责任。这些承担侵权责任的方式，可以单独适用，也可以合并适用。

第一百四十二条　违反本法规定，县级以上地方人民政府有下列行为之一的，对直接负责的主管人员和其他直接责任人员给予记大过处分；情节较重的，给予降级或者撤职处分；情节严重的，给予开除处分；造成严重后果的，其主要负责人还应当引咎辞职：

（一）对发生在本行政区域内的食品安全事故，未及时组织协调有关部门开展有效处置，造成不良影响或者损失；

（二）对本行政区域内涉及多环节的区域性食品安全问题，未及时组织整治，造成不良影响或者损失；

（三）隐瞒、谎报、缓报食品安全事故；

（四）本行政区域内发生特别重大食品安全事故，或者连续发生重大食品安全事故。

【释义】 本条是关于地方人民政府有关食品安全事故、问题的应对和处置方面的法律责任的规定。

依照本法规定，县级以上地方人民政府对本行政区域的食品安全监督管理工作负责，统一领导、组织、协调本行政区域的食品安全监督管理工作。如果政府没有落实这些法律规定，应当承担相应法律责任。原法第95条第1款规定，县级以上地方人民政府在食品安全监督管理中未履行职责，本行政区域出现重大食品安全事故、造成严重社会影响的，依法对直接负责的主管人员和其他直接责任人员给予记大过、降级、撤职或者开除的处分。此次修改，对政府在有关食品安全事故、问题的应对和处置方面的违法情形进行了列举，这有利于有关部门追究相关人员的法律责任。

一、有关违法行为

1. 对发生在本行政区域内的食品安全事故，未及时组织协调有关部门开展有效处置，造成不良影响或者损失。本法规定，发生食品安全事故需要启动应急预案的，县级以上人民政府应当立即成立事故处置指挥机构，启动应急预案，依照有关规定和预案进行处置，应当要求、督促食品药品监督管理、卫生等部门，做好如下工作：（1）开展应急救援工作，组织救治因食品安全事故导致人身伤害的人员；（2）封存可能导致食品安全事故的食品及其原料，并立即进行检验，对确认属于被污染的食品及其原料，责令食品生产经营者依法予以召回、停止经营；（3）封存被污染的食品相关产品，并责令进行清洗消毒；（4）做好信息发布工作，依法对食品安全事故及其处理情况进行发布，并对可能产生的危害加以解释、说明。需要说明的是，追究政府责任需要特定结果，即本条第 1 项规定的“造成不良影响或者损失”，如果没有“造成不良影响或者损失”，则不适用本条规定的法律责任。

2. 对本行政区域内涉及多环节的区域性食品安全问题，未及时组织进行整治，造成不良影响、损失。本行政区域内发生特别重大食品安全事故，或者连续发生重大食品安全事故。本法规定，县级以上地方人民政府对本行政区域的食品安全监督管理工作负责。如果本行政区域发生或者出现本条第 2 项、第 4 项的情形，说明政府没有履行好对食品安全的监督管理职责，应当承担相应法律责任。

3. 隐瞒、谎报、缓报食品安全事故。本法第 103 条规定，任何单位和个人不得对食品安全事故隐瞒、谎报、缓报，不得隐匿、伪造、毁灭有关证据。这里的任何单位和个人当然包含政府和政府工作人员。政府隐瞒、谎报、缓报食品安全事故的，应当承担相应责任。

二、承担法律责任的形式

对于所列 4 项情形，本条规定的法律责任主要是行政处分，包括记大过、降级、撤职、开除。为了体现过罚相当原则，本条根据情节轻重对违法情形作了区分。一般情节，对直接负责的主管人员和其他直接责任人员给予记大过处分；情节较重的，给予降级或者撤职处分；情节严重的，给予开除处分；造成严重后果的，其主要负责人还应当引咎辞职。食品安全涉及人民群众的身体健康和生命安全，在食品安全管理工作中建立领导人引咎辞职的问责制，对于促使政府部门权责一致，更好地履行所承担的保障食品安全的法定职责具有重要意义。

第一百四十三条 违反本法规定，县级以上地方人民政府有下列行为之一的，对直接负责的主管人员和其他直接责任人员给予警告、记过或者记大过处分；造成严重后果的，给予降级或者撤职处分：

（一）未确定有关部门的食品安全监督管理职责，未建立健全食品安全全程监督管理工作机制和信息共享机制，未落实食品安全监督管理责任制；

（二）未制定本行政区域的食品安全事故应急预案，或者发生食品安全事故后未按规定立即成立事故处置指挥机构、启动应急预案。

【释义】 本条是关于政府未落实有关法定职责的法律责任的规定。

为了有利于有关部门追究政府相关人员的法律责任，本条对政府未履行职责的行为进行了列举。

一、有关违法行为

1. 本法规定，县级以上地方人民政府对本行政区域的食品安全监督管理工作负责，统一领导、组织、协调本行政区域的食品安全监督管理工作以及食品安全突发事件应对工作，建立健全食品安全全程监督管理工作机制和信息共享机制。县级以上地方人民政府依照本法和国务院的规定，确定本级食品药品监督管理、卫生行政部门和其他有关部门的职责。有关部门在各自职责范围内负责本行政区域的食品安全监督管理工作。本法还规定，县级以上地方人民政府实行食品安全监督管理责任制。上级人民政府负责对下一级人民政府的食品安全监督管理工作进行评议、考核。县级以上地方人民政府负责对本级食品药品监督管理部门和其他有关部门的食品安全监督管理工作进行评议、考核。如果县级以上地方人民政府无视上述规定，未确定有关部门的食品安全监督管理职责，未建立健全食品安全全程监督管理工作机制和信息共享机制，未落实食品安全监督管理责任制，依法应当承担相应责任。

2. 本法规定，县级以上地方人民政府应当根据有关法律、法规的规定和上级人民政府的食品安全事故应急预案以及本地区的实际情况，制定本行政区域的食品安全事故应急预案。发生食品安全事故需要启动应急预案的，县级以上人民政府应当立即成立事故处置指挥机构，启动应急预案，依照法律和应急预案的规定进行处置。如果县级以上地方人民政府没有遵守这些规定，依法应当承担相应责任。

二、承担法律责任的方式

对于所列两项情形，本条规定的法律责任主要是行政处分，包括警告、记过、记大过、降级和撤职。为了体现过罚相当原则，本条根据情节轻重作了区分：对直接负责的主管人员和其他直接责任人员给予警告、记过或者记大过处分；造成严重后果的，给予降级或者撤职处分。根据《行政机关公务员处分条例》的规定，行政机关公务员受处分的期间为：警告，6 个月；记过，12 个月；记大过，18 个月；降级、撤职，24 个月。行政机关公务员在受处分期间不得晋升职务和级别，其中，受记过、记大过、降级、撤职处分的，不得晋升工资档次；受撤职处分的，应当按照规定降低级别。

第一百四十四条　违反本法规定，县级以上人民政府食品药品监督管理、卫生行政、质量监督、农业行政等部门有下列行为之一的，对直接负责的主管人员和其他直接责任人员给予记大过处分；情节较重的，给予降级或者撤职处分；情节严重的，给

予开除处分；造成严重后果的，其主要负责人还应当引咎辞职：

（一）隐瞒、谎报、缓报食品安全事故；

（二）未按规定查处食品安全事故，或者接到食品安全事故报告未及时处理，造成事故扩大或者蔓延；

（三）经食品安全风险评估得出食品、食品添加剂、食品相关产品不安全结论后，未及时采取相应措施，造成食品安全事故或者不良社会影响；

（四）对不符合条件的申请人准予许可，或者超越法定职权准予许可；

（五）不履行食品安全监督管理职责，导致发生食品安全事故。

【释义】 本条是关于食品安全监管部门的法律责任的规定。

原法第95条第2款规定，违反本法规定，县级以上卫生行政、农业行政、质量监督、工商行政管理、食品药品监督管理部门或者其他有关行政部门不履行本法规定的职责或者滥用职权、玩忽职守、徇私舞弊的，依法对直接负责的主管人员和其他直接责任人员给予记大过或者降级的处分；造成严重后果的，给予撤职或者开除的处分；其主要负责人应当引咎辞职。为了便于对食品安全监管部门的监督追责，此次修改对有关违法行为进行了列举。

一、有关违法行为

1. 隐瞒、谎报、缓报食品安全事故。本法规定，县级以上人民政府质量监督、农业行政等部门在日常监督管理中发现食品安全事故或者接到事故举报，应当立即向同级人民政府食品药品监督管理部门通报。发生食品安全事故，接到报告的县级人民政府食品药品监督管理部门应当按照应急预案的规定向本级人民政府和上级人民政府食品药品监督管理部门报告。县级人民政府和上级人民政府食品药品监督管理部门应当按照应急预案的规定上报。同时规定,任何单位和个人不得对食品安全事故隐瞒、谎报、缓报。有关执法部门违反这些规定,应当承担相应法律责任。

2. 未按规定查处食品安全事故,或者接到食品安全事故报告未及时处理,造成事故扩大或者蔓延。本法规定,县级以上人民政府食品药品监督管理部门接到食品安全事故的报告后,应当立即会同同级卫生行政、质量监督、农业行政等部门进行调查处理,并采取下列措施,防止或者减轻社会危害:(1)开展应急救援工作,组织救治因食品安全事故导致人身伤害的人员;(2)封存可能导致食品安全事故的食品及其原料,并立即进行检验;对确认属于被污染的食品及其原料,责令食品生产经营者依照有关规定予以召回或者停止经营;(3)封存被污染的食品相关产品,并责令进行清洗消毒;(4)做好信息发布工作,依法对食品安全事故及其处理情况进行发布,并对可能产生的危害加以解释、说明。如果食品安全监管部门没有依法进行调查和处理,应当承担相应法律责任。

3. 经食品安全风险评估得出食品、食品添加剂、食品相关产品不安全结论后,未及时采取相应措施,造成食品安全事故或者不良社会影响。本法规定,经食品安全风险评估,得出食品、食品添加剂、食品相关产品不安全结论的,国务院食品药品监督管理、质量监督等部门应当依据各自职责立即向社会公布,告知消费者停止食用或者使用,并采取相应措施,确保该食品、食品添加剂、食品相关产品停止生产经营;需要制定、修订相关食品安全国家标准的,国务院卫生行政部门应当会同国务院食品药品监督管理部门立即制定、修订。食品监管部门如果没有及时采取相应措施，且造成食品安全事故或者不良社会影响的，应当承担相应责任。

4. 对不符合条件的申请人准予许可，或者超越法定职权准予许可。为了从源头上对食品安全进行监管，本法规定了几项行政许可制度。如食品生产经营实行许可制度，从事食品生产、食品销售、餐饮服务，应当依法取得许可。县级以上地方人民政府食品药品监督管理部门应当依照行政许可法的规定，审核申请人提交相关资料，必要时对申请人的生产经营场所进行现场核查；对符合规定条件的，准予许可；对不符合规定条件的，不予许可并书面说明理由。

另外，对于不履行食品安全监督管理职责，导致发生食品安全事故的，也要追究法律责任。

二、承担法律责任的形式

对于本条所列5项情形，本条规定的法律责任主要是行政处分，包括记大过、降级、撤职和开除。为了体现过罚相当原则，根据情节轻重作了区分：一般情况下，对直接负责的主管人员和其他直接责任人员给予记大过处分；情节较重的，给予降级或者撤职处分；情节严重的，给予开除处分。除此之外，为了强化问责，对于造成严重后果的，其主要负责人还应当引咎辞职。

第一百四十五条　违反本法规定，县级以上人民政府食品药品监督管理、卫生行政、质量监督、农业行政等部门有下列行为之一，造成不良后果的，对直接负责的主管人员和其他直接责任人员给予警告、记过或者记大过处分；情节较重的，给予降级或者撤职处分；情节严重的，给予开除处分：

（一）在获知有关食品安全信息后，未按规定向上级主管部门和本级人民政府报告，或者未按规定相互通报；

（二）未按规定公布食品安全信息；

（三）不履行法定职责，对查处食品安全违法行为不配合，或者滥用职权、玩忽职守、徇私舞弊。

【释义】 本条是关于食品安全监督管理部门的法律责任的规定。

原法第95条第2款规定，违反本法规定，县级以上卫生行政、农业行政、质量监督、工商行政管理、食品药品监督管理部门或者其他有关行政部门不履行本法规定的职责或者滥用职权、玩忽职守、徇私舞弊的，依法对直接负责的主管人员和其他直接责任人员给予记大过或者降级的处分；造成严重后果的，给予撤职或者开除的处分；其主要负责人应当引咎辞职。为了便于对食品安全监管部门的监督追责，本条进一步对三项违法行为进行了列举。

一、关于违法行为

1.在获知有关食品安全信息后，未按规定向上级主管部门和本级人民政府报告，或者未按规定相互通报。本法规定，省级以上人民政府卫生行政、农业行政部门应当及时相互通报食品和食用农产品安全风险监测信息；国务院卫生行政、农业行政部门应当及时相互通报食品和食用农产品安全风险评估结果等信息。县级以上人民政府食品药品监督管理、卫生行政、质量监督、农业行政等部门没有遵守这些规定的，应当承担相应法律责任。

2.未按规定公布食品安全信息。为了便于社会公众及时了解食品安全信息，做好自我防护，保障其知情权，本法在有些条款中要求有关部门及时公布食品安全信息。例如，国务院食品药品监督管理部门应当会同国务院有关部门，根据食品安全风险评估结果、食品安全监督管理信息，对食品安全状况进行综合分析，对经综合分析表明可能具有较高程度安全风险的食品，国务院食品药品监督管理部门应当及时提出食品安全风险警示，并向社会公布。如果食品安全监管部门和其他有关部门没能依法公布信息则构成违法。

3. 不履行法定职责，对查处食品安全违法行为不配合，或者滥用职权、玩忽职守、徇私舞弊的，也应当承担相应法律责任。如本法规定，公安机关商请食品药品监督管理、质量监督、环境保护等部门提供检验结论、认定意见以及对涉案物品进行无害化处理等协助的，有关部门应当及时提供，予以协助。如果没有及时提供协助的，应当按照本条的规定给予处分。

二、承担法律责任的形式

对于本条所列三项情形，本条规定的法律责任主要是行政处分，包括警告、记过、记大过、降级、撤职和开除。为了体现过罚相当原则，根据情节轻重作了区分：造成不良后果的，对直接负责的主管人员和其他直接责任人员给予警告、记过或者记大过处分；情节较重的，给予降级或者撤职处分；情节严重的，给予开除处分。

第一百四十六条　食品药品监督管理、质量监督等部门在履行食品安全监督管理职责过程中，违法实施检查、强制等执法措施，给生产经营者造成损失的，应当依法予以赔偿，对直接负责的主管人员和其他直接责任人员依法给予处分。

【释义】　本条是关于食品药品监督管理、质量监督等部门违法实施检查、强制等行政行为的法律责任。

为了保障食品药品监督管理、质量监督等部门有效履行食品安全监督管理职责，本法赋予这些部门行政检查权和行政强制权。本法规定，县级以上人民政府食品药品监督管理、质量监督部门履行各自食品安全监督管理职责,有权进入生产经营场所实施现场检查,有权对生产经营的食品、食品添加剂、食品相关产品进行抽样检验,有权查阅、复制有关合同、票据、账簿以及其他有关资料等,这些都属于行政检查行为。本法规定,县级以上人民政府食品药品监督管理、质量监督部门履行各自食品安全监督管理职责,有权查封、扣押有证据证明不符合食品安全标准或者有证据证明存在安全隐患以及用于违法生产经营的食品、食品添加剂、食品相关产品;有权查封违法从事生产经营活动的场所;在处置食品安全事故过程中,应当依法封存可能导致食品安全事故的食品及其原料,封存被污染的食品相关产品等,这些都属于行政强制措施。

行政强制法对违法实施行政强制措施的法律责任作了规定。行政强制法第 62 条规定,行政机关有下列情形之一的,由上级行政机关或者有关部门责令改正,对直接负责的主管人员和其他直接责任人员依法给予处分:(1)扩大查封、扣押、冻结范围的;(2)使用或者损毁查封、扣押场所、设施或者财物的;(3)在查封、扣押法定期间不作出处理决定或者未依法及时解除查封、扣押的。该法还规定,行政机关将查封、扣押的财物或者划拨的存款、汇款以及拍卖和依法处理所得的款项,截留、私分或者变相私分的,由财政部门或者有关部门予以追缴;对直接负责的主管人员和其他直接责任人员依法给予记大过、降级、撤职或者开除的处分。行政机关工作人员利用职务上的便利,将查封、扣押的场所、设施或者财物据为己有的,由上级行政机关或者有关部门责令改正,依法给予记大过、降级、撤职或者开除的处分。在赔偿方面,国家赔偿法规定,行政机关及其工作人员在行使行政职权时,违法对财产采取查封、扣押、冻结等行政强制措施的,受害人有取得赔偿的权利。

对于行政检查，由于我国没有行政检查法，尚无专门针对违法实施行政检查的法律责任的规定。但这并不意味着违法实施行政检查不受追究。行政监察部门或者其他有权部门可以根据公务员法、《行政机关公务员处分条例》等法律、法规给予直接负责的主管人员和其他直接责任人员处分。

另外，对于在实施行政检查、行政强制过程中给生产经营者造成损失的，应当依照国家赔偿法予以赔偿。

第一百四十七条 违反本法规定，造成人身、财产或者其他损害的，依法承担赔偿责任。生产经营者财产不足以同时承担民事赔偿责任和缴纳罚款、罚金时，先承担民事赔偿责任。

【释义】 本条是关于赔偿责任及民事赔偿责任优先原则的规定。

一、关于赔偿责任

民事责任是根据民法的规定，公民或法人在违反自己的民事义务或侵犯他人的民事权利时所应承担的法律后果。承担民事责任的形式，在财产关系方面，表现为恢复被违法行为所破坏的财产权利；在人身方面，除恢复人身权利外，还必须赔偿因此而受到的财产损失。对于违反本法规定，造成人身、财产或者其他损害的，除了适用本条规定外，还要依据民法通则、产品质量法、消费者权益保护法等法律承担民事责任。

二、关于民事赔偿优先的法律原则

食品生产经营企业出现违反本法规定的违法行为，依据本章法律责任的规定，可能会出现财产责任方面的竞合，即一方面因为给他人的人身和财产造成损害而需要对受害者承担民事赔偿责任，另一方面还需要接受监管部门罚款的行政处罚；如果构成犯罪的，还要承担罚金的刑事责任。当一个食品生产经营企业同时面临民事赔偿、罚款、罚金的处罚时，可能会出现因财产不足而难以同时支付的问题。在此情况下，哪一种责任应当优先执行呢？我国的公司法、产品质量法等法律已经作出了明确的回答，那就是民事赔偿责任优先的原则，本法也明确了这一原则，目的是保护权益受侵害的消费者的合法权益。

民事赔偿和缴纳罚款、罚金，都是一种财产责任，需要违法者通过支付一定数额的金钱来承担其违法行为的后果。但三者在性质上是完全不同的：民事赔偿属于民事责任的一种，目的是赔偿受害人所受到的人身和财产的损失，具有补偿性质；罚款是一种行政处罚，是一种行政责任，是行政机关对违反行政管理秩序的当事人所给予的一种处罚手段；而罚金则是一种刑事责任，是审判机关对于触犯刑法，构成犯罪的当事人所给予的刑事制裁。从这三种法律责任的决定主体上说，民事赔偿和罚金都是由国家的审判机关决定的；而罚款是由行政机关决定的。从这三种法律责任的性质上说，民事赔偿体现的是平等主体之间的补偿，而罚款和罚金则体现的是国家对违法者的惩罚。

确立民事赔偿责任优先的原则具有积极的意义。实践中存在当违法者的财产不能同时承担民事赔偿责任和缴纳罚款、罚金时，往往是罚款、罚金优先，而民事侵权的受害人得不到赔偿。这样做的结果是，虽然违法者受到了经济上的制裁，但是受害者没有得到应有的补偿，其合法权益没有得到切实的保障。通过确立民事赔偿责任优先的原则，可以使受害人的合法权益得到维护，使其受损的权利得到补偿，这充分体现了立法机关以人为本的立法理念。

第一百四十八条　消费者因不符合食品安全标准的食品受到损害的，可以向经营者要求赔偿损失，也可以向生产者要求赔

偿损失。接到消费者赔偿要求的生产经营者，应当实行首负责任制，先行赔付，不得推诿；属于生产者责任的，经营者赔偿后有权向生产者追偿；属于经营者责任的，生产者赔偿后有权向经营者追偿。

生产不符合食品安全标准的食品或者经营明知是不符合食品安全标准的食品，消费者除要求赔偿损失外，还可以向生产者或者经营者要求支付价款十倍或者损失三倍的赔偿金；增加赔偿的金额不足一千元的，为一千元。但是，食品的标签、说明书存在不影响食品安全且不会对消费者造成误导的瑕疵的除外。

【释义】　本条是关于首负责任制和惩罚性赔偿的规定。

本条对原法第 96 条第 2 款规定的惩罚性赔偿作了修改，增加了消费者可以要求支付“损失三倍”的赔偿金、最低赔偿金额和但书规定。同时，增加了首负责任制的规定。

一、首负责任制

首负责任制，就是消费者在合法权益受到损害，向生产者或者经营者要求赔偿时，由首先接到赔偿要求的生产者或者经营者负责先行赔付，再由先行赔付的生产者或者经营者依法向相关责任人追偿。首负责任制有利于防止生产经营者相互推诿，维护消费者合法权益。对此，产品质量法规定，因产品存在缺陷造成人身、他人财产损害的，受害人可以向产品的生产者要求赔偿，也可以向产品的销售者要求赔偿。属于产品的生产者的责任，产品的销售者赔偿的，产品的销售者有权向产品的生产者追偿。属于产品的销售者的责任，产品的生产者赔偿的，产品的生产者有权向产品的销售者追偿。消费者权益保护法也规定，消费者或者其他受害人因商品缺陷造成人身、财产损害的，可以向销售者要求赔偿，也可以向生产者要求赔偿。属于生产者责任的，销售者赔偿后，有权向生产者追偿。属于销售者责任的，生产者赔偿后，有权向销售者追偿。本条在此基础上作了更加具体的规定，明确消费者因不符合食品安全标准的食品受到损害的，可以向经营者要求赔偿损失，也可以向生产者要求赔偿损失。接到消费者赔偿要求的生产经营者，应当实行首负责任制，先行赔付，不得推诿；属于生产者责任的，经营者赔偿后有权向生产者追偿；属于经营者责任的，生产者赔偿后有权向经营者追偿。

二、惩罚性赔偿

惩罚性赔偿，指在赔偿受害人的实际损失之外额外增加的赔偿，带有惩罚的性质。实施惩罚性赔偿，是为了惩罚和阻止一些特定的行为，特别是故意的行为。惩罚性赔偿是来源于英美法的一种民事损害赔偿制度，是与补偿性赔偿相对应的赔偿制度。目前在世界上一些主要的英美法系国家，如英国、澳大利亚、新西兰、美国和加拿大等都得到了广泛的适用，但在大多数大陆法系国家却没有得到承认。大多数的大陆法系国家遵循“填平原则”，民事案件的损失赔偿额被限定在一定范围内，使受害人一方回复到没有受损时的状态。我国一直以来采用大陆法系的立场，只赔偿受害人因为侵权行为而实际受到的损失，但1993年制定的消费者权益保护法改变了这一做法。这部法律借鉴了英美法系的惩罚性赔偿制度，规定：经营者提供商品或者服务有欺诈行为的，应当按照消费者的要求增加赔偿其受到的损失，增加赔偿的金额为消费者购买商品的价款或者接受服务的费用的1倍。这一规定第一次采用了惩罚性赔偿制度，以制裁消费领域中的欺诈行为，维护消费者的合法权益。2009年制定的食品安全法对惩罚性赔偿制度也作出规定，目的是惩罚生产不符合食品安全标准的食品或者销售明知是不符合食品安全标准的食品这一性质比较严重的违法行为，更好地保护消费者的合法权益。2013 年修改的消费者权益保护法进一步完善了惩罚性赔偿制度，规定：经营者提供商品或者服务有欺诈行为的，应当按照消费者的要求增加赔偿其受到的损失，增加赔偿的金额为消费者购买商品的价款或者接受服务的费用的 3 倍；增加赔偿的金额不足 500 元的，为 500 元。法律另有规定的，依照其规定。经营者明知商品或者服务存在缺陷，仍然向消费者提供，造成消费者或者其他受害人死亡或者健康严重损害的，受害人有权要求经营者依照该法第 49 条、第 51 条等法律规定赔偿损失，并有权要求所受损失 2 倍以下的惩罚性赔偿。借鉴消费者权益保护法，本法对惩罚性赔偿制度也作了进一步修改完善。

1. 本条第 2 款规定的违法行为是：生产不符合食品安全标准的食品或者销售明知是不符合食品安全标准的食品。这里包含两个关键点：一是违法主体。本条规定的违法主体是食品生产者和食品经营者，其中，食品经营者包括食品销售环节的经营者和餐饮服务环节的经营者。二是生产不符合食品安全标准的食品或者销售明知是不符合食品安全标准的食品。例如，生产者生产加工添加了非食品用化学物质的食品，或者经营者从非正规渠道采购食品，明知供货者是无任何证照的黑加工点，生产的食品是劣质的，根本不符合食品安全标准的，却仍然采购进货，导致黑加工点生产的劣质食品得以进入流通领域等。对于食品经营者在不知情的情况下，销售了不符合食品安全标准食品的行为，例如 2009 年发生的问题奶粉事件，众多的食品销售企业在不知情的情况下，销售了含有三聚氰胺的奶粉，本身没有过错的，则不需要依照本条第 2 款的规定承担惩罚性赔偿责任。

2. 本条第 2 款规定的法律责任是：消费者除要求赔偿损失外，还可以向生产者或者经营者要求支付价款 10 倍或者损失 3 倍的赔偿金；增加赔偿的金额不足 1 千元的，为 1 千元。生产者或者经营者首先应当依据民法通则等法律的规定承担民事赔偿责任，包括赔偿消费者的医疗费、护理费、误工损失费、残疾者生活补助费等费用；造成死亡的，并应当支付丧葬费、死者生前扶养的人必要的生活费等费用。同时，消费者有权向生产者或者经营者要求支付惩罚性赔偿。借鉴消费者权益保护法对惩罚性赔偿规定的修改，本法在规定消费者可以要求支付价款 10 倍的赔偿金的基础上，进一步赋予了消费者选择权，同时规定了最低赔偿金额。根据本条规定，消费者可以选择要求支付价款 10 倍或者损失 3 倍的赔偿金；增加赔偿的金额不足 1 千元的，为 1 千元。

3. 不适用惩罚性赔偿的情况。在食品安全法修订草案审议过程中，有的意见提出，实践中食品标签、说明书中的一些瑕疵，例如计量单位英文字母的大小写错误，虽然不符合有关食品安全标准但是并不影响食品安全，也不会对消费者造成误导，此类情况下生产经营者不应承担惩罚性赔偿责任。立法机关经研究，采纳了这一意见，增加了但书规定。根据本条规定，食品的标签、说明书存在不影响食品安全且不会对消费者造成误导的瑕疵的，不适用有关惩罚性赔偿的规定。

需要说明的是，本条规定的惩罚性赔偿，不一定是在消费者有实际损害的情况下才可以主张，即使消费者购买后尚未食用不符合食品安全标准的食品，仍可要求生产经营者支付价款 10 倍的赔偿金。

第一百四十九条　违反本法规定，构成犯罪的，依法追究刑事责任。

【释义】 本条是关于违反本法所应承担的刑事责任的综合性规定。

本条是原法第98条，未作修改。

违反食品安全法规定的各种违法行为，如果情节严重，构成犯罪的，要依法追究犯罪人的刑事责任。关于刑事责任统一在这一条规定，而且不涉及具体的罪名，这主要是考虑到与刑法的衔接。凡是违反本法的行为，只要依刑法构成犯罪的，即依法追究刑事责任。这样处理，一是条文比较简洁，二是内容完整，避免因为专门规定几类犯罪而漏掉其他犯罪行为。

刑事责任，又称刑罚，是依据国家刑事法律规定，对实施犯罪行为的人所给予的处罚。依照我国刑法的规定，刑罚包括主刑和附加刑两种。主刑有：管制、拘役、有期徒刑、无期徒刑和死刑；附加刑有：罚金、剥夺政治权利和没收财产。此外，对于犯罪的外国人，可以独立适用或者附加适用驱逐出境。

目前涉及食品安全的犯罪主要有：

1. 生产、销售不符合安全标准的食品罪。刑法第143条规定：生产、销售不符合食品安全标准的食品，足以造成严重食物中毒事故或者其他严重食源性疾病的，处3年以下有期徒刑或者拘役，并处罚金；对人体健康造成严重危害或者有其他严重情节的，处3年以上7年以下有期徒刑，并处罚金；后果特别严重的，处7年以上有期徒刑或者无期徒刑，并处罚金或者没收财产。

2. 生产、销售有毒、有害食品罪。刑法第144条规定：在生产销售的食品中掺入有毒、有害的非食品原料的，或者销售明知掺有有毒、有害的非食品原料的食品的，处5年以下有期徒刑，并处罚金；对人体健康造成严重危害或者有其他严重情节的，处5年以上10年以下有期徒刑，并处罚金；致人死亡或者有其他特别严重情节的，依照本法第141条的规定处罚。

3. 虚假广告罪。刑法第222条规定：广告主、广告经营者、广告发布者违反国家规定,利用广告对商品或者服务作虚假宣传,情节严重的,处2年以下有期徒刑或者拘役,并处或者单处罚金。

4. 提供虚假证明文件罪、出具证明文件重大失实罪。刑法第229条规定:承担资产评估、验资、验证、会计、审计、法律服务等职责的中介组织的人员故意提供虚假证明文件,情节严重的,处5年以下有期徒刑或者拘役,并处罚金。前款规定的人员,索取他人财物或者非法收受他人财物,犯前款罪的,处5年以上10年以下有期徒刑,并处罚金。第一款规定的人员,严重不负责任,出具的证明文件有重大失实,造成严重后果的,处3年以下有期徒刑或者拘役,并处或者单处罚金。

5. 生产、销售伪劣产品罪。根据《最高人民法院、最高人民检察院关于办理危害食品安全刑事案件适用法律若干问题的解释》,生产、销售不符合食品安全标准的食品,无证据证明足以造成严重食物中毒事故或者其他严重食源性疾病,不构成生产、销售不符合安全标准的食品罪,但是构成生产、销售伪劣产品罪等其他犯罪的,依照该其他犯罪定罪处罚。生产、销售不符合食品安全标准的食品添加剂,用于食品的包装材料、容器、洗涤剂、消毒剂,或者用于食品生产经营的工具、设备等,构成犯罪的,依照刑法第140条的规定以生产、销售伪劣产品罪定罪处罚。

6. 非法经营罪。根据《最高人民法院、最高人民检察院关于办理危害食品安全刑事案件适用法律若干问题的解释》,以提供给他人生产、销售食品为目的,违反国家规定,生产、销售国家禁止用于食品生产、销售的非食品原料,情节严重的,依照刑法第225条的规定以非法经营罪定罪处罚。违反国家规定,生产、销售国家禁止生产、销售、使用的农药、兽药,饲料、饲料添加剂,或者饲料原料、饲料添加剂原料,情节严重的,以非法经营罪定罪处罚。

7. 食品监管渎职罪。刑法第408条之一规定：负有食品安全监督管理职责的国家机关工作人员，滥用职权或者玩忽职守，导致发生重大食品安全事故或者造成其他严重后果的，处5年以下有期徒刑或者拘役；造成特别严重后果的，处5年以上10年以下有期徒刑。徇私舞弊犯前款罪的，从重处罚。根据《最高人民法院、最高人民检察院关于办理危害食品安全刑事案件适用法律若干问题的解释》，负有食品安全监督管理职责的国家机关工作人员与他人共谋，利用其职务行为帮助他人实施危害食品安全犯罪行为，同时构成渎职犯罪和危害食品安全犯罪共犯的，依照处罚较重的规定定罪处罚。

8. 其他渎职犯罪。根据《最高人民法院、最高人民检察院关于办理危害食品安全刑事案件适用法律若干问题的解释》，负有食品安全监督管理职责的国家机关工作人员，滥用职权或者玩忽职守，导致发生重大食品安全事故或者造成其他严重后果，同时构成食品监管渎职罪和徇私舞弊不移交刑事案件罪、商检徇私舞弊罪、动植物检疫徇私舞弊罪、放纵制售伪劣商品犯罪行为罪等其他渎职犯罪的，依照处罚较重的规定定罪处罚。负有食品安全监督管理职责的国家机关工作人员滥用职权或者玩忽职守，不构成食品监管渎职罪，但构成其他渎职犯罪的，依照该其他犯罪定罪处罚。

第十章　附　　则

第一百五十条　本法下列用语的含义：

食品，指各种供人食用或者饮用的成品和原料以及按照传统既是食品又是中药材的物品，但是不包括以治疗为目的的物品。

食品安全，指食品无毒、无害，符合应当有的营养要求，对人体健康不造成任何急性、亚急性或者慢性危害。

预包装食品，指预先定量包装或者制作在包装材料、容器中的食品。

食品添加剂，指为改善食品品质和色、香、味以及为防腐、保鲜和加工工艺的需要而加入食品中的人工合成或者天然物质，包括营养强化剂。

用于食品的包装材料和容器，指包装、盛放食品或者食品添加剂用的纸、竹、木、金属、搪瓷、陶瓷、塑料、橡胶、天然纤维、化学纤维、玻璃等制品和直接接触食品或者食品添加剂的涂料。

用于食品生产经营的工具、设备，指在食品或者食品添加剂生产、销售、使用过程中直接接触食品或者食品添加剂的机械、管道、传送带、容器、用具、餐具等。

用于食品的洗涤剂、消毒剂，指直接用于洗涤或者消毒食品、餐具、饮具以及直接接触食品的工具、设备或者食品包装材料和容器的物质。

食品保质期，指食品在标明的贮存条件下保持品质的期限。

食源性疾病，指食品中致病因素进入人体引起的感染性、中毒性等疾病，包括食物中毒。

食品安全事故，指食源性疾病、食品污染等源于食品，对人体健康有危害或者可能有危害的事故。

【释义】　本条是关于本法中部分用语含义的规定。

本条对原法第99条作了修改，增加了食品添加剂包括营养强化剂的规定，将“食物中毒”纳入“食源性疾病”的范畴。

1. 食品的定义。国际食品法典委员会对食品的定义是：“食品，是指用于人食用或者饮用的经加工、半加工或者未经加工的物质，并包括饮料、口香糖和已经用于制造、制备或处理食品的物质，但不包括化妆品、烟草或者只作为药品使用的物质。”1995年食品卫生法对“食品”的定义是：“各种供人食用或饮用的成品和原料以及按照传统既是食品又是药品的物品，但是不包括以治疗为目的的物品。”2009年的食品安全法和修改后的食品安全法基本沿用了食品卫生法中对于“食品”的定义。本法规定的食品是一个大概念，不仅包括直接食用的各种食物，还包括食品原料；既包括加工食品，也包括食用农产品，囊括了从农田到餐桌的整个食物链中的食品。但是并不是食用农产品的所有安全管理都适用本法规定，本法第2条第2款规定：“供食用的源于农业的初级产品（以下称食用农产品）的质量安全管理，遵守《中华人民共和国农产品质量安全法》的规定。但是，食用农产品的市场销售、有关质量安全标准的制定、有关安全信息的公布和本法对农业投入品作出规定的，应当遵守本法的规定。”该款将食用农产品的种植养殖等环节排除在本法的调整范围。此外，食品还包括“按照传统既是食品又是中药材的物品，但是不包括以治疗为目的的物品”，作这样的规定主要是为了将“食品”与“药品”进行区分。

2. 食品安全的定义。“食品安全”一词最早是在 1974 年由联合国粮农组织提出的，其主要内容包括以下三个方面：(1)从食品安全性角度看，要求食品应当“无毒、无害”。“无毒、无害”是指正常人在正常食用情况下摄入可食状态的食品，不会造成对人体的危害。但无毒、无害也不是绝对的，允许少量含有，但不得超过国家规定的限量标准。(2)符合应当具有的营养要求。营养要求不但包括人体代谢所需要的蛋白质、脂肪、碳水化合物、维生素、矿物质等营养素的含量，还应包括该食品的消化吸收率和对人体维持正常的生理功能应发挥的作用。(3)对人体健康不造成任何危害，包括急性、亚急性或者慢性危害。

3. 预包装食品的定义。预包装食品，指预先定量包装或者制作在包装材料、容器中的食品。预包装食品的定义参照了国际食品法典委员会对“预包装食品”的定义。目前市场上销售的大多数食品都属于预包装食品的范畴。

4. 食品添加剂的定义。食品添加剂，指为改善食品品质和色、香、味以及为防腐、保鲜和加工工艺的需要而加入食品中的人工合成或者天然物质，包括营养强化剂。现代化的食品加工生产离不开食品添加剂。食品添加剂的使用对食品产业的发展起着重要作用，它可以改善风味、调节营养成分、防止食品变质，从而提高质量，使加工食品丰富多彩，满足消费者的各种需求。营养强化剂是为了增加食品的营养成分(价值)而加入食品中的天然或人工合成的营养素和其他营养成分。目前食品添加剂和营养强化剂的使用是由两个食品安全国家标准——《食品添加剂使用标准》和《食品营养强化剂使用标准》规范的，但是从概念上看，营养强化剂也属于食品添加剂，也要遵守本法对食品添加剂所作的规定。

5. 食品相关产品的定义。一般而言，食品相关产品包括以下三类:(1)用于食品的包装材料和容器,指包装、盛放食品或者食品添加剂用的纸、竹、金属、搪瓷、陶瓷、塑料、橡胶、天然纤维、化学纤维、玻璃等制品和直接接触食品或者食品添加剂的涂料。(2)用于生产经营的工具、设备,指在食品或食品添加剂生产、流通、使用过程中直接接触食品或者食品添加剂的机械、管道、传送带、容器、用具、餐具等。(3)用于食品的洗涤剂、消毒剂,指直接用于洗涤或者消毒食品、餐饮具以及直接接触食品的工具、设备或者食品包装材料和容器的物质。

6. 食品保质期的定义。食品保质期是指食品在标明的贮存条件下,保持品质的期限。在此期限内,食品完全适于销售、食用。超过保质期的食品,色、香、味、营养价值等都会有所减少,是禁止销售的。食品保质期是食品生产者向消费者承诺的安全食用期,保证消费者在保质期内可以安全食用该食品。

7. 食源性疾病的定义。1984 年,世界卫生组织对"食源性疾病"下了定义,指"通过摄食方式进入人体内的各种致病因子引起的通常具有感染或中毒性质的一类疾病",也就是人们通过摄食而使有毒有害物质(包括生物性病原体)等致病因子进入人体并造成的疾病,一般可分为感染性和中毒性,包括常见的食物中毒、肠道传染病、人畜共患传染病、寄生虫病以及化学性有毒有害物质所引起的疾病。食物中毒,指食用了被生物性、化学性有毒有害物质污染的食品或者食用了含有毒有害物质的食品后出现的急性、亚急性食源性疾患。本次修订,明确食源性疾病包括食物中毒,使概念更加科学。

8. 食品安全事故的定义。根据本条规定,食品安全事故是指食源性疾病、食品污染等源于食品,对人体健康有危害或者可能有危害的事故。指在食物种植、养殖、生产加工、包装、仓储、运输、销售、消费等环节发生食源性疾病,造成社会公众病亡或者对人体健康构成潜在的危害。

第一百五十一条　转基因食品和食盐的食品安全管理，本法未作规定的，适用其他法律、行政法规的规定。

【释义】 本条是关于转基因食品和食盐的食品安全管理的规定。

本条对原法第101条作了修改，删去了有关乳品、生猪屠宰、酒类的规定，并将“法律、行政法规另有规定的，依照其规定”修改为“本法未作规定的，适用其他法律、行政法规的规定”。

原法第101条规定，乳品、转基因食品、生猪屠宰、酒类和食盐的食品安全管理，适用本法；法律、行政法规另有规定的，依照其规定。2009年立法时主要考虑《乳品质量安全监督管理条例》、《农业转基因生物安全管理条例》、《生猪屠宰管理条例》、《食盐专营办法》等行政法规对相关食品的管理体制作了特别规定，需要在管理体制上执行这些特别规定。2013年，国务院进行了机构改革，进一步理顺了食品安全监管体制，乳品、生猪屠宰、酒类的监管体制也发生了变化，已与整个食品安全监管体制相一致，没有必要再在本法规定之外作特别规定。乳品、生猪屠宰、酒类的食品安全管理应当适用本法的规定，但是相关行政法规的规定与本法规定不相冲突的，仍可适用。

本次修订仍然保留了对转基因食品和食盐的特别规定，明确转基因食品和食盐的食品安全管理，原则上适用本法；本法未作规定的，适用其他法律、行政法规的规定。主要考虑到转基因食品和食盐在有关管理制度上与普通食品不同。根据《食盐专营办法》等行政法规的规定，国家对食盐实行专营管理，盐业主管机构负责管理食盐专营工作，实行食盐定点生产许可和食盐批发许可。根据《农业转基因生物安全管理条例》的规定，单位和个人从事农业转基因生物生产、加工的，应当由农业行政主管部门批准。对上述管理制度，本法未作规定，根据本条规定，在有关行政法规修改或者废止前，可以继续实施。但是，对本法有明确规定的事项，应当适用本法的规定。例如，在缺碘地区市场上销售非碘盐的，应当依照本法第 123 条第 5 项“生产经营国家为防病等特殊需要明令禁止生产经营的食品”给予处罚。又如，生产经营转基因食品（包括进入市场销售的食用农产品）未按规定进行标示的，应当依照本法 125 条第 3 项的规定给予处罚。

第一百五十二条　铁路、民航运营中食品安全的管理办法由国务院食品药品监督管理部门会同国务院有关部门依照本法制定。

保健食品的具体管理办法由国务院食品药品监督管理部门依照本法制定。

食品相关产品生产活动的具体管理办法由国务院质量监督部门依照本法制定。

国境口岸食品的监督管理由出入境检验检疫机构依照本法以及有关法律、行政法规的规定实施。

军队专用食品和自供食品的食品安全管理办法由中央军事委员会依照本法制定。

【释义】　本条是对铁路、民航、国境口岸、军队等食品安全管理的规定。

本条对原法第 102 条作了修改，增加了民航、保健食品、食品相关产品、国境口岸的食品安全管理的规定。

1. 铁路、民航运营中食品安全的管理办法由国务院食品药品品监督管理部门会同国务院有关部门依照本法制定。铁路、民航运营中食品安全的管理有其特殊性，在监管部门和监管方式上有所不同，有必要制定专门的管理办法。目前，根据《铁路运营食品安全管理办法》，国家实行铁路运营食品安全统一综合监督制度。国务院有关部门会同铁路主管部门共同建立铁路运营食品安全监督协调机制，具体工作由铁路食品安全监督机构承担。铁路运营食品经营指铁路站车和铁路运营站段范围内的餐饮服务、食品销售、食品运输等活动。铁路运营中的食品销售、餐饮服务经营者，应当经铁路食品安全监督机构许可。

2. 保健食品的具体管理办法由国务院食品药品监督管理部门依照本法制定。本法对保健食品的管理方式进行了改革，规定了注册和备案相结合的管理制度，建立了保健食品原料目录和允许声称的保健功能目录，明确了标签、说明书和广告的要求。为了细化、落实法律规定的各项制度和要求，需要国务院食品药品监督管理部门依照本法制定具体的管理办法。

3. 食品相关产品生产活动的具体管理办法由国务院质量监督部门依照本法制定。本法对食品相关产品的食品安全标准、直接接触食品的包装材料等相关产品的生产许可、相应法律责任等作了规定，对本法没有作出规定的具体事项，国务院质量监督部门应当依照本法制定具体的管理办法，以便对食品相关产品的生产活动实施有效监管。

4. 国境口岸食品的监督管理由出入境检验检疫机构依照本法以及有关法律、行政法规的规定实施。国境口岸食品的监督管理也有其特殊性，根据国境卫生检疫法及其实施细则等法律、行政法规，国家质检总局设在各地的出入境检验检疫机构负责本辖区出入境口岸食品安全监督管理工作。国家质检总局专门制定了《出入境口岸食品卫生监督管理规定》。

5. 军队专用食品和自供食品的食品安全管理办法由中央军事委员会依照本法制定。所谓军队专用食品，是指专供军队使用的食品，军队自供食品是指军队自己生产、加工的供军队内部使用的食品。军队专用食品和自供食品及其管理与一般食品相比较有其特殊性，主要有：(1)军营管理特殊性。一方面，营区环境涉密，地方人员“进不来”，军队很多单位的营区都被划定为军事禁区或军事管理区，军事设施保护法规定军事管理区管理单位以外的人员、车辆、船舶进入军事管理区，必须经过军事管理区管理单位许可。因此，位于军事禁区和军事管理区的食品安全监管事务，地方监管部门难以介入。另一方面，部队驻地分散偏远，许多地方监管人员无法介入。(2)军队军事任务重，机动性强。军队除承担繁重的战备任务外，还肩负抗震救灾、反恐维稳、国际维和等多样化军事任务，地方食品卫生监督人员不可以随部队机动，实施跟踪监管。(3)军队食品安全信息涉密。军队有关法规规定军队食品安全事故信息等属于军事机密。(4)食品安全标准具有特殊性。军队战备和重大科研专项，对战时食品和军队特殊群体所需的食品有其特殊要求。执行的标准除了国家的食品安全标准外，还必须满足战备、科研饮食保障需要的军队食品安全标准。(5)管理体制具有特殊性。因此，本条规定军队专用食品和自供食品的食品安全管理办法由中央军事委员会依照本法制定。

第一百五十三条　国务院根据实际需要，可以对食品安全监督管理体制作出调整。

【释义】 本条是关于国务院可以调整食品安全监管体制的规定。

本条是原法的第 103 条，未作修改。

我国的食品安全监管体制一直随着监管实践的需要而调整。1979年的食品卫生管理条例规定了卫生部门、工商行政管理部门、食品生产经营主管部门、国家食品检验局等有关部门的食品卫生管理职责。1982年的食品卫生法(试行)规定,食品生产经营企业的主管部门负责本系统的食品卫生工作,并对执行本法情况进行检查;各级卫生行政部门领导食品卫生监督工作。1995年的食品卫生法则规定,国务院卫生行政部门主管全国食品卫生监督管理工作。国务院有关部门在各自的职责范围内负责食品卫生管理工作。为了进一步理顺有关监管部门的职责,《国务院关于进一步加强食品安全工作的决定》(国发〔2004〕23号)确立了分段监管为主、品种监管为辅的体制,规定:"农业部门负责初级农产品生产环节的监管;质检部门负责食品生产加工环节的监管,将现由卫生部门承担的食品生产加工环节的卫生监管职责划归质检部门;工商部门负责食品流通环节的监管;卫生部门负责餐饮业和食堂等消费环节的监管;食品药品监管部门负责对食品安全的综合监督、组织协调和依法查处重大事故。"2009年的食品安全法维持了分段监管的体制,规定:"国务院卫生行政部门承担食品安全综合协调职责,负责食品安全风险评估、食品安全标准制定、食品安全信息公布、食品检验机构的资质认定条件和检验规范的制定,组织查处食品安全重大事故。国务院质量监督、工商行政管理和国家食品药品监督管理部门依照本法和国务院规定的职责,分别对食品生产、食品流通、餐饮服务活动实施监督管理。"随着食品安全监管工作的不断发展,这种监管体制开始暴露出一些问题。2013年,根据食品安全法"国务院根据实际需要,可以对食品安全监督管理体制作出调整"的规定,国务院对食品安全监管体制进行了改革。修订后的食品安全法确认了食品安全监管体制改革的成果,规定："国务院食品药品监督管理部门依照本法和国务院规定的职责，对食品生产经营活动实施监督管理。国务院卫生行政部门依照本法和国务院规定的职责，组织开展食品安全风险监测和风险评估，会同国务院食品药品监督管理部门制定并公布食品安全国家标准。国务院其他有关部门依照本法和国务院规定的职责，承担有关食品安全工作。"

规定各部和各委员会的任务和职责是宪法规定的国务院职权之一，为了给将来的体制改革预留空间，修订后的食品安全法保留了"国务院根据实际需要，可以对食品安全监督管理体制作出调整"的规定。

第一百五十四条　本法自2015年10月1日起施行。

【释义】 本条是关于法律施行日期的规定。

法律施行日期的问题，是任何一部法律都要涉及的问题。关于法律施行日期的规定，有以下几种情况：

（一）在法律条文中规定"本法自××××年××月××日起施行"，直接规定具体的施行日期。

（二）在法律条文中没有直接规定具体的施行日期，而是规定"本法自公布之日起施行"，但法律何时公布，根据我国宪法关于法律由国家主席公布的规定，由国家主席发布主席令来确定。目前，国家主席一般都是于全国人大或者全国人大常委会通过法律的当天发布命令公布法律。

（三）规定一个法律的施行日期取决于另一个法律的制定和实施时间，如1986年12月2日第六届全国人大常委会第十八次会议通过的企业破产法（试行）第43条规定，本法自全民所有制工业企业法实施满3个月之日起试行。当时，全民所有制工业企业法尚未制定出来，因此企业破产法（试行）施行的时间是全民所有制工业企业法于 1988 年 8 月 1 日实施后满 3 个月,即 1988 年 11 月 1 日起施行。

本法采取了第一种方式,即在法律中明确规定本法的施行日期。本条明确规定本法自 2015 年 10 月 1 日起施行,即修订后的食品安全法自 2015 年 10 月 1 日起开始实施,有关生产经营者、监管部门、消费者等本法规定的主体应当自 2015 年 10 月 1 日起,依照本法的规定履行各项义务,行使各项权利。本法自颁布至施行间隔了近半年的时间,这主要是为了使各有关方面利用这段时间做好本法实施的准备工作:一是要认真清理以前制定的各种法规、规章和其他规范性文件,凡发现与本法规定相抵触的,都要予以废止或者修改。二是本法规定的一些制度、措施,需要一些配套规定进行具体化,有关部门和地方应当抓紧制定有关配套规定。修改后的立法法规定,法律规定明确要求有关国家机关对专门事项作出配套的具体规定的,有关国家机关应当自法律施行之日起 1 年内作出规定。有关国家机关未能在期限内作出配套的具体规定的,应当向全国人民代表大会常务委员会说明情况。三是有关部门应当做好本法的宣传工作,为本法的实施创造良好的条件。

第二部分 附 录

中华人民共和国食品安全法

（2009年2月28日第十一届全国人民代表大会常务委员会第七次会议通过 2015年4月24日第十二届全国人民代表大会常务委员会第十四次会议修订）

目 录

第一章 总 则

第一条 为了保证食品安全,保障公众身体健康和生命安全,制定本法。

第二条 在中华人民共和国境内从事下列活动,应当遵守本法:

(一)食品生产和加工(以下称食品生产),食品销售和餐饮服务(以下称食品经营);

(二)食品添加剂的生产经营;

(三)用于食品的包装材料、容器、洗涤剂、消毒剂和用于食品生产经营的工具、设备(以下称食品相关产品)的生产经营;

(四)食品生产经营者使用食品添加剂、食品相关产品;

(五)食品的贮存和运输;

(六)对食品、食品添加剂、食品相关产品的安全管理。

供食用的源于农业的初级产品(以下称食用农产品)的质量安全管理,遵守《中华人民共和国农产品质量安全法》的规定。但是,食用农产品的市场销售、有关质量安全标准的制定、有关安全信息的公布和本法对农业投入品作出规定的,应当遵守本法的规定。

第三条 食品安全工作实行预防为主、风险管理、全程控制、社会共治,建立科学、严格的监督管理制度。

第四条 食品生产经营者对其生产经营食品的安全负责。

食品生产经营者应当依照法律、法规和食品安全标准从事生产经营活动,保证食品安全,诚信自律,对社会和公众负责,接受社会监督,承担社会责任。

第五条 国务院设立食品安全委员会,其职责由国务院规定。

国务院食品药品监督管理部门依照本法和国务院规定的职责,对食品生产经营活动实施监督管理。

国务院卫生行政部门依照本法和国务院规定的职责，组织开展食品安全风险监测和风险评估，会同国务院食品药品监督管理部门制定并公布食品安全国家标准。

国务院其他有关部门依照本法和国务院规定的职责，承担有关食品安全工作。

第六条　县级以上地方人民政府对本行政区域的食品安全监督管理工作负责，统一领导、组织、协调本行政区域的食品安全监督管理工作以及食品安全突发事件应对工作，建立健全食品安全全程监督管理工作机制和信息共享机制。

县级以上地方人民政府依照本法和国务院的规定，确定本级食品药品监督管理、卫生行政部门和其他有关部门的职责。有关部门在各自职责范围内负责本行政区域的食品安全监督管理工作。

县级人民政府食品药品监督管理部门可以在乡镇或者特定区域设立派出机构。

第七条　县级以上地方人民政府实行食品安全监督管理责任制。上级人民政府负责对下一级人民政府的食品安全监督管理工作进行评议、考核。县级以上地方人民政府负责对本级食品药品监督管理部门和其他有关部门的食品安全监督管理工作进行评议、考核。

第八条　县级以上人民政府应当将食品安全工作纳入本级国民经济和社会发展规划，将食品安全工作经费列入本级政府财政预算，加强食品安全监督管理能力建设，为食品安全工作提供保障。

县级以上人民政府食品药品监督管理部门和其他有关部门应当加强沟通、密切配合，按照各自职责分工，依法行使职权，承担责任。

第九条　食品行业协会应当加强行业自律，按照章程建立健全行业规范和奖惩机制，提供食品安全信息、技术等服务，引导和督促食品生产经营者依法生产经营，推动行业诚信建设，宣传、普及食品安全知识。

消费者协会和其他消费者组织对违反本法规定，损害消费者合法权益的行为，依法进行社会监督。

第十条 各级人民政府应当加强食品安全的宣传教育，普及食品安全知识，鼓励社会组织、基层群众性自治组织、食品生产经营者开展食品安全法律、法规以及食品安全标准和知识的普及工作，倡导健康的饮食方式，增强消费者食品安全意识和自我保护能力。

新闻媒体应当开展食品安全法律、法规以及食品安全标准和知识的公益宣传，并对食品安全违法行为进行舆论监督。有关食品安全的宣传报道应当真实、公正。

第十一条 国家鼓励和支持开展与食品安全有关的基础研究、应用研究，鼓励和支持食品生产经营者为提高食品安全水平采用先进技术和先进管理规范。

国家对农药的使用实行严格的管理制度，加快淘汰剧毒、高毒、高残留农药，推动替代产品的研发和应用，鼓励使用高效低毒低残留农药。

第十二条 任何组织或者个人有权举报食品安全违法行为，依法向有关部门了解食品安全信息，对食品安全监督管理工作提出意见和建议。

第十三条 对在食品安全工作中做出突出贡献的单位和个人，按照国家有关规定给予表彰、奖励。

第二章 食品安全风险监测和评估

第十四条 国家建立食品安全风险监测制度，对食源性疾病、食品污染以及食品中的有害因素进行监测。

国务院卫生行政部门会同国务院食品药品监督管理、质量监督等部门,制定、实施国家食品安全风险监测计划。

国务院食品药品监督管理部门和其他有关部门获知有关食品安全风险信息后,应当立即核实并向国务院卫生行政部门通报。对有关部门通报的食品安全风险信息以及医疗机构报告的食源性疾病等有关疾病信息,国务院卫生行政部门应当会同国务院有关部门分析研究,认为必要的,及时调整国家食品安全风险监测计划。

省、自治区、直辖市人民政府卫生行政部门会同同级食品药品监督管理、质量监督等部门,根据国家食品安全风险监测计划,结合本行政区域的具体情况,制定、调整本行政区域的食品安全风险监测方案,报国务院卫生行政部门备案并实施。

第十五条 承担食品安全风险监测工作的技术机构应当根据食品安全风险监测计划和监测方案开展监测工作,保证监测数据真实、准确,并按照食品安全风险监测计划和监测方案的要求报送监测数据和分析结果。

食品安全风险监测工作人员有权进入相关食用农产品种植养殖、食品生产经营场所采集样品、收集相关数据。采集样品应当按照市场价格支付费用。

第十六条 食品安全风险监测结果表明可能存在食品安全隐患的,县级以上人民政府卫生行政部门应当及时将相关信息通报同级食品药品监督管理等部门,并报告本级人民政府和上级人民政府卫生行政部门。食品药品监督管理等部门应当组织开展进一步调查。

第十七条 国家建立食品安全风险评估制度,运用科学方法,根据食品安全风险监测信息、科学数据以及有关信息,对食品、食品添加剂、食品相关产品中生物性、化学性和物理性危害因素进行风险评估。

国务院卫生行政部门负责组织食品安全风险评估工作，成立由医学、农业、食品、营养、生物、环境等方面的专家组成的食品安全风险评估专家委员会进行食品安全风险评估。食品安全风险评估结果由国务院卫生行政部门公布。

对农药、肥料、兽药、饲料和饲料添加剂等的安全性评估，应当有食品安全风险评估专家委员会的专家参加。

食品安全风险评估不得向生产经营者收取费用，采集样品应当按照市场价格支付费用。

第十八条 有下列情形之一的，应当进行食品安全风险评估：

（一）通过食品安全风险监测或者接到举报发现食品、食品添加剂、食品相关产品可能存在安全隐患的；

（二）为制定或者修订食品安全国家标准提供科学依据需要进行风险评估的；

（三）为确定监督管理的重点领域、重点品种需要进行风险评估的；

（四）发现新的可能危害食品安全因素的；

（五）需要判断某一因素是否构成食品安全隐患的；

（六）国务院卫生行政部门认为需要进行风险评估的其他情形。

第十九条 国务院食品药品监督管理、质量监督、农业行政等部门在监督管理工作中发现需要进行食品安全风险评估的，应当向国务院卫生行政部门提出食品安全风险评估的建议，并提供风险来源、相关检验数据和结论等信息、资料。属于本法第十八条规定情形的，国务院卫生行政部门应当及时进行食品安全风险评估，并向国务院有关部门通报评估结果。

第二十条 省级以上人民政府卫生行政、农业行政部门应当及时相互通报食品、食用农产品安全风险监测信息。

国务院卫生行政、农业行政部门应当及时相互通报食品、食用农产品安全风险评估结果等信息。

第二十一条　食品安全风险评估结果是制定、修订食品安全标准和实施食品安全监督管理的科学依据。

经食品安全风险评估，得出食品、食品添加剂、食品相关产品不安全结论的，国务院食品药品监督管理、质量监督等部门应当依据各自职责立即向社会公告，告知消费者停止食用或者使用，并采取相应措施，确保该食品、食品添加剂、食品相关产品停止生产经营；需要制定、修订相关食品安全国家标准的，国务院卫生行政部门应当会同国务院食品药品监督管理部门立即制定、修订。

第二十二条　国务院食品药品监督管理部门应当会同国务院有关部门，根据食品安全风险评估结果、食品安全监督管理信息，对食品安全状况进行综合分析。对经综合分析表明可能具有较高程度安全风险的食品，国务院食品药品监督管理部门应当及时提出食品安全风险警示，并向社会公布。

第二十三条　县级以上人民政府食品药品监督管理部门和其他有关部门、食品安全风险评估专家委员会及其技术机构，应当按照科学、客观、及时、公开的原则，组织食品生产经营者、食品检验机构、认证机构、食品行业协会、消费者协会以及新闻媒体等，就食品安全风险评估信息和食品安全监督管理信息进行交流沟通。

第三章　食品安全标准

第二十四条　制定食品安全标准，应当以保障公众身体健康为宗旨，做到科学合理、安全可靠。

第二十五条　食品安全标准是强制执行的标准。除食品安全标准外，不得制定其他食品强制性标准。

第二十六条　食品安全标准应当包括下列内容：

（一）食品、食品添加剂、食品相关产品中的致病性微生物，农药残留、兽药残留、生物毒素、重金属等污染物质以及其他危害人体健康物质的限量规定；

（二）食品添加剂的品种、使用范围、用量；

（三）专供婴幼儿和其他特定人群的主辅食品的营养成分要求；

（四）对与卫生、营养等食品安全要求有关的标签、标志、说明书的要求；

（五）食品生产经营过程的卫生要求；

（六）与食品安全有关的质量要求；

（七）与食品安全有关的食品检验方法与规程；

（八）其他需要制定为食品安全标准的内容。

第二十七条 食品安全国家标准由国务院卫生行政部门会同国务院食品药品监督管理部门制定、公布，国务院标准化行政部门提供国家标准编号。

食品中农药残留、兽药残留的限量规定及其检验方法与规程由国务院卫生行政部门、国务院农业行政部门会同国务院食品药品监督管理部门制定。

屠宰畜、禽的检验规程由国务院农业行政部门会同国务院卫生行政部门制定。

第二十八条 制定食品安全国家标准，应当依据食品安全风险评估结果并充分考虑食用农产品安全风险评估结果，参照相关的国际标准和国际食品安全风险评估结果，并将食品安全国家标准草案向社会公布，广泛听取食品生产经营者、消费者、有关部门等方面的意见。

食品安全国家标准应当经国务院卫生行政部门组织的食品安全国家标准审评委员会审查通过。食品安全国家标准审评委员会由医学、农业、食品、营养、生物、环境等方面的专家以及国务院有关部门、食品行业协会、消费者协会的代表组成，对食品安全国家标准草案的科学性和实用性等进行审查。

第二十九条 对地方特色食品，没有食品安全国家标准的，省、自治区、直辖市人民政府卫生行政部门可以制定并公布食品安全地方标准，报国务院卫生行政部门备案。食品安全国家标准制定后，该地方标准即行废止。

第三十条 国家鼓励食品生产企业制定严于食品安全国家标准或者地方标准的企业标准，在本企业适用，并报省、自治区、直辖市人民政府卫生行政部门备案。

第三十一条 省级以上人民政府卫生行政部门应当在其网站上公布制定和备案的食品安全国家标准、地方标准和企业标准，供公众免费查阅、下载。

对食品安全标准执行过程中的问题，县级以上人民政府卫生行政部门应当会同有关部门及时给予指导、解答。

第三十二条 省级以上人民政府卫生行政部门应当会同同级食品药品监督管理、质量监督、农业行政等部门，分别对食品安全国家标准和地方标准的执行情况进行跟踪评价，并根据评价结果及时修订食品安全标准。

省级以上人民政府食品药品监督管理、质量监督、农业行政等部门应当对食品安全标准执行中存在的问题进行收集、汇总，并及时向同级卫生行政部门通报。

食品生产经营者、食品行业协会发现食品安全标准在执行中存在问题的，应当立即向卫生行政部门报告。

第四章 食品生产经营

第一节 一般规定

第三十三条 食品生产经营应当符合食品安全标准，并符合下列要求：

（一）具有与生产经营的食品品种、数量相适应的食品原料处理和食品加工、包装、贮存等场所，保持该场所环境整洁，并与有毒、有害场所以及其他污染源保持规定的距离；

（二）具有与生产经营的食品品种、数量相适应的生产经营设备或者设施，有相应的消毒、更衣、盥洗、采光、照明、通风、防腐、防尘、防蝇、防鼠、防虫、洗涤以及处理废水、存放垃圾和废弃物的设备或者设施；

（三）有专职或者兼职的食品安全专业技术人员、食品安全管理人员和保证食品安全的规章制度；

（四）具有合理的设备布局和工艺流程，防止待加工食品与直接入口食品、原料与成品交叉污染，避免食品接触有毒物、不洁物；

（五）餐具、饮具和盛放直接入口食品的容器，使用前应当洗净、消毒，炊具、用具用后应当洗净，保持清洁；

（六）贮存、运输和装卸食品的容器、工具和设备应当安全、无害，保持清洁，防止食品污染，并符合保证食品安全所需的温度、湿度等特殊要求，不得将食品与有毒、有害物品一同贮存、运输；

（七）直接入口的食品应当使用无毒、清洁的包装材料、餐具、饮具和容器；

（八）食品生产经营人员应当保持个人卫生，生产经营食品时，应当将手洗净，穿戴清洁的工作衣、帽等；销售无包装的直接入口食品时，应当使用无毒、清洁的容器、售货工具和设备；

（九）用水应当符合国家规定的生活饮用水卫生标准；

（十）使用的洗涤剂、消毒剂应当对人体安全、无害；

（十一）法律、法规规定的其他要求。

非食品生产经营者从事食品贮存、运输和装卸的，应当符合前款第六项的规定。

第三十四条 禁止生产经营下列食品、食品添加剂、食品相关产品：

（一）用非食品原料生产的食品或者添加食品添加剂以外的化

学物质和其他可能危害人体健康物质的食品，或者用回收食品作为原料生产的食品；

（二）致病性微生物，农药残留、兽药残留、生物毒素、重金属等污染物质以及其他危害人体健康的物质含量超过食品安全标准限量的食品、食品添加剂、食品相关产品；

（三）用超过保质期的食品原料、食品添加剂生产的食品、食品添加剂；

（四）超范围、超限量使用食品添加剂的食品；

（五）营养成分不符合食品安全标准的专供婴幼儿和其他特定人群的主辅食品；

（六）腐败变质、油脂酸败、霉变生虫、污秽不洁、混有异物、掺假掺杂或者感官性状异常的食品、食品添加剂；

（七）病死、毒死或者死因不明的禽、畜、兽、水产动物肉类及其制品；

（八）未按规定进行检疫或者检疫不合格的肉类，或者未经检验或者检验不合格的肉类制品；

（九）被包装材料、容器、运输工具等污染的食品、食品添加剂；

（十）标注虚假生产日期、保质期或者超过保质期的食品、食品添加剂；

（十一）无标签的预包装食品、食品添加剂；

（十二）国家为防病等特殊需要明令禁止生产经营的食品；

（十三）其他不符合法律、法规或者食品安全标准的食品、食品添加剂、食品相关产品。

第三十五条　国家对食品生产经营实行许可制度。从事食品生产、食品销售、餐饮服务，应当依法取得许可。但是，销售食用农产品，不需要取得许可。

县级以上地方人民政府食品药品监督管理部门应当依照《中华人民共和国行政许可法》的规定，审核申请人提交的本法第三十三条第一款第一项至第四项规定要求的相关资料,必要时对申请人的生产经营场所进行现场核查;对符合规定条件的,准予许可;对不符合规定条件的,不予许可并书面说明理由。

第三十六条 食品生产加工小作坊和食品摊贩等从事食品生产经营活动,应当符合本法规定的与其生产经营规模、条件相适应的食品安全要求,保证所生产经营的食品卫生、无毒、无害,食品药品监督管理部门应当对其加强监督管理。

县级以上地方人民政府应当对食品生产加工小作坊、食品摊贩等进行综合治理,加强服务和统一规划,改善其生产经营环境,鼓励和支持其改进生产经营条件,进入集中交易市场、店铺等固定场所经营,或者在指定的临时经营区域、时段经营。

食品生产加工小作坊和食品摊贩等的具体管理办法由省、自治区、直辖市制定。

第三十七条 利用新的食品原料生产食品,或者生产食品添加剂新品种、食品相关产品新品种,应当向国务院卫生行政部门提交相关产品的安全性评估材料。国务院卫生行政部门应当自收到申请之日起六十日内组织审查;对符合食品安全要求的,准予许可并公布;对不符合食品安全要求的,不予许可并书面说明理由。

第三十八条 生产经营的食品中不得添加药品,但是可以添加按照传统既是食品又是中药材的物质。按照传统既是食品又是中药材的物质目录由国务院卫生行政部门会同国务院食品药品监督管理部门制定、公布。

第三十九条 国家对食品添加剂生产实行许可制度。从事食品添加剂生产,应当具有与所生产食品添加剂品种相适应的场所、生产设备或者设施、专业技术人员和管理制度,并依照本法第三十五条第二款规定的程序,取得食品添加剂生产许可。

生产食品添加剂应当符合法律、法规和食品安全国家标准。

第四十条 食品添加剂应当在技术上确有必要且经过风险评

估证明安全可靠,方可列入允许使用的范围;有关食品安全国家标准应当根据技术必要性和食品安全风险评估结果及时修订。

食品生产经营者应当按照食品安全国家标准使用食品添加剂。

第四十一条 生产食品相关产品应当符合法律、法规和食品安全国家标准。对直接接触食品的包装材料等具有较高风险的食品相关产品,按照国家有关工业产品生产许可证管理的规定实施生产许可。质量监督部门应当加强对食品相关产品生产活动的监督管理。

第四十二条 国家建立食品安全全程追溯制度。

食品生产经营者应当依照本法的规定,建立食品安全追溯体系,保证食品可追溯。国家鼓励食品生产经营者采用信息化手段采集、留存生产经营信息,建立食品安全追溯体系。

国务院食品药品监督管理部门会同国务院农业行政等有关部门建立食品安全全程追溯协作机制。

第四十三条 地方各级人民政府应当采取措施鼓励食品规模化生产和连锁经营、配送。

国家鼓励食品生产经营企业参加食品安全责任保险。

第二节 生产经营过程控制

第四十四条 食品生产经营企业应当建立健全食品安全管理制度,对职工进行食品安全知识培训,加强食品检验工作,依法从事生产经营活动。

食品生产经营企业的主要负责人应当落实企业食品安全管理制度,对本企业的食品安全工作全面负责。

食品生产经营企业应当配备食品安全管理人员,加强对其培训和考核。经考核不具备食品安全管理能力的,不得上岗。食品药品监督管理部门应当对企业食品安全管理人员随机进行监督抽查考核并公布考核情况。监督抽查考核不得收取费用。

第四十五条 食品生产经营者应当建立并执行从业人员健康管理制度。患有国务院卫生行政部门规定的有碍食品安全疾病的人员,不得从事接触直接入口食品的工作。

从事接触直接入口食品工作的食品生产经营人员应当每年进行健康检查,取得健康证明后方可上岗工作。

第四十六条 食品生产企业应当就下列事项制定并实施控制要求,保证所生产的食品符合食品安全标准:

(一)原料采购、原料验收、投料等原料控制;

(二)生产工序、设备、贮存、包装等生产关键环节控制;

(三)原料检验、半成品检验、成品出厂检验等检验控制;

(四)运输和交付控制。

第四十七条 食品生产经营者应当建立食品安全自查制度,定期对食品安全状况进行检查评价。生产经营条件发生变化,不再符合食品安全要求的,食品生产经营者应当立即采取整改措施;有发生食品安全事故潜在风险的,应当立即停止食品生产经营活动,并向所在地县级人民政府食品药品监督管理部门报告。

第四十八条 国家鼓励食品生产经营企业符合良好生产规范要求,实施危害分析与关键控制点体系,提高食品安全管理水平。

对通过良好生产规范、危害分析与关键控制点体系认证的食品生产经营企业,认证机构应当依法实施跟踪调查;对不再符合认证要求的企业,应当依法撤销认证,及时向县级以上人民政府食品药品监督管理部门通报,并向社会公布。认证机构实施跟踪调查不得收取费用。

第四十九条 食用农产品生产者应当按照食品安全标准和国家有关规定使用农药、肥料、兽药、饲料和饲料添加剂等农业投入品,严格执行农业投入品使用安全间隔期或者休药期的规定,不得使用国家明令禁止的农业投入品。禁止将剧毒、高毒农药用于蔬菜、瓜果、茶叶和中草药材等国家规定的农作物。

食用农产品的生产企业和农民专业合作经济组织应当建立农业投入品使用记录制度。

县级以上人民政府农业行政部门应当加强对农业投入品使用的监督管理和指导,建立健全农业投入品安全使用制度。

第五十条 食品生产者采购食品原料、食品添加剂、食品相关产品,应当查验供货者的许可证和产品合格证明;对无法提供合格证明的食品原料,应当按照食品安全标准进行检验;不得采购或者使用不符合食品安全标准的食品原料、食品添加剂、食品相关产品。

食品生产企业应当建立食品原料、食品添加剂、食品相关产品进货查验记录制度,如实记录食品原料、食品添加剂、食品相关产品的名称、规格、数量、生产日期或者生产批号、保质期、进货日期以及供货者名称、地址、联系方式等内容,并保存相关凭证。记录和凭证保存期限不得少于产品保质期满后六个月;没有明确保质期的,保存期限不得少于二年。

第五十一条 食品生产企业应当建立食品出厂检验记录制度,查验出厂食品的检验合格证和安全状况,如实记录食品的名称、规格、数量、生产日期或者生产批号、保质期、检验合格证号、销售日期以及购货者名称、地址、联系方式等内容,并保存相关凭证。记录和凭证保存期限应当符合本法第五十条第二款的规定。

第五十二条 食品、食品添加剂、食品相关产品的生产者,应当按照食品安全标准对所生产的食品、食品添加剂、食品相关产品进行检验,检验合格后方可出厂或者销售。

第五十三条 食品经营者采购食品,应当查验供货者的许可证和食品出厂检验合格证或者其他合格证明(以下称合格证明文件)。

食品经营企业应当建立食品进货查验记录制度,如实记录食品的名称、规格、数量、生产日期或者生产批号、保质期、进货日期以及供货者名称、地址、联系方式等内容，并保存相关凭证。记录和凭证保存期限应当符合本法第五十条第二款的规定。

实行统一配送经营方式的食品经营企业，可以由企业总部统一查验供货者的许可证和食品合格证明文件，进行食品进货查验记录。

从事食品批发业务的经营企业应当建立食品销售记录制度，如实记录批发食品的名称、规格、数量、生产日期或者生产批号、保质期、销售日期以及购货者名称、地址、联系方式等内容，并保存相关凭证。记录和凭证保存期限应当符合本法第五十条第二款的规定。

第五十四条 食品经营者应当按照保证食品安全的要求贮存食品，定期检查库存食品，及时清理变质或者超过保质期的食品。

食品经营者贮存散装食品，应当在贮存位置标明食品的名称、生产日期或者生产批号、保质期、生产者名称及联系方式等内容。

第五十五条 餐饮服务提供者应当制定并实施原料控制要求，不得采购不符合食品安全标准的食品原料。倡导餐饮服务提供者公开加工过程，公示食品原料及其来源等信息。

餐饮服务提供者在加工过程中应当检查待加工的食品及原料，发现有本法第三十四条第六项规定情形的，不得加工或者使用。

第五十六条 餐饮服务提供者应当定期维护食品加工、贮存、陈列等设施、设备；定期清洗、校验保温设施及冷藏、冷冻设施。

餐饮服务提供者应当按照要求对餐具、饮具进行清洗消毒，不得使用未经清洗消毒的餐具、饮具；餐饮服务提供者委托清洗消毒餐具、饮具的，应当委托符合本法规定条件的餐具、饮具集中消毒服务单位。

第五十七条 学校、托幼机构、养老机构、建筑工地等集中用餐单位的食堂应当严格遵守法律、法规和食品安全标准;从供餐单位订餐的,应当从取得食品生产经营许可的企业订购,并按照要求对订购的食品进行查验。供餐单位应当严格遵守法律、法规和食品安全标准,当餐加工,确保食品安全。

学校、托幼机构、养老机构、建筑工地等集中用餐单位的主管部门应当加强对集中用餐单位的食品安全教育和日常管理,降低食品安全风险,及时消除食品安全隐患。

第五十八条　餐具、饮具集中消毒服务单位应当具备相应的作业场所、清洗消毒设备或者设施,用水和使用的洗涤剂、消毒剂应当符合相关食品安全国家标准和其他国家标准、卫生规范。

餐具、饮具集中消毒服务单位应当对消毒餐具、饮具进行逐批检验,检验合格后方可出厂,并应当随附消毒合格证明。消毒后的餐具、饮具应当在独立包装上标注单位名称、地址、联系方式、消毒日期以及使用期限等内容。

第五十九条　食品添加剂生产者应当建立食品添加剂出厂检验记录制度,查验出厂产品的检验合格证和安全状况,如实记录食品添加剂的名称、规格、数量、生产日期或者生产批号、保质期、检验合格证号、销售日期以及购货者名称、地址、联系方式等相关内容,并保存相关凭证。记录和凭证保存期限应当符合本法第五十条第二款的规定。

第六十条　食品添加剂经营者采购食品添加剂,应当依法查验供货者的许可证和产品合格证明文件,如实记录食品添加剂的名称、规格、数量、生产日期或者生产批号、保质期、进货日期以及供货者名称、地址、联系方式等内容,并保存相关凭证。记录和凭证保存期限应当符合本法第五十条第二款的规定。

第六十一条　集中交易市场的开办者、柜台出租者和展销会举办者,应当依法审查入场食品经营者的许可证,明确其食品安全管理责任,定期对其经营环境和条件进行检查,发现其有违反本法规定行为的,应当及时制止并立即报告所在地县级人民政府食品药品监督管理部门。

第六十二条 网络食品交易第三方平台提供者应当对入网食品经营者进行实名登记,明确其食品安全管理责任;依法应当取得许可证的,还应当审查其许可证。

网络食品交易第三方平台提供者发现入网食品经营者有违反本法规定行为的,应当及时制止并立即报告所在地县级人民政府食品药品监督管理部门;发现严重违法行为的,应当立即停止提供网络交易平台服务。

第六十三条 国家建立食品召回制度。食品生产者发现其生产的食品不符合食品安全标准或者有证据证明可能危害人体健康的,应当立即停止生产,召回已经上市销售的食品,通知相关生产经营者和消费者,并记录召回和通知情况。

食品经营者发现其经营的食品有前款规定情形的,应当立即停止经营,通知相关生产经营者和消费者,并记录停止经营和通知情况。食品生产者认为应当召回的,应当立即召回。由于食品经营者的原因造成其经营的食品有前款规定情形的,食品经营者应当召回。

食品生产经营者应当对召回的食品采取无害化处理、销毁等措施,防止其再次流入市场。但是,对因标签、标志或者说明书不符合食品安全标准而被召回的食品,食品生产者在采取补救措施且能保证食品安全的情况下可以继续销售;销售时应当向消费者明示补救措施。

食品生产经营者应当将食品召回和处理情况向所在地县级人民政府食品药品监督管理部门报告;需要对召回的食品进行无害化处理、销毁的,应当提前报告时间、地点。食品药品监督管理部门认为必要的,可以实施现场监督。

食品生产经营者未依照本条规定召回或者停止经营的,县级以上人民政府食品药品监督管理部门可以责令其召回或者停止经营。

第六十四条 食用农产品批发市场应当配备检验设备和检验人员或者委托符合本法规定的食品检验机构,对进入该批发市场销售的食用农产品进行抽样检验;发现不符合食品安全标准的,应当要求销售者立即停止销售,并向食品药品监督管理部门报告。

第六十五条 食用农产品销售者应当建立食用农产品进货查验记录制度,如实记录食用农产品的名称、数量、进货日期以及供货者名称、地址、联系方式等内容,并保存相关凭证。记录和凭证保存期限不得少于六个月。

第六十六条 进入市场销售的食用农产品在包装、保鲜、贮存、运输中使用保鲜剂、防腐剂等食品添加剂和包装材料等食品相关产品,应当符合食品安全国家标准。

第三节 标签、说明书和广告

第六十七条 预包装食品的包装上应当有标签。标签应当标明下列事项:

(一)名称、规格、净含量、生产日期;

(二)成分或者配料表;

(三)生产者的名称、地址、联系方式;

(四)保质期;

(五)产品标准代号;

(六)贮存条件;

(七)所使用的食品添加剂在国家标准中的通用名称;

(八)生产许可证编号;

(九)法律、法规或者食品安全标准规定应当标明的其他事项。

专供婴幼儿和其他特定人群的主辅食品,其标签还应当标明主要营养成分及其含量。

食品安全国家标准对标签标注事项另有规定的,从其规定。

第六十八条 食品经营者销售散装食品,应当在散装食品的容器、外包装上标明食品的名称、生产日期或者生产批号、保质期以及生产经营者名称、地址、联系方式等内容。

第六十九条 生产经营转基因食品应当按照规定显著标示。

第七十条 食品添加剂应当有标签、说明书和包装。标签、说明书应当载明本法第六十七条第一款第一项至第六项、第八项、第九项规定的事项,以及食品添加剂的使用范围、用量、使用方法,并在标签上载明“食品添加剂”字样。

第七十一条 食品和食品添加剂的标签、说明书,不得含有虚假内容,不得涉及疾病预防、治疗功能。生产经营者对其提供的标签、说明书的内容负责。

食品和食品添加剂的标签、说明书应当清楚、明显,生产日期、保质期等事项应当显著标注,容易辨识。

食品和食品添加剂与其标签、说明书的内容不符的,不得上市销售。

第七十二条 食品经营者应当按照食品标签标示的警示标志、警示说明或者注意事项的要求销售食品。

第七十三条 食品广告的内容应当真实合法,不得含有虚假内容,不得涉及疾病预防、治疗功能。食品生产经营者对食品广告内容的真实性、合法性负责。

县级以上人民政府食品药品监督管理部门和其他有关部门以及食品检验机构、食品行业协会不得以广告或者其他形式向消费者推荐食品。消费者组织不得以收取费用或者其他牟取利益的方式向消费者推荐食品。

第四节 特殊食品

第七十四条 国家对保健食品、特殊医学用途配方食品和婴幼儿配方食品等特殊食品实行严格监督管理。

第七十五条　保健食品声称保健功能，应当具有科学依据，不得对人体产生急性、亚急性或者慢性危害。

保健食品原料目录和允许保健食品声称的保健功能目录，由国务院食品药品监督管理部门会同国务院卫生行政部门、国家中医药管理部门制定、调整并公布。

保健食品原料目录应当包括原料名称、用量及其对应的功效；列入保健食品原料目录的原料只能用于保健食品生产，不得用于其他食品生产。

第七十六条　使用保健食品原料目录以外原料的保健食品和首次进口的保健食品应当经国务院食品药品监督管理部门注册。但是，首次进口的保健食品中属于补充维生素、矿物质等营养物质的，应当报国务院食品药品监督管理部门备案。其他保健食品应当报省、自治区、直辖市人民政府食品药品监督管理部门备案。

进口的保健食品应当是出口国（地区）主管部门准许上市销售的产品。

第七十七条　依法应当注册的保健食品，注册时应当提交保健食品的研发报告、产品配方、生产工艺、安全性和保健功能评价、标签、说明书等材料及样品，并提供相关证明文件。国务院食品药品监督管理部门经组织技术审评，对符合安全和功能声称要求的，准予注册；对不符合要求的，不予注册并书面说明理由。对使用保健食品原料目录以外原料的保健食品作出准予注册决定的，应当及时将该原料纳入保健食品原料目录。

依法应当备案的保健食品，备案时应当提交产品配方、生产工艺、标签、说明书以及表明产品安全性和保健功能的材料。

第七十八条　保健食品的标签、说明书不得涉及疾病预防、治疗功能，内容应当真实，与注册或者备案的内容相一致，载明适宜人群、不适宜人群、功效成分或者标志性成分及其含量等，并声明

"本品不能代替药物"。保健食品的功能和成分应当与标签、说明书相一致。

第七十九条 保健食品广告除应当符合本法第七十三条第一款的规定外，还应当声明"本品不能代替药物"；其内容应当经生产企业所在地省、自治区、直辖市人民政府食品药品监督管理部门审查批准，取得保健食品广告批准文件。省、自治区、直辖市人民政府食品药品监督管理部门应当公布并及时更新已经批准的保健食品广告目录以及批准的广告内容。

第八十条 特殊医学用途配方食品应当经国务院食品药品监督管理部门注册。注册时，应当提交产品配方、生产工艺、标签、说明书以及表明产品安全性、营养充足性和特殊医学用途临床效果的材料。

特殊医学用途配方食品广告适用《中华人民共和国广告法》和其他法律、行政法规关于药品广告管理的规定。

第八十一条 婴幼儿配方食品生产企业应当实施从原料进厂到成品出厂的全过程质量控制，对出厂的婴幼儿配方食品实施逐批检验，保证食品安全。

生产婴幼儿配方食品使用的生鲜乳、辅料等食品原料、食品添加剂等，应当符合法律、行政法规的规定和食品安全国家标准，保证婴幼儿生长发育所需的营养成分。

婴幼儿配方食品生产企业应当将食品原料、食品添加剂、产品配方及标签等事项向省、自治区、直辖市人民政府食品药品监督管理部门备案。

婴幼儿配方乳粉的产品配方应当经国务院食品药品监督管理部门注册。注册时，应当提交配方研发报告和其他表明配方科学性、安全性的材料。

不得以分装方式生产婴幼儿配方乳粉，同一企业不得用同一配方生产不同品牌的婴幼儿配方乳粉。

第八十二条 保健食品、特殊医学用途配方食品、婴幼儿配方乳粉的注册人或者备案人应当对其提交材料的真实性负责。

省级以上人民政府食品药品监督管理部门应当及时公布注册或者备案的保健食品、特殊医学用途配方食品、婴幼儿配方乳粉目录,并对注册或者备案中获知的企业商业秘密予以保密。

保健食品、特殊医学用途配方食品、婴幼儿配方乳粉生产企业应当按照注册或者备案的产品配方、生产工艺等技术要求组织生产。

第八十三条 生产保健食品,特殊医学用途配方食品、婴幼儿配方食品和其他专供特定人群的主辅食品的企业,应当按照良好生产规范的要求建立与所生产食品相适应的生产质量管理体系,定期对该体系的运行情况进行自查,保证其有效运行,并向所在地县级人民政府食品药品监督管理部门提交自查报告。

第五章 食品检验

第八十四条 食品检验机构按照国家有关认证认可的规定取得资质认定后,方可从事食品检验活动。但是,法律另有规定的除外。

食品检验机构的资质认定条件和检验规范,由国务院食品药品监督管理部门规定。

符合本法规定的食品检验机构出具的检验报告具有同等效力。

县级以上人民政府应当整合食品检验资源,实现资源共享。

第八十五条 食品检验由食品检验机构指定的检验人独立进行。

检验人应当依照有关法律、法规的规定,并按照食品安全标准和检验规范对食品进行检验,尊重科学,恪守职业道德,保证出具的检验数据和结论客观、公正,不得出具虚假检验报告。

第八十六条 食品检验实行食品检验机构与检验人负责制。食品检验报告应当加盖食品检验机构公章,并有检验人的签名或者盖章。食品检验机构和检验人对出具的食品检验报告负责。

第八十七条 县级以上人民政府食品药品监督管理部门应当对食品进行定期或者不定期的抽样检验,并依据有关规定公布检验结果,不得免检。进行抽样检验,应当购买抽取的样品,委托符合本法规定的食品检验机构进行检验,并支付相关费用;不得向食品生产经营者收取检验费和其他费用。

第八十八条 对依照本法规定实施的检验结论有异议的,食品生产经营者可以自收到检验结论之日起七个工作日内向实施抽样检验的食品药品监督管理部门或者其上一级食品药品监督管理部门提出复检申请,由受理复检申请的食品药品监督管理部门在公布的复检机构名录中随机确定复检机构进行复检。复检机构出具的复检结论为最终检验结论。复检机构与初检机构不得为同一机构。复检机构名录由国务院认证认可监督管理、食品药品监督管理、卫生行政、农业行政等部门共同公布。

采用国家规定的快速检测方法对食用农产品进行抽查检测,被抽查人对检测结果有异议的,可以自收到检测结果时起四小时内申请复检。复检不得采用快速检测方法。

第八十九条 食品生产企业可以自行对所生产的食品进行检验,也可以委托符合本法规定的食品检验机构进行检验。

食品行业协会和消费者协会等组织、消费者需要委托食品检验机构对食品进行检验的,应当委托符合本法规定的食品检验机构进行。

第九十条 食品添加剂的检验,适用本法有关食品检验的规定。

第六章 食品进出口

第九十一条 国家出入境检验检疫部门对进出口食品安全实

施监督管理。

第九十二条　进口的食品、食品添加剂、食品相关产品应当符合我国食品安全国家标准。

进口的食品、食品添加剂应当经出入境检验检疫机构依照进出口商品检验相关法律、行政法规的规定检验合格。

进口的食品、食品添加剂应当按照国家出入境检验检疫部门的要求随附合格证明材料。

第九十三条　进口尚无食品安全国家标准的食品，由境外出口商、境外生产企业或者其委托的进口商向国务院卫生行政部门提交所执行的相关国家（地区）标准或者国际标准。国务院卫生行政部门对相关标准进行审查，认为符合食品安全要求的，决定暂予适用，并及时制定相应的食品安全国家标准。进口利用新的食品原料生产的食品或者进口食品添加剂新品种、食品相关产品新品种，依照本法第三十七条的规定办理。

出入境检验检疫机构按照国务院卫生行政部门的要求，对前款规定的食品、食品添加剂、食品相关产品进行检验。检验结果应当公开。

第九十四条　境外出口商、境外生产企业应当保证向我国出口的食品、食品添加剂、食品相关产品符合本法以及我国其他有关法律、行政法规的规定和食品安全国家标准的要求，并对标签、说明书的内容负责。

进口商应当建立境外出口商、境外生产企业审核制度，重点审核前款规定的内容；审核不合格的，不得进口。

发现进口食品不符合我国食品安全国家标准或者有证据证明可能危害人体健康的，进口商应当立即停止进口，并依照本法第六十三条的规定召回。

第九十五条　境外发生的食品安全事件可能对我国境内造成影响，或者在进口食品、食品添加剂、食品相关产品中发现严重食品安全问题的，国家出入境检验检疫部门应当及时采取风险预警或者控制措施，并向国务院食品药品监督管理、卫生行政、农业行政部门通报。接到通报的部门应当及时采取相应措施。

县级以上人民政府食品药品监督管理部门对国内市场上销售的进口食品、食品添加剂实施监督管理。发现存在严重食品安全问题的，国务院食品药品监督管理部门应当及时向国家出入境检验检疫部门通报。国家出入境检验检疫部门应当及时采取相应措施。

第九十六条 向我国境内出口食品的境外出口商或者代理商、进口食品的进口商应当向国家出入境检验检疫部门备案。向我国境内出口食品的境外食品生产企业应当经国家出入境检验检疫部门注册。已经注册的境外食品生产企业提供虚假材料，或者因其自身的原因致使进口食品发生重大食品安全事故的，国家出入境检验检疫部门应当撤销注册并公告。

国家出入境检验检疫部门应当定期公布已经备案的境外出口商、代理商、进口商和已经注册的境外食品生产企业名单。

第九十七条 进口的预包装食品、食品添加剂应当有中文标签；依法应当有说明书的，还应当有中文说明书。标签、说明书应当符合本法以及我国其他有关法律、行政法规的规定和食品安全国家标准的要求，并载明食品的原产地以及境内代理商的名称、地址、联系方式。预包装食品没有中文标签、中文说明书或者标签、说明书不符合本条规定的，不得进口。

第九十八条 进口商应当建立食品、食品添加剂进口和销售记录制度，如实记录食品、食品添加剂的名称、规格、数量、生产日期、生产或者进口批号、保质期、境外出口商和购货者名称、地址及联系方式、交货日期等内容，并保存相关凭证。记录和凭证保存期限应当符合本法第五十条第二款的规定。

第九十九条 出口食品生产企业应当保证其出口食品符合进

口国（地区）的标准或者合同要求。

出口食品生产企业和出口食品原料种植、养殖场应当向国家出入境检验检疫部门备案。

第一百条 国家出入境检验检疫部门应当收集、汇总下列进出口食品安全信息，并及时通报相关部门、机构和企业：

（一）出入境检验检疫机构对进出口食品实施检验检疫发现的食品安全信息；

（二）食品行业协会和消费者协会等组织、消费者反映的进口食品安全信息；

（三）国际组织、境外政府机构发布的风险预警信息及其他食品安全信息，以及境外食品行业协会等组织、消费者反映的食品安全信息；

（四）其他食品安全信息。

国家出入境检验检疫部门应当对进出口食品的进口商、出口商和出口食品生产企业实施信用管理，建立信用记录，并依法向社会公布。对有不良记录的进口商、出口商和出口食品生产企业，应当加强对其进出口食品的检验检疫。

第一百零一条 国家出入境检验检疫部门可以对向我国境内出口食品的国家（地区）的食品安全管理体系和食品安全状况进行评估和审查，并根据评估和审查结果，确定相应检验检疫要求。

第七章 食品安全事故处置

第一百零二条 国务院组织制定国家食品安全事故应急预案。

县级以上地方人民政府应当根据有关法律、法规的规定和上级人民政府的食品安全事故应急预案以及本行政区域的实际情况，制定本行政区域的食品安全事故应急预案，并报上一级人民政府备案。

食品安全事故应急预案应当对食品安全事故分级、事故处置组织指挥体系与职责、预防预警机制、处置程序、应急保障措施等作出规定。

食品生产经营企业应当制定食品安全事故处置方案，定期检查本企业各项食品安全防范措施的落实情况，及时消除事故隐患。

第一百零三条 发生食品安全事故的单位应当立即采取措施，防止事故扩大。事故单位和接收病人进行治疗的单位应当及时向事故发生地县级人民政府食品药品监督管理、卫生行政部门报告。

县级以上人民政府质量监督、农业行政等部门在日常监督管理中发现食品安全事故或者接到事故举报，应当立即向同级食品药品监督管理部门通报。

发生食品安全事故，接到报告的县级人民政府食品药品监督管理部门应当按照应急预案的规定向本级人民政府和上级人民政府食品药品监督管理部门报告。县级人民政府和上级人民政府食品药品监督管理部门应当按照应急预案的规定上报。

任何单位和个人不得对食品安全事故隐瞒、谎报、缓报，不得隐匿、伪造、毁灭有关证据。

第一百零四条 医疗机构发现其接收的病人属于食源性疾病病人或者疑似病人的，应当按照规定及时将相关信息向所在地县级人民政府卫生行政部门报告。县级人民政府卫生行政部门认为与食品安全有关的，应当及时通报同级食品药品监督管理部门。

县级以上人民政府卫生行政部门在调查处理传染病或者其他突发公共卫生事件中发现与食品安全相关的信息，应当及时通报同级食品药品监督管理部门。

第一百零五条 县级以上人民政府食品药品监督管理部门接到食品安全事故的报告后，应当立即会同同级卫生行政、质量监督、农业行政等部门进行调查处理，并采取下列措施，防止或者减轻社会危害：

（一）开展应急救援工作，组织救治因食品安全事故导致人身伤害的人员；

（二）封存可能导致食品安全事故的食品及其原料，并立即进行检验；对确认属于被污染的食品及其原料，责令食品生产经营者依照本法第六十三条的规定召回或者停止经营；

（三）封存被污染的食品相关产品，并责令进行清洗消毒；

（四）做好信息发布工作，依法对食品安全事故及其处理情况进行发布，并对可能产生的危害加以解释、说明。

发生食品安全事故需要启动应急预案的，县级以上人民政府应当立即成立事故处置指挥机构，启动应急预案，依照前款和应急预案的规定进行处置。

发生食品安全事故，县级以上疾病预防控制机构应当对事故现场进行卫生处理，并对与事故有关的因素开展流行病学调查，有关部门应当予以协助。县级以上疾病预防控制机构应当向同级食品药品监督管理、卫生行政部门提交流行病学调查报告。

第一百零六条　发生食品安全事故，设区的市级以上人民政府食品药品监督管理部门应当立即会同有关部门进行事故责任调查，督促有关部门履行职责，向本级人民政府和上一级人民政府食品药品监督管理部门提出事故责任调查处理报告。

涉及两个以上省、自治区、直辖市的重大食品安全事故由国务院食品药品监督管理部门依照前款规定组织事故责任调查。

第一百零七条　调查食品安全事故，应当坚持实事求是、尊重科学的原则，及时、准确查清事故性质和原因，认定事故责任，提出整改措施。

调查食品安全事故，除了查明事故单位的责任，还应当查明有关监督管理部门、食品检验机构、认证机构及其工作人员的责任。

第一百零八条　食品安全事故调查部门有权向有关单位和个

人了解与事故有关的情况，并要求提供相关资料和样品。有关单位和个人应当予以配合，按照要求提供相关资料和样品，不得拒绝。

任何单位和个人不得阻挠、干涉食品安全事故的调查处理。

第八章　监督管理

第一百零九条　县级以上人民政府食品药品监督管理、质量监督部门根据食品安全风险监测、风险评估结果和食品安全状况等，确定监督管理的重点、方式和频次，实施风险分级管理。

县级以上地方人民政府组织本级食品药品监督管理、质量监督、农业行政等部门制定本行政区域的食品安全年度监督管理计划，向社会公布并组织实施。

食品安全年度监督管理计划应当将下列事项作为监督管理的重点：

（一）专供婴幼儿和其他特定人群的主辅食品；

（二）保健食品生产过程中的添加行为和按照注册或者备案的技术要求组织生产的情况，保健食品标签、说明书以及宣传材料中有关功能宣传的情况；

（三）发生食品安全事故风险较高的食品生产经营者；

（四）食品安全风险监测结果表明可能存在食品安全隐患的事项。

第一百一十条　县级以上人民政府食品药品监督管理、质量监督部门履行各自食品安全监督管理职责，有权采取下列措施，对生产经营者遵守本法的情况进行监督检查：

（一）进入生产经营场所实施现场检查；

（二）对生产经营的食品、食品添加剂、食品相关产品进行抽样检验；

（三）查阅、复制有关合同、票据、账簿以及其他有关资料；

（四）查封、扣押有证据证明不符合食品安全标准或者有证据证明存在安全隐患以及用于违法生产经营的食品、食品添加剂、食品相关产品；

（五）查封违法从事生产经营活动的场所。

第一百一十一条　对食品安全风险评估结果证明食品存在安全隐患，需要制定、修订食品安全标准的，在制定、修订食品安全标准前，国务院卫生行政部门应当及时会同国务院有关部门规定食品中有害物质的临时限量值和临时检验方法，作为生产经营和监督管理的依据。

第一百一十二条　县级以上人民政府食品药品监督管理部门在食品安全监督管理工作中可以采用国家规定的快速检测方法对食品进行抽查检测。

对抽查检测结果表明可能不符合食品安全标准的食品，应当依照本法第八十七条的规定进行检验。抽查检测结果确定有关食品不符合食品安全标准的，可以作为行政处罚的依据。

第一百一十三条　县级以上人民政府食品药品监督管理部门应当建立食品生产经营者食品安全信用档案，记录许可颁发、日常监督检查结果、违法行为查处等情况，依法向社会公布并实时更新；对有不良信用记录的食品生产经营者增加监督检查频次，对违法行为情节严重的食品生产经营者，可以通报投资主管部门、证券监督管理机构和有关的金融机构。

第一百一十四条　食品生产经营过程中存在食品安全隐患，未及时采取措施消除的，县级以上人民政府食品药品监督管理部门可以对食品生产经营者的法定代表人或者主要负责人进行责任约谈。食品生产经营者应当立即采取措施，进行整改，消除隐患。责任约谈情况和整改情况应当纳入食品生产经营者食品安全信用档案。

第一百一十五条　县级以上人民政府食品药品监督管理、质量监督等部门应当公布本部门的电子邮件地址或者电话，接受咨询、投诉、举报。接到咨询、投诉、举报，对属于本部门职责的，应当受理并在法定期限内及时答复、核实、处理；对不属于本部门职责的，应当移交有权处理的部门并书面通知咨询、投诉、举报人。有权处理的部门应当在法定期限内及时处理，不得推诿。对查证属实的举报，给予举报人奖励。

有关部门应当对举报人的信息予以保密，保护举报人的合法权益。举报人举报所在企业的，该企业不得以解除、变更劳动合同或者其他方式对举报人进行打击报复。

第一百一十六条 县级以上人民政府食品药品监督管理、质量监督等部门应当加强对执法人员食品安全法律、法规、标准和专业知识与执法能力等的培训，并组织考核。不具备相应知识和能力的，不得从事食品安全执法工作。

食品生产经营者、食品行业协会、消费者协会等发现食品安全执法人员在执法过程中有违反法律、法规规定的行为以及不规范执法行为的，可以向本级或者上级人民政府食品药品监督管理、质量监督等部门或者监察机关投诉、举报。接到投诉、举报的部门或者机关应当进行核实，并将经核实的情况向食品安全执法人员所在部门通报；涉嫌违法违纪的，按照本法和有关规定处理。

第一百一十七条 县级以上人民政府食品药品监督管理等部门未及时发现食品安全系统性风险，未及时消除监督管理区域内的食品安全隐患的，本级人民政府可以对其主要负责人进行责任约谈。

地方人民政府未履行食品安全职责，未及时消除区域性重大食品安全隐患的，上级人民政府可以对其主要负责人进行责任约谈。

被约谈的食品药品监督管理等部门、地方人民政府应当立即采取措施，对食品安全监督管理工作进行整改。

责任约谈情况和整改情况应当纳入地方人民政府和有关部门食品安全监督管理工作评议、考核记录。

第一百一十八条　国家建立统一的食品安全信息平台，实行食品安全信息统一公布制度。国家食品安全总体情况、食品安全风险警示信息、重大食品安全事故及其调查处理信息和国务院确定需要统一公布的其他信息由国务院食品药品监督管理部门统一公布。食品安全风险警示信息和重大食品安全事故及其调查处理信息的影响限于特定区域的，也可以由有关省、自治区、直辖市人民政府食品药品监督管理部门公布。未经授权不得发布上述信息。

县级以上人民政府食品药品监督管理、质量监督、农业行政部门依据各自职责公布食品安全日常监督管理信息。

公布食品安全信息，应当做到准确、及时，并进行必要的解释说明，避免误导消费者和社会舆论。

第一百一十九条　县级以上地方人民政府食品药品监督管理、卫生行政、质量监督、农业行政部门获知本法规定需要统一公布的信息，应当向上级主管部门报告，由上级主管部门立即报告国务院食品药品监督管理部门；必要时，可以直接向国务院食品药品监督管理部门报告。

县级以上人民政府食品药品监督管理、卫生行政、质量监督、农业行政部门应当相互通报获知的食品安全信息。

第一百二十条　任何单位和个人不得编造、散布虚假食品安全信息。

县级以上人民政府食品药品监督管理部门发现可能误导消费者和社会舆论的食品安全信息，应当立即组织有关部门、专业机构、相关食品生产经营者等进行核实、分析，并及时公布结果。

第一百二十一条　县级以上人民政府食品药品监督管理、质量监督等部门发现涉嫌食品安全犯罪的，应当按照有关规定及时将案件移送公安机关。对移送的案件,公安机关应当及时审查;认为有犯罪事实需要追究刑事责任的,应当立案侦查。

公安机关在食品安全犯罪案件侦查过程中认为没有犯罪事实,或者犯罪事实显著轻微,不需要追究刑事责任,但依法应当追究行政责任的,应当及时将案件移送食品药品监督管理、质量监督等部门和监察机关,有关部门应当依法处理。

公安机关商请食品药品监督管理、质量监督、环境保护等部门提供检验结论、认定意见以及对涉案物品进行无害化处理等协助的,有关部门应当及时提供,予以协助。

第九章 法律责任

第一百二十二条 违反本法规定,未取得食品生产经营许可从事食品生产经营活动,或者未取得食品添加剂生产许可从事食品添加剂生产活动的,由县级以上人民政府食品药品监督管理部门没收违法所得和违法生产经营的食品、食品添加剂以及用于违法生产经营的工具、设备、原料等物品;违法生产经营的食品、食品添加剂货值金额不足一万元的,并处五万元以上十万元以下罚款;货值金额一万元以上的,并处货值金额十倍以上二十倍以下罚款。

明知从事前款规定的违法行为,仍为其提供生产经营场所或者其他条件的,由县级以上人民政府食品药品监督管理部门责令停止违法行为,没收违法所得,并处五万元以上十万元以下罚款;使消费者的合法权益受到损害的,应当与食品、食品添加剂生产经营者承担连带责任。

第一百二十三条 违反本法规定,有下列情形之一,尚不构成犯罪的,由县级以上人民政府食品药品监督管理部门没收违法所得和违法生产经营的食品,并可以没收用于违法生产经营的工具、设备、原料等物品;违法生产经营的食品货值金额不足一万元的,并处十万元以上十五万元以下罚款;货值金额一万元以上的,并处货值金额十五倍以上三十倍以下罚款；情节严重的，吊销许可证，并可以由公安机关对其直接负责的主管人员和其他直接责任人员处五日以上十五日以下拘留：

（一）用非食品原料生产食品、在食品中添加食品添加剂以外的化学物质和其他可能危害人体健康的物质，或者用回收食品作为原料生产食品，或者经营上述食品；

（二）生产经营营养成分不符合食品安全标准的专供婴幼儿和其他特定人群的主辅食品；

（三）经营病死、毒死或者死因不明的禽、畜、兽、水产动物肉类，或者生产经营其制品；

（四）经营未按规定进行检疫或者检疫不合格的肉类，或者生产经营未经检验或者检验不合格的肉类制品；

（五）生产经营国家为防病等特殊需要明令禁止生产经营的食品；

（六）生产经营添加药品的食品。

明知从事前款规定的违法行为，仍为其提供生产经营场所或者其他条件的，由县级以上人民政府食品药品监督管理部门责令停止违法行为，没收违法所得，并处十万元以上二十万元以下罚款；使消费者的合法权益受到损害的，应当与食品生产经营者承担连带责任。

违法使用剧毒、高毒农药的，除依照有关法律、法规规定给予处罚外，可以由公安机关依照第一款规定给予拘留。

第一百二十四条 违反本法规定，有下列情形之一，尚不构成犯罪的，由县级以上人民政府食品药品监督管理部门没收违法所得和违法生产经营的食品、食品添加剂，并可以没收用于违法生产经营的工具、设备、原料等物品；违法生产经营的食品、食品添加剂货值金额不足一万元的，并处五万元以上十万元以下罚款；货值金额一万元以上的，并处货值金额十倍以上二十倍以下罚款；情节严重的，吊销许可证：

（一）生产经营致病性微生物，农药残留、兽药残留、生物毒素、重金属等污染物质以及其他危害人体健康的物质含量超过食品安全标准限量的食品、食品添加剂；

（二）用超过保质期的食品原料、食品添加剂生产食品、食品添加剂，或者经营上述食品、食品添加剂；

（三）生产经营超范围、超限量使用食品添加剂的食品；

（四）生产经营腐败变质、油脂酸败、霉变生虫、污秽不洁、混有异物、掺假掺杂或者感官性状异常的食品、食品添加剂；

（五）生产经营标注虚假生产日期、保质期或者超过保质期的食品、食品添加剂；

（六）生产经营未按规定注册的保健食品、特殊医学用途配方食品、婴幼儿配方乳粉，或者未按注册的产品配方、生产工艺等技术要求组织生产；

（七）以分装方式生产婴幼儿配方乳粉，或者同一企业以同一配方生产不同品牌的婴幼儿配方乳粉；

（八）利用新的食品原料生产食品，或者生产食品添加剂新品种，未通过安全性评估；

（九）食品生产经营者在食品药品监督管理部门责令其召回或者停止经营后，仍拒不召回或者停止经营。

除前款和本法第一百二十三条、第一百二十五条规定的情形外，生产经营不符合法律、法规或者食品安全标准的食品、食品添加剂的，依照前款规定给予处罚。

生产食品相关产品新品种，未通过安全性评估，或者生产不符合食品安全标准的食品相关产品的，由县级以上人民政府质量监督部门依照第一款规定给予处罚。

第一百二十五条 违反本法规定，有下列情形之一的，由县级以上人民政府食品药品监督管理部门没收违法所得和违法生产经营的食品、食品添加剂，并可以没收用于违法生产经营的工具、设备、原料等物品；违法生产经营的食品、食品添加剂货值金额不足一万元的，并处五千元以上五万元以下罚款；货值金额一万元以上的，并处货值金额五倍以上十倍以下罚款；情节严重的，责令停产停业，直至吊销许可证：

（一）生产经营被包装材料、容器、运输工具等污染的食品、食品添加剂；

（二）生产经营无标签的预包装食品、食品添加剂或者标签、说明书不符合本法规定的食品、食品添加剂；

（三）生产经营转基因食品未按规定进行标示；

（四）食品生产经营者采购或者使用不符合食品安全标准的食品原料、食品添加剂、食品相关产品。

生产经营的食品、食品添加剂的标签、说明书存在瑕疵但不影响食品安全且不会对消费者造成误导的，由县级以上人民政府食品药品监督管理部门责令改正；拒不改正的，处二千元以下罚款。

第一百二十六条　违反本法规定，有下列情形之一的，由县级以上人民政府食品药品监督管理部门责令改正，给予警告；拒不改正的，处五千元以上五万元以下罚款；情节严重的，责令停产停业，直至吊销许可证：

（一）食品、食品添加剂生产者未按规定对采购的食品原料和生产的食品、食品添加剂进行检验；

（二）食品生产经营企业未按规定建立食品安全管理制度，或者未按规定配备或者培训、考核食品安全管理人员；

（三）食品、食品添加剂生产经营者进货时未查验许可证和相关证明文件，或者未按规定建立并遵守进货查验记录、出厂检验记录和销售记录制度；

（四）食品生产经营企业未制定食品安全事故处置方案；

（五）餐具、饮具和盛放直接入口食品的容器，使用前未经洗净、消毒或者清洗消毒不合格，或者餐饮服务设施、设备未按规定定期维护、清洗、校验；

（六）食品生产经营者安排未取得健康证明或者患有国务院卫生行政部门规定的有碍食品安全疾病的人员从事接触直接入口食品的工作；

（七）食品经营者未按规定要求销售食品；

（八）保健食品生产企业未按规定向食品药品监督管理部门备案，或者未按备案的产品配方、生产工艺等技术要求组织生产；

（九）婴幼儿配方食品生产企业未将食品原料、食品添加剂、产品配方、标签等向食品药品监督管理部门备案；

（十）特殊食品生产企业未按规定建立生产质量管理体系并有效运行，或者未定期提交自查报告；

（十一）食品生产经营者未定期对食品安全状况进行检查评价，或者生产经营条件发生变化，未按规定处理；

（十二）学校、托幼机构、养老机构、建筑工地等集中用餐单位未按规定履行食品安全管理责任；

（十三）食品生产企业、餐饮服务提供者未按规定制定、实施生产经营过程控制要求。

餐具、饮具集中消毒服务单位违反本法规定用水，使用洗涤剂、消毒剂，或者出厂的餐具、饮具未按规定检验合格并随附消毒合格证明，或者未按规定在独立包装上标注相关内容的，由县级以上人民政府卫生行政部门依照前款规定给予处罚。

食品相关产品生产者未按规定对生产的食品相关产品进行检验的，由县级以上人民政府质量监督部门依照第一款规定给予处罚。

食用农产品销售者违反本法第六十五条规定的，由县级以上人民政府食品药品监督管理部门依照第一款规定给予处罚。

第一百二十七条 对食品生产加工小作坊、食品摊贩等的违法行为的处罚,依照省、自治区、直辖市制定的具体管理办法执行。

第一百二十八条 违反本法规定,事故单位在发生食品安全事故后未进行处置、报告的,由有关主管部门按照各自职责分工责令改正,给予警告;隐匿、伪造、毁灭有关证据的,责令停产停业,没收违法所得,并处十万元以上五十万元以下罚款;造成严重后果的,吊销许可证。

第一百二十九条 违反本法规定,有下列情形之一的,由出入境检验检疫机构依照本法第一百二十四条的规定给予处罚:

(一)提供虚假材料,进口不符合我国食品安全国家标准的食品、食品添加剂、食品相关产品;

(二)进口尚无食品安全国家标准的食品,未提交所执行的标准并经国务院卫生行政部门审查,或者进口利用新的食品原料生产的食品或者进口食品添加剂新品种、食品相关产品新品种,未通过安全性评估;

(三)未遵守本法的规定出口食品;

(四)进口商在有关主管部门责令其依照本法规定召回进口的食品后,仍拒不召回。

违反本法规定,进口商未建立并遵守食品、食品添加剂进口和销售记录制度、境外出口商或者生产企业审核制度的,由出入境检验检疫机构依照本法第一百二十六条的规定给予处罚。

第一百三十条 违反本法规定,集中交易市场的开办者、柜台出租者、展销会的举办者允许未依法取得许可的食品经营者进入市场销售食品,或者未履行检查、报告等义务的,由县级以上人民政府食品药品监督管理部门责令改正,没收违法所得,并处五万元以上二十万元以下罚款;造成严重后果的,责令停业,直至由原发证部门吊销许可证;使消费者的合法权益受到损害的,应当与食品经营者承担连带责任。

食用农产品批发市场违反本法第六十四条规定的,依照前款规定承担责任。

第一百三十一条 违反本法规定，网络食品交易第三方平台提供者未对入网食品经营者进行实名登记、审查许可证，或者未履行报告、停止提供网络交易平台服务等义务的，由县级以上人民政府食品药品监督管理部门责令改正，没收违法所得，并处五万元以上二十万元以下罚款；造成严重后果的，责令停业，直至由原发证部门吊销许可证；使消费者的合法权益受到损害的，应当与食品经营者承担连带责任。

消费者通过网络食品交易第三方平台购买食品，其合法权益受到损害的，可以向入网食品经营者或者食品生产者要求赔偿。网络食品交易第三方平台提供者不能提供入网食品经营者的真实名称、地址和有效联系方式的，由网络食品交易第三方平台提供者赔偿。网络食品交易第三方平台提供者赔偿后，有权向入网食品经营者或者食品生产者追偿。网络食品交易第三方平台提供者作出更有利于消费者承诺的，应当履行其承诺。

第一百三十二条 违反本法规定，未按要求进行食品贮存、运输和装卸的，由县级以上人民政府食品药品监督管理等部门按照各自职责分工责令改正，给予警告；拒不改正的，责令停产停业，并处一万元以上五万元以下罚款；情节严重的，吊销许可证。

第一百三十三条 违反本法规定，拒绝、阻挠、干涉有关部门、机构及其工作人员依法开展食品安全监督检查、事故调查处理、风险监测和风险评估的，由有关主管部门按照各自职责分工责令停产停业，并处二千元以上五万元以下罚款；情节严重的，吊销许可证；构成违反治安管理行为的，由公安机关依法给予治安管理处罚。

违反本法规定，对举报人以解除、变更劳动合同或者其他方式打击报复的，应当依照有关法律的规定承担责任。

第一百三十四条 食品生产经营者在一年内累计三次因违反

本法规定受到责令停产停业、吊销许可证以外处罚的，由食品药品监督管理部门责令停产停业，直至吊销许可证。

第一百三十五条　被吊销许可证的食品生产经营者及其法定代表人、直接负责的主管人员和其他直接责任人员自处罚决定作出之日起五年内不得申请食品生产经营许可，或者从事食品生产经营管理工作、担任食品生产经营企业食品安全管理人员。

因食品安全犯罪被判处有期徒刑以上刑罚的，终身不得从事食品生产经营管理工作，也不得担任食品生产经营企业食品安全管理人员。

食品生产经营者聘用人员违反前两款规定的，由县级以上人民政府食品药品监督管理部门吊销许可证。

第一百三十六条　食品经营者履行了本法规定的进货查验等义务，有充分证据证明其不知道所采购的食品不符合食品安全标准，并能如实说明其进货来源的，可以免予处罚，但应当依法没收其不符合食品安全标准的食品；造成人身、财产或者其他损害的，依法承担赔偿责任。

第一百三十七条　违反本法规定，承担食品安全风险监测、风险评估工作的技术机构、技术人员提供虚假监测、评估信息的，依法对技术机构直接负责的主管人员和技术人员给予撤职、开除处分；有执业资格的，由授予其资格的主管部门吊销执业证书。

第一百三十八条　违反本法规定，食品检验机构、食品检验人员出具虚假检验报告的，由授予其资质的主管部门或者机构撤销该食品检验机构的检验资质，没收所收取的检验费用，并处检验费用五倍以上十倍以下罚款，检验费用不足一万元的，并处五万元以上十万元以下罚款；依法对食品检验机构直接负责的主管人员和食品检验人员给予撤职或者开除处分；导致发生重大食品安全事故的，对直接负责的主管人员和食品检验人员给予开除处分。

违反本法规定，受到开除处分的食品检验机构人员，自处分决定作出之日起十年内不得从事食品检验工作;因食品安全违法行为受到刑事处罚或者因出具虚假检验报告导致发生重大食品安全事故受到开除处分的食品检验机构人员,终身不得从事食品检验工作。食品检验机构聘用不得从事食品检验工作的人员的,由授予其资质的主管部门或者机构撤销该食品检验机构的检验资质。

食品检验机构出具虚假检验报告,使消费者的合法权益受到损害的,应当与食品生产经营者承担连带责任。

第一百三十九条 违反本法规定,认证机构出具虚假认证结论,由认证认可监督管理部门没收所收取的认证费用,并处认证费用五倍以上十倍以下罚款,认证费用不足一万元的,并处五万元以上十万元以下罚款;情节严重的,责令停业,直至撤销认证机构批准文件,并向社会公布;对直接负责的主管人员和负有直接责任的认证人员,撤销其执业资格。

认证机构出具虚假认证结论,使消费者的合法权益受到损害的,应当与食品生产经营者承担连带责任。

第一百四十条 违反本法规定,在广告中对食品作虚假宣传,欺骗消费者,或者发布未取得批准文件、广告内容与批准文件不一致的保健食品广告的,依照《中华人民共和国广告法》的规定给予处罚。

广告经营者、发布者设计、制作、发布虚假食品广告,使消费者的合法权益受到损害的,应当与食品生产经营者承担连带责任。

社会团体或者其他组织、个人在虚假广告或者其他虚假宣传中向消费者推荐食品,使消费者的合法权益受到损害的,应当与食品生产经营者承担连带责任。

违反本法规定,食品药品监督管理等部门、食品检验机构、食品行业协会以广告或者其他形式向消费者推荐食品,消费者组织以收取费用或者其他牟取利益的方式向消费者推荐食品的,由有关主管部门没收违法所得,依法对直接负责的主管人员和其他直接责任人员给予记大过、降级或者撤职处分;情节严重的,给予开除处分。

对食品作虚假宣传且情节严重的,由省级以上人民政府食品药品监督管理部门决定暂停销售该食品,并向社会公布;仍然销售该食品的,由县级以上人民政府食品药品监督管理部门没收违法所得和违法销售的食品,并处二万元以上五万元以下罚款。

第一百四十一条 违反本法规定,编造、散布虚假食品安全信息,构成违反治安管理行为的,由公安机关依法给予治安管理处罚。

媒体编造、散布虚假食品安全信息的,由有关主管部门依法给予处罚,并对直接负责的主管人员和其他直接责任人员给予处分;使公民、法人或者其他组织的合法权益受到损害的,依法承担消除影响、恢复名誉、赔偿损失、赔礼道歉等民事责任。

第一百四十二条 违反本法规定,县级以上地方人民政府有下列行为之一的,对直接负责的主管人员和其他直接责任人员给予记大过处分;情节较重的,给予降级或者撤职处分;情节严重的,给予开除处分;造成严重后果的,其主要负责人还应当引咎辞职:

(一)对发生在本行政区域内的食品安全事故,未及时组织协调有关部门开展有效处置,造成不良影响或者损失;

(二)对本行政区域内涉及多环节的区域性食品安全问题,未及时组织整治,造成不良影响或者损失;

(三)隐瞒、谎报、缓报食品安全事故;

(四)本行政区域内发生特别重大食品安全事故,或者连续发生重大食品安全事故。

第一百四十三条 违反本法规定,县级以上地方人民政府有下列行为之一的,对直接负责的主管人员和其他直接责任人员给予警告、记过或者记大过处分;造成严重后果的,给予降级或者撤职处分:

（一）未确定有关部门的食品安全监督管理职责，未建立健全食品安全全程监督管理工作机制和信息共享机制，未落实食品安全监督管理责任制；

（二）未制定本行政区域的食品安全事故应急预案，或者发生食品安全事故后未按规定立即成立事故处置指挥机构、启动应急预案。

第一百四十四条 违反本法规定，县级以上人民政府食品药品监督管理、卫生行政、质量监督、农业行政等部门有下列行为之一的，对直接负责的主管人员和其他直接责任人员给予记大过处分；情节较重的，给予降级或者撤职处分；情节严重的，给予开除处分；造成严重后果的，其主要负责人还应当引咎辞职：

（一）隐瞒、谎报、缓报食品安全事故；

（二）未按规定查处食品安全事故，或者接到食品安全事故报告未及时处理，造成事故扩大或者蔓延；

（三）经食品安全风险评估得出食品、食品添加剂、食品相关产品不安全结论后，未及时采取相应措施，造成食品安全事故或者不良社会影响；

（四）对不符合条件的申请人准予许可，或者超越法定职权准予许可；

（五）不履行食品安全监督管理职责，导致发生食品安全事故。

第一百四十五条 违反本法规定，县级以上人民政府食品药品监督管理、卫生行政、质量监督、农业行政等部门有下列行为之一，造成不良后果的，对直接负责的主管人员和其他直接责任人员给予警告、记过或者记大过处分；情节较重的，给予降级或者撤职处分；情节严重的，给予开除处分：

（一）在获知有关食品安全信息后，未按规定向上级主管部门和本级人民政府报告，或者未按规定相互通报；

（二）未按规定公布食品安全信息；

（三）不履行法定职责，对查处食品安全违法行为不配合，或者滥用职权、玩忽职守、徇私舞弊。

第一百四十六条　食品药品监督管理、质量监督等部门在履行食品安全监督管理职责过程中，违法实施检查、强制等执法措施，给生产经营者造成损失的，应当依法予以赔偿，对直接负责的主管人员和其他直接责任人员依法给予处分。

第一百四十七条　违反本法规定，造成人身、财产或者其他损害的，依法承担赔偿责任。生产经营者财产不足以同时承担民事赔偿责任和缴纳罚款、罚金时，先承担民事赔偿责任。

第一百四十八条　消费者因不符合食品安全标准的食品受到损害的，可以向经营者要求赔偿损失，也可以向生产者要求赔偿损失。接到消费者赔偿要求的生产经营者，应当实行首负责任制，先行赔付，不得推诿；属于生产者责任的，经营者赔偿后有权向生产者追偿；属于经营者责任的，生产者赔偿后有权向经营者追偿。

生产不符合食品安全标准的食品或者经营明知是不符合食品安全标准的食品，消费者除要求赔偿损失外，还可以向生产者或者经营者要求支付价款十倍或者损失三倍的赔偿金；增加赔偿的金额不足一千元的，为一千元。但是，食品的标签、说明书存在不影响食品安全且不会对消费者造成误导的瑕疵的除外。

第一百四十九条　违反本法规定，构成犯罪的，依法追究刑事责任。

第十章　附　则

第一百五十条　本法下列用语的含义：

食品，指各种供人食用或者饮用的成品和原料以及按照传统既是食品又是中药材的物品，但是不包括以治疗为目的的物品。

食品安全，指食品无毒、无害，符合应当有的营养要求，对人体健康不造成任何急性、亚急性或者慢性危害。

预包装食品，指预先定量包装或者制作在包装材料、容器中的食品。

食品添加剂，指为改善食品品质和色、香、味以及为防腐、保鲜和加工工艺的需要而加入食品中的人工合成或者天然物质，包括营养强化剂。

用于食品的包装材料和容器，指包装、盛放食品或者食品添加剂用的纸、竹、木、金属、搪瓷、陶瓷、塑料、橡胶、天然纤维、化学纤维、玻璃等制品和直接接触食品或者食品添加剂的涂料。

用于食品生产经营的工具、设备，指在食品或者食品添加剂生产、销售、使用过程中直接接触食品或者食品添加剂的机械、管道、传送带、容器、用具、餐具等。

用于食品的洗涤剂、消毒剂，指直接用于洗涤或者消毒食品、餐具、饮具以及直接接触食品的工具、设备或者食品包装材料和容器的物质。

食品保质期，指食品在标明的贮存条件下保持品质的期限。

食源性疾病，指食品中致病因素进入人体引起的感染性、中毒性等疾病，包括食物中毒。

食品安全事故，指食源性疾病、食品污染等源于食品，对人体健康有危害或者可能有危害的事故。

第一百五十一条 转基因食品和食盐的食品安全管理，本法未作规定的，适用其他法律、行政法规的规定。

第一百五十二条 铁路、民航运营中食品安全的管理办法由国务院食品药品监督管理部门会同国务院有关部门依照本法制定。

保健食品的具体管理办法由国务院食品药品监督管理部门依照本法制定。

食品相关产品生产活动的具体管理办法由国务院质量监督部门依照本法制定。

国境口岸食品的监督管理由出入境检验检疫机构依照本法以及有关法律、行政法规的规定实施。

军队专用食品和自供食品的食品安全管理办法由中央军事委员会依照本法制定。

第一百五十三条 国务院根据实际需要,可以对食品安全监督管理体制作出调整。

第一百五十四条 本法自 2015 年 10 月 1 日起施行。

国务院关于提请审议《中华人民共和国食品安全法(修订草案)》的议案

全国人民代表大会常务委员会:

为了提高食品安全监管的科学性和有效性,建立最严格的食品安全监管制度,保证食品安全,保障公众身体健康和生命安全,国家食品药品监督管理总局在深入调查研究、广泛征求意见和反复论证的基础上,起草了《中华人民共和国食品安全法(修订草案)》。修订草案已经国务院常务会议讨论通过,现提请审议。

国务院总理　李克强

2014 年 5 月 30 日

关于《中华人民共和国食品安全法（修订草案）》的说明

——2014年6月23日在第十二届全国人民代表大会常务委员会第九次会议上

国家食品药品监督管理总局局长 张 勇

委员长、各位副委员长、秘书长、各位委员：

我受国务院委托，现对《中华人民共和国食品安全法（修订草案）》作说明。

一、修订的必要性

现行《中华人民共和国食品安全法》（以下简称现行食品安全法）对规范食品生产经营活动、保障食品安全发挥了重要作用，食品安全整体水平得到提升，食品安全形势总体稳中向好。与此同时，我国食品企业违法生产经营现象依然存在，食品安全事件时有发生，监管体制、手段和制度等尚不能完全适应食品安全需要，法律责任偏轻、重典治乱威慑作用没有得到充分发挥，食品安全形势依然严峻。党的十八大以来，党中央、国务院进一步改革完善我国食品安全监管体制，着力建立最严格的食品安全监管制度，积极推进食品安全社会共治格局。为了以法律形式固定监管体制改革成果、完善监管制度机制，解决当前食品安全领域存在的突出问题，以法治方式维护食品安全，为最严格的食品安全监管提供体制制度保障，修改现行食品安全法十分必要。

2013 年 10 月，食品药品监管总局向国务院报送了《中华人民共和国食品安全法（修订草案送审稿）》（以下简称送审稿）。收到此件后，法制办先后两次书面征求有关部门、地方政府、行业协会的意见；向社会公开征求意见，收到 5600 多条有效意见；赴 5 省市实地调研；多次召开企业和行业协会座谈会及专家论证会，反复协调部门意见。在此基础上，法制办会同食品药品监管总局、卫生计生委、质检总局、农业部、工业和信息化部等部门对送审稿反复讨论、修改，形成了《中华人民共和国食品安全法（修订草案）》（以下简称修订草案）。修订草案已经国务院第 47 次常务会议讨论通过。

二、修订的总体思路

围绕党的十八届三中全会决定关于建立最严格的食品安全监管制度这一总体要求，在修订思路上主要把握了以下几点：一是更加突出预防为主、风险防范。进一步完善食品安全风险监测、风险评估和食品安全标准等基础性制度，增设生产经营者自查、责任约谈、风险分级管理等重点制度，重在消除隐患和防患于未然。二是建立最严格的全过程监管制度。对食品生产、销售、餐饮服务等各个环节，以及食品生产经营过程中涉及的食品添加剂、食品相关产品等各有关事项，有针对性地补充、强化相关制度，提高标准、全程监管。三是建立最严格的各方法律责任制度。综合运用民事、行政、刑事等手段，对违法生产经营者实行最严厉的处罚，对失职渎职的地方政府和监管部门实行最严肃的问责,对违法作业的检验机构等实行最严格的追责。四是实行食品安全社会共治。充分发挥消费者、行业协会、新闻媒体等方面的监督作用,引导各方有序参与治理,形成食品安全社会共治格局。

三、修订的主要内容

(一)强化预防为主、风险防范的法律制度。一是完善基础性制度。增加风险监测计划调整、监测行为规范、监测结果通报等规定,明确应当开展风险评估的情形,补充风险信息交流制度,提出加快标准整合、跟踪评价标准实施情况等要求(第十五条至第十七条、第十九条、第二十四条、第二十九条、第三十四条)。二是增设生产经营者自查制度。要求其定期自查食品安全状况,发现有发生食品安全事故潜在风险的,立即停止生产经营并向监管部门报告(第七十四条)。三是增设责任约谈制度。规定食品生产经营者未及时采取措施消除安全隐患的,监管部门可对其负责人进行责任约谈;监管部门未及时发现系统性风险、未及时消除监管区域内的食品安全隐患的,本级政府可对其主要负责人进行责任约谈(第一百一十二条)。四是增设风险分级管理要求。规定监管部门根据食品安全风险监测、评估结果等确定监管重点、方式和频次,实施风险分级管理;建立食品安全违法行为信息库,向社会公布并实时更新(第一百零五条、第一百一十九条)。

(二)设立最严格的全过程监管法律制度。一是在食品生产环节,增设投料、半成品及成品检验等关键事项的控制要求,婴幼儿配方食品的配方备案和出厂逐批检验等义务,并明确规定不得以委托、贴牌、分装方式生产婴幼儿配方乳粉(第四十一条、第六十九条)。二是在食品流通环节,增设批发企业的销售记录制度和网络食品交易相关主体的食品安全责任(第五十条、第七十三条)。三是在餐饮服务环节,增设餐饮服务提供者的原料控制义务以及学校等集中用餐单位的食品安全管理规范(第五十四条、第七十条)。四是完善食品追溯制度,细化生产经营者索证索票、进货查验记录等制度,增加规定食品和食用农产品全程追溯协作机制(第四十五条至第四十七条、第四十九条、第五十条)。五是补充规定保健食品的产品注册和备案制度以及广告审批制度,规范保健食品原料使用和功能声称;补充食品添加剂的经营规范和食品相关产品的生产管理制度(第五十六条、第六十二条、第六十五条、第六十六条、第七十六条)。六是进一步明确进出口食品管理制度,重在把好进口食品的口岸管理关(第八十七条、第八十九条)。七是完善食品安全监管体制,将现行分段监管体制修改为由食品药品监管部门统一负责食品生产、流通和餐饮服务监管的相对集中的体制(第五条)。

(三)建立最严格的法律责任制度。一是突出民事赔偿责任。规定实行首负责任制,要求接到消费者赔偿请求的生产经营者应当先行赔付,不得推诿;同时完善了消费者在法定情形下可以要求十倍价款或者三倍损失的惩罚性赔偿金制度(第一百三十八条)。二是加大行政处罚力度。对在食品中添加有毒有害物质等性质恶劣的违法行为,规定直接吊销许可证,并处最高为货值金额三十倍的罚款;对明知从事上述严重违法行为、仍为其提供生产场所或者向其销售违禁物质的主体,规定了最高二十万元的罚款;对因食品安全违法行为受到刑事处罚或者出具虚假检验报告受到开除处分的食品检验机构人员,规定终身禁止从事食品检验工作(第一百二十四条、第一百四十九条)。三是细化并加重对失职的地方政府负责人和食品安全监管人员的处分。依照规定的职责逐项设定相应的法律责任,细化处分规定;增设地方政府主要负责人应当引咎辞职的情形;设置监管“高压线”,对有瞒报、谎报重大食品安全事故等三种行为的,直接给予开除处分(第九章第二节)。四是做好与刑事责任的衔接。分别规定生产经营者、监管人员、检验人员等主体有违法行为构成犯罪的,依法追究刑事责任。

(四)实行社会共治。一是规定食品安全有奖举报制度。明确对查证属实的举报,应给予举报人奖励(第一百一十四条)。二是规范食品安全信息发布。强调监管部门应当准确、及时、客观公布食品安全信息,鼓励新闻媒体对食品安全违法行为进行舆论监督,同时规定有关食品安全的宣传报道应当客观、真实、公正,任何单位和个人不得编造、散布虚假食品安全信息(第十一条、第一百一十八条、第一百二十一条)。三是增设食品安全责任保险制度。规定国家鼓励建立食品安全责任保险制度,支持食品生产经营企业参加食品安全责任保险,同时授权食品药品监管总局会同保监会制定具体办法(第七十八条)。

《中华人民共和国食品安全法(修订草案)》和以上说明是否妥当,请予审议。

全国人民代表大会法律委员会关于《中华人民共和国食品安全法（修订草案）》修改情况的汇报

全国人民代表大会常务委员会：

常委会第九次会议对食品安全法（修订草案）进行了初次审议。会后，法制工作委员会将修订草案印发各省（区、市）和中央有关单位、高等院校、行业协会等征求意见。中国人大网全文公布修订草案，征求社会公众意见。法律委员会、教育科学文化卫生委员会和法制工作委员会联合召开座谈会，听取部分全国人大代表、有关部门、专家和企业等的意见。法律委员会、法制工作委员会还到北京、贵州、湖南、安徽和江苏调研，并就修订草案中的主要问题与有关部门交换意见，共同研究。法律委员会于12月1日召开会议，根据常委会组成人员的审议意见和各方面意见，对修订草案进行了逐条审议。教育科学文化卫生委员会、国务院法制办公室、国家食品药品监督管理总局、国家卫生和计划生育委员会、国家质量监督检验检疫总局有关负责同志和农业部有关同志列席了会议。12月15日，法律委员会召开会议，再次进行了审议。现将食品安全法（修订草案）主要问题的修改情况汇报如下：

一、修订草案第二条第一款规定，食品生产经营及有关活动应当遵守本法。有些常委委员、地方提出，食品贮存、运输是食品安全管理的重要环节，除食品生产经营者外，还有一些专业的仓储、物流企业也从事食品的贮存、运输活动，应当对其加强管理，建议在本法中作出明确规定。法律委员会经研究，建议将食品的贮存和运输等纳入本法调整范围，并增加规定，非食品生产经营者从事食品贮存、运输和装卸的，贮存、运输和装卸食品的容器、工具和设备应当安全、无害，保持清洁，防止食品污染，并符合保证食品安全所需的温度等特殊要求，不得将食品与有毒、有害物品一同运输。（修订草案二次审议稿第二条第一款、第三十二条第二款）

二、修订草案第二条第二款规定，食用农产品的质量安全管理，遵守农产品质量安全法的规定；但是，制定食用农产品质量安全标准、公布食用农产品安全信息，应当遵守本法的规定。有些常委委员、地方和部门提出，食品安全重在源头管理，但修订草案对有关食用农产品的法律适用规定还不够清晰，如食用农产品的市场流通是否适用本法，建议明确。法律委员会经研究，建议增加规定，食用农产品的市场流通应当遵守本法的规定。（修订草案二次审议稿第二条第二款）

三、修订草案第三条中规定，食品安全工作实行社会共治的原则。有些常委会组成人员和社会公众建议进一步充实这方面的规定，充分发挥行业协会、媒体和消费者等的作用。法律委员会经研究，建议作如下修改：一是明确食品行业协会应当依照章程建立健全行业规范和内部奖惩机制，提供食品安全信息、技术等服务，引导和督促食品生产经营者依法生产经营（修订草案二次审议稿第九条第一款）。二是规定消费者协会和其他消费者组织对违反本法规定，侵害消费者合法权益的行为，依法进行社会监督（修订草案二次审议稿第九条第二款）。三是增加规定对举报人的相关信息予以保密，保护其合法权益（修订草案二次审议稿第一百零七条）。四是删去修订草案第一百二十一条第二款有关发布食品安全信息应当事先向食品药品监督管理部门核实情况的规定，同时增加规定媒体编造、散布虚假食品安全信息的,由有关主管部门依法给予处罚,并对直接负责的主管人员和直接责任人员给予处分。(修订草案二次审议稿第一百三十一条第二款)

四、有的常委委员提出,应当加强对食用农产品安全的源头管理,在总则中明确规定国家禁止生产、销售和使用剧毒、高毒农药,鼓励使用高效低毒农药。对此,国务院法制办公室和农业部提出,当前全面淘汰剧毒、高毒农药还不可行,有些病虫害防治还缺乏有效的替代低毒农药,针对爆发性病虫害也还需要储备适量的剧毒、高毒农药用于应急处置。目前,我国正按照"时机成熟一个,禁用一个"的原则,分期分批淘汰这类农药,同时,对这类农药的使用,有关法律、行政法规已经作了严格规定,以确保对食品安全不产生危害。建议根据我国实际情况作出可行的规定。法律委员会经研究,建议增加规定:"国家鼓励使用高效低毒农药,加快淘汰剧毒、高毒农药";"严格执行农业投入品使用安全间隔期或者休药期的规定。不得在食用农产品生产过程中使用国家明令禁止的农业投入品。"同时,对违法使用剧毒、高毒农药的,规定可以给予拘留。(修订草案二次审议稿第十一条第一款、第四十八条第一款、第一百一十四条第三款)

五、修订草案第二十九条规定,国务院卫生行政部门应当加快对现行食用农产品质量安全标准、食品卫生标准、食品质量标准等的整合,统一公布为食品安全国家标准。国家卫生和计划生育委员会提出,现行食品安全法施行以后,食品安全国家标准整合工作已经全面启动,截至今年6月,已经整合完成近430项标准。根据工作计划,此项工作将于2015年年底前基本完成,本法对此可不再规定。法律委员会经研究,建议可删去这一条规定。

六、修订草案第五十三条对预包装食品标签作了规定。有些常委会组成人员和社会公众提出,我国《农业转基因生物安全管理条例》已经规定了农业转基因生物标识制度,一些国家也在法律中规定转基因食品应当在标签上予以明示。为保障消费者的知情权，建议在本法中增加相应规定。法律委员会经研究，建议增加规定："生产经营转基因食品应当按照规定进行标识。"同时，增加规定相应的法律责任。（修订草案二次审议稿第六十四条、第一百一十六条第一款第三项）

七、修订草案第六十六条规定，使用新原料的保健食品和首次进口的保健食品应当经国务院食品药品监督管理部门注册；能够通过国家标准等进行评价的首次进口的保健食品，以及其他保健食品实行备案管理。这一规定将保健食品的管理方式从目前的全部注册改为注册和备案相结合。有些常委委员、国家食品药品监督管理总局、专家和社会公众提出，能够通过国家标准等进行评价，实施备案管理的具体是指哪些保健食品，应予明确；改变管理方式后应当加强对保健食品使用原料的管理，细化有关目录要求。法律委员会经研究，建议将能够通过国家标准等进行评价的保健食品明确为"补充维生素、矿物质等营养物质"的保健食品；同时规定，有关部门制定的可用于保健食品原料目录，应当包括用量的要求。（修订草案二次审议稿第七十条第二款、第七十一条）

八、修订草案第七十八条规定："国家鼓励建立食品安全责任保险制度，支持食品生产经营企业参加食品安全责任保险，具体办法由国务院食品药品监督管理部门会同国务院保险监督管理机构制定。"有些常委委员、代表和行业协会提出，为避免执行中变相强制要求企业参保，增加企业和消费者负担，建议删去具体办法由有关部门制定的规定。法律委员会经研究，建议将上述规定修改为："国家鼓励食品生产经营企业参加食品安全责任保险。"（修订草案二次审议稿第四十二条第二款）

九、修订草案第八十四条规定，对食品药品监督管理部门委托的食品检验机构的检验结论有异议的，可以在公布的复检机构名录中"选择就近的复检机构进行复检"。有些代表、地方和协会提出，应当允许自主选择复检机构，不应限定为就近的复检机构。国家食品药品监督管理总局也提出，为保证复检的公正性，应当随机选择复检机构。法律委员会经研究，建议将上述规定中的"选择就近的复检机构进行复检"修改为"随机选择复检机构进行复检"。（修订草案二次审议稿第八十一条）

十、修订草案第九十一条第三款、第九十五条第一款中规定，国家出入境检验检疫部门可以组织对向我国境内出口食品的境外食品生产企业进行现场检查；出口的食品由出入境检验检疫机构进行监督、抽检。有些常委委员、部门和企业提出，出入境检验检疫部门赴境外进行检查可以按照双边协议进行，对出口食品的检验应当依照进出口商品检验法进行，本法可不作规定。法律委员会经研究，建议删去上述规定。

十一、有些常委会组成人员、地方建议对食品安全违法行为加重法律责任，并采取多种法律手段予以严惩。有些企业、协会提出，食品的标签、说明书存在瑕疵但不影响食品安全的，生产经营者不应承担惩罚性赔偿责任；食品经营者履行了本法规定的查验等义务，对所采购的食品不符合食品安全标准不知情，并能如实说明其进货来源的，应当免予处罚。法律委员会经研究，建议作如下修改：一是对明知从事违法食品生产经营活动，仍为其提供生产经营场所或者其他条件，使消费者的合法权益受到损害等违法行为，增加规定与食品生产经营者承担连带责任（修订草案二次审议稿第一百一十三条第二款、第一百一十四条第二款、第一百二十八条第三款、第一百二十九条第二款）。二是加重对在食品中添加药品等违法行为的处罚，同时，对用非食品原料生产食品等严重违法行为的责任人增加规定拘留的处罚（修订草案二次审议稿第一百一十四条第一款）。三是增加规定用超过保质期的食品原料、食品添加剂生产食品等违法行为的法律责任，并明确由食品药品监督管理部门对违反本法规定的餐饮具集中消毒服务单位实施处罚（修订草案二次审议稿第一百一十五条第一款第三项、第一百一十七条第十五项、第一百二十三条、第一百二十四条)。四是对一些条款规定的罚款幅度予以调整(修订草案二次审议稿第一百二十三条、第一百三十条第三款)。五是明确被吊销食品生产经营许可证的食品生产经营者,自处罚决定作出之日起五年内不得申请食品生产经营许可(修订草案二次审议稿第一百二十五条第一款)。六是明确食品经营者履行了本法规定的进货查验、检验等义务,有充分证据证明其不知道所采购的食品或者食品原料不符合食品安全标准或者要求,并能如实说明其进货来源的,可以免予处罚,但应当依法没收其不符合食品安全标准或者要求的食品,并依法承担相应的民事责任(修订草案二次审议稿第一百二十六条)。七是对生产不符合食品安全标准食品或者经营明知是不符合食品安全标准食品的惩罚性赔偿,在规定支付价款十倍或者损失三倍的赔偿金的基础上,增加规定:"增加赔偿的金额不足一千元的,为一千元"。同时明确食品的标签、说明书存在不影响食品安全的瑕疵的,生产经营者不承担惩罚性赔偿责任。(修订草案二次审议稿第一百三十八条第二款)

十二、有些常委会组成人员、代表和地方提出,修订草案的一些条文不够简练,有的内容属于具体工作问题,可在实施条例中作出规定;有的内容其他法律已有规定,可不在本法中重复规定,建议对条文予以精简。此外,建议将"食品生产经营"一章拆分为若干节,使生产经营者的责任更加清晰,并根据立法技术规范的要求,调整"法律责任"一章的体例。法律委员会经研究,建议作如下修改:一是对有些条文进行合并或作适当简化,删去部分属于具体工作或者其他相关法律已有规定的内容,如修订草案第十四条、第十五条、第七十八条、第七十九条、第一百一十条、第一百一十五条等;二是将"食品生产经营"一章分为"一般规定"、"生产经营过程管理"、"标签、说明书和广告管理"和"特殊食品管理"四节;三是取消“法律责任”一章的分节。

此外,还对修订草案作了一些文字修改。

修订草案二次审议稿已按上述意见作了修改,法律委员会建议提请本次常委会会议继续审议。

修订草案二次审议稿和以上汇报是否妥当,请审议。

全国人民代表大会法律委员会

2014 年 12 月 22 日

全国人民代表大会法律委员会关于《中华人民共和国食品安全法（修订草案）》审议结果的报告

全国人民代表大会常务委员会：

常委会第十二次会议对食品安全法（修订草案二次审议稿）进行了再次审议。会后，中国人大网全文公布修订草案二次审议稿，再次征求社会公众意见。法律委员会、法制工作委员会召开专题座谈会，听取部分全国人大代表、有关部门、专家和企业等对食品安全标准、网络食品交易管理问题的意见。法律委员会、法制工作委员会还到吉林、黑龙江调研，并就修订草案中的主要问题与有关部门交换意见，共同研究。法律委员会于 4 月 2 日召开会议，根据常委会组成人员的审议意见和各方面意见，对修订草案进行了审议。教育科学文化卫生委员会、国务院法制办公室、国家食品药品监督管理总局、国家卫生和计划生育委员会、国家质量监督检验检疫总局和农业部的负责同志列席了会议。4 月 10 日，法律委员会召开会议，再次进行审议。法律委员会认为，为了建立最严格的覆盖全过程的食品安全监管制度，更好地保证食品安全，保障公众健康，对现行食品安全法进行修订是必要的，修订草案经过常委会两次审议修改，已经比较成熟。同时，提出以下主要修改意见：

一、修订草案二次审议稿第十一条第一款规定，国家鼓励使用高效低毒农药，加快淘汰剧毒、高毒农药。有些常委会组成人员建议明确规定全面淘汰剧毒、高毒农药,并规定具体时间表。对此,农业部提出,当前全面淘汰剧毒、高毒农药尚不可行,全面禁用并不利于农业生产和粮食安全,而且有些高毒农药降解快、残留低,只要严格按照规定使用,不影响农产品质量安全,国际上一些发达国家也没有完全禁止使用这类农药。法律委员会经研究认为,从我国国情实际出发,草案已经对加快淘汰剧毒、高毒农药作了原则规定,考虑到全面淘汰、禁止使用剧毒、高毒农药目前时机尚不成熟,当前应当加强对这类农药使用环节的管理,同时加快有关替代产品的研发推广。据此,建议将上述规定修改为:国家鼓励和支持使用高效低毒低残留农药,推动剧毒、高毒农药替代产品的研发和应用,加快淘汰剧毒、高毒农药。同时增加规定,剧毒、高毒农药不得用于蔬菜、瓜果、茶叶和中草药材。(修订草案三次审议稿第十一条第二款、第四十九条第一款)

二、修订草案二次审议稿第三十四条第一款规定,从事食品销售,应当依法取得许可。但是,农民个人销售其自产的食用农产品,不需要取得许可。一些社会公众、国家食品药品监督管理总局和农业部提出,农产品质量安全法未规定销售食用农产品需经许可,实践中也不实行许可,建议在将其纳入本法调整范围后,继续明确销售食用农产品不需要取得许可,同时加强对食用农产品交易市场和销售者经营行为的规范和监管。法律委员会经研究,建议作如下修改:一是将"农民个人销售其自产的食用农产品,不需要取得许可"修改为"销售食用农产品,不需要取得许可"。二是增加规定,食用农产品批发市场应当配备检验设备和检验人员或者委托食品检验机构,对进场销售的食用农产品进行抽样检验。三是增加规定,食用农产品销售者应当建立进货查验记录制度。四是增加规定,进入市场销售的食用农产品在包装、保鲜、贮存、运输中使用保鲜剂、防腐剂等食品添加剂和包装材料等食品相关产品,应当符合食品安全国家标准。(修订草案三次审议稿第三十五条

第一款、第六十四条至第六十六条）

三、修订草案二次审议稿第七十条、第七十一条对保健食品原料目录和标签、说明书等作了规定。有的常委委员、国家食品药品监督管理总局和一些社会公众提出，我国添加中药材的保健食品比较多，保健食品原料之间相互配伍，可能形成新的功效，应当进一步完善保健食品原料目录管理，明确规定原料的名称、用量和对应的功效，对使用目录之外原料的保健食品实行注册管理。同时，应当加强对保健食品标签、说明书的管理，避免误导消费者。有的常委委员和一些社会公众提出，主管部门在保健食品注册和备案工作中应当加强对企业商业秘密的保护。法律委员会经研究，建议作如下修改：一是明确保健食品原料目录，除名称、用量外，还应当包括原料对应的功效。二是明确保健食品的标签、说明书应当与注册或者备案的内容相一致，并声明“本品不能代替药物”。三是明确食品药品监督管理部门应当对注册或者备案中获知的企业商业秘密予以保密。（修订草案三次审议稿第七十五条第三款、第七十八条、第八十二条第二款）

四、特殊医学用途配方食品是适用于患有特定疾病人群的特殊食品，现行食品安全法和修订草案二次审议稿对这类食品未作规定。一直以来，我国对这类食品按药品实行注册管理，截至目前共批准 69 个肠内营养制剂的药品批准文号。2013 年，国家卫生和计划生育委员会颁布了特殊医学用途配方食品的国家标准，将其纳入食品范畴。国家食品药品监督管理总局提出，特殊医学用途配方食品是为了满足特定疾病状态人群的特殊需要，不同于普通食品，安全性要求高，需要在医生指导下使用，建议在本法中明确对其继续实行注册管理，避免形成监管缺失。国家卫生和计划生育委员会提出，此类食品按普通食品依标准管理即可。法律委员会经研究认为，为保障特定疾病状态人群的膳食安全，对这类食品维持现行做法，实施注册管理是必要的。据此，建议增加规定，特

殊医学用途配方食品应当经国务院食品药品监督管理部门注册。（修订草案三次审议稿第八十条第一款）

五、修订草案二次审议稿第七十五条第四款规定，对婴幼儿配方乳粉的配方等实行备案管理。国家食品药品监督管理总局提出，目前我国婴幼儿配方乳粉的配方过多过滥，全国有近1900个配方，平均每个企业有20多个配方，而国外这类企业一般只有2至3个配方。一些企业为市场营销，随意制定不具有科技含量，对婴幼儿生长发育不具有特别意义的配方。为确保安全，建议对婴幼儿配方乳粉的配方实行注册管理。因这一问题涉及新设行政许可，国务院有关方面按照规定正在对此进行论证。法律委员会经研究认为，对婴幼儿配方乳粉的配方实行注册管理，有利于保证这类特殊食品的安全，如国务院有关方面论证同意实行注册管理，建议对上述规定作出相应修改。

修订草案二次审议稿第七十五条第五款规定，不得以委托、贴牌、分装方式生产婴幼儿配方乳粉。有的全国人大代表、商务部、工业和信息化部、社会公众和一些外国在华商会（一些国家驻华使馆、政府部门也对此表示关注）提出，委托、贴牌方式是国际上通行的生产方式，在法律中一律禁止，不符合市场经济规律，特别是如果禁止在国外采取委托、贴牌等方式生产的婴幼儿配方乳粉进口到我国，既不可行，生产企业也很容易通过合资、合作生产等方式予以规避。建议对此不作规定。法律委员会经研究，建议采纳这一意见，删去不得以委托、贴牌方式生产婴幼儿配方乳粉的规定，保留不得以分装方式生产婴幼儿配方乳粉的规定。（修订草案三次审议稿第八十一条第四款）

此外，还对食品安全信息公开、食品摊贩管理、企业内部举报人的保护、法律责任等方面的规定作了进一步修改完善，并对修订草案二次审议稿作了一些文字修改。

4月9日，法制工作委员会召开会议，邀请部分全国人大代表、专家学者、企业、协会和基层执法人员就法律的出台时机、可行性和预期实施效果进行评估。总的评价是：修订草案着力解决现阶段食品安全领域中存在的突出问题，体现了党的十八届三中全会建立最严格的覆盖全过程的食品安全监管制度的精神，回应了维护食品安全，保障人民群众生命健康的社会呼声，巩固了监管体制改革的成果。修订草案经过两次审议已经成熟，具有较强的针对性和可操作性，现在出台是必要的、适时的。同时提出，法律实施后，有关部门和地方要做好贯彻落实，加强协调，确保执法到位，使法律切实发挥作用。与会人员还对修订草案提出了一些具体修改意见，法律委员会进行了认真研究，对有的意见予以采纳。

修订草案三次审议稿已按上述意见作了修改，法律委员会建议提请本次常委会会议审议通过。

修订草案三次审议稿和以上报告是否妥当，请审议。

全国人民代表大会法律委员会
2015 年 4 月 20 日

全国人民代表大会法律委员会关于《中华人民共和国食品安全法（修订草案三次审议稿）》修改意见的报告

全国人民代表大会常务委员会：

本次常委会会议于4月20日下午对食品安全法（修订草案三次审议稿）进行了分组审议，普遍认为，修订草案已经比较成熟，建议进一步修改后，提请本次会议通过。同时，有些常委会组成人员和列席会议的同志还提出了一些修改意见。法律委员会于4月22日上午召开会议，逐条研究了常委会组成人员的审议意见，对修订草案进行了审议。教育科学文化卫生委员会、国务院法制办公室、国家食品药品监督管理总局、国家卫生和计划生育委员会、国家质量监督检验检疫总局和农业部的负责同志列席了会议。法律委员会认为，修订草案是可行的，同时，提出以下修改意见：

一、修订草案三次审议稿第五条第三款规定，国务院卫生行政部门制定并公布食品安全国家标准。有些常委委员和国家食品药品监督管理总局提出，食品安全国家标准制定和执行两者分离的体制，实践中遇到了一些问题，主要是一些急需的标准未能及时制定，不能满足维护食品安全和执法工作的需要，为使标准的制定和实践紧密结合，增强标准制定的科学性和可操作性，建议由国务院卫生行政部门会同国务院食品药品监督管理部门制定食品安全国家标准。由于这一问题涉及部门之间职责分工，国务院为此专门召开了协调会议,形成了一致意见,同意作出调整。法律委员会经研究,建议对上述规定和其他相关规定作出相应修改,明确食品安全国家标准由国务院卫生行政部门会同国务院食品药品监督管理部门制定、公布,食品中农药残留、兽药残留的限量规定及其检验方法与规程由国务院卫生行政部门、国务院农业行政部门会同国务院食品药品监督管理部门制定。(修订草案建议表决稿第五条第三款、第二十一条第二款、第二十七条第一款、第二款)

二、修订草案三次审议稿第十一条第二款规定,国家鼓励和支持使用高效低毒低残留农药,推动剧毒、高毒农药替代产品的研发和应用,加快淘汰剧毒、高毒农药。有些常委会组成人员、代表提出,农药使用对食品安全关系重大,应当实行严格的管理制度,强化对剧毒、高毒、高残留农药的监管,逐步扩大禁止使用剧毒、高毒农药的农作物范围。法律委员会经研究,建议将上述规定修改为:国家对农药的使用实行严格的管理制度,加快淘汰剧毒、高毒、高残留农药,推动替代产品的研发和应用,鼓励使用高效低毒低残留农药。同时,建议将修订草案三次审议稿第四十九条第一款中“剧毒、高毒农药不得用于蔬菜、瓜果、茶叶和中草药材”修改为“禁止将剧毒、高毒农药用于蔬菜、瓜果、茶叶和中草药材等国家规定的农作物”。(修订草案建议表决稿第十一条第二款、第四十九条第一款)

三、修订草案三次审议稿第十七条第二款、第二十八条第二款规定了食品安全风险评估专家委员会、食品安全国家标准审评委员会的人员组成。有些常委会组成人员提出,这两个委员会的人员组成中应当有环境方面的专家。法律委员会经研究,建议在上述规定中增加环境方面的专家。(修订草案建议表决稿第十七条第二款、第二十八条第二款)

四、修订草案三次审议稿第八十一条第三款规定,婴幼儿配方食品生产企业应当将产品配方向食品药品监督管理部门备案。有些常委委员和国家食品药品监督管理总局建议对婴幼儿配方乳粉的产品配方实行注册管理。对此,国务院有关方面组织进行了论证,并报经国务院同意,由国务院食品药品监督管理部门对婴幼儿配方乳粉的配方实行注册管理。法律委员会经研究,建议将上述规定修改为:婴幼儿配方乳粉的产品配方应当经国务院食品药品监督管理部门注册。注册时,应当提交配方研发报告和其他表明配方科学性、安全性的材料。同时,增加规定相应的法律责任。(修订草案建议表决稿第八十一条第四款、第一百二十四条第一款)

五、修订草案三次审议稿第一百一十二条中规定,采用快速检测方法对食品进行初步筛查的结果不作为行政处罚的依据;但是采用快速检测方法对食用农产品进行抽查检测,被抽查人对检测结果没有异议的除外。有些常委委员提出,快检技术是食品安全检验的重要方法之一,可以有效节约执法成本。采用快速检测方法进行抽检,有两种可能性:一是结果确定,二是结果不够确定。对结果确定的,就可以作为行政处罚的依据。同时,这一规定除适用于食用农产品外,也应当适用于其他食品。法律委员会经研究,建议将上述规定修改为:抽查检测结果确定有关食品不符合食品安全标准的,可以作为行政处罚的依据。(修订草案建议表决稿第一百一十二条第二款)

还有两个问题需要说明:

一是关于销售食用农产品不需要取得许可。有些常委委员提出,应当将不需要取得许可的范围仍限定为农民个人销售其自产的食用农产品,不宜扩大到所有食用农产品的销售。法律委员会经同国务院法制办公室、国家食品药品监督管理总局和农业部研究认为,从我国实际情况看,食用农产品经营主体多为农民或小、散经营者,经营的对象主要是蔬菜、瓜果等鲜活农产品,很难通过实行许可进行管理。因此,农产品质量安全法规定,食用农产品的销售不需要取得许可。这次修改食品安全法,将食用农产品销售纳入本法调整范围后,宜继续维持现行做法,明确销售食用农产品不需要取得许可。同时,通过增加食用农产品批发市场检验、建立进货查验记录制度等规定,进行源头控制。执法部门应当加强对食用农产品市场销售的日常监督管理,确保食品安全。

二是关于食品生产加工小作坊和食品摊贩的具体管理办法。有的常委委员提出,现行食品安全法规定由地方制定食品生产加工小作坊和食品摊贩的具体管理办法,但法律施行近六年来很多地方尚未出台有关办法,法律规定没有落实到位,建议进一步细化有关规定或者明确地方制定具体管理办法的时限。法律委员会经研究认为,修订草案已经进一步充实了对食品生产加工小作坊、食品摊贩管理的规定。修订后的食品安全法出台后,各地应加大工作力度,加快制定或者修订相关具体管理办法。而且,按照修改后的立法法的规定,法律规定明确要求有关国家机关对专门事项作出配套的具体规定的,有关国家机关应当自法律施行之日起一年内作出规定。据此,各省、自治区、直辖市应当在本法施行后一年内制定出台有关食品生产加工小作坊和食品摊贩等的具体管理办法。未能在期限内作出规定的,应当依法向全国人大常委会说明情况。

此外,根据常委会组成人员的审议意见,还对修订草案三次审议稿作了一些文字修改。

修订草案建议表决稿已按上述意见作了修改,法律委员会建议本次常委会会议通过。

修订草案建议表决稿和以上报告是否妥当,请审议。

全国人民代表大会法律委员会
2015 年 4 月 24 日

食品可追溯制度的有关情况

食品生产、销售的链条很长，涉及从农田到餐桌的各个环节。为了实现对食品生产经营的全过程控制，确保食品安全，世界各国普遍建立了食品可追溯制度。现将有关情况简报如下：

一、食品可追溯制度的概念和作用

在《国际食物法典》中食品可追溯体系的概念采用“追溯/产品追查”的说法，在美国称之为“记录保存”，还有些国家称之为“跟踪与追溯”。在欧盟食品法规中[Regulation(EC) No. 178/2002]，可追溯就是在食品生产的各个环节和过程中，对制造食品原材料、生产加工、包装、运输和销售的记录回溯。因此，可追溯制度可以概括为：在食品供应的整个过程中对食品的各种相关信息进行记录存储的质量保障系统，其目的是在食品出现质量问题时，能够快速有效地查询到出问题的原料或加工环节，必要时进行食品召回，实施有针对性的惩罚措施，由此来提高食品安全水平。

食品可追溯系统强调产品的全过程追踪，对整个供应链各个环节的产品信息进行跟踪与追溯，一旦发生食品安全问题，可以有效地追踪到食品的源头，及时召回不合格产品，将损失降到最低。食品可追溯体系被认为是保障食品安全的有效手段，它可以增加食品产业链的透明度，减少信息不对称，能提高消费者对产品的认可度，增加消费者对产品的信心。

二、一些国家的食品可追溯制度

（一）欧盟

欧盟在世界上最早建立了食品可追溯体系。20 世纪末，一些欧洲的发达国家率先把可追溯体系运用到食品产业链中，试图通过控制食品生产、加工和销售三大环节实现食品的安全管理。欧盟的食用农产品可追溯系统应用最早，尤其是活牛和牛肉制品的可追溯系统。2000 年 1 月欧盟发表了食品安全白皮书，提出了一项根本性改革措施，就是以控制从农田到餐桌全过程为基础，明确所有相关生产经营者的责任。2002 年 1 月欧盟颁布了 178/2002 号法令，明确了食品可追溯体系的原则，包括：（1）在食品生产加工过程中，食品生产者应当建立详细记录，包括食品原料的入厂记录和食品的出厂记录；（2）食品可追溯体系必须贯穿整个食品供应链，做到可追踪和可追溯；（3）所有上市的食物必须有足够的可追溯信息，保证食品的可追溯性。该法规同时对食品生产的原料供应商也做了相关规定，要求原料供应商的原材料必须具备一定的可追溯性，否则不允许供应。目前，可追溯性已成为欧盟食品行业一个普遍要求和食品立法的基本原则。

（二）美国

2002 年美国国会通过了生物反恐法案，提出实行从农场到餐桌的风险管理。2003 年 5 月美国食品药品监督管理局（FDA）公布了《食品安全跟踪条例》，规定凡是涉及食品运输、配送和进口的企业均要对食品流通的过程作详细记录，食品供应链所有的企业必须保留 6 个月至 2 年不等的供应商和客户记录，具体包括：（1）明确规定了种植和生产企业必须建立食品安全可追溯制度，在种植环节推行良好的农业操作规范管理体系，在加工环节推行良好的生产操作规范管理体系，以及危害分析和关键点控制食品安全认证体系。无论在哪个环节出现了问题都可以追溯到责任者；（2）明确规定了企业建立食品安全可追溯制度的实施期限，即大企业(500名雇员以上)在法规公布12个月后必须实施，中小型企业(11~499名雇员)在法规公布18个月后必须实施，小型企业(10名雇员以下)，在法规公布24个月后必须实施，也就是说到2006年底所有与食品生产有关的企业必须建立产品质量可追溯制度。

(三)日本

在农产品可追溯系统应用方面，日本不仅制定了相应的法规，而且在零售阶段，大部分超市已安装了产品可追溯终端，供消费者查询信息使用。在政府的推动下，日本从2001年起在肉牛生产供应体系中全面引入信息可追踪系统，要求肉牛业实施强制性的从零售点到农场的可追溯系统，系统允许消费者通过互联网输入包装盒上的牛肉身份号码，获取他们所购买牛肉的原始生产信息。2008年日本制定了《关于米谷等交易信息的记录及产地信息传递的法律》，对大米也实施与牛肉相同的可追溯制度。

(四)其他国家

加拿大从2002年7月1日起开始实施强制性活牛及牛肉制品标识制度，要求所有的牛肉制品都采用符合标准的条码来标识。国家牲畜标识计划(NLIS)是澳大利亚的家畜标识和可追溯系统。活牛采用经过NLIS认证的耳标或者瘤胃标识球来标识身份，牛迁移到新的地点时，养殖场或屠宰场的射频身份读取器将读取并在NLIS数据库中记录其迁移信息。巴西农业部决定，从2004年3月15日起，对肉牛实施强制性生长记录，实行从出生到餐桌的生长情况监控。

三、我国法律及有关文件关于食品可追溯制度的规定

食品可追溯体系在我国发展较晚，2001年我国加入世界贸易组织(WTO)后，发达国家对我国不断设置新的技术型贸易壁垒，阻碍我国产品的出口。为了扭转局势，国务院启动了“无公害食品

行动计划”,并得到各地的纷纷响应,我国农产品可追溯体系的建设由此开始,并带动食品生产与流通领域的可追溯制度及系统建设。

2006 年颁布的农产品质量安全法借鉴国外农产品溯源制度,规定:“农产品生产企业和农民专业合作经济组织应当建立农产品生产记录,如实记载下列事项:(一)使用农业投入品的名称、来源、用法、用量和使用、停用的日期;(二)动物疫病、植物病虫草害的发生和防治情况;(三)收获、屠宰或者捕捞的日期。”“农产品生产记录应当保存二年。禁止伪造农产品生产记录。”“国家鼓励其他农产品生产者建立农产品生产记录。”

2009 年颁布的食品安全法对食品可追溯制度作出了明确规定,包括:一是要求食品生产企业应当建立食品原料、食品添加剂、食品相关产品进货查验记录制度,如实记录食品原料、食品添加剂、食品相关产品的名称、规格、数量、供货者名称及联系方式、进货日期等内容。进货查验记录应当真实,保存期限不得少于二年。二是要求食品生产企业应当建立食品出厂检验记录制度,如实记录食品的名称、规格、数量、生产日期、生产批号、检验合格证号、购货者名称及联系方式、销售日期等内容。食品出厂检验记录应当真实,保存期限不得少于二年。三是要求食品经营企业应当建立食品进货查验记录制度,如实记录食品的名称、规格、数量、生产批号、保质期、供货者名称及联系方式、进货日期等内容。食品进货查验记录应当真实,保存期限不得少于二年。四是食品进口商应当建立食品进口和销售记录制度,如实记录食品的名称、规格、数量、生产日期、生产或者进口批号、保质期、出口商和购货者名称及联系方式、交货日期等内容。食品进口和销售记录的保存期限不得少于二年。

除了法律规定以外,2012 年的《国务院关于加强食品安全工作的决定》提出,加快推进食品安全电子追溯系统建设,建立统一的追溯手段和技术平台,提高追溯体系的便捷性和有效性。食品生产经营单位要依法履行食品安全主体责任,建立健全并严格落实进货查验、出厂检验、索证验票、购销台账记录等各项管理制度。《国务院办公厅关于印发2012年食品安全重点工作安排的通知》提出,加快重点食品和食用农产品安全追溯体系建设,重点推进肉菜、酒类电子追溯系统建设。2012年的《国务院办公厅关于印发〈国家食品安全监管体系"十二五"规划〉的通知》提出:"加强食品质量安全溯源管理,建立健全追溯制度,强化食用农产品种植养殖、食品生产加工、食品流通、餐饮服务、食品进出口等环节生产经营记录,加强各环节衔接,确保食品质量安全可追溯。运用物联网等技术建立食品安全全程追溯管理系统,统筹规划各类食品安全追溯系统建设,统一追溯编码要求,保证追溯链条的完整性和兼容性。逐步建立全国互联互通的食品安全验证验票管理体系,推动建立资质证明、检验报告等电子查询系统。"

此外,2013年国务院办公厅转发食品药品监管总局等部门《关于进一步加强婴幼儿配方乳粉质量安全工作意见的通知》提出,推行婴幼儿配方乳粉电子信息化管理,加快实现产品全程可查询、可追溯。2013年国家质监总局发布的《进出口乳品检验检疫监督管理办法》规定:"出口乳品生产经营者应当建立产品追溯制度,建立相关记录,保证追溯有效性。记录保存期限不得少于2年。"

四、食品可追溯制度的主要内容

从目前我国和其他国家的相关规定来看,食品可追溯制度主要包括以下内容:

(一)记录制度

生产经营记录是食品追溯体系建设中的基础信息,保证生产经营者真实地记录食品生产经营链条各个阶段的信息,包括食品生产企业建立食品原料、添加剂、相关产品的进货查验记录制度、食品出厂检验记录制度，还包括食品经营企业建立食品进货查验记录制度，食品进口商建立食品进口和销售记录制度，以及食用农产品生产企业和农民专业合作经济组织建立食用农产品生产记录制度。

（二）个体身份识别及查询制度

这一制度主要针对食用农产品，通过对活牛等牲畜及其肉制品进行个体身份识别，实行可追溯制度。消费者可以在购得的食品包装上发现产品的编号，在超市内或是家中的计算机输入编号，可直接查询得到生产这批产品的有关信息，由餐桌回溯至农场，了解其完整的生产、运输与销售过程，以提高消费者对该种食品的信心。这种连接生产者与消费者的编号系统，作为消费者可以直接使用的信息查询检索工具是构建整个食品追溯制度的信息技术核心之一。

五、实现食品可追溯体系的主要技术

2010 年 11 月，商务部印发关于《全国肉类蔬菜流通追溯体系建设规范（试行）》的通知，提出全面推行技术成熟、成本易控制的 IC 卡为信息传递载体，将各流通节点信息相关联。鼓励有条件的地区，根据当地不同包装程度、流通模式及经营者信息化水平，探索采用条码、无线射频识别（RFID）等技术模式。

（一）条码技术

一维条码技术始于 20 世纪 70 年代，并很快得到推广，但这种技术诸如有信息含量少，加密性差，必须与数据库联合使用等缺点，所以在 20 世纪 80 年代末，二维条码技术应运而生。二维条码技术继承并发展了一维条码技术的优点，它除了信息储量大之外（500 个汉字左右），还具有编码性广、防伪性好、能准确译码、成本低等诸多优点，因而迅速得到广泛应用。目前常见的二维条码有很多，根据生成的原理，最常见的有行排式二维条码和矩阵式二维条码。二维条码技术在国际上是一项非常成熟的追溯和防伪技术,可以帮助消费者准确、快速地了解到自己产品的信息。二维条码的使用也非常方便,只需将其贴到产品包装上,消费者不仅可用手机随时查询到产品和企业的信息,还可以及时反馈错误和虚假信息。

二维条码由于成本较低,目前在我国及其他国家已经被普遍采用。

(二)无线射频识别(RFID)技术

无线射频识别(RFID)技术在20世纪80年代初出现,2000年前后得到应用。通俗地讲,RFID技术是一种具有天线的能读能写微型标签。RFID技术由电子标签、标签读写器和外界环境检测器组成,有的还包括一个全球自动定位系统。RFID技术在食品中的应用相对较晚,发达国家对肉制品和奶制品开始逐步应用,在市场贸易中,这种技术能为食品可追溯体系提供许多方便,将这种能读能写的电子标签嵌入食品包装上,并通过远距离识别将各种数据录入其中,厂商也能更迅速的记录产品的进出情况;产品到消费者手中时,消费者可以利用电子标签迅速查询到产品的来源及原材料的来源。RFID技术不仅具有信息容量大、非接触性识别、防伪性能强、可读可写等优点,还可以应用在活体动物当中,记录该动物的饲养情况、年龄、体重等个体信息,并将这些个体信息最终写到各种成品当中。

与二维条码相比,无线射频识别技术强调个体身份信息识别,要求每件产品都要贴上相应的电子标签,成本较高,因此在我国和其他国家并没有在食品生产经营中普遍应用,只是在一些地方的大型畜禽养殖企业使用该技术为一些活体牲畜佩带耳标、脚标等,以实现肉类产品可追溯。如在欧盟,对牛、马、羊三类牲畜使用RFID技术进行个体信息识别。在我国的上海,建立了基于RFID技术的猪肉监控系统,在猪耳上打上电子射频耳标,记录生猪的饲料、病历、喂药、转群、检疫等信息,在进入主要市境道口和屠宰场使用RFID卡进行“点对点”监管,确保生猪进入指定的屠宰场。在批发市场,通过电子标签,记录进场交易的猪肉的来源地、交易时间等。

食品安全信息公开和有奖举报制度的有关情况

食品安全涉及每一个人的身体健康和生命安全,做好这一工作,需要充分调动人民群众参与食品安全治理的积极性、主动性,形成强大的社会合力,这就是食品安全管理中的社会共治理念。信息公开和有奖举报是体现社会共治理念的两项重要制度,现将有关情况简报如下:

一、关于食品安全信息发布

(一)我国的相关管理制度

做好食品安全信息发布工作,是保障人民群众知情权、参与权和监督权,实现社会共治的基本前提。建立统一、科学、权威、高效的食品安全信息发布制度,将掌握在各监管部门手中的食品安全信息统一向社会公开,可以在很大程度上消解信息不对称问题,消费者就可以更有依据地选择食品,让市场机制更好地发挥作用,把优质食品企业留在市场,把不良企业淘汰出去。现行食品安全法规定:"国家建立食品安全信息统一公布制度。下列信息由国务院卫生行政部门统一公布:(一)国家食品安全总体情况;(二)食品安全风险评估信息和食品安全风险警示信息;(三)重大食品安全事故及其处理信息;(四)其他重要的食品安全信息和国务院确定的需要统一公布的信息。前款第二项、第三项规定的信息,其影响限于特定区域的，也可以由有关省、自治区、直辖市人民政府卫生行政部门公布。县级以上农业行政、质量监督、工商行政管理、食品药品监督管理部门依据各自职责公布食品安全日常监督管理信息。食品安全监督管理部门公布信息，应当做到准确、及时、客观。”

2010年11月，卫生部会同农业部、商务部、工商总局、质检总局、食品药品监管局制定了《食品安全信息公布管理办法》（以下简称《办法》），进一步细化了各部门的分工协作机制，并对新闻媒体的作用发挥作出了规定。依据该《办法》规定，食品安全信息是指县级以上食品安全综合协调部门、监管部门及其他政府相关部门在履行职责过程中制作或获知的，以一定形式记录、保存的食品生产、流通、餐饮消费以及进出口等环节的有关信息。食品安全信息分为卫生行政部门统一公布的食品安全信息和各有关监督管理部门依据各自职责公布的食品安全日常监督管理的信息。县级以上卫生行政、农业行政、质量监督、工商行政管理、食品药品监管以及出入境检验检疫部门应当建立食品安全信息公布制度，通过政府网站、政府公报、新闻发布会以及报刊、广播、电视等便于公众知晓的方式向社会公布食品安全信息。各地应当逐步建立统一的食品安全信息公布平台，实现信息共享。县级以上卫生行政、农业行政、质量监督、工商行政管理、食品药品监督管理、商务行政以及出入境检验检疫部门应当相互通报获知的食品安全信息。各有关部门应当建立信息通报的工作机制，明确信息通报的形式、通报渠道和责任部门。接到信息通报的部门应当及时对食品安全信息依据职责分工进行处理。

《办法》明确了各级各部门有权发布信息的具体范围，即国务院卫生行政部门负责统一公布以下食品安全信息：“（一）国家食品安全总体情况。包括国家年度食品安全总体状况、国家食品安全风险监测计划实施情况、食品安全国家标准的制订和修订工作情况等。(二)食品安全风险评估信息。(三)食品安全风险警示信息。包括对食品存在或潜在的有毒有害因素进行预警的信息;具有较高程度食品安全风险食品的风险警示信息。(四)重大食品安全事故及其处理信息。包括重大食品安全事故的发生地和责任单位基本情况、伤亡人员数量及救治情况、事故原因、事故责任调查情况、应急处置措施等。(五)其他重要的食品安全信息和国务院确定的需要统一公布的信息。"各相关部门应当向国务院卫生行政部门及时提供获知的涉及上述食品安全信息的相关信息。省级卫生行政部门负责公布影响仅限于本辖区的以下食品安全信息:"(一)食品安全风险监测方案实施情况、食品安全地方标准制订、修订情况和企业标准备案情况等。(二)本地区首次出现的,已有食品安全风险评估结果的食品安全风险因素。(三)影响仅限于本辖区全部或者部分的食品安全风险警示信息,包括对食品存在或潜在的有毒有害因素进行预警的信息;具有较高程度食品安全风险食品的风险警示信息及相应的监管措施和有关建议。(四)本地区重大食品安全事故及其处理信息。"上述信息由省级卫生行政部门自行决定并公布。此外,县级以上卫生行政、农业行政、质量监督、工商行政管理、食品药品监管、商务行政以及出入境检验检疫部门应当依法公布相关信息。日常食品安全监督管理信息涉及两个以上食品安全监督管理部门职责的,由相关部门联合公布。各相关部门在公布食品安全信息前,可以组织专家对信息内容进行研究和分析,提供科学意见和建议。在公布食品安全信息时,应当组织专家解释和澄清食品安全信息中的科学问题,加强食品安全知识的宣传、普及,倡导健康生活方式,增强消费者食品安全意识和自我保护能力。《办法》还明确各有关部门应当向社会公布日常食品安全监管信息的咨询、查询方式,为公众查阅提供便利,不得收取任何费用。

为了做好食品安全事故的应急处置,《办法》规定发生重大食品安全事故后,负责食品安全事故处置的省级卫生行政部门会同有关部门,在当地政府统一领导下,在事故发生后第一时间拟订信息发布方案,由卫生行政部门公布简要信息,随后公布初步核实情况、应对和处置措施等,并根据事态发展和处置情况滚动公布相关信息。对涉及事故的各种谣言、传言,应当迅速公开澄清事实,消除不良影响。

关于媒体对食品安全信息的报道,《办法》规定各地、各部门要充分发挥新闻媒体信息传播和舆论监督作用,积极支持新闻媒体开展食品安全信息报道,畅通与新闻媒体信息交流渠道,为采访报道提供相关便利,不得封锁消息、干涉舆论监督。对重大食品安全问题要在第一时间通过权威部门向新闻媒体公布,并适时通报事件进展情况及处理结果,同时注意做好舆情收集和分析。对于新闻媒体反映的食品安全问题,要及时调查处理,并通过适当方式公开处理结果,对不实和错误报道,要及时予以澄清。

(二)国外食品安全信息发布制度的情况

1. 美国。美国没有建立由一个部门对重大食品安全信息进行统一发布的制度,而是由负责食品安全监管的各部门分别对本部门职责范围内的食品安全信息进行对外发布。根据美国法律、法规的规定,联邦有关部门包括食品和药物管理局(FDA)、农业部食品安全检验署(FSIS)、农业部动植物卫生检验署(APHIS)、疾病预防与控制中心(CDC)以及环境保护署(EPA),各州政府卫生部门以及各市县卫生部门都对食品实施监督管理,在法律、法规赋予的权限范围内独立进行信息披露,形成了以联邦政府信息披露为主,地方各州政府信息披露为辅的信息披露体系。美国食品安全信息发布的主要渠道是网络,食品安全网(www. foodsafety. gov)汇总了来自联邦政府各部门以及地方各政府管理部门的大量食品安全信息,形成了由点到面的信息网络,使信息披露有了统一、权威的发布平台,为公众提供从农场到餐桌的食品安全信息。

2. 欧盟。2002 年 1 月，欧洲议会和理事会发布了 178/2002 号法规，即欧盟一般食品法。依据该法律，欧盟成立了食品安全局（EFSA），其主要工作是负责收集并分析有关食品潜在风险的所有信息，并在其权限范围内向公众提供。在成员国层面，德国、法国等一些国家，负责食品安全监管的主管部门负责统一对外发布食品安全信息。例如德国于 2001 年将原食品、农业和林业部改组为消费者保护、食品和农业部，对全国的食品安全统一监管，并负责统一对外发布食品安全信息。

二、关于食品安全有奖举报

（一）我国的相关管理制度

在社会共治的理念指导下，应当更加重视公民作为消费者能够发挥的积极作用。现行食品安全法对公民参与食品安全治理提供了以下三条途径："有权向有关部门了解食品安全信息"、"对食品安全监督管理工作提出意见和建议"或者"投诉举报食品安全违法行为"。到目前为止，全国绝大多数省份出台食品安全有奖举报制度，对食品安全受理、核查以及奖励范围、条件、标准、程序等作出详细规定。

福建规定食品安全举报受理工作实行首接负责制，相关部门接到举报后要立即受理，并在案件查处结束后负责向举报人反馈结果。吉林设立了专门的食品安全投诉举报机构。河北要求各市县人民政府设立本级食品安全举报中心，并公布 24 小时举报电话。同时，各地积极落实奖励资金，陕西、湖南分别设立 500 万元和 300 万元专项奖励资金，广州、石家庄明确市财政安排举报奖励资金 600 万元和 300 万元。在奖励标准方面，北京、浙江将最高奖励金额提高至 30 万元。江苏、广西、海南等地还规定，举报人有特别重大贡献的，奖励额度不封顶。

2011 年 7 月 7 日国务院食品安全委员会办公室发布了《关于

建立食品安全有奖举报制度的指导意见》，提出要充分认识实行食品安全有奖举报的重要意义，建立健全有奖举报工作机制。但执法实践中屡屡出现奖励不及时或者该奖不奖、泄露举报信息和举报线索的现象，有意见认为应由国家立法进一步保障落实财政专项奖励资金，合理确定奖励条件，规范奖励发放程序，保护举报人合法权益，并为举报人保守秘密和提供及时的权利救济。

（二）国外的情况

对举报人的保护是个世界性课题。举报人在国外被称为“吹哨人”，在案件受理前称为举报人，但在案件调查过程中转化为证人的角色。国外以及港台地区的立法，对举报人的保护主要体现在不得将举报作为证据、不得暴露举报人、不得泄露调查情况、对举报人人身进行保护以及加大对报复举报人的惩罚力度等方面。

有的国家为了保护举报人而专门立法，如美国的《吹哨人保护法》、日本的《公益举报人保护法》。以美国为例，自20世纪70年代以来，美国就坚持通过立法来鼓励和保护居民的举报行为，明确规定了哪些行为属于对举报人的打击报复性行为，包括针对举报人而做出的任命、处分、工作指派、调职、绩效考评、工资福利的决定，以及其他职责或工作条件的重大改变等。美国法律中的举报激励机制很有特点，规定法庭可以发出支付令，要求被判有打击报复举报人罪行的企业应交纳一定数额的罚金，这些罚金可以用来支付保护举报人所花费的费用。这些收缴的罚金专门用于对举报人的保护，使那些遭受打击报复的举报人能够及时获得一定的经济补偿或赔偿，从而极大鼓励了举报人的举报热情。除了这些单独的立法以外，很多国家和地方的诉讼法、证人保护法等相关的法律法规中规定了举报人的保护制度，例如新加坡和香港。

食品添加剂、食品相关产品管理的有关情况

食品生产经营过程中，离不开食品添加剂、食品相关产品的使用。加强对食品添加剂、食品相关产品的管理是食品安全法的重要内容。现将有关情况简报如下：

一、关于食品添加剂

（一）定义和种类

依据我国现行食品安全法，食品添加剂是指为改善食品品质和色、香、味以及为防腐、保鲜和加工工艺的需要而加入食品中的人工合成或者天然物质。每个食品添加剂可能具有一种或多种功能，食品添加剂使用标准（GB2760－2011），是食品安全国家标准的一个重要组成部分，其按照常用功能，将食品添加剂分为酸度调节剂、抗结剂、消泡剂、抗氧化剂、漂白剂、膨松剂、胶基糖果中的基础剂物质、着色剂、护色剂、乳化剂、酶制剂、增味剂、面粉处理剂、被膜剂、水分保持剂、营养强化剂、防腐剂、甜味剂、增稠剂、食品用香料、食品工业用加工助剂、稳定剂和凝固剂等。目前，我国允许使用的食品添加剂约有2560余种。

（二）我国现行管理制度

1. 目录制管理

目前，国际上对食品添加剂普遍使用目录制或称清单管理，对

允许使用的添加剂列入目录,并明确其使用范围和用量。没有列入食品添加剂目录的物质,均不属于合法的食品添加剂,不允许在食品生产过程中使用。如果企业申请从事食品添加剂目录之外的食品添加剂新品种的生产或进口,应当向主管部门提出申请,经主管部门进行安全性评估后予以许可。我国对食品添加剂的管理也是采用这种目录制管理。现行食品安全法规定,食品添加剂应当在技术上确有必要且经过风险评估证明安全可靠,方可列入允许使用的范围。国务院卫生行政部门应当根据技术必要性和食品安全风险评估结果,及时对食品添加剂的品种、使用范围、用量的标准进行修订。申请从事食品添加剂新品种生产活动的单位或者个人,应当向国务院卫生行政部门提交相关产品的安全性评估材料。首次进口食品添加剂新品种,进口商应当向国务院卫生行政部门提出申请并提交相关的安全性评估材料。国务院卫生行政部门依法作出是否准予许可的决定,并及时制定相应的食品安全国家标准。食品生产者应当依照食品安全标准关于食品添加剂的品种、使用范围、用量的规定使用食品添加剂;不得在食品生产中使用食品添加剂以外的化学物质和其他可能危害人体健康的物质。此外,食品添加剂使用标准(国家食品安全标准)还规定,使用食品添加剂应当符合下列基本要求:“(a)不应对人体产生任何健康危害;(b)不应掩盖食品腐败变质;(c)不应当掩盖食品本身或者加工过程中的质量缺陷或以掺杂、掺假、伪造为目的而使用食品添加剂;(d)不应降低食品本身的营养价值;(e)在达到预期目的前提下尽可能降低在食品中的用量。”

2. 生产许可制度

现行食品安全法规定:“国家对食品添加剂的生产实行许可制度。申请食品添加剂生产许可的条件、程序,按照国家有关工业产品生产许可证管理的规定执行。”依据《工业产品生产许可证管理条例》的规定,质监部门负责工业产品生产许可证的统一管理。因此，在2013年食品监管体制调整之前，一直是由质监部门负责对食品添加剂的生产进行监督管理。申请从事食品添加剂的生产，应当取得质监部门颁发的生产许可证。2013年食品监管体制调整以后，食品添加剂的生产许可改由食品药品监督管理部门负责。

3. 进货查验记录制度

现行食品安全法规定，食品生产者采购食品添加剂，应当查验供货者的许可证和产品合格证明文件；不得采购或者使用不符合食品安全标准的食品添加剂。食品生产企业应当建立食品添加剂进货查验记录制度，如实记录食品添加剂的名称、规格、数量、供货者名称及联系方式、进货日期等内容。

4. 标签管理制度

现行食品安全法规定，食品添加剂应当有标签、说明书和包装。标签、说明书应当载明法律要求载明的事项，以及食品添加剂的使用范围、用量、使用方法，并在标签上载明“食品添加剂”字样。与食品一样，食品添加剂的标签、说明书，不得含有虚假、夸大的内容，不得涉及疾病预防、治疗功能。生产者对标签、说明书上所载明的内容负责。食品添加剂的标签、说明书应当清楚、明显，容易辨识。食品添加剂与其标签、说明书所载明的内容不符的，不得上市销售。

（三）国外管理制度

1. 日本。根据日本《食品卫生法》的规定，食品添加剂是指“在食品的生产过程中或者出于加工或保存食品目的，通过在食品中添加、混合、浸润及利用其他方法而使用的物质。”截至2013年3月12日，日本有既存添加物365种（1995年食品卫生法修订时已经在使用的添加物）、指定添加物432种、天然香料约600种、一般饮食用添加物约100种，共有食品添加剂1497种。日本是将添加剂与食品放在一起规制，实行食品添加剂指定（准入许可）制度。“除厚生劳动大臣在听取药事及食品卫生审议会的意见后确定无损于人体健康的情况外，添加剂（天然香料及一般作为食品用于饮食且作为添加剂使用的物质除外）以及含有该添加剂的制剂及食品不得进行销售或者进行以销售为目的的生产、进口、加工、使用、贮藏或陈列。”企业申请厚生劳动大臣指定新的食品添加剂时，厚生劳动大臣依法应当听取药事及食品卫生审议会的意见，并可以委托内阁府食品安全委员会进行风险评估，确定无损于人体健康的情况下可以进行指定。此外，药事及食品卫生审议会可以削除食品添加剂的指定，主要是针对日本特有而未经国际性的安全性评估的添加剂，以及越来越不具有实用性和必要性的添加剂。

2. 欧盟。2012 年欧盟通过了 872/2012 号和 873/2012 号两部法规，强化食品添加剂安全并提高透明度，规定仅列入肯定清单中的食品添加剂才可以在食品工业中使用。此次通过的两部法律将在欧盟统一大市场内对食品添加剂统一分类，肯定清单中列出欧盟范围内所有可以使用的食品添加剂，自 2013 年 4 月 22 日开始实施。所有没列入肯定清单的食品添加剂将在实施 18 个月后完全禁止。新的肯定清单包含 2100 种合法使用的添加剂，并且规定了添加剂可被加入食品的具体情形，根据不同的食品类别分别列明可用添加剂清单，以更清楚显示每一类食品中可以使用的添加剂，为食品生产者、经营者直接按食品类别查询食品所能适用的添加剂提供了更大的便利，也方便了消费者的监督。目前欧盟食品安全局还在对 400 种清单外的拟作为食品添加剂的物质进行审查，审查合格的，将加入肯定清单。

二、关于食品相关产品

（一）定义和种类

依据我国现行食品安全法，食品相关产品是指用于食品的包装材料、容器、洗涤剂、消毒剂和用于食品生产经营的工具、设备。

从其他国家或地区的情况看，没有类似“食品相关产品”的概念。日本《食品卫生法》将“器具与容器包装”单设一章，器具是指“餐饮用具、烹调用具及其他用于食品或添加剂的采集、生产、加工、烹调、贮藏、搬运、陈列、授受或摄取且与食品或添加剂直接接触的机械、器具及其他物品。但是，农业及水产业中用于食品采集的机械、器具及其他物品除外。”与食品相关的容器包装是指“装入或包入食品或添加剂，在授受食品或添加剂时直接递交的物品。”我国台湾地区是将此类产品区分为食品器具、食品容器或包装、食品用洗洁剂，其中食品器具是指“与食品或食品添加物直接接触之器械、工具或器皿”；食品容器或包装是指“与食品或食品添加物直接接触之容器或包裹物”；食品用洗洁剂是指“用于消毒或洗涤食品、食品器具、食品容器或包装之物质。”

（二）我国现行管理制度

1. 对特定产品的生产许可制度

现行食品安全法对食品相关产品的生产没有作出专门规定。依据《工业产品生产许可证管理条例》的规定，国家对列入工业产品生产许可证目录的产品实行生产许可制度。未经许可，任何单位和个人不得生产列入工业产品生产许可证目录的产品，不得销售或者在经营活动中使用未取得生产许可证的列入目录产品。目前，列入工业产品生产许可证目录的食品相关产品为直接接触食品的材料等相关产品，包括：食品用塑料包装、容器、工具等制品，食品用纸包装、容器等制品，餐具洗涤剂，工业和商用电热食品加工设备和压力锅五大类，对属于这五大类的食品相关产品实行生产许可证制度，对其他的食品相关产品的生产没有特别的管理制度。

此外，我国对食品相关产品新品种的生产和进口实行许可制度。依据现行食品安全法的规定，申请食品相关产品新品种生产活动的单位或者个人，应当向国务院卫生行政部门提交相关产品的安全性评估材料。国务院卫生行政部门应当自收到申请之日起六十日内组织对相关产品的安全性评估材料进行审查；对符合食品安全要求的，依法决定准予许可并予以公布；对不符合食品安全要求的，决定不予许可并书面说明理由。首次进口食品相关产品新品种，进口商应当向国务院卫生行政部门提出申请并提交相关的安全性评估材料。国务院卫生行政部门依法作出是否准予许可的决定，并及时制定相应的食品安全国家标准。

2. 进货查验记录制度

现行食品安全法规定，食品生产者采购食品相关产品，应当查验供货者的许可证和产品合格证明文件；不得采购或者使用不符合食品安全标准的食品相关产品。食品生产企业应当建立食品相关产品进货查验记录制度，如实记录食品相关产品的名称、规格、数量、供货者名称及联系方式、进货日期等内容。

（三）境外管理制度

1. 日本。日本《食品卫生法》规定对食品器具及容器包装实行规格管理和事后检查制度。厚生劳动大臣可从公共卫生的角度出发，在听取药事及食品卫生审议会的意见后，制定以销售为目的或营业上使用的器具、容器包装或其原材料的规格，或者制定其制造方法相关的标准。具有相应规格或标准的情况下，不得进行不符合该规格的器具或容器包装的销售，以及以销售为目的的生产、进口或营业上使用，不得使用不符合该规格的原材料或者按照不符合该标准的方法生产器具或容器包装。如厚生劳动大臣认定某种食品器具或容器包装可能引发食品卫生危害，可在听取药事及食品卫生审议会的意见后，禁止该食品器具或容器包装的销售以及以销售为目的的生产、进口或营业上使用。

2. 我国台湾地区。我国台湾地区对于特定的食品相关产品的生产加工及进出口等实行许可制度。根据台湾地区“食品安全卫生管理法”的规定，经中央主管机关公告之食品器具、食品容器或包装及食品用洗洁剂，其制造、加工、调配、改装及进出口，非经中央主管机关查验登记并发给许可文件,不得为之;其登记事项有变更者,应事先向中央主管机关申请审查核准。该法还对经中央主管机关公告之食品器具、食品容器或包装,以及食品用洗洁剂之容器或外包装的标示义务分别作出了规定。

婴幼儿配方乳粉管理的有关情况

婴幼儿配方乳粉是婴幼儿的主要食品。现将我国和其他一些国家、地区婴幼儿配方乳粉管理的有关情况简报如下：

一、婴幼儿配方乳粉的概念

根据我国《婴幼儿配方乳粉生产许可审查细则（2013 版）》规定，婴幼儿配方乳粉是指使用牛乳或者羊乳及其加工制品（乳清粉、乳清蛋白粉、脱脂乳粉、全脂乳粉等）和植物油为主要原料，加入适量的维生素、矿物质和其他辅料，按照法律法规及标准所要求的条件，加工制作供婴幼儿（0 到 36 月龄）食用的婴儿配方乳粉（0 到 6 月龄，1 段）、较大婴儿配方乳粉（6 到 12 月龄，2 段）和幼儿配方乳粉（12 到 36 月龄，3 段）。

二、我国法律、法规和规范性文件等对婴幼儿配方乳粉管理的规定

现行食品安全法规定，食品安全标准应当包括专供婴幼儿和其他特定人群的主辅食品的营养成分要求，禁止生产经营营养成分不符合食品安全标准的专供婴幼儿和其他特定人群的主辅食品。专供婴幼儿和其他特定人群的主辅食品，其标签还应当标明主要营养成分及其含量。

2008 年颁布的行政法规《乳品质量安全监督管理条例》规定，

生产婴幼儿奶粉的企业应当实施危害分析与关键控制点体系。生产婴幼儿奶粉应当保证婴幼儿生长发育所需的营养成分,不得添加任何可能危害婴幼儿身体健康和生长发育的物质。婴幼儿奶粉标签除标明产品名称、规格等外,还应当标明主要营养成分及其含量,详细说明使用方法和注意事项。乳制品生产企业应当对出厂的乳制品逐批检验,婴幼儿奶粉在出厂前还应当检测营养成分。条例还规定了对可能危害婴幼儿健康的奶粉实施食品召回和停止销售。

2009年国务院颁布的《食品安全法实施条例》规定,对专供婴幼儿、老年人、病人等特定人群的主辅食品,应当重点加强抽样检验。

除法律、行政法规外,我国还出台了相关规范性文件对婴幼儿配方乳粉进行管理,包括:2010年《国务院办公厅关于进一步加强乳品质量安全工作的通知》,2013年国务院办公厅转发食药总局等九部门《关于进一步加强婴幼儿配方乳粉质量安全工作的意见》,2013年食药总局《关于进一步加强婴幼儿配方乳粉生产监管工作的通知》、《婴幼儿配方乳粉生产许可审查细则(2013版)》、《关于禁止以委托、贴牌、分装等方式生产婴幼儿配方乳粉的公告》、《婴幼儿配方乳粉生产企业监督检查规定》和2014年《关于进一步加强婴幼儿配方乳粉销售监督管理工作的通知》,2013年质检总局《关于加强进口婴幼儿配方乳粉管理的公告》和《进出口乳品检验检疫监督管理办法》。

三、我国对婴幼儿配方乳粉的主要管理制度

根据上述法律、行政法规和规范性文件的规定,我国婴幼儿配方乳粉的主要管理制度包括:

(一)关于婴幼儿配方乳粉的生产。(1)实施危害分析与关键控制点体系。《乳品质量安全监督管理条例》规定,生产婴幼儿奶

粉的企业应当实施危害分析与关键控制点体系。(2)标签管理。食品安全法规定,专供婴幼儿和其他特定人群的主辅食品,其标签还应当注明主要营养成分及其含量。《乳品质量安全监督管理条例》规定,婴幼儿奶粉标签还应当标明主要营养成分及其含量,详细说明使用方法和注意事项。《关于进一步加强婴幼儿配方乳粉质量安全工作的意见》提出,建立婴幼儿配方乳粉配方、原辅料使用和包装标签备案制度。(3)自建自控奶源并实施批批检。《关于进一步加强婴幼儿配方乳粉质量安全工作的意见》规定,奶畜养殖者和奶站要全面落实乳品质量安全制度,婴幼儿配方乳粉生产企业须具备自建自控奶源,对原料乳粉和乳清粉等实施批批检验。(4)建立原辅料采购查验和生产过程控制制度。《婴幼儿配方乳粉生产企业监督检查规定》规定,婴幼儿配方乳粉生产企业应当具备自建自控奶源,建立并落实原辅料采购查验制度、生产过程控制制度和产品出厂批批检验制度。

(二)关于婴幼儿配方乳粉的经营。(1)进货查验和查验记录。《关于进一步加强婴幼儿配方乳粉销售监督管理工作的通知》提出,要严格落实婴幼儿配方乳粉经营者的责任和义务,建立并严格执行进货查验和查验记录制度,比照名录进货,查验供货商的经营资格文件,索取票证,查验标签标示并如实记录。(2)专区销售。《关于进一步加强婴幼儿配方乳粉销售监督管理工作的通知》要求,商场、超市、食品店和药店等经营者对婴幼儿配方乳粉要实行专柜专区销售。经营者要在销售场所划定专门的区域或柜台、货架摆放、销售婴幼儿配方乳粉。(3)先行赔偿和追偿。婴幼儿配方乳粉经营者应当严格落实质量安全责任追究制度,建立先行赔偿和追偿制度,按照“谁销售,谁负责”的原则对消费者进行赔偿。

(三)关于婴幼儿配方乳粉的进口。对进口奶粉的出口商和代理商实行严格进口管理。《关于进一步加强婴幼儿配方乳粉质量安全工作的意见》规定,向中国出口婴幼儿配方乳粉的出口商或其代理商应当严格按照规定备案。进口商必须保证其进口的婴幼儿配方乳粉符合我国食品安全国家标准,进口报检时必须提供对应生产日期或生产批次的婴幼儿配方乳粉检测报告。

上述针对婴幼儿配方乳粉的管理制度,有些属于所有食品共有的管理制度,包括进货查验和查验记录、先行赔偿和追偿、严格进口管理;有的属于其特有的管理制度,包括实施危害分析与关键控制点体系管理、标签标明营养成分和含量、自建自控奶源、实施出厂批批检、生产过程控制以及在经营中实行专区销售等。

四、我国在婴幼儿配方乳粉监管方面的新举措

近来来,国家加大了对婴幼儿配方乳粉的监管力度,实施最严格监管,出现了一些新的监管手段和措施,主要包括:

(一)重新审核生产企业的资质

2013 年 12 月,国家食品药品监督管理总局制定了《婴幼儿配方乳粉生产许可审查细则(2013 版)》。该细则参照药品生产企业的管理规定,对企业取得婴幼儿配方乳粉生产许可的条件作了严格规定,包括:(1)管理制度审查,包括食品质量安全管理制度、主要生产原料管理制度、原辅料采购制度、技术标准、工艺文件及记录管理制度、产品配方管理制度、过程管理制度、检验管理制度、产品防护管理制度、物料储存和分发制度、人员管理制度、信息化管理、产品追溯及召回制度和研发能力。(2)场所核查,包括厂房选址和设计、内部建筑结构等。(3)设备核查,包括生产设备、检验设备等。(4)设备布局、基本工艺流程、关键控制点及清场要求。(5)人员核查。根据上述条件,食药监部门对已经取得婴幼儿配方乳粉生产资质的企业进行了重新审核。今年 5 月 29 日,食药总局向社会公布,共有 82 家婴幼儿配方奶粉企业重新获得生产许可证。没有获得许可的 51 家将不能再进行婴幼儿配方乳粉生产。

（二）可追溯全过程监管

《国家食品安全监管体系“十二五”规划》提出，按照循序渐进原则，先行在婴幼儿配方乳粉和原料乳粉、肉类、蔬菜、酒类产品、保健食品等方面实现电子追溯，并逐步拓展到其他重点食品品种。《关于进一步加强乳品质量安全工作的通知》规定，质检总局、工商总局、农业部、商务部、食品药品监管局要会同有关部门抓紧研究以婴幼儿配方乳粉和原料乳粉为试点推行电子信息追溯系统，实现从奶源、采购、生产、出场、运输到销售终端的全程有效监管。

（三）禁止以委托、贴牌、分装等方式生产婴幼儿配方乳粉

《关于禁止以委托、贴牌、分装等方式生产婴幼儿配方乳粉的公告》规定：(1)婴幼儿配方乳粉生产企业不得接受其他单位和个人的委托，为其生产婴幼儿配方乳粉。任何单位和个人不得通过合同或者约定，委托婴幼儿配方乳粉生产企业为其加工、制作婴幼儿配方乳粉。(2)婴幼儿配方乳粉生产企业不得为其他品牌持有人或代理人生产婴幼儿配方乳粉，不得冒用他人品牌和包装生产婴幼儿配方乳粉。(3)婴幼儿配方乳粉生产企业不得在国内生产其仅在境外注册商标和企业名称、地址的婴幼儿配方乳粉，不得在国内生产标注为境外企业名称、地址的婴幼儿配方乳粉。(4)任何单位和个人不得采购或进口婴幼儿配方乳粉直接进行装罐、装袋、装盒，或者改变包装、标签生产婴幼儿配方乳粉。(5)婴幼儿配方乳粉生产企业不得使用相同的原料、辅料构成的同一种配方，生产不同产品名称的婴幼儿配方乳粉。

五、一些国家、地区和国际组织对婴幼儿配方乳粉管理的规定

（一）美国

美国联邦食品、药品、化妆品法案对婴幼儿配方乳粉作了专门规定，授权美国食品药品监督管理局（FDA）就婴幼儿配方乳粉的生产规定相关的良好生产规范，包括营养成分、保存记录、报告制

度等方面的制度要求。

美国婴幼儿配方乳粉由FDA负责管理，具体负责管理的部门是FDA下设的药品管理部中的婴幼儿配方乳粉管理中心。美国生产婴幼儿配方乳粉的企业都必须接受婴幼儿配方乳粉管理中心的监督管理。该中心执行严格的配方标准。所有适用于美国婴幼儿配方乳粉的材料，必须依托科学临床研究的营养成分，确保符合规定的营养需求，含量经化学检测达到规定水平，并经证实在整个有效期内符合要求。成分声称的支持性证据必须真实清晰，不能造成任何误解。

根据FDA发布的《关于婴幼儿配方乳粉的公告和检测导则》，生产婴幼儿配方乳粉的任何企业，在产品上市前90天必须将其配方、配料、临床试验报告等全部提交FDA审核，经FDA审核确认完全符合要求的乳粉方可入市。如果未提供，FDA有权采取强制行动制止销售。另外，FDA每年不定期对生产企业进行突击检查，从生产流程、操作记录、检测报告等全面检查企业是否符合要求。

（二）欧盟

欧盟委员会指令2006/141/EC对婴幼儿配方乳粉的营养素、农残、标签、广告等作了规定，各成员国可以直接适用。与生产普通食品的企业一样，婴幼儿配方乳粉生产企业应当按照欧盟卫生法（EC/178/2002）的要求向本国政府部门备案，生产过程建立在HACCP的基础上并确保微生物指标符合法律要求。

（三）澳大利亚

澳大利亚食品法典对婴幼儿配方乳粉作了规定，分通用规定、婴幼儿配方乳粉标准和特殊膳食用婴幼儿配方乳粉三部分。其中，通用规定规定了婴幼儿配方乳粉的概念、营养素计算方法、成分要求和标签包装要求。婴幼儿配方乳粉标准包括组成成分、蛋白质、维生素和矿物质。特殊膳食用婴幼儿配方乳粉分早产或低出生体重婴儿配方乳粉要求，对具有代谢紊乱、免疫低下等症状儿童配方乳粉作了规定。

（四）日本

日本没有对婴幼儿配方乳粉作出专门的法律规定。考虑到保护不满一周岁婴儿的实际需要，日本规定这些婴幼儿配方乳粉中的放射性物质限量值为其他食品中放射性物质限量值（100 毫西弗）的一半，即 50 毫西弗。日本对委托、贴牌、分装婴幼儿配方乳粉没有作出禁止性规定。

（五）我国台湾地区

我国台湾地区"食品卫生管理法"对特殊营养食品作出了规定，其中包括"婴儿配方食品及较大婴儿配方辅助食品"。婴儿配方食品指特制的母乳替代品，于采用适当的辅助食品前，单独食用即可满足出生至 6 个月内婴儿的营养需求。较大婴儿配方辅助食品指供逾 6 个月至 12 个月的较大婴儿，于断奶过程中，配合婴儿食品所使用的配方食品，但不适用于 6 个月以下婴儿单独使用。

我国台湾地区"食品卫生管理法"对婴幼儿配方乳粉的营养标示适用的规范、营养标示内容进行了规定，婴幼儿配方乳粉的营养标示除符合一般食品的营养标示外，还需要对其维生素、矿物质等进行明确标示。此外，还对婴幼儿配方乳粉的广告宣传和促销等作出了专门规定。

（六）国际食品法典委员会

国际食品法典委员会是联合国粮农组织和世界卫生组织在 1963 年为完善食品标准设立的委员会，下设若干分委员会，其中营养和特殊膳食用食品法典委员会主要负责包括婴幼儿配方乳粉在内的特殊膳食用食品标准、导则和法规的制定等。国际食品法典委员会认为，婴幼儿配方乳粉是指专门为满足出生后第一个月到添加辅食之前婴儿全部营养需求而生产的母乳代用品。该委员会制定了婴幼儿配方乳粉标准、特殊医用目的婴幼儿配方乳粉标准以及婴幼儿特殊膳食用食品中推荐使用的营养素化合物名单等。

保健食品管理的有关情况

近十几年来，随着经济社会的迅速发展，人们生活水平的不断提高，人们对健康、养生的需求日益增强，这种需求促进了保健食品行业的迅速发展。现将我国和一些国家有关保健食品管理的情况简报如下：

一、我国保健食品监管的基本情况

（一）定义及分类

保健食品是介于“食品”与“药品”之间的一类特殊食品。按照2005年原国家食品药品监督管理局发布的《保健食品注册管理办法（试行）》第二条的规定，保健食品是指声称具有特定保健功能或者以补充维生素、矿物质为目的的食品。即适用于特定人群食用，具有调节机体功能，不以治疗疾病为目的，并且对人体不产生任何急性、亚急性或者慢性危害的食品。这里所说的“特定保健功能”是指根据2003年卫生部发布的《保健食品检验与评价技术规范》，保健食品可以申报的功能包括增强免疫力、减肥、改善生长发育等27种（具体见附录）。

我国保健食品主要分为两大类：一类是添加了中药材的保健食品，约占保健食品总量的65%左右；另一类是国际通行的以补充维生素、矿物质为目的的营养素补充剂类产品，约占保健食品总量的35%。

据食药总局统计，截至2012年年底，全国已审批保健食品12000余种，共有保健食品生产企业2100多家，从业人员600多万人，年产值超过2800亿元。

（二）保健食品的监管依据

我国对保健食品的管理经历了从无到有、逐渐完善的过程。20世纪80年代，我国保健食品由于缺乏管理，陷入了无序发展的状态。为了规范保健食品的管理，1987年卫生部出台了《食品新资源卫生管理办法》，1990年将其修改为《新资源食品卫生管理办法》，虽然没有使用保健食品的概念，但将保健食品纳入新资源食品管理的范畴。新资源食品经过申报、检测、实验，发给批准证书，才可生产上市销售。1995年的食品卫生法首次明确了保健食品的法律地位，规定了保健食品管理的基本规则。该法规定："表明具有特定保健功能的食品，其产品及说明书必须报国务院卫生行政部门审查批准，其卫生标准和生产经营管理办法，由国务院卫生行政部门制定。""表明具有特定保健功能的食品，不得有害人体健康，其产品说明书内容必须真实，该食品的功能和成分必须与说明书相一致，不得有虚假。"在其后的几年中，卫生部先后制定了《保健食品管理办法》（1996年）、《保健食品通用标准》（1997年）、《保健食品良好生产规范》（1998年）、《保健食品检验与评价技术规范》（2003年）。2005年，原国家食品药品监督管理局制定了《保健食品注册管理办法（试行）》。随后，其又先后制定了《保健食品现场核查规定》、《保健食品生产经营企业现场监督检查指南》等规范性文件，使保健食品产业发展在一定程度上有章可循，有法可依。2009年颁布的食品安全法进一步明确了保健食品的法律地位，规定"国家对声称具有特定保健功能的食品实行严格监管。有关监管部门应当依法履职，承担责任。具体管理办法由国务院规定"，但相应的行政法规至今尚未出台。

（三）监管机构

2003年以前，我国的保健食品主要是由卫生行政部门负责监督管理。2003年，根据国务院机构改革方案，成立国家食品药品监督管理局，保健食品的审批权由卫生部转移到国家食品药品监督管理局，市场监管权仍由卫生部门行使。2008年，国务院将卫生部承担的保健食品监管权移交国家食品药品监管局，实现了审批权与监管权的统一。2013年第十二届全国人大一次会议批准了国务院机构改革方案，组建了国家食品药品监督管理总局，统一负责保健食品的监督管理。在保健食品的广告管理方面，广告审批权在国家食品药品监督管理总局，监督查处权在工商部门。

（四）监管内容

我国对保健食品实行严格的监管制度。主要体现在：

1. 产品的注册（审批）管理。在目前阶段，保健产品需要经过注册批准后才能上市销售。食品安全法虽没有明确保健食品必须经过注册后才能上市销售，但自1996年以来，我国对保健食品均实行注册制度。1995年颁布的食品卫生法（现已废止）规定："表明具有特定保健功能的食品，其产品及说明书必须报国务院卫生行政部门审查批准，其卫生标准和生产经营管理办法，由国务院卫生行政部门制定。"1996年3月，卫生部根据上述规定制定了《保健食品管理办法》。该办法规定，凡声称具有保健功能的食品必须经卫生部审查确认。研制者应向所在地的省级卫生行政部门提出申请。经初审同意后，报卫生部审批。卫生部对审查合格的保健食品发给《保健食品批准证书》。获得《保健食品批准证书》的食品准许使用卫生部规定的保健食品标志。2003年9月，保健食品审批职能由卫生部移转给原国家食品药品监督管理局后，该局于2005年发布了《保健食品注册管理办法（试行）》。该办法规定："保健食品注册，是指国家食品药品监督管理局根据申请人的申请，依照法定程序、条件和要求，对申请注册的保健食品的安全性、有效性、质量可控性以及标签说明书内容等进行系统评价和审查，并决定是否准予其注册的审批过程；包括对产品注册申请、变更申请和技术转让产品注册申请的审批。”根据该办法，拟申请注册的保健食品所声称的保健功能必须在原卫生部公布的27项保健功能范围内，申请人应当向确定的检验机构提供产品的研发报告、配方及其依据、生产工艺、功效/标志性成分及其含量、功能学检验等报告。检验机构按照规定的评价程序、方法和要求对样品进行安全性毒理学试验、功能学试验、稳定性试验等检验后为申请人发放试验报告，申请人取得检验机构的试验报告后方可申请产品注册。申请的功能范围不在27项范围内的，申请人应当自行进行动物试验和人体试食试验，对其功能学检验与评价方法及其试验结果进行验证后，出具试验报告。之后主管部门组织专家，依据评价结果结合配方合理性、工艺可行性和质量可控性以及科学文献对产品进行综合审查，对符合要求的颁发《保健食品批准证书》。保健食品批准证书有效期为5年。

此次的食品安全法(修订草案)对保健食品的审批注册制度作了较大修改。该草案第六十六条规定，使用新原料的保健食品和首次进口的保健食品应当经国务院食品药品监督管理部门注册。其他保健食品由省、自治区、直辖市人民政府食品药品监督管理部门实行备案管理。保健食品备案，备案人应当向食品药品监督管理部门提交产品配方、生产工艺、标签、说明书以及表明产品安全性和保健功能的材料。

2. 原料范围管理。2002年，卫生部制定了《既是食品又是药品的物品名单》(87种)、《可用于保健食品的物品名单》(114种)和《保健食品禁用物品名单》(59种)(上述三个名单见附录)。同时规定，允许以普通食品作为原料生产保健食品，但生产保健食品的原料不能在普通食品中使用。

2005年，为规范、统一营养素补充剂等申报与审评行为，原国家食品药品监督管理局根据《保健食品注册管理办法(试行)》,制定了《营养素补充剂申报与审评规定(试行)》、《真菌类保健食品申报与审评规定(试行)》、《益生菌类保健食品申报与审评规定(试行)》、《核酸类保健食品申报与审评规定(试行)》、《野生动植物类保健食品申报与审评规定(试行)》、《氨基酸螯合物等保健食品申报与审评规定(试行)》、《应用大孔吸附树脂分离纯化工艺生产的保健食品申报与审评规定(试行)》、《保健食品申报与审评补充规定(试行)》8 个与保健食品申报与审批相关的规定。此外,其在一定条件下允许使用经过安全性评价的新原料,但是必须按照有关规定提供该原料相应的安全性毒理学评价试验报告及相关的食用安全资料。

3. 对标签和说明书的管理。《食品安全法》、《保健食品注册管理办法(试行)》、《保健食品标识规定》(1996 年卫生部制定,目前仍有效)都对保健食品的标签和说明的内容、标识方式、标识要求等作出了规定。保健食品的标签和说明书除需符合国家的相关标准外,还根据保健食品的特殊性,提出了一些更加严格的要求,包括保健食品的标签、说明书不得涉及疾病预防、治疗功能,内容必须真实,不得以虚假、夸张或欺骗性的内容描述、暗示保健作用或具有治疗疾病的作用。标签、说明书内容应当载明产品名称、主要原辅料、保健功能、功效成分/标志性成分及含量、适宜人群和不适宜人群、食用方法及食用量、规格、保质期、贮藏方法和注意事项等内容。

4. 广告发布。2005 年,原国家食品药品监督管理局发布了《保健食品广告审查暂行规定》,规定保健食品生产经营者发布广告应当经过省、自治区、直辖市食品药品监管部门审查,经审查同意方可在报刊、电视等媒体发布。对广告违法行为由县级以上工商行政管理部门负责查处。

5. 生产管理。《保健食品注册管理办法(试行)》规定,申请注册保健食品所需要的样品,应当在符合《保健食品良好生产规范》的车间生产,其加工过程必须符合《保健食品良好生产规范》的要求。《保健食品良好生产规范》规定了企业的从业人员、设计与设施、原料、生产过程、成品贮存与运输以及品质和卫生管理方面的基本技术和要求。

6. 上市后的监管。国家食品药品监督管理总局对已经批准生产的保健食品可以组织监督抽查,并向社会公布抽查结果。

二、国外有关保健食品的管理情况

(一)美国

美国与保健食品类似的概念是膳食补充剂(Dietary supplement)。美国于 1994 年颁布了《膳食补充剂健康与教育法》和《膳食补充剂和非处方药消费者保护法案》,将膳食补充剂定义为:它是一种旨在补充膳食的产品(而非烟草),可能含有一种或多种膳食成分,维生素、矿物质、草本(草药)或其他植物、氨基酸,以增加每日总摄入量而补充的膳食成分,或是以上成分的浓缩品、代谢物、成分、提取物或组合产品等。同时产品可以是任何剂型,包括片剂、胶囊及粉状物等。

美国对膳食补充剂采取的是一种较宽松的监督管理方式,强调企业与行业协会的自律。对膳食补充剂无需上市前的安全性审批,而是实行备案制度,由企业对成分的安全性和产品功能声称的科学性负责,即只要生产商提出上市要求,向美国食品药品管理局(FDA)供安全性证实资料,FDA 对资料不需要进行审核,生产商即可上市出售,但是 FDA 发现产品存在安全问题时,可宣布该膳食补充剂为伪劣产品。对含有新膳食成分的膳食补充剂,生产商需要在销售前 75 天向 FDA 通报备案,并提供安全性证实资料,FDA 需要对新膳食成分的安全性进行审核,认为安全的才允许上市销售。

在美国,对食品的功能声称管理比较严格。食品标签上的声称可分为四类:健康声称、有条件的健康声称、营养素含量声称和结构/功能声称。其中,前三种声称须经 FDA 审查同意,而结构/功能声称则不需要经 FDA 审查同意,只需要在产品上市的30天前向 FDA 报送声称文本,但是在产品标签上必须同时注明该声称未经审评,该产品不可用于诊断、治疗或预防任何疾病的免责声明。因此,大多数膳食补充剂的生产商选择使用"结构/功能"声称。

(二)欧盟

在欧盟,与保健食品类似的概念是食品补充剂(Food Supplement)。欧盟委员会于2002年6月通过的《食品补充剂法令》中对于食品补充剂的定义为:"食品补充剂属于食品,由维生素、矿物质及其他物质组成,不含过多的热量,目的是补充正常膳食供给的不足,但不能替代正常的膳食,其销售的剂量形式上市以胶囊、锭剂、丸剂或其他相似形式,如包状粉剂、液体安培剂和滴剂等小单位量形式的一类物质。"

欧盟对食品补充剂实行比较宽松的准入制度。多数国家规定食品补充剂上市前30天(个别国家在上市前当天),生产企业应当向本国政府备案,政府不对食品补充剂进行审查注册。根据《食品补充剂法令》,食品补充剂的上市前备案管理并不是强制要求,各成员国可以选择是否备案。因此有些成员国不要求上市前进行备案,只实施上市后的监管,主管机构通常会定期进行市场监督检查,检查的范围包括成分、标签和声称等。如果发现违法情况,将采取产品下架、罚款等措施。

欧洲对于食品补充剂的管理主要体现在对健康声称的限制和规范上。欧盟委员会于2007年开始执行《食品营养与健康声称条例》,对营养与健康声称的定义、适用范围、申请注册、科学论证等内容作出了明确的规定。欧洲关于健康声称的管理实行列表与行政许可相结合的制度。目前,欧洲食品安全局已经确认了31种营养声称和222种健康声称。根据《食品营养与健康声称条例》规定，除降低疾病风险声称与促进少年儿童生长与健康声称需要行政许可外，其他一般性声称采用列表的形式，即凡列入允许使用健康声称范围内的，满足使用条件的食品均可标注，不需要经欧洲食品安全局评估；在列表范围外增加新的声称的，需要经欧洲食品安全局评估，并通过立法程序修改原来的声称列表。

（三）日本

日本的保健食品分为健康食品和保健功能食品，后者指介于医药和一般食品之间的具有某种保健作用的食品，又分为特定保健用食品和营养素功能食品。健康食品由日本健康·营养食品协会（JHFA）管理。其他保健食品由日本的厚生劳动省负责管理。2009年日本设立了消费者事务厅，负责原厚生劳动省对特定保健用食品的监督管理。

1991年日本建立了保健功能食品制度，以《营养改善法》（2003年修改为《健康增进法》）为依据，将保健功能食品正式纳入制度管理，规定了营养功能食品和特定保健用食品的概念及其管理、审批等制度。

日本对保健食品采取的是审批、备案和行业认定相结合的管理模式。（1）对特定保健用食品采取审批制度进行管理。特定保健用食品，是指具有调节机体功能或降低因生活习惯引起的健康风险作用，有安全性及有效性等相关科学依据，经审查并经消费者事务厅许可后，才能标示具体保健用途的食品。特定保健用食品需要接受关于其生理机能和特定保健功能方面的有效性及安全性审查，并且其有效性标识需要经过消费者事务厅的许可或承认。产品可以标示对机体的调节作用，主要包括胃肠功能、皮肤保护、心血管和免疫系统功能等。特定保健用产品原来要求须是普通食品形态，2011年许可使用片剂、胶囊剂型。（2）对营养功能食品（类似于我国的营养素补充剂类保健食品）采取备案制度进行管理。营养功能食品是指以补充特定营养成分为目的，并根据消费者事务厅制定的标准对该营养成分的机能进行标注的食品。其中营养成分的种类及含量必须符合消费者事务厅制定的标准，该类产品只需要向消费者事务厅备案，不需要取得许可即可上市销售。(3)对健康食品采取行业认定的管理。其他健康食品，既不像特定保健用食品需要由政府严格审批，也不像营养机能食品那样向政府备案，只要有利于健康即可在自律的基础上获得行业协会的认定，接受行业协会的监督管理即可生产、销售。这类健康食品是日本销售最大的一类保健食品。日本健康·营养食品协会对这类保健用食品的安全性、标签表示的内容进行认定，获得认定的产品可以标注 JHFA 的特殊标志，但不能有降低疾病危险性或增进健康的功能声称。目前，JHFA 已经为 60 种健康食品制定了规格标准。

附：

既是食品又是药品的物品名单

角茴香、刀豆、小茴香、小蓟、山药、山楂、马齿苋、乌梢蛇、乌梅、木瓜、火麻仁、代代花、玉竹、甘草、白芷、白果、白扁豆、白扁豆花、龙眼肉(桂圆)、决明子、百合、肉豆蔻、肉桂、余甘子、佛手、杏仁(甜、苦)、沙棘、牡蛎、芡实、花椒、赤小豆、阿胶、鸡内金、麦芽、昆布、枣(大枣、酸枣、黑枣)、罗汉果、郁李仁、金银花、青果、鱼腥草、姜(生姜、干姜)、枳椇子、枸杞子、栀子、砂仁、胖大海、茯苓、香橼、香薷、桃仁、桑叶、桑椹、桔红、桔梗、益智仁、荷叶、莱菔子、莲子、高良姜、淡竹叶、淡豆豉、菊花、菊苣、黄芥子、黄精、紫苏、紫苏籽、葛根、黑芝麻、黑胡椒、槐米、槐花、蒲公英、蜂蜜、榧子、酸枣仁、鲜白茅根、鲜芦根、蝮蛇、橘皮、薄荷、薏苡仁、薤白、覆盆子、藿香。

可用于保健食品的物品名单

人参、人参叶、人参果、三七、土茯苓、大蓟、女贞子、山茱萸、川牛膝、川贝母、川芎、马鹿胎、马鹿茸、马鹿骨、丹参、五加皮、五味子、升麻、天门冬、天麻、太子参、巴戟天、木香、木贼、牛蒡子、牛蒡根、车前子、车前草、北沙参、平贝母、玄参、生地黄、生何首乌、白及、白术、白芍、白豆蔻、石决明、石斛(需提供可使用证明)、地骨皮、当归、竹茹、红花、红景天、西洋参、吴茱萸、怀牛膝、杜仲、杜仲叶、沙苑子、牡丹皮、芦荟、苍术、补骨脂、诃子、赤芍、远志、麦门冬、龟甲、佩兰、侧柏叶、制大黄、制何首乌、刺五加、刺玫果、泽兰、泽泻、玫瑰花、玫瑰茄、知母、罗布麻、苦丁茶、金荞麦、金樱子、青皮、厚朴、厚朴花、姜黄、枳壳、枳实、柏子仁、珍珠、绞股蓝、葫芦巴、茜草、荜茇、韭菜子、首乌藤、香附、骨碎补、党参、桑白皮、桑枝、浙贝母、益母草、积雪草、淫羊藿、菟丝子、野菊花、银杏叶、黄芪、湖北贝母、番泻叶、蛤蚧、越橘、槐实、蒲黄、蒺藜、蜂胶、酸角、墨旱莲、熟大黄、熟地黄、鳖甲。

保健食品禁用物名单

八角莲、八里麻、千金子、土青木香、山莨菪、川乌、广防己、马桑叶、马钱子、六角莲、天仙子、巴豆、水银、长春花、甘遂、生天南星、生半夏、生白附子、生狼毒、白降丹、石蒜、关木通、农吉痢、夹竹桃、朱砂、米壳(罂粟壳)、红升丹、红豆杉、红茴香、红粉、羊角拗、羊踯躅、丽江山慈姑、京大戟、昆明山海棠、河豚、闹羊花、青娘虫、鱼藤、洋地黄、洋金花、牵牛子、砒石(白砒、红砒、砒霜)、草乌、香加皮(杠柳皮)、骆驼蓬、鬼臼、莽草、铁棒槌、铃兰、雪上一枝蒿、黄花夹竹桃、斑蝥、硫磺、雄黄、雷公藤、颠茄、藜芦、蟾酥(按笔画顺序排列)。

保健食品的功能范围

1. 增强免疫力；
2. 辅助降血脂；
3. 辅助降血糖；
4. 抗氧化；
5. 辅助改善记忆；
6. 缓解视疲劳；
7. 促进排铅；
8. 清咽；
9. 辅助降血压；
10. 改善睡眠；
11. 促进泌乳；
12. 缓解体力疲劳；
13. 提高缺氧耐受力；
14. 对辐射危害有辅助保护功能；
15. 减肥；
16. 改善生长发育；
17. 增加骨密度；
18. 改善营养性贫血；
19. 对化学性肝损伤的辅助保护作用；
20. 祛痤疮；
21. 祛黄褐斑；
22. 改善皮肤水分；
23. 改善皮肤油分；
24. 调节肠道菌群；
25. 促进消化；
26. 通便；
27. 对胃黏膜损伤有辅助保护功能。

有关专家对添加中药材的保健食品监管问题的意见

10月20日下午,法工委行政法室邀请北京中医药大学研究员高学敏,中国中医科学院副院长黄璐琦、中药资源中心办主任陈敏、研究员王智民等四位著名中医专家,专门对添加中药材的保健食品的监管问题进行了座谈。现将有关情况简报如下:

根据食品安全法修订草案的规定,除使用新原料和首次进口的保健食品外,保健食品实行备案管理。这一规定改变了目前所有保健食品均实行注册管理的规定。对添加中药材的保健食品实行备案管理,能否保证这类保健食品的安全性?与会专家给出了肯定的回答。他们表示,目前对保健食品的原料管理是比较严格的。2002年《卫生部关于进一步规范保健食品原料管理的通知》(以下简称《通知》)规定了三个名单:一是药食同源的物品名单;二是可用于保健食品的物品名单;三是保健食品禁用物品名单。并同时规定了申报保健食品所含有动植物物品(或原料)品种使用数量要求。对于第一个名单中的中药材,因为是药食同源,企业在保健食品的生产中是可以添加的,但生产一种保健食品所添加的中药材不得超过14种。对于第二个名单中的中药材,企业在保健食品的生产中最多可以添加4种,同时还要遵守每一种中药材最高使用量的规定,一般为药典规定治疗用量的1/2到1/3。如果在一种保健食品中同时添加这两个名单中的中药材,使用的中药材总数量不得超过14种。关于配伍禁忌问题，与会专家认为，第一个名单和第二个名单在制定过程中经过严格审定，基本遵循十八反、十九畏（中医口诀，泛指混用会产生副作用的中药材配伍禁忌）的中医传统理念，基本上都是可以随意配伍，只要遵循用量的规定是可以保证安全的。对于第一个名单和第二个名单之外，又不属于第三个名单的中药材，属于使用"新原料"的保健食品，按照修订草案的规定实行注册管理。根据《通知》的规定，使用此类动植物物品（或原料）个数不得超过1个，且该物品（或原料）应参照《食品安全性毒理学评价程序》（GB15193.1－1994）中对新资源食品的有关要求进行安全性毒理学评价。

与会专家认为，除使用新原料和首次进口的保健食品外，对其他的保健食品实行备案管理，符合行政审批制度改革的方向，有利于降低门槛、减少腐败，强化企业第一责任，并促进企业在市场竞争中优胜劣汰。在备案管理的大思路下，还应当在两个方面对制度加以完善：一是主管部门对可用于保健食品的物品名单应当制定得科学合理，除规定有关中药材名称之外，还要规定每一种中药材的最高使用限量，以及每一种保健食品允许添加的中药材品种限量，以确保安全。二是在备案管理中要求企业提交的有关产品安全性和保健功能的材料为社会第三方检测机构所出具，不能由企业自己证明其产品的安全性和有效性，以避免产生安全隐患。

10月22日上午，食药监总局法制司、食品监管三司的有关同志，来我室沟通对食品安全法修订草案的意见。他们认为对保健食品实行备案管理，在安全性方面没有什么问题，原则上也认同几位专家的上述意见，但是对保健食品功能声称的管理有担心。目前产品的保健功能声称需经过主管部门的事前审批。实行备案制管理后，企业可以自主声称产品的保健功能，主管部门不能再进行事前审批。如果企业随意声称，误导甚至欺骗消费者，可能造成保健食品市场的混乱，消费者的权益也得不到保障。为此建议按照从严管理的原则,在修订草案中明确规定:对补充维生素、矿物质等营养物质保健功能以及可以通过制定通用技术要求对产品的安全性和保健功能进行评价的保健食品,实行备案管理,对其他保健食品实行注册管理。

上海“福喜事件”及其对食品安全监管工作的启示

近期，媒体报道的上海“福喜事件”，引发舆论一片哗然，食品安全问题又一次成为社会热点和焦点，各方面在纷纷谴责肇事企业外，也对食品安全领域的风险管控、日常监管、责任追究等制度层面问题进行了反思和探讨。现综合多家媒体的报道、评论，将有关情况简报如下：

一、事件概况

2014 年 7 月 20 日，上海东方卫视播放了一则深度调查的“卧底”新闻。此前，上海福喜食品公司一名内部人员向媒体举报，称公司存在使用过期肉等违法问题。随后，记者进行了历时两个多月的“卧底”调查，发现上海福喜食品公司生产车间的员工将过期且已发青发臭的冷冻原料肉品用来加工肉制品并改写保质期限，还不时将掉在地上的原料肉品随手放回生产线。这些肉品在流水线上经过机绞、粉碎、调味、油炸等工序后，形成大批量形状整齐、色泽诱人的麦乐鸡块、牛排、汉堡肉等，售给肯德基、麦当劳、必胜客等知名大型连锁餐饮企业，再也看不出本来面目。

新闻播出当晚，上海市食药监局会同公安局等部门第一时间赶赴现场，责令该企业尚在运行的车间立即停止生产，对有关生产记录的文字材料和电子介质予以先行登记保存，查封了原料仓库、成品仓库中的所有货品，并询问相关人员，核查媒体报道中提及的主要违法事实。值得一提的是，执法过程在开始遇到了阻挠。当执法人员于19时30分到达厂区时，被保安阻拦，保安不认执法证，称“上级领导没有同意”就不能进入。直到21时05分左右监管人员才得以入厂；在生产车间，监管人员又被拦在仓库门外，工作人员声称自己的门禁卡不在身边，办公室多个抽屉也被锁上，电脑共享资料核查到一半，网络突然中断。

7月22日，上海市食药监局和公安局等部门组成的联合调查组初步查明福喜食品公司涉嫌组织实施违法生产经营行为，同时查扣了5批次问题产品，涉及麦乐鸡、迷你小牛排、烟熏风味肉饼、猪肉饼，共5108箱。23日，上海市警方依法对5名涉案人员予以刑事拘留。国家食药监总局要求福喜食品公司全面停产，并对福喜公司下游产品展开追查、控制。

7月28日，福喜集团主席兼首席执行官谢尔顿·拉文在上海举行发布会，向中国消费者和客户致歉，表示上海福喜食品公司的确存在与公司内部所要求的标准、生产流程以及公司政策背道而驰的行为。同时表示收回所有由上海福喜食品公司所生产的产品，针对现任以及前任高管人员进行调查，并在中国组建全新的管理团队，以确保业务符合全球标准和需求。但是，没有对有关赔偿问题进行回应。

福喜集团成立于1909年，总部位于美国芝加哥，在全球17个国家有50多家工厂，向超过85个国家和地区销售全生、半熟、全熟的鸡肉、牛肉、猪肉制品及各种烘焙蔬菜类食品，是世界上最大的肉类及蔬菜加工集团之一，也是麦当劳、肯德基、必胜客等连锁品牌的全球指定供应商。福喜集团1992年进入中国。其成立的第一家公司位于河北省大厂县，当时就是麦当劳在长江以北的唯一肉类供应商。此后，分别在山东、河北、河南、广东、云南、福建和上海开设了10家工厂。此前，福喜集团在中国声誉良好，是2008年北京奥运会奥运村的供货商之一,并于2014年获得了上海市嘉定区的表彰,被评为“嘉定新城(马陆镇)食品安全生产先进单位(A级)”。

二、事件引发的反思

“福喜事件”让广大消费者很受刺激:过去只是路边摊、小作坊不可靠,现如今连跨国公司都不敢信了。社会各方在声讨、谴责福喜食品公司之余,也对一些制度性问题进行了反思,期待能够痛定思痛,推动制度进步,尽快扭转食品安全严峻形势。

(一)如何加大处罚力度,不让企业心存侥幸

使用超过保质期的原料肉品显然是违法的,但福喜食品公司就是心存侥幸、知法犯法,视法律为无物。人民日报认为,事后的处罚不力,导致守法成本高于违法成本是类似事件屡屡发生的重要原因。再严格的监管也只能是抽检,总会有“漏网之鱼”。只有让企业违法行为暴露一次所付出的成本抵掉一万次侥幸逃脱所获得的利润,才能让企业不敢再心存侥幸。国内对企业违法违规行为的处罚往往是雷声大,雨点小,违法成本过低,甚至低过守法成本。中国社会科学网报道,以洋快餐为例,据媒体统计5年内一共被曝出17起食品安全事件,大部分以整改自查、道歉了结。仅有3次受到罚款处罚,有2次严肃处理了涉事餐厅。2011年,味千拉面被曝出汤底勾兑事件的非法添加行为,分别被罚款20万元和78.66万元,而当时味千拉面每天的利润就可达115万元。罚款对味千拉面来说是九牛一毛,因为按照我国法律,最高罚款金额为“货值金额五倍以上十倍以下”。在国外,情况就大不相同。2010年年底,德国西部北威州的养鸡场首次发现饲料遭致癌物质二噁英污染。对于这次二噁英事件中的肇事者,德国检察部门提起刑事诉讼,同时受损农场则提出民事赔偿,数额可能高达每周4000万至6000万欧元,完全可能让肇事者破产。

（二）如何落实监管部门失职责任追究

新华网报道，近几年来，食品安全问题一直是国人最大的痛楚之一，不论是毒奶粉还是瘦肉精猪，都是通过媒体曝光才揭穿黑幕。必须追问的是，相关职能部门为什么没能及早发现问题。食品安全治理首先要细化并加大对涉及失职渎职的地方政府、监管部门及其工作人员的问责追究，有效弥补食品安全监管的短板，消除食品安全治理体系中的“肠梗阻”。只有从法律上强化各级政府、监管部门及相关职能部门的监管责任，严格追究消极无为、滥用职权、玩忽职守人员的党纪政纪责任和法律责任，才能促使监管部门及其工作人员增强责任意识，提高履职能力，才能给他们施以严明的责任约束和沉重的责任压力，并通过他们将约束和压力传导到食品生产经营的各个环节，推动从源头上保障食品安全。

（三）如何加强监管能力

经济日报报道，食品监管部门手段落后、能力不足，已是不容回避的事实。在“福喜事件”的查处过程中，三个细节值得关注：一是这个公然造假的企业，竟被评为“嘉定新城（马陆镇）食品安全生产先进单位（A级）”；二是食品监督部门前往检查时，迟迟进不了企业的大门，直到公安机关出面才得以进入；三是监管部门对企业负责人进行约谈，要求提供经营和问题食品召回情况，对方依然不予正面回复，局面甚至“剑拔弩张”。这些细节至少暴露出：一方面，监管部门此前对福喜的监管是多么流于形式；另一方面，相对于企业造假时的隐蔽，监管者的执法手段是多么脆弱。可见，尽快完善从中央到地方直至基层的食品安全监管体制，加强基层执法力量和规范化建设，强化监管技术支撑和信息化水平等，已切切实实迫在眉睫。

（四）如何完善相关举报制度

南方周末报道，食品安全有时面临市场调节与政府监管的“双失灵”，必须寻找第三方力量，即发挥社会监督的力量。在这方面，可以借鉴西方的“吹哨人”制度。所谓“吹哨人”制度，即内部人爆料制度，作为知情人能够尽早发现问题，吹响哨声，从而大幅降低监管成本，对违纪违法企业则起到堡垒从内部攻破的作用。美国在19世纪末也面临着食品安全的问题，而“吹哨法案”则起到了保护告密者、鼓励公民参与的积极作用。该法案规定，司法部如果收到举报人投诉、告发，并决定作为原告起诉，举报人可以分到赔偿额的15%～25%，如果司法部不起诉，举报人可以自行调查、起诉，并可分到赔偿额的25%～30%，这种以经济利益驱动消费者参与的打假起到了很好的效果。我国虽然有与之类似的举报制度，但存在举报人的权益难以保护、缺乏利益驱动、举报线索利用率低等问题。因此，需要借鉴国外有益做法，继续完善相关举报制度，特别是有奖举报。

（五）如何发挥公众力量，实现食品安全社会共治

人民日报报道，要改变违法成本低、守法成本高的现状，除了加大处罚力度外，更需要强调食品安全社会共治，形成对违法违规者的多元威慑。食品安全法的实施是一个系统工程，绝不是执法机构单方的事。对劣质产品予以淘汰，这首先是公权的责任，同时也是市场的责任。正因如此，近年来，食品安全社会共治被充分强调，这正是当下保障食品安全所迫切需要的。在“福喜事件”中，无论下游企业是否知情，他们都有义务采用安全的原料生产食品，因此，消费者“用脚投票”的市场选择，必然使下游企业对供货商的食品安全形成强大的倒逼，这有利于食品安全秩序的形成。同时，民众的执法参与、法律诉讼，市场机制和社会组织功能的发挥等，也是社会共治的重要路径。食品领域的民众维权、公益诉讼，一定程度上可以提高违法者的违法成本，促使经营者自律；而消费者组织、行业协会等社会组织在法律实施中也具有独特功能。政府应从更广的视野去看待这些力量，对他们给予充分的支持和更大的生存空间。民众的执法参与，可以增加执法机构的执法能力，政府有必要合理引导，发挥其积极作用。

部分地方关于食品生产加工小作坊和食品摊贩监督管理的规定

食品安全法第二十九条第三款授权省级人大常委会制定食品生产加工小作坊和食品摊贩(以下简称食品小作坊和摊贩)从事食品生产经营活动的具体管理办法。根据该规定,目前,共有15个省、自治区、直辖市制定了相应的法规或者其他规范性文件。其中,省级人大常委会出台专门的食品小作坊和摊贩监督管理条例或办法的有山西、吉林、河南、湖南、宁夏五个省、自治区,在出台的食品安全法实施条例或办法中设专门的章节对食品小作坊和摊贩监督管理进行规定的有黑龙江、上海、浙江、贵州、北京五个省、直辖市;省级人民政府出台食品小作坊和摊贩监督管理规范性文件的有内蒙古、安徽、山东、广西、甘肃五个省、自治区。现将各地关于食品小作坊和摊贩的监督管理规定简报如下。

一、关于概念界定

(一)食品小作坊的界定

对食品小作坊的界定,一般包含了四个要素:有固定生产加工场所、从业人员较少、生产条件简单、依法从事食品生产加工。比如,宁夏规定食品小作坊是指固定从业人员较少、有固定生产经营场所、生产条件简单、从事食品生产加工的单位或者个人。山东、内蒙古、河南关于食品小作坊的概念排除了现做现卖的情形。除了前述四个界定要素外，山西、内蒙古将达不到国家规定的食品生产加工企业许可要求作为界定要素；有的地方还从生产加工的食品角度对食品小作坊进行界定，山东规定其从事的是传统食品生产加工，吉林、广西规定其产品无预包装或者简易包装。

湖南、广西、山西将食品小作坊定性为经营者，宁夏、山东将其定性为单位和个人，河南则定性为个体工商户。

山西根据是否提供餐饮服务将食品小作坊分为餐饮服务类和非餐饮服务类。餐饮服务类食品小作坊是指即时制作加工、销售食品并向消费者提供消费场所及设施的小作坊。湖南根据是否现做现卖将食品小作坊分为制售分离类和现场制售类。制售分离食品小作坊是指生产加工场所与销售场所相分离的食品小作坊，现场制售食品小作坊是指在同一场所或者紧密连接的场所，现场即时加工制作并直接零售食品的小作坊。

（二）食品摊贩的界定

各地一般将食品摊贩界定为没有固定经营场所、从事食品销售或者提供餐饮服务的经营者。比如，湖南规定食品摊贩是指不在固定门店从事食品流通或者提供餐饮服务的经营者。河南、吉林还将在批准的地点和规定的时间内经营作为界定食品摊贩的要素。

各地一般将食品摊贩定性为经营者，山西将其定性为生产经营者，宁夏则定性为个人。

山西、河南、湖南根据是否提供餐饮服务对食品摊贩进行了分类。山西将其分为餐饮服务类和非餐饮服务类，餐饮服务类食品摊贩是指即时制作加工、销售食品并向消费者提供消费场所及设施的摊贩。河南、湖南将其分为流通类和餐饮类，流通类食品摊贩是指零售预包装食品或者散装食品的摊贩，餐饮类食品摊贩是指以烹饪等方式现场制售直接入口食品、提供餐饮服务的摊贩。

二、关于管理体制

各地一般规定，县级以上人民政府统一领导、组织、协调食品小作坊和摊贩的监管工作，并按照生产、流通、餐饮服务分段监管的原则规定了相应的监管部门，基本与食品安全法的规定一致。比如，河南规定质量技术监督部门负责食品小作坊、工商行政管理部门负责流通类食品摊贩、食品药品监督管理部门负责餐饮类食品摊贩的食品安全监管工作，卫生部门负责食品安全风险监测和评估工作。

有的地方规定了乡镇人民政府、街道办事处的监管职责，主要包括：加强对食品小作坊和摊贩的日常巡查，及时制止违反食品安全法律法规的行为，协助有关部门作好食品小作坊和摊贩的日常监管和宣传指导工作（山西、湖南、宁夏、吉林、浙江、河南）。河南、湖南、浙江还规定了村（居）民委员会、社区的监管职责，主要包括：做好食品安全法律法规和相关知识宣传，开展经常性巡查，对食品安全违法行为进行劝诫，向监管部门报告食品安全违法行为和食品安全隐患，协助有关部门和乡镇人民政府、街道办事处做好食品摊贩基本信息收集等相关工作。

三、关于监管制度

（一）资质管理

大部分地方对食品小作坊实行许可制度（宁夏、吉林、山西、甘肃、浙江、上海、北京、黑龙江、贵州）。湖南对制售分离食品小作坊实行许可制度，对现场制售食品小作坊实行登记制度。河南、广西对食品小作坊实行备案制度。

大部分地方对食品摊贩实行登记制度（吉林、甘肃、山西、上海、北京、湖南），河南、贵州对其实行备案制度。

（二）其他管理制度

1. 品种目录管理制度。黑龙江、北京规定监管部门应当制定准予食品小作坊生产加工的食品目录，贵州、吉林规定监管部门应当编制食品小作坊禁止生产的品种目录。湖南规定食品小作坊禁止生产经营乳制品、罐头制品、果冻等食品，专供婴幼儿、老年人、病人、孕产妇等特定人群的食品，声称具有特定保健功能的食品。北京规定对食品摊贩经营的食品品种实行目录管理。

2. 食品摊贩定点定时经营制度。有的地方规定县级人民政府划定区域、规定时段供食品摊贩从事经营活动（北京、湖南、贵州、河南、浙江、吉林）。

3. 违法行为有奖举报制度。宁夏、湖南、山西规定监管部门应当公布联系方式，接受举报，对举报属实的，给予奖励。

4. 食品安全信用档案制度。湖南、宁夏规定监管部门应当建立食品小作坊和摊贩食品安全信用档案，记录许可颁发、日常监督检查结果、违法行为查处等情况；根据食品安全信用档案的记录，加强对有不良信用记录的食品小作坊和摊贩的监督检查和整改指导。

关于高毒农药管理的有关情况

最近,就食品安全法修改涉及的高毒农药管理问题,农业部给我委提供了相关材料。现将该材料整理简报如下。

一、我国高毒农药禁限用情况

由于高毒农药对人畜和环境具有较大的危害性,我国对高毒农药采取了严格的管控措施。20 世纪 80 年代以来,我国已先后禁用了 33 种高毒高风险农药(具体名单见附件),并规定高毒农药不得用于蔬菜、水果等鲜食农产品。目前高毒农药使用量占农药使用总量的比重已降至 3% 以下,比 21 世纪初下降 30 多个百分点。

对仍在使用的高毒农药,国家采取措施加强管控。目前,我国仍在大田中使用的高毒农药有 12 种(具体名单见附件)。国家推行高毒农药定点经营制度,明确登记使用范围仅限于必需的特定用途。比如磷化铝是目前防治储粮害虫的主要化学药剂,农业部明确磷化铝的使用剂型为片剂,使用对象仅限于粮食企业,粮食部门制定了安全使用操作规程,实行专业化防治,既保证了粮食安全,又控制了使用风险,多年监测均未发现残留。

二、当前全面淘汰高毒农药的条件尚不具备

目前,我国尚不具备全面禁用高毒农药的条件,原因主要有三:一是地下害虫、线虫、仓储害虫等病虫主要依赖高毒农药防治,新农药开发周期长，短期内难以找到理想的替代品种，全面禁用高毒农药将会影响农业生产安全和粮食安全。二是高毒农药并不必然带来高风险。有些高毒农药成本低、效果好、残留低，只要严格按照要求使用，既不会影响农产品质量安全，也不会影响生态环境安全。三是有效应对爆发性病虫害，需要高毒农药用于应急处置。

从世界范围来看，欧美等发达国家也没有全面禁止高毒农药，一些高毒农药品种仍在登记使用，只是根据生产需要对其使用范围进行限制。如甲拌磷，在我国主要用于杀灭棉花、小麦等作物的地下害虫，在美国仍在马铃薯、甘蔗、棉花、花生、玉米、甜菜、大豆等作物上使用；又如灭多威，在美国仍可在芹菜、生菜、青花菜、菜花、甘蓝等蔬菜上使用。

三、进一步加强农药管理的具体措施

国家将继续采取措施，加强对高毒农药的管理，最大限度减轻其对人畜健康、环境安全及农产品质量安全的影响。一是逐步淘汰削减现有高毒农药。对目前仍保留的 12 种高毒农药，按照“时机成熟一个、禁用一个”的原则，分期分批淘汰。二是加快高毒农药替代产品研发推广。鼓励科研和农药企业开展联合攻关，加快研制具有自主知识产权的高毒农药替代产品。三是加强高毒农药管理。加大农药市场监督抽查力度，严厉打击制售禁用农药、违规添加高毒农药等行为，确保农民用上质量可靠的放心农药。目前，正在对《农药管理条例》进行修订，拟设立高毒农药定点经营制度，加强高毒农药定点经营使用管理。四是加强科学用药指导服务。及时发布农作物病虫害防治用药指导目录，向农民推荐安全、高效、实用的农药品种。大规模开展病虫害统防统治和绿色防控，提高农药利用率和病虫防治效果，保障农产品质量安全和生态环境安全。

附件

禁止使用的高毒高风险农药名单
（33 种）

六六六，滴滴涕，毒杀芬，二溴氯丙烷，杀虫脒，二溴乙烷，除草醚，艾氏剂，狄氏剂，汞制剂，砷、铅类，敌枯双，氟乙酰胺，甘氟，毒鼠强，氟乙酸钠，毒鼠硅，甲胺磷，甲基对硫磷，对硫磷，久效磷，磷胺，苯线磷，地虫硫磷，甲基硫环磷，磷化钙，磷化镁，磷化锌，硫线磷，蝇毒磷，治螟磷，特丁硫磷。

在大田中使用的高毒农药品种
（12 种）

甲拌磷，甲基异柳磷，克百威，硫丹，灭多威，灭线磷，杀扑磷，水胺硫磷，涕灭威，氧乐果，溴甲烷，磷化铝。

欧盟食品安全法律制度有关情况

为做好食品安全法修订的立法工作,6 月 9 日至 11 日,行政法室和国家食药总局法制司的部分同志赴布鲁塞尔欧盟总部调研欧盟食品安全法律制度。代表团与欧盟委员会健康和消费者事务总司及贸易总司、欧洲食品和饮料协会、欧盟食品安全法专家进行了交流,了解了欧盟食品安全法律制度的有关情况,现简报如下:

一、总体情况

农业—食品产业是欧盟经济的第二大组成部分,从业人员 4800 万,产值 7500 亿欧元。伴随着欧洲一体化进程,欧盟的食品安全法律制度逐步建立和完善起来。欧盟的食品安全法律旨在为食品安全制定统一的规则,确保安全和有益健康的食品在欧盟市场上自由流通,预防和处置食品安全事件,为消费者的生命和健康提供高水平的保护,提高欧盟食品在全球市场上的竞争力。

欧盟食品安全法主要源自于欧盟条约(Treaties)和欧盟理事会、欧洲议会、欧盟委员会(以下称欧委会)通过的条例(Regulations)、指令(Directives)、决定(Decisions)。其中,2002 年欧盟通过的第 178 号条例和 2004 年通过的第 852、853、854、882 号条例是欧盟食品安全领域最主要的法律文件。178 号条例通常称为“一般食品法”,该条例确立了欧盟食品法的一般原则和要求,建立了欧洲食品安全局,规定了处理食品安全事件的程序。852 号条例规定了危害分析和关键控制点(HACCP)等食品生产经营的卫生要求。853号条例规定了对动物源性食品的专门卫生要求。854号条例规定了对动物源性食品官方控制组织的专门规则。882号条例规定了对食品和饲料进行官方控制的方法和程序。上述条例对欧盟各国具有直接约束力,不需要再转化成其国内法。此外,欧盟还发布一系列有关食品安全的指令,只规定某个要达到的目标和期限,由成员国通过制定国内法落实。

欧盟食品安全法的基本原则包括:(1)实行"从农田到餐桌"(From Farm to Fork)全程控制,涵盖农业—食品产业各个链条。(2)为人类健康提供高水平的保护。(3)以风险分析(Risk Analysis)为基础,实行相对独立的风险评估(Risk Assessment)和风险管理(Risk Management)。(4)风险预防(Risk Precaution),即在没有充分科学证据证明存在健康危害的情况下,为实现高水平的健康保护,可以采取必要的风险管理措施。(5)公开透明,包括政府选择恰当的方式告知公众可能存在的食品安全风险和采取的措施,企业向消费者提供充足、准确的产品信息。(6)产品可追溯,保证所有食品、饲料、食用动物、添加剂能够追根溯源。(7)强调食品生产经营者是保证食品安全的第一责任人。

二、监管体制

欧盟的食品安全监管分为欧盟和成员国两个层面。欧盟层面主要负责制定法令、政策、标准,并对成员国的执行情况进行监督,成员国各自负责本国范围内的食品安全监管。在欧盟层面,具体负责食品安全的机构包括欧洲食品安全局(EFSA,以下简称食安局)、欧委会健康和消费者事务总司(DG SANCO,以下简称健康总司)、食品和兽医办公室(FVO,以下简称食品兽医办)、食品链和动物健康常设委员会。在成员国层面,由一个或者多个部门负责食品安全监管。

（一）食安局。位于意大利，是欧盟负责食品安全风险评估、提供科学证据和科学建议的独立机构，与欧盟其他机构及各成员国合作，以促进风险评估、风险管理、风险交流的一致性。食安局设有10个科学专家组和1个科学委员会。科学专家组负责各自专业领域内的食品安全风险评估，科学委员会负责支持科学专家组的工作，尤其是在跨专业的新领域。科学小组和科学委员会的专家来自于大学、科研机构和成员国主管机构，每3年更新一次。食安局还建立了外部专家库，必要时会邀请外部专家协助进行风险评估。其管理机构是管理委员会及执行主任，此外还设有若干工作组，承担技术保障工作，共约450名工作人员。

（二）健康总司。该总司（相当于"部"）是欧委会负责食品安全监管的核心部门，共约960名工作人员，下设食品链安全司、兽医和国际事务司、食品兽医办等机构。欧盟的食品安全法令、政策、标准的起草和对成员国的日常监督和协调工作都由健康总司负责。

（三）食品兽医办。位于爱尔兰，是健康总司下相对独立的机构，共约160名工作人员，其中约80名是负责定期进行现场检查的检查员。主要职责是保证欧盟食品安全法律在各国执行的一致性，对成员国和向欧盟出口的第三国的食品安全监管体系和遵守欧盟食品安全法律的情况进行监督检查，定期公布监督检查情况，并对有关国家提出改善建议。

（四）食品链和动物健康常设委员会。该委员会负责协助欧委会提出食品安全监管措施，由各成员国的代表组成，欧委会的代表担任委员会主席，委员会内按专业分为8个小组。欧委会采取某项监管措施，必须获得委员会中成员国代表特定多数同意。如果未获得特定多数同意，该监管措施将交由欧盟理事会表决。

（五）成员国主管部门。成员国主管部门依照欧盟法律和本国法律具体实施食品安全监管，包括对食品生产经营者的检查、处罚等。各成员国主管部门之间在欧盟的框架内开展执法协作。

三、具体制度

（一）风险评估和风险管理。不同于美国由食品药品监管局（FDA）同时负责食品安全风险评估和风险管理的模式，欧盟强调风险评估和风险管理相互独立，分别由不同的机构负责。其中，欧盟层面的风险评估主要由食安局负责，风险管理包括制定和修改法规、政策、标准等，主要由欧委会及健康总司负责。食安局根据欧委会、欧洲议会和成员国的请求，基于科学证据进行风险评估，提供独立的科学建议，并独立进行相关的风险信息交流，公布和解释风险评估报告，不受欧盟其他机构及成员国的控制。同时，欧委会等机构在进行风险管理时，也并不受食安局风险评估意见的约束，而是要综合考虑风险评估意见和经济、社会可承受能力等各种因素。当然，食安局的评估意见是欧盟机构和成员国进行风险管理最重要的科学依据。

（二）食品安全标准。欧盟的食品安全标准都是通过立法程序制定和公布，即由健康总司起草，并征求食安局、行业协会、消费者协会等各方面的意见，再经欧委会、食品链和动物健康常设委员会、欧盟理事会和欧洲议会的同意，最后以欧盟法令的形式公布和实施。为保证欧盟市场的统一，在已有欧盟标准的情况下，成员国不得再制定与欧盟标准冲突的本国标准。欧盟没有制定相应标准的，成员国可以制定本国标准。

（三）食品生产经营者。欧盟所有食品生产经营者都要在所在国进行登记，其中生产经营动物源性食品或者欧盟法、成员国法规定的需经审批的食品的，要事先经过主管部门批准方可生产经营。根据欧盟一般食品法，除农场以外的食品生产经营者都应当实施危害分析和关键控制点（HACCP）管理，但允许一些小企业在具体实施上灵活掌握。

（四）食品添加剂。欧盟建立了食品添加剂统一清单，只有经批准列入食品添加剂统一清单的添加剂（含食品用酶、食用香料）方可投入使用，并且在其使用中应严格遵照使用标准。任何人不得将含有未经允许使用的添加剂的食品投放到市场。对现有的食品添加剂申请新的用途以及申请使用新的食品添加剂，申请者需向欧委会提交正式申请，其中应载明使用目的以及证明使用安全的科学数据，如申请被受理，欧委会将正式要求食安局对其进行安全评估。新的食品添加剂通过安全评估后，最终由欧委会通过立法将其列入允许使用的食品添加剂统一清单，同时在清单中明确添加剂的使用标准。

（五）食品相关产品。在欧盟，食品包装、用于食品生产经营的工具设备、餐具等接触食品的产品材料必须保证安全，不得引起任何化学反应从而改变食品的味道、外观、质感或者化学成分。其中，食品塑料包装等材料需要经食安局评估和欧委会批准后方可使用。

（六）特殊人群用食品。欧盟对供婴幼儿等特殊人群食用的食品有严格的规定，以保证其适当的营养构成。但是，对婴幼儿配方乳粉的配方没有规定评估和批准程序，只是规定其中的添加剂和健康声称需要经评估和批准。对于婴幼儿配方乳粉的委托、分装、贴牌等生产方式，欧盟也没有禁止性规定。

（七）转基因食品（GMO）。欧盟严格控制转基因食品上市。所有上市销售的转基因食品必须事先经食安局评估和欧委会批准。所有包含转基因成分的食品都必须在标签上标示转基因成分，除非转基因成分是不可避免的、非有意添加的，且转基因成分的含量不超过0.9%，方可不作标示。转基因标示义务不适用于喂食转基因饲料的动物产品。

（八）新型食品（Novel Food）。在欧盟，新型食品是指在1997年以前没有在欧盟国家食用的食品。所有的新型食品都需要经过食安局评估和欧委会批准的程序。但是,对于来自欧盟以外国家的传统食品,只要能够证明在所在国有25年以上的安全食用记录,可以在进口时免除评估程序。

(九)营养和健康声称。根据欧盟法令,在食品标签或者广告中声称营养或者健康功能,必须事先经食安局评估确认有科学依据。其中营养声称(Nutrition Claim)是指所有表明或者暗示该食品拥有特别有益的营养比例的声称,如低热量、高钙、不含钠等。健康声称(Health Claim)是指表明或者暗示某类食品或者食品中的某一成分与健康存在关联的声称,如某种食品或者成分有助于增强抵抗力、放松身心、减肥等。目前食安局已经确认了31种营养声称、222种健康声称,这些声称已经通过欧盟立法程序列入了允许声称的目录,并规定了相应标准。对符合标准的食品作出已经列入目录的声称,不需要再经食安局评估;在目录中增加新的声称,仍需经食安局评估,并通过欧盟立法程序修改目录。与上述声称不同,降低疾病风险的健康声称和与儿童健康和发育有关的健康声称在产品上市前必须经食安局逐个进行评估,并经欧委会批准。任何食品不得声称治疗功能,否则,按药品进行管理。

(十)食品追溯。欧盟要求其成员国所有食品和饲料生产经营者必须在供给链的每个环节登记食品和饲料或者会成为食品或饲料组成成分的物质的来源和去向,此类信息要保存5年以上,并能随时向主管部门提供,以此保证一旦出现问题食品,欧盟能够立即做出反应,及时阻断问题食品的继续扩散。

(十一)食品召回。欧盟食品安全法律区分收回(Withdraw)和召回(Recall)。当生产经营者发现其生产经营的食品有害健康时,应当立即从市场上收回所有涉及的食品,并通知主管部门;当食品已到达消费者手中时,应当进行召回。

(十二)食品进出口。进口食品由成员国主管机关在欧盟边境口岸依照欧盟法令实施控制。一般根据进口食品安全风险的大小,采取不同的管理措施、抽检不同的样品比例。例如,活体动植物必须从指定的入境口岸经检验检疫后进入欧盟境内,动物源性食品等高风险食品必须附有出口国官方出具的检验检疫合格证明。对于出口到欧盟以外国家的食品,欧盟成员国原则上也要进行检验、抽查等管理,以确保出口食品的安全,从而提高欧盟食品在国际上的竞争力。出口食品原则上应当同时符合欧盟标准和进口国标准,除非进口国主管当局或者进口国法规或者双边协议有其他要求。

(十三)食品和饲料快速预警系统(RASFF)。RASFF 建立于 1979 年,并在 2002 年欧盟一般食品法中得到完善,是欧洲地区保障食品安全的重要信息交流平台,成员包括欧委会、食安局、欧盟成员国和欧洲自由贸易联盟成员国,并与世界 120 多个国家和地区建立了信息通报联系。RASFF 每年通报的信息数量超过 3000 条,包括已被确认存在风险的食品信息、已被拒绝入境的食品信息、可能入境的存在风险的食品信息等。

四、几点体会

(一)法律要增强可操作性。有了可操作性,法律才有生命力。欧盟食品安全法律给我们的感受之一就是既有原则性的规定,又有非常具体详细的规定,许多法令本身就是一个技术标准,非常有可操作性。例如,2005 年的第 2073 号条例就是专门的食品中微生物的标准,成员国主管机关完全可以直接拿来执法,不需要再制定实施细则。正是这个原因,欧盟食品安全法律在欧盟国家发挥着越来越重要的作用,越来越多地影响着人们的日常生活。现在保障欧盟国家食品安全的主要规则已不再是成员国法律,而是欧盟法律。根据欧盟专家及官员的介绍,欧盟法律在成员国实际执行的食品安全法律中占的比例在 60% ~90% 之间(不同国家比例不同)。可以说,在食品安全领域,欧盟法几乎无处不在,并且还在继续发展。联系到我国的食品安全法修订,进一步增强可操作性,也应当是修订的重要内容。只有增强了可操作性,食品安全法才能在执法实践中更好地发挥作用。

(二)食品链各环节要实行协调、统一的监管。"从农田到餐桌"全程控制,食品安全才有保证。"从农田到餐桌"是欧盟食品安全法律的基本原则,欧盟一般食品法等法律除了规范加工食品的生产经营,还同时规范食用农产品的生产经营,加工食品和食用农产品的风险评估、标准制定等都执行同一套程序。在欧盟,从农场中初级农产品的生产,到食品厂的食品加工,再到超市、餐馆的终端消费,其中的所有环节、所有可能进入食品中的物质都受到统一、严格的监管。我国的食品安全监管体制经过改革,减少了监管部门,加强了统一监管和部门间的衔接,但仍然存在食用农产品和食品两个法律、两个部门、两套体系的问题。食用农产品中农药、兽药残留、重金属超标等源头上的问题,是现阶段我国食品安全领域的突出问题之一。要大大提升我国的食品安全水平,必须要注重源头治理,解决好食用农产品的安全问题。因此,此次修订食品安全法,要处理好食品安全法和农产品质量安全法的关系,促进相关制度的协调、统一,努力实现两部法律的无缝衔接。

(三)风险分析是食品安全法律制度的核心。在欧盟,全部食品安全监管活动都是围绕着食品安全风险的评估、管理和交流展开的。其中,风险评估以科学证据为依据,遵循独立、客观、透明的原则。风险评估机构和风险管理机构各自从不同角度作出判断,分别与公众进行风险交流,相互独立,同时又密切协作,共同致力于保证食品安全。我国食品安全法确立了食品安全风险监测和评估制度,借鉴了风险分析的先进理念,但是在风险评估、风险管理、风险交流的具体制度上,还需要进一步补充完善。例如,如何保证食品安全风险评估机构以及专家的独立性、专业性、权威性，如何开展食品安全风险评估信息交流？对于这些问题，既要借鉴国际经验，又要结合中国国情，才能找到切实可行的方案。

西班牙、葡萄牙食品安全法律制度有关情况

为做好食品安全法修订的立法工作,6 月 12 日至 17 日,行政法室和国家食药总局的部分同志赴西班牙和葡萄牙,考察两国的食品安全法律制度。考察期间,代表团访问了西班牙消费者事务和食品安全营养局、西班牙农业食品及环境部、葡萄牙农业与海洋部,以及葡萄牙议会的专门委员会——农业与海洋委员会,与有关官员和议员进行了座谈交流。西班牙和葡萄牙都是欧洲传统的农业国,农业和食品工业在其本国经济中都占有非常重要的地位,近年来与中国的农业和食品贸易发展迅速,所以两国有关部门对代表团的来访都非常重视。西班牙消费者事务和食品安全营养局执行主任 Angela Lopez de sa 女士、葡萄牙农业与海洋部副部长 Nuno Vieira de Brito 先生亲自会见代表团并出席座谈会,为代表团介绍本国食品安全法律制度的有关情况,现简报如下:

一、西班牙食品安全法律制度的有关情况

(一)立法情况

在立法方面,西班牙总体上执行欧盟的食品安全法律,同时也制定少量本国的食品安全立法,如 2008 年颁布了《动物健康法》、2011 年颁布了《食品安全与营养法》。此外,今年西班牙还考虑制定《市场统一保障法》,主要规范包括食品在内的各种商品在流通

环节的监督管理。

（二）监管体制

西班牙消费者事务和食品安全营养局（AECOSAN，以下简称食安局）隶属西班牙卫生和社会事务部，是2014年由原食品卫生和营养署和国家消费局合并而成立的。该局主要职责包括：推动执行欧盟和本国各项食品安全政策措施、研究食品安全问题、向消费者宣传食品安全知识、协调食品安全预警机制、为政府食品安全方面的决策提供技术支持、保护消费者权益等，并在食品安全领域代表西班牙参加欧盟及相关国际组织的活动。在西班牙，食安局作为主要的食品安全监管机构，负责初级农产品生产环节以外的食品安全监管工作。此外，食安局还负责协调地方各级政府机构的食品安全工作。目前该机构共有400人，其中250人负责食品安全工作。

西班牙农业食品及环境部（MAGRAMA，以下简称农业部）主要负责动植物健康、农药残留和兽药控制、植物农药的注册批准等，对初级农产品的生产实行监管，在农业领域代表西班牙参加欧盟及相关国际组织的活动。西班牙农业部负责初级农产品生产环节的监管，具体包括"挤奶、狩猎、打渔、野生采集、动物养殖、在生产地不改变性质的运输、储存、加工，以及活体动物运输到屠宰场之前的监管"。例如在鲜奶生产方面，农业部负责鲜奶自挤出到运出奶牛场阶段的监管，其后的监管工作由食安局负责；蜂蜜生产方面，农业部负责蜂蜜收集、过滤环节，蜂蜜的混合、加工环节的监管由食安局负责。

（三）风险评估和风险管理

西班牙食安局成立了由各部门代表、地方政府（自治区）代表、消费行业协会代表组成的局理事会，负责风险评估、风险管理，以及食品风险信息发布工作。该理事会下辖5个处室（2个风险评估、3个风险管理），以及2个国家标准实验室，并成立了作为第三方机构的科学委员会具体负责风险评估。科学委员会主要是由来自各大学的专家组成,由局理事会任命(任期 2 年,可连任两届)。科学委员会一般是在理事会下达命令后进行风险评估,风险评估的周期一般为 5 个月。评估结束后,科学委员会把评估报告上报给理事会。企业在新型食品(指 1997 年前未在欧盟上市的食品)上市时,可以遵循程序向食安局提出评估申请,但要支付一定的评估费用。风险评估报告通常由科学委员会在其杂志上公开出版,对于那些有可能引起公众恐慌的评估报告内容,往往要在出版前由相关部门通过媒体向公众进行解释说明,避免引起公众不必要的恐慌。

西班牙重视对养殖场、屠宰场的风险管理。按照法律要求,养殖场可以雇佣职业兽医,而屠宰场必须有官方兽医驻场。对登记在册的 50 万家养殖场,农业部一般按照 3% 的比例进行监督抽查。对那些存在较高风险的养殖场,农业部会加强监督抽查的频率。养殖场的风险高低也有一套比较科学的风险评分机制,农业部会根据养殖场的违法记录、是否有兽医合作体系、是否属于疫病多发地区等进行打分评定。

按照欧盟统一要求,西班牙农业部对本国饲养的牲畜进行身份标识管理,与食安局合作,建立牲畜从出生到屠宰整个流程的可追溯机制。现在该国已基本建立了牛、羊、马的个体信息身份注册系统(耳标),对禽类、猪、兔等的按批次识别标识也在逐步推广完成。

(四)食品企业登记管理制度

西班牙对食品企业实行登记管理。经营食品的超市和餐馆由地方政府部门负责登记管理,食品的生产企业全部在中央层面,由食安局进行登记,其中生产动物食品的企业要事先经过食安局的审批。

(五)特殊食品的管理

在西班牙,特殊食品包括两类:一类是特殊营养用途食品,是指本身成分或者生产过程比较特殊，旨在满足特定人群需要的食品，主要包括四种：继续哺乳食品；1～3岁幼儿食品；药用食品，如氨基酸等；低热量、减肥食品。另一类是功能食品，种类非常多，主要包括：添加维生素、矿物质的食品；膳食补充剂和新型食品。对于食品中允许添加的维生素、矿物质，欧盟有统一目录，生产属于添加了目录之内的维生素、矿物质的食品，厂家不用报批，但添加目录之外的物质，要经过欧盟食品安全局的评估。在管理上，所有的特殊食品均需要进行注册，生产企业在食安局注册后可以直接生产上市，但需在3个月内接受食安局的检查，没有问题的才能继续生产（一般食品，无须注册，只需要在食安局网站进行备案即可）。此外，任何标有营养功能食品和功能食品的标签均不得宣称“治疗、治愈或者预防”某类疾病的功能。

（六）信息发布

作为政务透明的重要举措，西班牙食安局定期发布食品安全信息，包括国家的食品安全情况，食品安全事故处理情况等。食品安全信息的发布渠道既有网上发布，也有常规的媒体新闻早餐会，同时也可以接受公众的电话咨询。

（七）食品风险预警

西班牙食品风险预警机制包括三种预警情况：需要快速行动，采取下架、召回等措施的情况；需要及时通报信息的情况；针对欧盟之外国家需要采取措施的情况等。西班牙食品风险预警网络系统同时向其他欧盟国家开放。

（八）法律责任

西班牙对食品安全违法行为进行处罚遵循的原则是：有法律依据，与违法行为严重程度相适应。界定违法行为严重性的标准，一看故意程度，二看造成食品安全风险的大小。对于食品安全违法行为，一般处5000欧元的罚款，最高可以处600000欧元的罚款，但实践中很少能罚到这么高的数额。除罚款外，也可以对违法企业处最高五年的责令停业。对于严重的食品安全违法行为，还要采用公开曝光的方式予以公布（类似黑名单制度）。对于触犯刑法的食品安全犯罪行为，要依照刑法追究刑事责任。

二、葡萄牙食品安全法律制度的有关情况

（一）立法情况

葡萄牙农业比较发达，其农业和食品生产占国民生产总值的61%，食品出口占食品生产量的20%。葡萄牙在食品安全方面主要是执行欧盟的法律，但对本国的特色食品，如果欧盟法律没有涉及，葡萄牙也可以制定本国的法律进行管理，但该种食品只限在葡萄牙本国生产和销售。据介绍，葡萄牙正准备制定一部有关甜品（属该国的特色食品）的法律，对该种食品进行管理。

（二）监管体制

为了保证食品安全，葡萄牙实施从农田到餐桌的全程监管制度，对食品生产和流通的每一个环节都进行严格的监管。在葡萄牙，食品安全的监管分别由农业与海洋部、食品安全与经济局两个部门负责。具体的职责分工是：农业与海洋部下设兽医和食物司，负责除酒类以外的所有食品的监管，酒类的监管是由农业与海洋部下属的生产司负责。两个司虽然负责食品监管，但对相关的食品安全违法行为没有查处权，涉及食品安全方面的所有处罚，均由食品安全与经济局负责，该部门隶属葡萄牙经济部，其职责类似于食品警察，对从农田到餐桌的所有环节的违法行为进行查处。

（三）食品的进出口

葡萄牙对所有进口、出口的食品（包括动植物的饲料），全部实施检验检疫制度。由于欧盟成员国之间的食品是自由流通的，所以对在欧盟境内流通的食品不需要经过检验检疫，但对于从欧盟以外的国家进口的食品或出口到欧盟以外国家的食品，需要经过出入境检验检疫。从非欧盟国家进口到葡萄牙的食品必须符合欧

盟法律规定的食品安全标准,主管部门除了要在口岸对进口食品进行检验检疫外,还要委派官员到食品的出口国,对相关生产企业进行现场检查,以确定其具有保证所生产食品符合欧盟标准的能力。对于出口到欧盟以外国家的本国食品,主管部门也要实施管控。具体的管控措施,一是在日常管理中对生产出口食品的企业进行监督抽查,二是在口岸对出口食品进行检验,保证出口食品既符合进口国的要求,也符合欧盟的食品安全标准。

(四)食品安全委员会

葡萄牙于2014年成立了食品安全委员会。食品安全委员会主要由政府相关部门、生产商、消费者协会成员、食品运输商等组成,设主席、副主席各1名,由农业与海洋部副部长、食品安全与经济局所隶属的经济部的副部长分别担任,现任主席由农业与海洋部副部长Nuno Vieira de Brito先生担任。该委员会有自己的章程,规定一季度召开一次会议,在委员会主席、副主席提议下也可以召开临时会议。食品安全委员会是一个协调机构。成立该委员会的主要目的是为所有与食品安全有关的部门、食品企业、行业协会、消费者组织等搭建一个沟通的平台,通过分享交流信息、相互沟通,使有关各方能够增进理解与信任。同时,也可以让企业和其他相关方能够更好地了解食品安全方面的法律规定和主管部门采取的监管措施的出台背景和相关考虑,从而使企业在守法方面更加主动、自觉,这样就可以使法律规定和各项监管措施能够得到更好的执行。

欧盟食品安全管理的有关情况

2月10日上午,行政法室与来自欧盟健康与食品安全总司(DG SANTE)、兽医和食品安全办公室(FVO)以及欧盟驻华代表团的专家进行座谈,听取欧盟专家就欧盟有关食品安全管理情况的介绍。国家食药监总局部分同志参加了会议。现将有关情况简报如下:

一、关于农药管理

欧盟对农药(杀虫剂)的管理,分为两个层面进行。欧盟层面主要针对农药中允许使用的"活性成分"进行清单登记管理;成员国层面针对具体农药产品(制剂)作出细化规定并监督执行,例如某公司生产农药中含有"活性成分"的配方标准、液体或颗粒形态、使用过程中应当注意的气候或土壤条件等,都由成员国执法部门具体规定并登记管理。

欧盟1993年前登记允许使用的农药"活性成分"达到1000多种,为了进一步加强农药科学管理,根据91/414/EEC指令(1991年7月15日实施),欧盟1993年起启动了已登记农药的安全性再评估项目,直到2009年3月才基本完成。对于农药"活性成分"的安全性评估,欧盟奉行基于科学数据和独立风险评估的原则,并坚持对于致畸、致癌、生殖毒性、药效持久不易分解的农药成分一律摒弃的严格标准。经过再评估,仅有330种农药"活性成分"符合安全性要求并列入允许使用清单。之后又有一些新的农药“活性成分”经评估后获得登记,现在欧盟层面允许使用的农药“活性成分”约有460种。

由于91/414/EEC指令经历上百次修订后已变得极其繁杂,为了进一步规范农药管理,欧盟启动了“一揽子农药管理法规”制定修订工作,并于2009年年底相继完成。其中包括关于农药市场准入的1107/2009号法令、关于农药统计的1185/2009号法令等。1107/2009号法令于2011年12月14日开始实施,取代了现行关于农药市场准入的91/414/EEC指令。1107/2009号法令引入了比较评估和产品替代机制,即当存在更安全的替代品时,即便农药产品中含有的“活性成分”已被批准使用,其登记申请也可能会被驳回。目前,欧盟几乎全面淘汰剧毒、高毒农药,但有一种高毒农药(Ethoprophos,丙线磷)允许在特定条件下使用。

二、关于食品标准

欧盟的食品标准是采取“技术法规”的形式,通过立法程序制定和公布。一般是由健康与食品安全总司起草,并征求食品安全局(EFSA)、食品行业协会、消费者保护协会等各方面的意见,再经欧盟委员会、欧盟理事会同意提交到欧洲议会,最后以欧盟法令的形式公布和实施。为了保障欧盟市场的统一,成员国不得再制定有关食品的本国标准。欧盟不鼓励企业制定高于欧盟食品安全标准的企业标准,事实上也很少有企业宣称自己企业标准比欧盟食品安全标准更高、更安全,因为企业害怕承担误导消费者的法律责任。企业如果制定了高于欧盟食品安全标准的企业标准,该企业标准也并不具有强制效力,如果违反了自己企业标准但并不违反欧盟食品安全标准的,应承担食品安全法有关标签违法的法律责任。

欧盟食品标准中并未对“保质期”作出强制性规定,而是由企业根据食品性质等自行标注。容易腐败变质食品,过期不宜食用的标注为“保质期”(Expiration Date);其他食品企业经常标注为“最佳食用期”(Best Before Date)。

欧盟于20世纪90年代制定的食品安全标准中曾经在食品质量方面作出具体要求。如规定果酱成分含量不得低于35%,否则不得称之为“果酱”等。但是后来多数意见认为质量不属于食品安全问题,所以新制定的食品安全标准中不再含有质量方面的要求。

三、关于特殊医学用途配方食品

依据欧盟的定义,特殊医学用途食品是指具有特殊营养用途,经特殊加工或配置,用于病人的膳食管理并在医生监护下使用的食品(如鼻饲食品)。欧盟对于特殊医学用途食品(FSMP),有一套较为完善的管理体系。例如1999年正式颁布的《特殊医用食品指令》(1999/21/EC),在标准制定方面充分参考了食品科学委员会的意见,在标签标识方面直接采纳了国际食品法典委员会(CAC)的规定,要求产品必须标识营养成分、正确适用和贮藏方法,并要求注明不能肠外使用、不适宜于非目标人群等。2001年正式颁布的《可用于特殊营养目的食品中的营养物质名单》(2001/15/EC),对可用于特殊医学用途食品的营养物质来源作出了规定,包括化合物来源及使用量等。

在欧盟,特殊医学用途食品不需要获得上市前许可。生产经营者根据各成员国要求在上市前提交通报材料(大部分为标签)即可。但是,鉴于实践中出现有的企业将生产的保健食品标注为特殊医学用途食品以规避监管的问题,现在欧盟已制定新的609/2013号法令(特殊用途食品法令,将于2016年7月全面实施),将特殊医学用途食品和婴幼儿用食品、减肥食品作为特殊用途食品,加强对其标签标识等的监管,并在上市前通报程序中增加EFSA的技术审评要求。

四、关于保健食品的营养和功能声称

根据欧盟1924/2006号法令，在食品标签、广告或者任何商业促销活动中声称营养或者健康功能，必须事先经EFSA评估确认有科学依据。其中，营养声称（Nutrition Claim）是指所有表明或者暗示该食品拥有特别有益的营养成分的声称，如低热量、高钙、不含钠、富含维生素C等。健康声称（Health Claim）是指表明或者暗示某类食品或者食品中的某一成分与健康存在关联的声称，例如，某种食品或者成分有助于增强抵抗力、放松身心、减肥等。依据1924/2006号法令，任何营养或者健康功能声称不得虚假、模棱两可或者引人误解；不得让人产生对其他食品安全性和营养健康功能的怀疑；不得鼓励或纵容消费者过量消费某一种食品；不得表明或者暗示含有正常平衡膳食也无法提供的营养量；不得在消费者中制造恐慌。

目前EFSA已经确认了30种营养声称、260种健康声称，这些声称已经通过欧盟立法程序列入了允许声称的目录，并规定了相应的标准，明确了原料用量与声称的对应关系等。企业生产的食品作出目录中已经列入的声称，不需要再经EFSA评估。企业生产的食品所作营养或者健康声称没有列入目录的，仍需经EFSA评估。此外，降低疾病风险的声称以及与儿童健康和发育有关的声称在产品上市前必须逐个经过EFSA评估，并经欧盟委员会批准。任何食品不得声称治疗和预防疾病功能，否则应当按药品进行管理。

五、关于网络食品交易

欧盟对于食品交易的监管并不区分线上线下，对于网络食品交易第三方平台并没有规定特殊的法律责任。消费者在网上购买了不安全食品，需要向生产经营者追责，而不是向网络食品交易第三方平台追责。如果通过网络经营食品的生产经营者提供的是虚假的身份信息,则涉嫌刑事犯罪,应当承担刑事责任。

六、关于对小食品生产者的特殊规定

欧盟对小农场、小农户等小食品生产者在管理上有灵活规定,例如小农场、小农户不适用HACCP(危害分析与关键控制点体系,是规模以上企业必须适用的)监管要求,在食品卫生包装标准方面可以适当放松要求。但在事关食品安全的重要方面,如农药残留、兽药残留、致病性微生物的含量限值规定等,对所有的食品生产者均一视同仁,不能因为是小农场、小农户就降低了要求。

日本食品安全法律制度研讨会的有关情况

7月10日至11日，法工委行政法室与JICA（日本国际协力机构）在北京召开研讨会，邀请东京大学名誉教授唐木英明、日本消费者厅消费者安全课副课长石川一介绍日本食品安全法律制度的有关情况。全国人大教科文卫委、国务院法制办、国家食品药品监管总局、国家卫生计生委、国家质检总局、农业部等单位派员参加了会议。现将与会日本专家介绍的日本食品安全法律制度的有关情况简报如下：

一、日本食品安全法律体系

日本现已建立比较完善的食品安全法律体系，共有与食品安全相关的法律33部，其中2003年制定的《食品安全基本法》属于食品安全领域的基本法，确立了从农场到餐桌全过程监管、食品生产经营者是食品安全第一责任人等重要理念，规定了风险评估、风险管理、风险沟通等制度，并规定国家设立食品安全委员会，负责食品安全风险评估。另外一部在食品安全方面比较重要的法律是1947年制定的《食品卫生法》，该法对食品及食品添加剂、食品器具及容器包装、食品标识及广告、政府部门的监督检查、企业在生产经营过程中的卫生要求等进行了规范。《食品安全基本法》出台后，《食品卫生法》也在2003年进行了较大幅度的修改，引入了食用农产品农药残留标准制度，对超过农药残留标准的食用农产品禁止流通，并强化相关主体的责任和进口食品的监管等。此外，1953 年的《屠宰场法》、1957 年的《关于合理运营及振兴生活卫生相关营业的法律》、1962 年的《不当赠品类及不当标识防止法》、2002 年的《健康增进法》、2003 年的《关于牛的个体识别信息管理及传递的特别措施法》、2009 年的《关于米谷等交易信息的记录及产地信息传递的法律》、2013 年的《食品标识法》等，也属于食品安全领域的重要法律。

二、关于食品安全监管体制

日本的食品安全监管实际上是一种分段监管体制。农林水产省负责农畜产品的监管，厚生劳动省负责所有食品的监管和农畜产品进入流通过程后的监管。农畜产品从作为食品流通的那一刻起，就需要接受厚生劳动省的监管。食品在采集、制造、加工、烹饪、储藏等各个环节都必须严格遵守《食品卫生法》的有关规定。在执法方面，地方政府的保健所发挥着重要的作用，负责对食品生产经营企业进行日常的监管和处罚。

日本食品安全监管体制也力求实现政府部门间监管的无缝衔接。2009 年成立了消费者厅，负责解决农林水产省和厚生劳动省在食品安全监管方面的衔接、沟通等问题，并与两个省在执法方面开展合作。此外，该厅还负责组织开展食品安全监管部门与消费者协会、媒体等在食品安全信息方面的沟通。

三、关于风险管理

《食品安全基本法》明确规定了风险分析制度，这一制度有三个构成要素：风险评估、风险管理与风险沟通。

（一）风险评估。以往日本的食品安全风险评估与风险管理均由监管部门负责统一实施，在《食品安全基本法》设置了食品安全委员会以后，明确风险的评估与管理相分离，由食品安全委员会进行统一的风险评估。根据《食品安全基本法》，风险评估是指“对摄入食品中所含的危害因素会以什么样的概率、何种程度对健康产生不良影响进行科学评估”。风险评估依法由设置于内阁府、由7名委员组成的食品安全委员会实施。目前该委员会已经进行了500多次风险评估，完成评估的件数超过1600件。

（二）风险管理。根据《食品安全基本法》，风险管理是指“在与所有相关人员协商的基础上，研究降低风险的政策、措施在技术上的可行性与成本效益等，确定妥当的政策、措施，并加以实施、验证、调整”。风险管理由农林水产省、厚生劳动省等监管部门负责，主要是根据风险评估的结果，实施食品安全的风险分级管理，在考虑对公众健康的不良影响程度及范围、公众的关心程度等因素的基础上，制作对危害因素进行分类的“优先顺序表”，以此决定风险管理措施对象的优先顺序。

（三）风险沟通。根据《食品安全基本法》，风险沟通是指“参与风险评估与风险管理全过程的相关人员互相交流信息与意见”。风险沟通由消费者厅负责，该厅会对消费者高度关注的案件，及时选定合适的主题，进行风险沟通。从2012年至今，消费者厅以食品中的放射性物质（35次）、疯牛病（BSE）问题（4次）、健康食品与进口食品（6次）等为主题举办了多次风险沟通活动。

日本法律中没有明文规定风险监测制度，实践中这一制度作为风险管理的一部分，主要由农林水产省、厚生劳动省等监管部门负责实施，既有为开展风险管理而进行的风险监测，也有为开展风险评估而进行的风险监测。

四、关于企业责任

《食品安全基本法》明确企业是食品安全的第一责任人，规定“食品相关企业应当遵循基本理念，在从事其企业活动时，认识到自身负有确保食品安全的第一责任,在确保食品安全上有义务在食品供应过程的各个阶段采取必要措施。"《食品卫生法》规定食品企业"出于自身责任,必须努力掌握确保销售食品安全方面的知识和技术,努力确保销售食品的原材料安全,对销售食品等努力开展自主检查并采取其他必要措施。"企业的具体责任包括:一是取得营业许可。饮食店以及其他对公共卫生有显著影响的营业者应当依法向都道府县知事申请并获得营业许可。营业者在获得营业许可前要由保健所进行现场检查,合格的才予颁发营业许可。同时保健所会在营业者营业后的一年之内,不定期地对其进行现场检查,以确保其处于合法经营状态。二是设置专门的食品卫生管理员。营业者在生产加工乳制品,以及其他由政令规定的特别需要在生产加工过程中考虑卫生问题的食品、食品添加剂时,必须设置专门的食品卫生管理员,对生产加工活动进行卫生管理。三是依法承担法律责任。企业应承担的食品安全法律责任包括民事赔偿、行政处罚和刑事处罚。在民事责任方面允许提出精神损害赔偿,但没有惩罚性赔偿制度。行政处罚方面关于罚款的规定比较少(《食品卫生法》仅在第七十九条针对财务报表等不完备的行为规定了罚款),较多使用责令召回、停止营业的处罚。刑事责任方面主要对食品安全犯罪行为适用有期徒刑和罚金的处罚。

日本没有规定食品安全强制责任保险,食品企业可以选择商业保险自愿投保。

五、关于可追溯制度

目前日本已制定相关法律,确保"牛(牛肉)"、"大米(含大米制品)"在生产、加工及流通过程中的可追溯。由于发现了疯牛病,日本在2003年制定了《关于牛的个体识别信息管理及传递的特别措施法》,全面建立了牛(牛肉)的可追溯制度。通过附在牛身上的个体识别编码,就可以轻松追溯该牛的饲养履历,以及从屠宰直至零售分装为止的所有信息，但是实际上几乎没有消费者使用这一信息查询追溯系统。2009 年的《关于米谷等交易信息的记录及产地信息传递的法律》颁布以后，从法律上回应了加强大米流通可追溯的呼声，但实际上也是几乎没有消费者使用这一信息查询追溯系统。

六、关于社会共治

《食品安全基本法》规定了消费者在食品安全方面的作用，即“消费者努力增长与确保食品安全有关的知识并加深理解，同时对确保食品安全的措施发表意见，以此为确保食品安全作出积极贡献”。该法还规定在制定确保食品安全措施时，应反映国民（含消费者、社会团体）的意见等。对新闻媒体在报道食品安全方面，没有特别的管制性规定，但如果媒体报道虚假新闻，侵害食品企业合法权益的，应当依法承担民事和刑事责任。食品行业协会的主要作用是汇总生产者和流通加工企业等的意见，举办面向企业的讲座等开展食品安全方面的宣传教育活动，参与消费者厅组织的风险沟通等，实现信息共享。

在做好面向社会的宣传交流方面，日本还通过消费者厅对一些志愿从事食品安全宣传的兼职交流员进行免费培训，使这些人可以在工作和生活中，向社会公众进行食品安全知识和信息的宣传。日本在食品安全方面没有有奖举报制度，但是 2004 年制定了《公益通报者保护法》，又称为《内部告发者保护法》，旨在创造良好的社会氛围，鼓励有良知的公民特别是企业内部人员告发食品安全违法行为。例如，2007 年北海道的肉食品加工厂把猪肉冒充成牛肉加工，有内部员工进行了告发，并被朝日新闻曝光，直接导致该企业破产，其法定代表人也被追究了刑事责任。

七、关于特殊食品

日本对于婴幼儿配方食品并没有作出特别的法律规定，但考虑到婴幼儿(不满周岁)的安全,将婴幼儿食品中放射性物质的标准值设定为50Bq/kg,比普通食品(100Bq/kg)低了一倍。日本对于以委托、贴牌、分装等方式生产婴幼儿配方乳粉没有禁止性规定。根据日本的法律,委托生产的食品对消费者造成损害的,被委托的企业作为实际制造者,要与委托其生产的公司一起承担连带责任。

在日本,作为特殊食品管理的主要是特定保健用食品、营养功能食品、特殊用途食品等。特定保健用食品是指"食品中含有调节人体生理机能的成分,并获得《健康增进法》第26条第1款的许可、带有有望达到特定保健目的标识的食品。"营养功能食品是指"以摄入特定营养成分为目的而摄入的、可以标注营养成分功能的食品"。特殊用途食品是指可标注特殊用途标识的食品,如适用于患者、孕产妇、哺乳期妇女或吞咽困难人群等。生产这三种特殊食品都需要经过监管部门的审批,只不过程序繁简程度不同,其中特定保健用食品的审批最为严格,不仅要审查其是否含有某类成分,还要审查该成分是否具有达到特定保健目的的功能。

关于转基因食品,迄今为止,日本已经根据《食品安全基本法》对8种转基因农作物的约300个品种进行了食品健康影响评估。这些转基因食品,无论是生鲜品还是加工品,只要转基因成分在5%以上,均必须标注转基因食品的标识。由于顾及消费者对转基因食品的担心,到目前为止,日本没有任何企业出于商业目的在国内栽培转基因农产品。

八、关于进出口食品

2011年,日本的进口食品申报件数已经超过了210万件,进口食品重量达到3300万吨。厚生劳动省每年制定进口食品监督指导计划,对进口食品进行检验,通常抽取约相当于进口申报件数的10%实施检验。从检验的情况看,进口食品不合格率大约只有

0.005%，可以说是相当低的。之所以能够把不合格率控制得这么低，主要有以下三个原因：第一，得益于在出口国着力宣传日本对进口产品的相关管理规则；第二，得益于开展双边协商和技术合作，并到出口国进行实地检查；第三，得益于对国内的进口企业进行技术规则方面的指导。除了日常的对进口食品的检验之外，如果了解到国外发生食品安全事件，监管部门会立即向进口企业下达命令要求对相关进口食品进行检验，还会提高对风险较高的一些出口国的食品检验频率。

对于出口食品，日本要求必须符合日本和出口国双方的食品安全标准。但是，日本对于出口食品只进行文件审查，不进行食品检验。

九、关于事故应急

《食品安全基本法》立足于迅速处理食品安全紧急事态的原则，规定建立和完善针对大规模食品安全事故等紧急事态的预防和应急处理机制。《食品卫生法》在2013年修订后，针对大规模或大范围的食物中毒事件，规定当需要采取紧急措施以防止食品卫生上的危害发生时，厚生劳动大臣可以要求都道府县知事查明食物中毒的原因。当危及公众健康的事件发生时，应遵循企业是食品安全第一责任人的原则，由地方政府保健所对相关食品生产经营企业进行现场检查，以查明事故原因。企业在自觉暂停营业的同时，应积极召回流入市场的相关食品。监管部门应向公众提供被召回食品的信息，并劝导人们谨慎食用。依照《食品安全基本法》的规定，发生食品安全紧急事态时，内阁府特命主管大臣（也就是消费者厅厅长）应当召集消费者安全信息总括官会议，成员为负责食品安全行政事务的中央政府相关部门，具体组成包括消费者厅、食品安全委员会、厚生劳动省、农林水产省和环境省的局级领导，由消费者厅副厅长担任总括官会议主席。消费者安全信息总括官会议的职能是把分散在各部门的信息汇总在一起,并基于这些信息立即作出采取何种措施的判断。在总括官会议召开之后,会召开一个由相关部门负责人参加的新闻发布会,共同对外发布与食品安全事故有关的信息。

日本食品安全法律制度的有关情况

2015 年 1 月 4 日至 14 日,行政法室部分同志赴日本调研交流,考察学习该国食品安全法律制度。调研交流团先后赴日本消费者厅、食品安全委员会、农林水产省、厚生劳动省等部门以及农林水产消费安全技术中心(独立行政法人)、东京都港区保健所学习交流,听取介绍,询问情况,并实地考察了两家食品生产企业,切身感受日本食品企业生产经营状况和法律制度实施情况。现将主要情况简报如下。

一、关于食品安全法律体系

日本的食品安全法律体系包括国家法律和地方法规。国家法律主要有:一是食品安全基本法。该法是日本食品安全方面的基本法律,主要规定了食品安全法律制度的基本理念如"以确保国民的健康为重中之重",基本制度如风险评估、信息共享等,食品安全委员会的职责、组成和运作方式等。该法内容比较原则。二是食品卫生法。该法是食品生产经营者从事生产经营活动和监管部门从事监管活动的主要法律依据,对食品和添加剂、器具和容器包装、标识和广告、检验机构、监督检查和法律责任等方面做了详细规定。三是有关食品标识方面的法律,主要包括:限制并禁止导致一般消费者产生误解的标识的不当赠品类及不当标识防止法(赠品标识法),对农林物资原材料及原产地标识等作出规定的农林物资规格化和质量标识标准（JAS）法，对营养成分标识作出规定的健康促进法等。2013 年，日本制定了统一的食品标识法，计划从 2015 年起实施。四是有关追溯制度方面的法律，主要包括：有关大米交易等的相关信息记录及产地信息传达的法律（大米追溯法），有关牛个体识别的信息管理及传达的特别措施法。五是有关食用农产品和食品原料安全方面的法律，主要包括：农药取缔法、肥料取缔法、家畜传染病预防法、有关确保饲料安全性及改善质量的法律、屠宰场法、有关防治农用地土壤污染等的法律、有关食用禽处理经营的限制及食用禽检验的法律、牛海绵状脑病对策特别措施法等。

都道府县等地方根据食品安全基本法和食品卫生法的授权，或者根据本地实际，在不同国家法律相抵触的情况下，可以制定相应条例，在辖区内实施。

二、关于食品安全监管体制

日本的食品安全监管体制分为中央和地方两级。中央制定关于国家及都道府县等实施食品卫生监督或指导的方针，主要负责风险分析、政策和标准制定以及监督管理和执法指导等事项。承担食品安全监管职责的部门主要包括食品安全委员会、消费者厅、厚生劳动省和农林水产省。

食品安全委员会是食品安全风险评估机构，根据食品安全基本法的规定，进行风险评估（食品健康影响评估），主要包括风险来源的确定、特定物质每日允许摄入量的设定和对风险管理措施的评估等内容。食品安全委员会由 7 名委员构成，下设 12 个专门调查会，实有专门委员 218 名，并设事务局管理日常事务。

消费者厅的职责主要包括：根据新制定的食品标识法，负责与食品安全相关的食品标识监管和指导；承担风险交流的事务性协调工作；指挥协调紧急应对食品安全事件；对有功能声称的食品进行注册审批；对消费者因消费食品受到损害的投诉进行处理等。

厚生劳动省根据食品卫生法等法律，从公共卫生的角度对食品安全进行监管，其职责主要包括：针对政策要点制定法令和措施；制定相关食品标准并监督实施；对食品流通环节进行监督指导；对食品进出口进行监督指导等。厚生劳动省设7处地方厚生局，负责检验机构的注册、关键点控制设施的审批和检查等；设32处检疫所，具体负责进出口食品的监督管理。

农林水产省对食用农产品从农业生产、仓库贮存直至商场销售前的环节进行监督指导，其职责主要包括：制定从事农业生产场所的土壤和水、农药和肥料使用、动物用医药品使用等标准和指标并监督实施；对食用农产品安全实施风险管理，对有害物质实际含有情况进行调查和管理；对大米、牛等实施追溯管理等。

对食品安全进行监管的具体事务由地方政府负责，制定并实施年度都道府县等的监督指导实施计划。日本在全国设有499处保健所，主要负责营业许可、现场检查和监督指导、抽样检验、检查命令、食物中毒等的调查、接受投诉和咨询、食品卫生知识的普及和教育等工作。

三、关于食品安全风险分析

日本食品安全基本法将单纯注重最终产品检验的传统监管模式转变为从农场到餐桌的全程监管模式，建立了风险分析制度。风险分析是当国民或者某个集体有可能遭到危害时，在可能的范围内对事故防患于未然，将风险控制在最小限度，以保护国民健康为目的的程序，包括风险管理、风险评估和风险交流三部分。风险管理是指研究制定降低风险的政策和措施，并加以实施；风险评估是指对食品中的有害物质会以多大的概率对健康产生多大程度的不良影响进行科学评估；风险交流是指在监管部门、消费者和食品生产经营者等相关方面之间就风险进行信息和意见交换。

日本风险分析的主要做法是：厚生劳动省、农林水产省和消费者厅等风险管理部门在从事食品安全监管过程中发现可能影响食品安全的因素,或者制定标准和有关确保食品安全的措施时,应当提请食品安全委员会进行风险评估。食品安全委员会通过评估,对风险的有无和程度进行确定,设定特定物质每日允许摄入量,对风险管理措施的实施效果进行评估,并将评估结果通报风险管理部门。风险管理部门根据评估结果制定标准和具体监管措施并监督实施。在整个风险分析的过程中,在监管部门、消费者和食品生产经营者等相关方面之间就风险进行信息和意见交换,使各利益相关方及时了解风险信息,理解监管措施。有关食品安全的信息由各部门进行公布,消费者厅也会就有些对公众影响较大的风险评估、风险管理信息如疯牛病信息等进行统一发布,以利于消费者知情。为了保证风险评估机构的公正中立,确保风险评估的科学性,风险评估机构即食品安全委员会和风险管理部门在功能上相互独立,但二者又相互协作,共同完成风险分析过程,从源头上消除食品安全风险。

四、关于食品标准

日本没有统一的标准制定部门,而是由各监管部门和地方根据各自监管职责制定相应的标准。厚生劳动省制定以销售为目的的食品或添加剂的生产、加工、使用、烹调或保存的方法的相关标准,制定以销售为目的的食品或添加剂的成分规格;制定以销售为目的或经营中使用的器具、容器或其原材料的规格及其制造方法的标准;制定食品中农药、兽药等特定物质残留量的标准。农林水产省制定农药、化肥等农业投入品使用标准和动物用医药品使用标准。环境省制定农田土壤环境污染物标准。都道府县等可就营业设施内外的保洁、鼠类及昆虫等的驱除以及公共卫生上应采取的措施制定标准,可对餐饮店等营业设施制定卫生标准。

日本法律只规定食品安全标准,没有规定食品质量标准。日本制定的安全标准是通用标准,并不针对食品、添加剂等的具体品种制定标准。日本法律没有要求企业必须制定企业标准,企业标准不需向监管部门备案,也不要求公开。

五、关于食品标识

目前,日本规范食品标识的法律主要有食品卫生法、赠品标识法、JAS 法和健康促进法。为了建立统一的食品标识制度,于 2013 年制定了食品标识法,计划从 2015 年起实施。根据食品标识法,食品应当标明名称、过敏原、保存方法、保质期、原材料、添加剂、营养成分的量和热量、原产地以及其他食品相关经营者等事项。对原材料的标识应当按照在原材料中占比多少的顺序标出全部原材料。对进口食品只需标注出口国和进口商即可。

日本对转基因食品的标识有特别规定。对大豆、玉米、马铃薯、菜籽、棉籽、紫苜蓿、甜菜、木瓜 8 种转基因农产品,必须进行转基因标识。对实行分别生产流通管理的非转基因农产品,可以标明非转基因,也可不标;对实行分别生产流通管理的转基因农产品,必须标明转基因;对没有区分转基因和非转基因的农产品,必须标明不区别转基因。对以转基因农产品为原料的加工食品(33 个食品群),若转基因农产品是使用最多的 3 种原料之一且使用量超过 5%,必须标注转基因。对以转基因农产品为原料但因加工使 DNA 已经破坏的食品如大豆油等不标注转基因。对转基因食品进行标注,只标明属转基因食品,不标注转基因成分。

六、关于食品追溯

日本只对大米及其加工品、牛和牛肉强制实行追溯制度,对其他食品没有强制要求,但生产经营者一般都会参照相关法律,建立追溯制度。

根据大米追溯法的规定,生产经营者在进行大米及其加工品交易时,应当制作交易记录,并保存3年。交易记录应当记录商品名称、产地、数量、年月日、交易对象名称、搬出搬入场所等事项。其中,产地记录为“国产”、“某某国产”、“某某县产”等,按照在原材料中占比多少的顺序进行记录,如果产地超过3个国家的,可以仅记录前面的2个国家,其他产地记为“其他”。交易记录可以是纸质的,也可以是信息化的电子媒体。通过建立交易记录制度,向交易对象及消费者传达产地信息,保存交易情况,在发生问题时能迅速掌握流通渠道,实现交易的可追溯。

根据有关牛个体识别的信息管理及传达的特别措施法,为了确保牛肉的安全,有效防止疯牛病的蔓延,在通过个体识别号码对牛进行一元化管理的同时,建立起在生产和流通各个阶段正确传达该个体识别号码的牛个体识别信息传达制度,即牛追溯制度。在牛出生或者进口牛时,养殖户或者进口商应当向家畜改良中心(独立行政法人)进行出生申报或者进口牛申报,通过申报确定个体识别号码,在牛的双耳上佩带印有个体识别号码的耳标,禁止取下。转让牛、接受牛或者牛死亡、出口、屠宰等都要进行申报。屠宰者、牛肉销售者和特定菜肴提供者应当在特定牛肉或者容器上标示传达个体识别号码,制作并保存销售记录。消费者通过个体识别号码,可以追溯牛和牛肉的生产流通全过程。

七、关于食品召回

日本的食品召回分为自主召回和命令召回两种。自主召回是指食品生产经营者发现自己生产经营的食品违反了食品卫生法的规定,有可能带来健康上的不良影响,凭借自己的判断主动召回食品。命令召回是指食品生产经营者生产经营的食品违反了食品卫生法的规定,可能带来健康上的不良影响,但其不主动召回,由监管部门和地方政府命令其召回。

根据日本食品卫生法的规定,食品、添加剂、器具或者容器包装存在下列情形的，厚生劳动省或者都道府县政府可以命令召回：一是食品或添加剂腐败、变质或者未成熟的；含有或附着有毒有害物质，或有此类嫌疑的；被病原微生物污染，或者有此嫌疑可能损害人体健康的；因不干净、混入或者添加了异物及其他事由可能损害人体健康的。二是患有法律规定的疾病或者有此嫌疑，存在法律规定异常或者猝死的野兽及家畜的肉、骨头、乳汁、内脏及血液。三是添加剂有损人体健康或者制剂和食品含有有损人体健康的添加剂的。四是不按照标准规定的方法生产、加工、使用、烹调或保存的食品或添加剂；特定物质残留量超过标准的食品。五是含有或者附着有毒或有害物质、可能损害人体健康的器具或容器包装，或者接触食品或添加剂后对其产生有害影响从而可能损害人体健康的器具或容器包装，或者不符合标准规定规格的器具或容器包装。六是食品、添加剂、器具或者容器包装进行可能危害公共卫生的虚假或夸大性标识或广告的。进口的食品、添加剂、器具或者容器包装存在前述情形的，可以命令召回。

八、关于食品进出口

日本是食品进口大国，提供热量 60% 的食品来自进口。以 2013 年度为例，全年食品进口申报件数 219 万件，其中 70 万件来自中国，进口食品重量 3098 万吨，其中食用农产品及其加工食品占 70% 以上，小麦、玉米和大豆 90% 以上依靠进口。

日本食品进出口由厚生劳动省进行监管和指导，具体业务由其设立的检疫所负责。厚生劳动省每年度制定和公布关于下一年度食品、添加剂、器具及容器包装进口的国家监督指导实施计划，该计划具体规定下列事项：根据产地的情况及其他情况应重点实施监督指导的项目的相关事项，关于进口企业实施自主卫生管理的指导事项，其他实施监督指导的必要事项。厚生劳动省通过各国驻东京大使馆，介绍日本的法律制度，与进口国进行双边磋商，派遣主管官员进行实地调查和举办说明会,为在出口国的检查提供技术上的协助。要求出口国政府加强管理,使其出口的食品符合日本规定的生产、制造、加工要求,对出口食品发放证书,在出口前进行检验等。

进口商用于销售或者经营使用目的进口食品、添加剂、器具或容器包装,每次都需向厚生劳动省申报。检疫所就所有申报是否符合食品卫生法的规格标准进行审查,必要时,根据违规可能性大小指导实施检查,包括抽检、指导自检等。2013 年,对进口申报的 219 万件中的 20 万件进行了抽检,抽检率约为 9% 。

日本出口的食品主要为加工食品。日本对出口食品不作检验,除与进口国签订的协议要求其出具合格证明的,才在抽检后出具证明文件。

九、日清制粉公司——日本食品生产企业的缩影

日清制粉公司是日本一家有上百年历史的面粉生产企业,在原料买入、生产过程等环节都有比较严格的安全控制措施。

在面粉原料方面的安全控制:公司制粉原料小麦主要依靠进口。在日本,制粉需要小麦 600 万吨,除自产 80 万吨外,主要从美国、加拿大、澳大利亚进口。小麦进口作为国家贸易进行管理,由国家进行检验确保安全后进口再出售给企业。国家进口小麦时,在出口国的口岸抽样,由日本进行检验,企业买入小麦后也要进行自检。通过两次检验确保原料安全。

在面粉生产过程的安全控制:日本在面粉方面的国家标准只有农药残留标准,但面粉公司制定有企业的生产标准,按照企业标准进行生产以确保面粉安全。公司的各生产工厂都配备有质量保障员,具体负责产品质量。公司对生产的面粉进行自检,自检不合格的,不能出厂。公司建立了追溯制度,建立电子账簿,从原料进口到产品出厂及各销售环节都有记录。如用本公司的面粉生产的

产品出现问题,在一小时之内就能查出面粉的生产时间、生产工厂、小麦的产地、进口时间等。

十、阿克力食品公司农药混入事件的可借鉴之处

2013 年,阿克力食品公司群马工厂因人为投毒发生混入农药事件。事件发生后,公司三次召开记者会,发布相关信息,召回相关产品,主动停产整顿,并委托第三方验证委员会就公司存在的问题进行验证和评估并提出建议。该事件导致工厂停产 8 个月,直接经济损失 58 亿日元。到 2014 年 8 月,工厂投入近 10 亿日元进行整改后复工,至今仍有多条生产线未恢复生产。该事件的应对处理有些方面值得借鉴。

一是食品生产经营者应当牢固树立食品安全意识。第三方验证委员会的报告指出,由于企业食品安全意识薄弱,缺乏对消费者的责任感,导致对事态严重性认识不足,公布信息和决定召回食品延误,初期应对不力。公司在整改过程中,首先就是提高食品安全意识,加强与员工的交流沟通,从企业文化方面强化食品安全意识。

二是食品生产经营者应当筑牢食品安全防范体系。在整改过程中,在硬件方面,公司采取措施改善作业环境,构筑食品安全防范网,比如在工厂内外设置安全安心摄像机,由事发前的 5 台增加到 169 台;在厂区和办公楼使用 IC 卡进出管理系统;引入使用 IC 标牌限制进出生产区域的系统,对进出生产楼、各岗位之间移动、进出药剂库等特定设施加以限制;引入 IC 卡式钥匙柜进行钥匙管理;等等。在软件方面,在公司设立风险管理统括部,在工厂质量管理科设立食品安防小组,加强食品安全保障力量;制定食品安全标准和风险评估标准;建立一系列保证食品安全的规章制度。

三是食品生产经营者应当提高危机应对能力。第三方验证委员会的报告指出,工厂实施危机管理的能力有待加强,并建议工厂

制定发生事故和事件时的危机管理规则和行动准则，定期实施演练。

四是监管部门应当完善监管方式，指导和处罚并重。事件发生后，保健所和群马县政府食品安全局来工厂进行了现场勘查和指导，但没有进行处罚。工厂提交整改报告申请重新生产后，保健所又对工厂的生产线、厂房、设备等是否符合食品安全要求进行检查指导，帮助工厂恢复生产。

图书在版编目(CIP)数据

中华人民共和国食品安全法释义／全国人大常委会法制工作委员会编. -- 北京:法律出版社，2015.6(2018.11 重印)
(中华人民共和国法律释义)
ISBN 978－7－5118－7996－7

Ⅰ.①中… Ⅱ.①全… Ⅲ.①食品卫生法－法律解释－中国 Ⅳ.①D922.165

中国版本图书馆 CIP 数据核字(2015)第 105369 号

中华人民共和国食品安全法释义
ZHONGHUA RENMIN GONGHEGUO SHIPIN ANQUANFA SHIYI

全国人大常委会法制工作委员会 编

责任编辑 麦 锐
装帧设计 李 瞻

编辑统筹 法规出版分社
出版 法律出版社
总发行 中国法律图书有限公司
经销 新华书店
印刷 北京玺诚印务有限公司
责任印制 吕亚莉
开本 850 毫米×1168 毫米 1/32
印张 18
字数 445 千
版本 2015 年 5 月第 1 版
印次 2018 年 11 月第 5 次印刷

法律出版社／北京市丰台区莲花池西里 7 号(100073)
网址／www.lawpress.com.cn
投稿邮箱／info@lawpress.com.cn
举报维权邮箱／jbwq@lawpress.com.cn
销售热线／010－83938336
咨询电话／010－63939796

中国法律图书有限公司／北京市丰台区莲花池西里 7 号(100073)
全国各地中法图分、子公司销售电话:
统一销售客服／400－660－6393
第一法律书店／010－83938334/8335 西安分公司／029－85330678 重庆分公司／023－67453036
上海分公司／021－62071639/1636 深圳分公司／0755－83072995

书号: ISBN 978－7－5118－7996－7 **定价:** 66.00 元
(如有缺页或倒装,中国法律图书有限公司负责退换)